徹底攻略

令和**7**年度
2025年度

応用情報技術者

技術者

教科書

著　株式会社
わくわくスタディワールド
瀬戸美月

インプレス

インプレス情報処理シリーズ購入者限定特典!!

●電子版の無料ダウンロード

本書の全文の電子版（PDFファイル，令和6年度春期試験の解説を収録，印刷不可）を下記URLの特典ページでダウンロードできます。

加えて、本書に掲載していない過去問題解説もダウンロードできます。

▼本書でダウンロード提供している過去問題解説
- ・平成25年度～31年度の春期試験，令和元年度の秋期試験、令和3～5年度の春期試験（令和元年度秋期試験は令和3年度版の書籍に収録，他はそれぞれ翌年度版の書籍に収録した過去問題＆解説）
- ・平成26年度～30年度の秋期試験，令和2年度10月試験，令和3～6年度の秋期試験（著者解説生原稿をPDF化）※

※令和元年度以外の秋期試験，10月試験については，解説のみの提供になります。試験問題はIPAサイトにてご入手ください。

※令和6年度秋期試験の解説PDFのダウンロード提供は【2025年1月頃】を予定しています。その時期に改めて下記ダウンロードURLをご確認ください（IPAの動向により，提供開始時期は変わりえます）。

●スマホで学べる単語帳アプリ「でる語句200」について

出題頻度の高い200の語句をいつでもどこでも暗記できるウェブアプリ「でる語句200」を無料でご利用いただけます。

特典は、以下のURLで提供しています。
URL：https://book.impress.co.jp/books/1124101057

- -

※特典のご利用には、無料の読者会員システム「CLUB Impress」への登録が必要となります。
※本特典のご利用は、書籍をご購入いただいた方に限ります。
※特典の提供予定期間は、いずれも本書発売より1年間です。

インプレスの書籍ホームページ

書籍の新刊や正誤表など最新情報を随時更新しております。

https://book.impress.co.jp/

はじめに

「情報処理の勉強をしてはじめて，データベースの設計に"正規化"って手法があるんだって知ったよ」と，ある受験生に言われたことがあります。「システム開発のモデル，学生のときに勉強したからイメージがわかなかったけど，就職してからはよく使うので役立っているよ」と言う人もいました。情報処理技術者試験の勉強はIT全般にわたるので，いろいろなIT関連の仕事に役立ちます。また，実務だけをやっていると現状の手法に疑いをもたなくなりがちですが，勉強の過程で多様な手法があることを知ることで，仕事の幅を広げることができます。

応用情報技術者試験は，情報処理技術者試験センターのホームページにあるとおり，「**ワンランク上のITエンジニア**」のための試験です。対象者像には，「ITを活用したサービス，製品，システム及びソフトウェアを作る人材に必要な応用的知識・技能をもち，高度IT人材としての方向性を確立した者」とあり，基本的なスキルを身につけた後で，高度なIT人材となる人が，試験の主な対象者です。ある程度，将来の方向性も見据えて，自分の専門分野について深く学び始めている人が想定されています。そのため，応用情報技術者試験は午前試験と午後試験に分かれていますが，午前試験ではIT全般に関する知識を中心とした内容，午後試験では自分で選択した専門分野に関する少し深い内容が問われます。応用情報技術者試験を受験する場合には，これらの両方に対応することが大切です。

本書は，**わく☆すたAI（人工知能）が応用情報技術者試験で出題された全問題から出題傾向を徹底分析**し，応用情報技術者試験の合格に必要な知識を掲載したものです。情報の新しさ，出題傾向に合わせての更新にもこだわり，演習問題はすべて平成21年度以降の現行の試験制度のものを使用しております。また，**シラバス改訂にも完全対応**し，最新のセキュリティ技術やAI技術などにも対応しています。さらに，**YouTube動画による解説**も用意していますので，あわせてご活用ください。

学習するときには，ポイントを暗記するだけより，周辺知識も合わせて勉強する方が記憶に残りやすく実力も付いていきます。すべてを暗記しようと頑張らなくてもいいので，気楽に読み進めていきましょう。辞書として使っていただくのも歓迎です。本書をお供にしながら，応用情報技術者試験の合格に向かって進んでいってください。

最後に，本書の発刊にあたり，企画・編集など本書の完成までに様々な分野で多大なるご尽力をいただきましたインプレスの皆様，ソキウス・ジャパンの皆様に感謝いたします。また，わくわくスタディワールドの齋藤健一様をはじめ，一緒に仕事をしてくださった皆様，「わく☆すたセミナー」や企業研修での受講生の皆様のおかげで，本書を完成させることができました。皆様，本当に，ありがとうございました。

令和6年9月

わくわくスタディワールド　瀬戸　美月

本書の構成

本書は，解説を読みながら問題を解くことで，知識が定着するように構成されています。側注には，理解を助けるヒントを豊富に盛り込んでいますので，ぜひ活用してください。

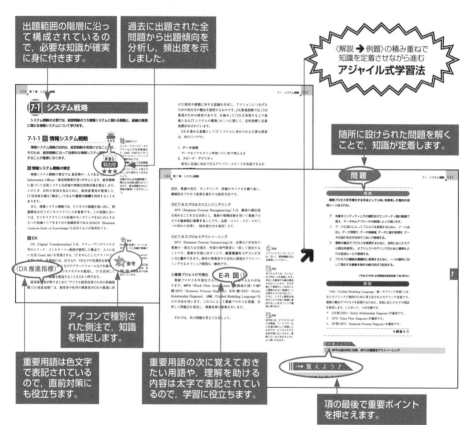

出題範囲の階層に沿って構成されているので，必要な知識が確実に身に付きます。

過去に出題された全問題から出題傾向を分析し，頻出度を示しました。

〈解説 ➡ 例題〉の積み重ねで知識を定着させながら進む
アジャイル式学習法

随所に設けられた問題を解くことで，知識が定着します。

アイコンで種別された側注で，知識を補足します。

重要用語は色文字で表記されているので，直前対策にも役立ちます。

重要用語の次に覚えておきたい用語や，理解を助ける内容は太字で表記されているので，学習に役立ちます。

項の最後で重要ポイントを押さえます。

本書で使用している側注のマーク

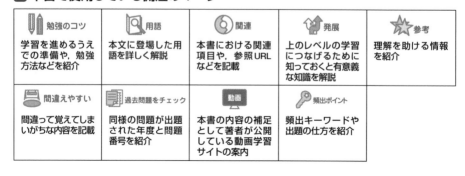

勉強のコツ	用語	関連	発展	参考
学習を進めるうえでの準備や，勉強方法などを紹介	本文に登場した用語を詳しく解説	本書における関連項目や，参照URLなどを記載	上のレベルの学習につなげるために知っておくと有意義な知識を解説	理解を助ける情報を紹介
間違えやすい	過去問題をチェック	動画	頻出ポイント	
間違って覚えてしまいがちな内容を記載	同様の問題が出題された年度と問題番号を紹介	本書の内容の補足として著者が公開している動画学習サイトの案内	頻出キーワードや出題の仕方を紹介	

本書の使い方

　本書では，わく☆すたAIがこれまでに出題された問題を分析し，試験によく出てくる分野を中心にまとめています。ですから，すべて読んで頭に入れていただければ，試験に合格するための知識は十分に身につきます。本書を活用して，効果的に学習を進めましょう。

■ 随所に設けた問題で理解を深める

　随所に設けた演習問題を考えながら読み進めていただくと，知識の定着につながり，効率的に学習できます。なるべく1問1問考えながら学習を進めてみてください。

■ 辞書としての活用もOK

　文章を読むのが苦手な方，参考書を読み続けるのがつらいという方は，無理に最初からすべて読む必要はありません。過去問題などで問題演習を行いながら，辞書として必要な用語を調べるといった用途に使っていただいてもかまいません。新しい用語も数多く取り入れていますので，用語を調べつつ周辺の知識も身に付ければ，効率の良い勉強につながります。

■ 過去問題で実力をチェック

　巻末の付録やダウンロード特典のPDFとして，数多くの過去問題の解答・解説を掲載しました。学習してきたことの力試しに，問題の解き方の演習に，ぜひお役立てください。本書には，この1冊で十分な学習量となるよう，必要なものをたくさん詰め込みました。これだけマスターすれば確実に合格できますので，一歩一歩，学習を進めていきましょう。

■「試験直前対策　項目別要点チェック」を最終チェックなどに活用

　P.7〜12の「試験直前対策　項目別要点チェック」は，各項末尾の「覚えよう！」を一覧化してまとめたものです。重要な用語は色文字にしてあります。試験直前のチェックや弱点の特定・克服などにお役立てください。

◉ 本書のフォローアップ

　本書の訂正情報につきましては，インプレスのサイトをご参照ください。内容に関する
ご質問は，「お問い合わせフォーム」よりお問い合わせください。

●お問い合わせと訂正ページ

https://book.impress.co.jp/books/1124101057

上記のページで「お問い合わせフォーム」ボタンをクリックしますとフォーム画面に進みます。

● 試験直前対策　項目別要点チェック

　第1〜9章の各項目の末尾に確認事項として掲載している「覚えよう！」をここに一覧表示しました。試験直前の対策に，また，弱点のチェックにお使いください。「覚えよう！」の掲載ページも併記していますので，理解に不安が残る項目は，本文に戻り，確実に押さえておきましょう。

第1章　基礎理論

1-1-1　離散数学

1-1-2　応用数学

1-1-3　情報に関する理論

1-1-4　通信に関する理論

1-1-5　計測・制御に関する理論

1-2-1　データ構造

1-2-2　アルゴリズム

1-2-3　プログラミング

1-2-4　プログラム言語

1-2-5　その他の言語

第2章　コンピュータシステム

2-1-1　プロセッサ

2-1-2　メモリ

2-1-3　バス

CONTENTS

目次

第1章　基礎理論　　　　　　　　　　　　　　【テクノロジ系】

出題頻度

第2章　コンピュータシステム 【テクノロジ系】

第3章　技術要素　　　　　　　　　　　　【テクノロジ系】

出題頻度

第4章 開発技術 【テクノロジ系】

出題頻度

第5章 プロジェクトマネジメント 【マネジメント系】

出題頻度

第6章　サービスマネジメント 【マネジメント系】

第7章　システム戦略 【ストラテジ系】

第8章 経営戦略 【ストラテジ系】

第9章 企業と法務 【ストラテジ系】

付録　令和6年度春期　応用情報技術者試験

コラム

出題頻度リスト

本書で解説した項目を過去（平成21年春〜令和6年春）の午前問題の出題数をランク付けした出題頻度一覧です。試験直前など時間がないときには，出題数が多い項目だけでも学習してみてください。また，分析結果は，側注「頻出ポイント」として，よく出てくるキーワードや出題の仕方などと合わせて紹介していますので，そちらもご活用ください。

出題頻度 ★★★　出題頻度ベスト10。出題数60〜124回

出題頻度 ★★☆　出題数30〜59回

出題頻度 ★☆☆ 　出題数 15 ～ 27 回

出題頻度 ☆☆☆ 　出題数 0 ～ 14 回（※は 0 回）

応用情報技術者試験 活用のポイント

● 応用情報技術者試験の対象者像

　応用情報技術者試験は，ITの専門家を対象とした試験です。情報処理技術者試験の試験要綱によると，応用情報技術者試験の対象者像は「**ITを活用したサービス，製品，システム及びソフトウェアを作る人材に必要な応用知識・技能をもち，高度IT人材としての方向性を確立した者**」となっています。情報処理技術者試験の中では，「ITパスポート」「基本情報技術者」とステップアップして3番目となるのが「応用情報技術者」の試験です。「ワンランク上のITエンジニア」向けなので，この試験に合格するレベルのスキルがあれば，仕事を一人でできる，先輩の指導がなくても実務をこなせる技術者である，という位置付けです。内容的には，**基本情報技術者試験とほぼ同じ試験範囲で，レベルが上がって午後が記述式になるのが応用情報技術者試験です**。しかし，基本情報技術者試験の科目B試験とは異なり，**午後でアルゴリズムやプログラミングが必須ではなくなっています**。そのため，**プログラマ以外のIT技術者でも受験しやすい試験**です。

　応用情報技術者試験の一番の特徴は，**情報技術 (IT) に関連するすべての範囲を勉強する**ことです。一人前の技術者として専門を究めていく前に，IT全般に関しての全体的な勉強を行い，基本となるスキルを身に付けていきます。すべての分野を知っておくことで仕事の全体像も見えますし，いろいろな専門分野の人と協力して仕事を遂行することもできます。IT全般を中級のレベルで身に付ける——そんな感じの試験です。午前試験では特に，全分野をまんべんなく出題することで，全般的な力を試しています。

この試験が対象とする技術者は，大きく次の三つのタイプに分けられます。

①システムエンジニア

　システムの設計や開発，運用などを行う技術者です。ネットワークやセキュリティなど，各専門分野の技術者も含まれます。プログラミングなどのIT関連の技術を得意とし，チームを組んでシステム開発などのプロジェクトを遂行します。

②ITコンサルタント

　企業の経営者に対してITに関するコンサルティングを行うコンサルタントです。経営戦略や情報戦略を提案し，ITを駆使して業績アップの手助けをします。技術と顧客のビジネスの橋渡しをするといった役割でもあります。

③IT各分野のスペシャリストやマネージャ

　ITの職種の細分化により，各分野を専門とするエンジニアやマネージャが増えてきています。そのため平成26年秋期の試験から，専門分野のエンジニアなども主な対象とするように試験内容が変更されました。

　具体的には，ネットワークやサーバなどの管理を行うインフラエンジニアや，プロジェクトをまとめるプロジェクトマネージャなどが対象です。

　午後試験では，これら三つのタイプに合わせて，自分の専門分野のスキルが試されます。そのため，午後では10分野から4分野（4問）を選択します。選択する4分野については，特に重点的にしっかり学習する必要があります。

● 応用情報技術者試験の現実的なメリット

　情報処理技術者試験は国家試験ですが，取得すると与えられる免許などはなく，独占的な業務もありません。また，合格率は高くても20%程度であり，簡単に合格できる試験でもありません。そのため，IT業界の中でも，「取っても役に立たない」などという声が聞かれます。実際，「取りさえすれば人生バラ色」とまではいきません。

　しかし，質が高い国家試験ですので，現実的に役に立つ場面はいくつもあります。筆者の周りでも，情報処理技術者試験の合格を生かして就職や転職に成功した，社内での地位が向上したり褒賞金がもらえたりしたといった事例はよく耳にします。

　情報処理技術者試験に合格すると得られるメリットは，情報処理推進機構のWebサイトに「試験のメリット」として挙げられています（https://www.ipa.go.jp/shiken/about/merit.html）。これらのうち，応用情報技術者試験に合格すると得られるメリットには次のものがあります。

①企業からの高い評価

　日経BPが2023年に行った調査をもとに作成した記事「いる資格、いらない資格 2023」（https://xtech.nikkei.com/atcl/nxt/column/18/02661/112100003/）※では，最も役に立つ資格が応用情報技術者試験となっています（効果を得られた資格の第1位）。ほかにも，第2位のITストラテジストや第3位のネットワークスペシャリストなど，情報処理技術者試験の高度区分がランクインしており，そこに向けたステップアップとして応用情報技術者を取得しておくことは非常に有利です。

　また，応用情報技術者の取得を社員に奨励している企業は多く，実際に，合格者に一時金や資格手当などを支給する報奨金制度を設けたり，採用の際に試験合格を考慮したりすることがあります。

　IT関連の企業に就職や転職をするためにも取得していると有利ですし，就職した後も，手当などで収入アップが見込めることが多い資格です。ちなみに，筆者が新卒で入社した会社でも資格手当があり，一種（現在の応用情報技術者）は月額15,000円でした。会社によって金額や優遇の度合いは違いますが，優遇する企業は実際に多いようですし，いろいろな企業で資格取得を奨励しています。

　※有料会員が閲覧できる記事となっています。

②大学における活用（単位認定・入試優遇など）

　取得者数が多いと大学のアピールポイントにもなりますし，実際に多くの大学で取得者を優遇しています。大学入試では基本情報技術者だけでも優遇されますが，応用情報技術者まで取得しているとさらに有利です。このような優遇措置は，情報系の学部よりも経済学部や商学部などに比較的多い傾向があります。

③自己のスキルアップ，能力レベルの確認

　応用情報技術者試験の問題は，かなり考えて作成されているため質が高いので，付け焼き刃の勉強では合格しづらい試験です。そのため，しっかり勉強して合格することで，IT人材としての基本的な知識や技能を身に付けることができます。

　何かを学ぶときには目標がないと続かないものですが，合格を目標にスキルアップするという点では応用情報技術者試験はとても優れています。ITの専門家としての基礎を幅広く学ぶことができ，それらを身に付けると実際に仕事で役立つからです。また，実務をこなしているだけでは経験が偏りがちになるので，足りない部分の知識を補うことにも活用できます。

④国家試験による優遇

　基本情報技術者にはなく応用情報技術者によくあるのが，国家試験における科目免除などの優遇です。有名なところでは，中小企業診断士や弁理士の試験で科目が一部免除されます。情報処理技術者試験の高度区分や情報処理安全確保支援士試験では，応用情報技術者試験に合格すると2年間，午前Ⅰ試験が免除されます。

　また，公務員試験において応用情報技術者の資格が必要となる職種もあります。有名なのが警察関連で，警視庁で募集するコンピュータ犯罪捜査官や，各県警で募集するサイバー犯罪捜査官などは，応募資格の一つに応用情報技術者試験の合格が挙げられています。さらに，教員採用選考試験の科目の一部免除を実施する自治体もあります。

　情報処理技術者は公的な資格なので，国や自治体関連の仕事に就く場合にこのように有利になることがあります。公務員を目指す人は取得しておくと役立つ場面が多いでしょう。

応用情報技術者試験の傾向と対策

応用情報技術者試験は午前試験と午後試験に分かれていて，それぞれに異なる方法で異なる力が試されます。

■ 試験時間・出題形式・出題数（解答数）

応用情報技術者試験の試験時間やその出題形式，出題数・解答数及び合格ラインは次のとおりです。

応用情報技術者試験の構成

	試験時間	出題形式	出題数・解答数	合格ライン
午前	9:30 ～ 12:00 （150分）	多肢選択式 （四肢択一）	出題数：80問 （全問解答）	60点／100点満点 （48問正解）
午後	13:00 ～ 15:30 （150分）	記述式	出題数：11問 解答数：5問	60点／100点満点

■ 突破率と合格率

過去5回の午前，午後の突破率と合格率を次に示します。

午前，午後の突破率と合格率

突破率	令和4年春	令和4年秋	令和5年春	令和5年秋	令和6年春
午前	48.1%	51.4%	44.8%	43.9%	50.8%
午後	50.7%	51.1%	60.9%	52.9%	46.7%
全体（合格率）	24.3%	26.2%	27.2%	23.2%	23.6%

※情報処理技術者試験センター公表の統計情報を基に算出

● 応用情報技術者試験の出題傾向

　応用情報技術者試験の傾向は，試験制度の変更なども含めて大きく変わっています。合格するためには，「今の」試験に合わせたしっかりとした対策が重要となります。

■ わく☆すたAIが頻出度を徹底分析

　わく☆すたAIは，わくわくスタディワールドで開発し，現在データの学習を進めているAI（人工知能）です。わく☆すたAIでは，試験問題データを基に過去問題をクラスタリングし，よく出題される分野やパターン，キーワードを抽出し分析しています（分野ごとの出題頻度はP.20に掲載していますので参照してください）。

　それでは，わく☆すたAIを用いて分析した結果を基に，午前と午後，それぞれの区分の出題傾向を見ていきましょう。

■ 午前試験

　午前試験では，本書で学習するすべての分野から幅広い内容が出題されます。ここでは，出題される分野を次のように分類します。

午前試験の出題分野

分類	分野
class1	基礎理論（2進数，アルゴリズムなど）
class2	コンピュータシステム（ハードウェア，ソフトウェアなど）
class3_notsec	技術要素のセキュリティ分野以外（ネットワーク，データベースなど）
class3_sec	技術要素のセキュリティ分野
class4	開発技術（システム開発など）
class5	プロジェクトマネジメント
class6	サービスマネジメント（運用管理，監査など）
class7	システム戦略（情報システム戦略，企画など）
class8	経営戦略
class9	企業と法務（会計，法律など）

※class3のみ，セキュリティとそれ以外に分けています。

　分野ごとの出題数は次のように推移しています。

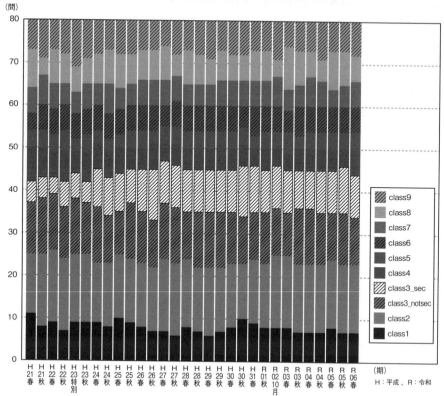

午前分野の出題傾向（平成21年春〜令和6年春）

表から分かるとおり，ここ数年は各分野の出題割合にそれほど変化はなく，class1〜class3，特にコンピュータシステムと技術要素分野の出題が多い傾向があります。詳細な出題数は次のとおりです。

午前試験の分野別出題数 (平成21年春～令和6年春)

期	class1	class2	class3_notsec	class3_sec	class4	class5	class6	class7	class8	class9
H21春	11	14	12	5	8	4	4	6	9	7
H21秋	8	17	13	5	7	4	6	7	4	9
H22春	9	17	13	4	6	4	6	6	8	7
H22秋	7	17	12	6	7	5	6	5	7	8
H23特別	9	16	13	6	5	3	6	5	6	11
H23秋	9	16	12	5	7	4	6	6	6	9
H24春	9	14	13	9	6	3	6	5	7	8
H24秋	8	15	11	9	6	3	6	7	8	7
H25春	10	15	10	9	6	3	6	5	8	8
H25秋	9	15	13	8	5	4	6	5	7	8
H26春	8	15	12	10	5	4	6	6	7	7
H26秋	7	15	11	12	6	3	6	6	7	7
H27春	7	17	13	10	4	4	5	6	8	6
H27秋	6	17	13	10	5	4	6	6	5	8
H28春	8	16	11	10	5	4	6	5	8	7
H28秋	7	15	13	10	5	4	6	5	7	8
H29春	6	16	13	10	5	4	6	5	9	7
H29秋	7	15	13	10	6	3	6	6	7	7
H30春	8	15	12	10	4	4	6	6	8	7
H30秋	10	13	11	12	5	4	5	6	8	7
H31春	9	15	11	11	4	3	7	6	7	7
R01秋	8	15	12	10	5	4	6	6	7	7
R02 10月	8	17	11	10	4	4	6	7	4	9
R03春	8	17	10	10	4	5	5	5	10	6
R03秋	7	16	13	9	5	3	7	5	8	7
R04春	7	16	13	9	5	4	6	7	6	7
R04秋	7	16	12	10	5	4	6	6	5	9
R05春	8	16	11	10	5	4	6	4	9	7
R05秋	7	16	12	11	4	4	6	5	8	7
R06春	7	16	11	10	6	4	6	6	6	8

　注目すべきはセキュリティの分野です。今回，セキュリティだけ，同じ技術要素分野として分類されるネットワークやデータベースなどと分離して集計していますが，その理由は，**セキュリティ分野だけ突出して出題数が多い**という傾向があるからです。情報処理推進機構は平成25年10月29日，試験の出題構成におけるセキュリティ重視の方針を公表しましたが，その前後から，出題数は明らかに増えています（令和元年11月のシラバス改訂で，セキュリティ重視は明記されました）。グラフにすると次のとおりです。

セキュリティ分野の出題数の推移

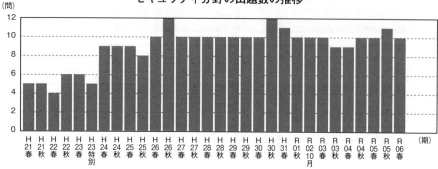

午後でも情報セキュリティ分野だけは必須ですし，**セキュリティを重点に学習することが合格のカギ**であることは明らかです。また，午前問題は，以前に出題された過去問題と同じ問題が5割程度出題されています。過去問題をしっかり演習することで，効率的に学習を進めることができます。

■ 午後試験

午後では，記述式の問題が11問出題され，そのうち5問を解答します。問1の情報セキュリティだけが必須で，それ以外の10問から4問を選択します。配点は各問20点，合計100点満点です。

ちなみに，応用情報技術者試験の午後問題の内容はかなりの頻度で変更されており，そのたびに出題傾向が変わり，難易度が変化しています。具体的には，応用情報技術者試験が平成21年度に始まってから，次のような変化がありました。

平成21年度以降の午後試験に見られる変更

年度	試験の形式	特徴	変更点
21春	12問中6問選択	問1（経営戦略※）と問2（プログラミング）から1問，他は10問中5問選択	応用情報技術者試験開始
25秋	11問中6問選択	問1（経営戦略※）と問2（プログラミング）から1問，他は9問中5問選択	経営戦略※の問題が2問から1問に
26春	11問中6問選択	問1（情報セキュリティ）は必須，問2（経営戦略※）と問3（プログラミング）から1問，他は9問中4問選択	情報セキュリティ問題が必須に
27秋	11問中5問選択	問1（情報セキュリティ）は必須，他は10問中4問選択	問題選択が1問減り，経営戦略※orプログラミングの選択がなくなる

※経営戦略は，「経営戦略，情報戦略，戦略立案・コンサルティングの技法」の3分野のうちのいずれかから出題されます。

平成27年秋期より問題選択数が減り，1問当たりに配分できる時間が増えました（だいたい25分→30分）。その分，問題当たりの設問内容も増えていますので，過去問演習

で平成27年春期以前のものを使用するときには注意が必要です。

　過去3回の出題テーマは，次のようになっています。

過去3回の出題テーマ

問	分野	令和5年春	令和5年秋	令和6年春
1	情報セキュリティ	マルウェア対策	電子メールのセキュリティ対策	リモート環境のセキュリティ対策
2	経営戦略	中堅の電子機器製造販売会社の経営戦略	バランススコアカードを用いたビジネス戦略策定	物流業の事業計画
3	プログラミング	多倍長整数の演算	2分探索木	グラフのノード間の最短経路を求めるアルゴリズム
4	システムアーキテクチャ	ITニュース配信サービスの再構築	システム統合の方式設計	CRM（Customer Relationship Management）システムの改修
5	ネットワーク	Webサイトの増設	メールサーバの構築	クラウドサービスを活用した情報提供システムの構築
6	データベース	KPI達成状況集計システムの開発	在庫管理システム	人事評価システムの設計と実装
7	組込みシステム開発	位置通知タグの設計	トマトの自動収穫を行うロボット	業務用ホットコーヒーマシン
8	情報システム開発	バージョン管理ツールの運用	スレッド処理	ダッシュボードの設計
9	プロジェクトマネジメント	金融機関システムの移行プロジェクト	新たな金融サービスを提供するシステム開発プロジェクト	IoT活用プロジェクトのマネジメント
10	サービスマネジメント	クラウドサービスのサービス可用性管理	サービスレベル	テレワーク環境下のサービスマネジメント
11	システム監査	工場在庫管理システムの監査	情報システムに係るコンティンジェンシー計画の実効性の監査	支払管理システムの監査

※経営戦略は，「経営戦略，情報戦略，戦略立案・コンサルティングの技法」の3分野のうちのいずれかから出題されます。

　それぞれの分野でテーマを一つに絞り，深く掘り下げて出題されます。
午前の知識がベースになりますが，午後で選択する場合には一歩踏み込んださらに深い学習が必要です。午前は知識だけで解けても，午後では正しく理解していないと解けません。セキュリティ分野を例にとると，午前では，標的型攻撃という用語とその意味について知っていれば正解できますが，午後ではその仕組みと被害の状況，対処方法について理解している必要があります。

　暗記だけでは通用しないのが午後問題なので，一つ一つの用語や実務での利用方法を丁寧に深く理解しておくことが合格のポイントとなります。

　午後問題の選択方法や学習する分野については，後述する「午後の問題選択のポイント」や「タイプ別・状況別　合格のための必勝法」を参考にしてください。

■ 合格のための王道の勉強法

　応用情報技術者試験では，IT全般についての幅広い知識と，自分の専門分野に関する深い理解の両方が要求されます。そのため，次のようなT字型のイメージで二つの勉強を並行して行う必要があります。

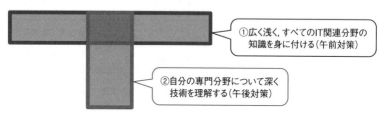

①広く浅く，すべてのIT関連分野の知識を身に付ける（午前対策）

②自分の専門分野について深く技術を理解する（午後対策）

応用情報技術者試験の勉強のイメージ

　具体的な勉強は次のように行うのが王道です。

---

①午前レベルの知識について，**参考書を一通り読んで学習し，午前の過去問題で問題演習を行う。**演習量の目安は**過去問3，4回分**程度（だいたい問題集1冊分）
②午後については，**過去問を中心に演習を行う。**演習量の目安としては，自分が選択する予定の分野（5，6分野）について，**各過去問5〜10問程度**

　基本情報技術者試験に合格したレベルからなら，これだけの分量の勉強を行えばほとんどの場合は合格できます。大切なのは，これだけの勉強量をいかにこなしていくかです。一夜漬けでは無理なので，日々コツコツと勉強を続ける必要があります。通常はこれだけの分量の勉強をするのに3か月程度はかかりますので，**継続して学習すること**が最も大事です。

　本書では，合格に必要な情報を1冊にまとめました。午前の知識については，本書1冊で十分ですし，午後を中心とした問題演習については，PDF提供も含めて，必要な問題量を付録として収録しておきましたので，これらを活用していただければ十分な演習量となります。ぜひ，本書を活用して，合格の栄冠を勝ち取ってください。

◼ 午後の問題選択のポイント

　午後の選択問題では，4分野を選択して解答します。どの分野を選択する場合でも，事前にある程度分野を絞って準備しておくことは不可欠です。問1の情報セキュリティ以外は自由に選択できますので，分野の選択次第で勉強方法が大きく変わってきます。

　ここでは，仕事の内容やタイプ別におすすめの選択問題を挙げていきます。

①システム開発を主な仕事としている方

　システム開発に関連する分野としては，プログラミング（問3），システムアーキテクチャ（問4），データベース（問6），組込みシステム開発（問7），情報システム開発（問8）があります。組込みシステム開発と情報システム開発については，実際に開発している内容に近い方を選択する（通常は情報システム開発が多い）のが基本です。これらの分野を中心に，状況に合わせてプロジェクトマネジメント（問9）などを選択する人も多いです。

②ITコンサルタントや経営を主な仕事としている方

　経営に関連する分野としては，経営戦略（問2）があります。ほかに，マネジメント関連分野として，プロジェクトマネジメント（問9），サービスマネジメント（問10），システム監査（問11）があります。これらの分野を中心に，あまり知識が求められない技術分野としてシステムアーキテクチャ（問4）などを選択する人もいます。

③ネットワーク構築やサーバ管理を主な仕事としている方

　ネットワークやサーバ管理を行うインフラエンジニアの方に関連が深い分野としては，システムアーキテクチャ（問4），ネットワーク（問5），サービスマネジメント（問10）があります。関連分野として，データベース（問6）やプロジェクトマネジメント（問9）などを選択する人が多いです。

④プロジェクトマネジメントなどマネジメントを仕事としている方

　マネジメント系の分野には，プロジェクトマネジメント（問9），サービスマネジメント（問10），システム監査（問11）があります。これに加えて，経営戦略（問2）や情報システム開発（問8）などが関連分野となります。

⑤学生など，実務未経験で理系の内容が得意な方

　理系的な内容のIT分野には，プログラミング（問3），システムアーキテクチャ（問4），ネットワーク（問5），データベース（問6），組込みシステム開発（問7）などがあります。もともとITは数学から発展したものですし，数学ができると簡単に勉強できる分野は多いです。

⑥文系で，数学などに苦手意識のある方

　数学が苦手な場合でも，問題選択次第で合格は可能です。具体的には，経営戦略（問2），プロジェクトマネジメント（問9），サービスマネジメント（問10），システム監査（問11）では，数学が得意であるかはほとんど関係ありません。また，情報システム開発（問8）なども，文系でも学習しやすい内容です。

どの分野を選択するにしても,情報セキュリティ分野についての学習は必須です。また,選択する4分野のみの勉強だけでは難問が出たときに避けて通ることができないため,1,2分野くらい余分に勉強しておくのも,戦略としておすすめです。

◯ タイプ別・状況別　合格のための必勝法

試験合格のための勉強で最も大切なのは,自分の現状を知ることです。IT系の学習の場合,いわゆる机上の"お勉強"以外にも,日々の生活や仕事が学びにつながっていることが結構あります。そのため,自分がすでに知っていることの勉強は飛ばして,知らないことを中心に知識を身に付けることができれば,効率良く学習することが可能です。

そこで,タイプ別・状況別に,効率的に勉強する方法を紹介していきます。

①IT関連の実務経験者

午後試験は実務の経験だけで解ける問題が多く出題されます。しかし,午前試験は知識問題が中心ですし,自分の実務経験だけでは知識に偏りが生じ,すべての分野を押さえることは難しくなります。そのため,**午前対策を中心に**,知識を身に付けていくことが重要になります。本書を十分に活用していただき,途中にある演習問題なども解いて学習すると,午前突破には十分な実力が付きます。忙しくて学習時間があまり取れないという場合は,あまり手を広げず,本書を読んで午前の過去問題の演習を確実に行うことを優先するといいでしょう。

②学生

実務経験がない学生にとっては,多くの場合,午後が合格への障壁となります。そこで,本書で午前を中心とした知識を身に付けた後は,**午後の問題演習を数多く行うこと**が大切になります。本書の付録などを中心に,選択する分野の過去問題を多めに解くことで,合格するための解答力を身に付けることができます。また,実務経験を補うために,プログラミングなどを実際に行ってみるなどの実践的な学習も有効です。

③プログラミングなどが苦手な方

プログラミングや理系の論理的思考が苦手な場合,基本情報技術者試験より応用情報技術者試験の方が合格しやすいということがよくあります。午後試験でテクノロジ系の問題を選択しないことは可能なので,**マネジメント系を中心に学習する**ことで苦手分野を避けることはできます。ただ,本書にあるような午前レベルの全般的な知識は必要なので,ひととおりは読んでください。その上で,午後で選択する分野を中心に知識を深めて問題演習を行っていくと,効率的に合格を手にすることができます。

④文章の読み書きが苦手な方

応用情報技術者試験の午後は記述式なので，問題文を正確に読む読解力や，文章で的確に答えるため文章力が必要です。応用情報技術者試験の午後問題は1問約4ページで，それを読みこなして解答します。読むのが遅いと時間が足りなくなりますし，読んでも勘違いをすると適切な答えが書けなくなります。また，記述式の文章は，言いたいことをピンポイントで間違いなく相手（試験官）に伝えることが重要です。そのため，記述式の問題が苦手な場合には，意識して国語力を身に付ける必要があります。具体的には，中学や高校の現代文の復習を行い，文章の読み方の演習を行う方法がおすすめです。一見遠回りですが，一度国語力を身に付けておくと，応用情報技術者試験だけでなく，その上の高度区分の試験を受験する際にも役立ちます。

⑤基本情報技術者試験に合格していない方

応用情報技術者試験は，基本情報技術者試験の上位資格です。そのため，試験内容としては，基本情報技術者試験に合格していることが前提となっています。基本情報技術者試験に必ず合格しておく必要はありませんが，現在の基本情報技術者試験はCBT方式で，いつでも受験可能です。基本情報技術者試験の参考書などでひととおりの勉強はしておきましょう。ただ，③でも挙げましたが，プログラミング関連の内容は応用情報技術者試験では避けて通れますので，苦手なら無理しなくても大丈夫です。

⑥勉強する時間があまりとれない方

応用情報技術者試験の勉強にはある程度時間がかかるので，直前のちょっとした勉強で合格することは難しいです。ただ，実務経験がある場合や，試験勉強以外で知識を身に付けている場合などは，過去問題に慣れることで合格できる可能性があります。急いでいる場合はとりあえず，ざっと本書に目を通して，あとはひたすら過去問題の演習をするというのが直前の勉強法の基本です。あきらめずに学習することで，ひょっとしたら合格するかもしれませんし，少なくとも次にはつながります。

⑦試験直前で勉強していなくて焦っている方

とりあえず午前だけでも突破できるよう，過去問題（午前）の演習を行ってみるのがおすすめです。午前は知識がないと突破するのは無理ですが，午後は内容次第で解けることもあるので，まずは午前対策を行ってみることが効果的です。時間がないときには，とにかく問題演習を優先し，本書は分からない言葉を辞書的に調べるために使うという方法が効率的です。索引を徹底活用してください。

少しでも勉強してから受験すると次につながりますし，何もしないよりいいので，最後の悪あがきをしてみましょう。

本書は,情報処理試験センターが定めている午前の出題範囲に沿って構成されています。

午前の出題範囲

分野	大分類	中分類	小分類
テクノロジ系	1. 基礎理論	1. 基礎理論	1. 離散数学, 2. 応用数学, 3. 情報に関する理論, 4. 通信に関する理論, 5. 計測・制御に関する理論
		2. アルゴリズムとプログラミング	1. データ構造, 2. アルゴリズム, 3. プログラミング, 4. プログラム言語, 5. その他の言語
	2. コンピュータシステム	3. コンピュータ構成要素	1. プロセッサ, 2. メモリ, 3. バス, 4. 入出力デバイス, 5. 入出力装置
		4. システム構成要素	1. システムの構成, 2. システムの評価指標
		5. ソフトウェア	1. オペレーティングシステム, 2. ミドルウェア, 3. ファイルシステム, 4. 開発ツール, 5. オープンソースソフトウェア
		6. ハードウェア	1. ハードウェア
	3. 技術要素	7. ユーザーインタフェース	1. ユーザーインタフェース技術, 2. UI/UXデザイン
		8. 情報メディア	1. マルチメディア技術, 2. マルチメディア応用
		9. データベース	1. データベース方式, 2. データベース設計, 3. データ操作, 4. トランザクション処理, 5. データベース応用
		10. ネットワーク	1. ネットワーク方式, 2. データ通信と制御, 3. 通信プロトコル, 4. ネットワーク管理, 5. ネットワーク応用
		11. セキュリティ	1. 情報セキュリティ, 2. 情報セキュリティ管理, 3. セキュリティ技術評価, 4. 情報セキュリティ対策, 5. セキュリティ実装技術
	4. 開発技術	12. システム開発技術	1. システム要件定義・ソフトウェア要件定義, 2. 設計, 3. 実装・構築, 4. 統合・テスト, 5. 導入・受入れ支援, 6. 保守・廃棄
		13. ソフトウェア開発管理技術	1. 開発プロセス・手法, 2. 知的財産適用管理, 3. 開発環境管理, 4. 構成管理・変更管理
マネジメント系	5. プロジェクトマネジメント	14. プロジェクトマネジメント	1. プロジェクトマネジメント, 2. プロジェクトの統合, 3. プロジェクトのステークホルダ, 4. プロジェクトのスコープ, 5. プロジェクトの資源, 6. プロジェクトの時間, 7. プロジェクトのコスト, 8. プロジェクトのリスク, 9. プロジェクトの品質, プロジェクトの調達, 11. プロジェクトのコミュニケーション
	6. サービスマネジメント	15. サービスマネジメント	1. サービスマネジメント, 2. サービスマネジメントシステムの計画及び運用, 3. パフォーマンス評価及び改善, 4. サービスの運用, 5. ファシリティマネジメント
		16. システム監査	1. システム監査, 2. 内部統制
ストラテジ系	7. システム戦略	17. システム戦略	1. 情報システム戦略, 2. 業務プロセス, 3. ソリューションビジネス, 4. システム活用促進・評価
		18. システム企画	1. システム化計画, 2. 要件定義, 3. 調達計画・実施
	8. 経営戦略	19. 経営戦略マネジメント	1. 経営戦略手法, 2. マーケティング, 3. ビジネス戦略と目標・評価, 4. 経営管理システム
		20. 技術戦略マネジメント	1. 技術開発戦略の立案, 2. 技術開発計画
		21. ビジネスインダストリ	1. ビジネスシステム, 2. エンジニアリングシステム, 3. e-ビジネス, 4. 民生機器, 5. 産業機器
	9. 企業と法務	22. 企業活動	1. 経営・組織論, 2. 業務分析・データ利活用, 3. 会計・財務
		23. 法務	1. 知的財産権, 2. セキュリティ関連法規, 3. 労働関連・取引関連法規, 4. その他の法律・ガイドライン・技術者倫理, 5. 標準化関連

第 **1** 章

基礎理論

ITについて学ぶときに知っておくと役に立つ分野，それが基礎理論です。直接目にする機会は少ないですが，基礎の理論なので，いろいろな技術の仕組みや，本質的なことを知るときには役に立ちます。内容は「基礎理論」と「アルゴリズムとプログラミング」の二つです。基礎理論では，離散数学や応用数学などの数学や，情報・通信・計測制御に関する理論について学びます。アルゴリズムとプログラミングでは，定番のデータ構造やアルゴリズム，プログラム言語やその他の言語でのプログラミングについて学びます。

1-1 基礎理論

IT全般を理解する上で基礎となる理論です。基礎理論を理解していると，コンピュータやシステムの仕組みが分かるだけでなく，ネットワークやデータベース，セキュリティなどの応用技術の学習にも役立ちます。

1-1-1 ◯ 離散数学

離散数学とは，とびとびの数字を扱う数学です。コンピュータは0か1の2種類しか表現できず，その制限の中でどのようにデータを表現するかに，離散数学は活用されています。

■ 基数変換

基数とは，数を表現するときに，桁上がりの基準になる数です。例えば，10進数では基数が10なので，0，1，2，3，4，5，6，7，8，9ときて10になるところで桁上がりをして10になります。同じように，2進数では基数が2なので，0，1ときて2になるところで桁上がりをして10になります。

例えば，2進数の$(110.01)_2$は，10進数では次のように表現できます。下付きの数字は基数を表します。

$$(110.01)_2 = 1 \times 2^2 + 1 \times 2^1 + 0 \times 2^0 + 0 \times 2^{-1} + 1 \times 2^{-2}$$
$$= (6.25)_{10}$$

■ 負の数の表現（補数表現）

コンピュータ上で負の数を表す場合は，補数という考え方を使います。補数とは，ある自然数に足したときに桁が一つ上がる最も小さい数です。例えば，8桁の2進数$(00001101)_2$の2の補数は，足すことで桁が上がって9桁の最小値$(100000000)_2$になる値です。計算すると次のようになります。

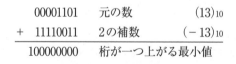

	00001101	元の数	$(13)_{10}$
+	11110011	2の補数	$(-13)_{10}$
	100000000	桁が一つ上がる最小値	

✎ 勉強のコツ

基礎理論の分野は，応用情報技術者試験では応用的な内容が出題されます。理解するためには，前提として基本情報技術者試験レベルの習得が必要です。
本書の内容が難しく感じられる場合には，次に紹介する動画などを利用して，先に基本について学んでおきましょう。

 動画

基礎理論の分野についての解説動画を以下で公開しています。
https://www.wakuwaku academy.net/itcommon/1
本書では取り扱っていない基本的な内容，特に基数変換などの基本情報技術者試験レベルの内容についても詳しく解説しています。
本書の補足として，よろしければご利用ください。

この補数を用いることによって，引き算を足し算で表現できます。例えば，$(25)_{10} - (13)_{10}$を計算するときには，次のように変換します。

$$(25)_{10} - (13)_{10} = (25)_{10} + (-13)_{10}$$

8桁の2進数に変換すると，先ほどの2の補数表現より，$(11110011)_2 = (-13)_{10}$なので，次のようになります。

$$
\begin{array}{cll}
\;00011001 & 引かれる数 & (25)_{10} \\
+\;\;11110011 & 2の補数 & (-13)_{10} \\
\hline
\rlap{1}00001100 & 計算結果 & (12)_{10} \\
\end{array}
$$

あふれた桁（9桁目）は無視される

引き算を足し算に直すことで計算の種類を減らすことができ，計算に必要なコンピュータの回路を単純にできます。

なお，2の補数の求め方としては，各ビットを反転して，それに1を加えることによって，簡単に計算することができます。

■ 小数の表現

小数をコンピュータ内部で表現する方法には，次の2種類があります。
- 固定小数点数表現
- 浮動小数点数表現

固定小数点数表現とは，あらかじめ小数点の位置を決めておき，その位置に合わせてデータを表現する方法です。例えば，2進数の$(110.01)_2$を表現するとき，8桁分の場所を確保し，4桁目の後を小数点にすると決めると，次のようになります。

0	1	1	0	0	1	0	0

小数点を，4桁目の後に固定する

固定小数点数表現

過去問題をチェック

基数変換や2進数に関する問題は，応用情報技術者試験の午前問題の定番です。最初の方で出題されることが多いので，解けると試験で調子が出やすくなります。
【基数変換】
・平成25年秋 午前 問3
・平成26年春 午前 問1
・平成26年秋 午前 問2
・平成27年春 午前 問2
・平成28年春 午前 問2
・令和元年秋 午前 問1
・令和2年10月 午前 問1
【2進数】
・平成25年春 午前 問1
・令和4年春 午前 問1
・令和4年秋 午前 問1
・令和5年秋 午前 問1

参考

プログラム言語では，型の宣言によって，どちらの小数点表現が使われるかが決まります。
C言語やC++，Java言語で用いられるfloat型，double型は，浮動小数点を表すデータ型です。
COBOLなど事務処理系の言語では，固定小数点数表現が使われることが多いです。

　小数点の位置が決まっているためデータの解釈は簡単なのですが，その分，表現できる数値の範囲が限られてしまいます。例えば，前ページの図の8桁で数値を表現すると，最大値でも$(1111.1111)_2 = (15.9375)_{10}$となり，大きな数は表現できません。

　それに対し浮動小数点数表現では，指数部と仮数部を使って数値を表現します。例えば，10進数の0.000603は，10進数の浮動小数点数表現を使うと次のように表されます。

浮動小数点数表現

　2進数の場合には，指数部を2のべき乗のかたちにし，符号部（数値がプラスなら0，マイナスなら1）と合わせて表現します。

　具体的な方法はいろいろありますが，決められた形式のルールに従って数値を変換します。正しい形式に変換するこの作業を正規化と呼びます。

　実際の問題を例に，正規化の作業を行ってみましょう。

問　題

　図に示す16ビットの浮動小数点形式において，10進数0.25を正規化した表現はどれか。ここで，正規化は仮数部の最上位桁が1になるように指数部と仮数部を調節する操作とする。

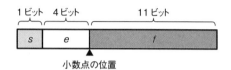

小数点の位置

s：仮数部の符号（0：正，1：負）
e：指数部（2を基数とし，負数は2の補数で表現）
f：仮数部（符号なし2進数）

動画

この問をはじめ，問題の解説動画も多数公開しています。
https://www.wakuwaku
studyworld.co.jp/blog/
youtube_ap

問題のURLリストを上記にまとめていますので，文章で理解するより動画のほうが分かりやすいという場合は，併せてご利用ください。

ア	0	0001	10000000000

イ	0	1001	10000000000

ウ	0	1111	10000000000

エ	1	0001	10000000000

（平成22年春 応用情報技術者試験 午前 問2）

解説

この問題の正規化では，仮数部の最上位桁が1になるように指数部と仮数部を調節します。つまり，10進数の0.25を2進数に直すと，$(0.25)_{10} = (0.01)_2$となるので，これを仮数部の最上位桁が1になるように浮動小数点数表現にすると，次のようになります。

$$(0.01)_2 = (0.1)_2 \times 2^{-1}$$

仮数部　　　指数部

また，指数部は$(-1)_{10}$なので，問題文中のe（指数部）の表記に「2を基数とし，負数は2の補数で表現」とあり，またeは4ビットで表されることから，$(1)_{10} = (0001)_2$を2の補数で表現します。

$$(-1)_{10} = (10000)_2 - (0001)_2 = (1111)_2$$

したがって，浮動小数点数表現で$(0.25)_{10}$を表すと，

s：仮数部の符号　……　正の数なので「0」
e：指数部　……………　先ほど求めた2進数「1111」
f：仮数部　……………　1だが，後ろに0を補って「10000000000」

となり，合わせて「0 1111 10000000000」となります。

≪解答≫ ウ

 発展

コンピュータで数を表現するときは，あらかじめ「桁数」を決めておく必要があります。そして，決めた桁数からあふれたデータは，格納場所がないのでなかったものとして扱われます。

基礎をしっかり学ぶ

　応用情報技術者試験は，その名のとおり，「応用」的なことを問われる試験です。基本情報技術者試験レベルの「基礎」を基に，実務に応用できるような使えるスキルを身に付けるのが試験本来の姿です。

　試験範囲はほとんど同じなので，基本情報技術者試験の内容は半分くらいはそのまま使えます。その分，応用情報技術者試験の勉強は，基本情報技術者試験の内容を理解していないと分からない部分が多くあります。逆に，基本的な内容を正確にマスターしていれば，積み重ねるのはそれほど難しくありません。

　ですから，応用情報技術者試験の勉強をとても難しく感じる場合には，まずは基本情報技術者試験レベルに戻り，それも難しければITパスポート試験レベルの内容を復習してみましょう。特に，テクノロジ系の基礎理論などの分野は基本の内容がとても大切なので，着実に基礎から学ぶことが必要です。本書の内容は応用情報技術者試験レベルに合わせていますが，基本情報技術者試験レベル以下の基本的な内容については公開動画でフォローを行っていますので，よろしければご利用ください。

　また，第1章は「基礎理論」というタイトルですが，この"基礎"という言葉には，「コンピュータ，IT全般の基礎」という意味合いが込められています。基礎理論の内容は直接仕事で役立つようには感じられにくいですが，実は結構関係があるのです。基礎理論の内容を理解しておくことで，他の分野の勉強がスムーズになったり，トラブルの本当の原因が理解できたりします。

　急いで合格しようと焦らず，まずはしっかり，基礎から身に付けていきましょう。特に，応用情報技術者試験だけで終わらせず，受かったらより高度な試験を受けようと思われている方は，ぜひチャレンジしてみてくださいね。

 勉強のコツ

基礎理論はもともと数学の1分野なので，理解するためには数学の知識も必要になります。

といってもそんなに難しいものではなく，累乗や確率，統計くらいまでの高校で学ぶ数学の基礎が分かれば十分です。数学的な考え方が分かると他の分野でもいろいろ生かせますし，試験問題を解くときにもとても助けになります。

時間があるときに一度，ひととおり数学の勉強をやり直してみることもおすすめします。

■ 基数変換と誤差

　コンピュータで数値を表現する際には，誤差に注意する必要があります。例えば小数の場合は，**10進数から2進数へ基数変換するだけでも誤差が出ることがあります。**

　10進数の0.4を2進数に変換する場合を考えてみましょう。0.4という数は有限の桁で表されているので，こういった数のことを有限小数と呼びます。0.4を2進数に変換すると，割り切れず循環する，次のような数になります。

$$(0.4)_{10} = (0.0110011001100110011 0)_2 = (0.0\overset{\bullet}{1}10\overset{\bullet}{0})_2$$

　有限小数で表せない小数を無限小数といいますが，そのうち上記のように0110の部分が繰り返される小数のことを循環小数と呼びます。0.4という有限小数は，10進数を2進数に変換しただけで循環小数となるのです。

　逆に2進数から10進数への基数変換の場合には，有限小数を変換すると必ず有限小数になります。

■ 数値演算と誤差

　コンピュータでは限られた桁数でデータを表現するので，いろいろな誤差や，表現しきれないことが出てきます。具体的には，次のようなことで誤差が発生します。

①桁落ち

　値がほぼ等しい二つの数値の差を求めたとき，有効数字の桁数である**有効桁数が減る**ことによって発生する誤差です。

$$
\begin{array}{rl}
256.432 & \text{有効桁数6桁} \\
-\quad 256.431 & \text{有効桁数6桁} \\
\hline
0.001 & \text{有効桁数が1桁になってしまう！}
\end{array}
$$

②情報落ち

　絶対値が非常に大きな数値と小さな数値の足し算や引き算を行ったとき，**小さい数値が計算結果に反映されない**ことによって発生する誤差です。

$$
\begin{array}{rl}
256.432 & \text{有効桁数6桁} \\
+\quad 0.000011 & \text{非常に小さい数} \\
\hline
256.432\cancel{011} & \text{有効桁数の関係で無視される}
\end{array}
$$

発展

コンピュータ内部では，10進小数から2進小数への基数変換が自動的に行われることがあります。例えば，C言語やJavaなどでfloat型やdouble型を使うと，データは2進数で格納されるので数値に少し誤差が出ます。そうすると予期しない計算ミスが発生することがあるので，注意が必要です。

間違えやすい

桁落ちと情報落ちは混同されやすいので，正確に覚えておきましょう。有効桁数が減るのが桁落ち，小さい数値の情報が落ちるのが情報落ちです。

③丸め誤差

　指定された有効桁数で演算結果を表すために，切り捨て，切り上げ，四捨五入などで下位の桁を削除することによって発生する誤差です。

④打ち切り誤差

　無限級数で表される数値の計算処理を有限の回数で打ち切ったことによって発生する誤差です。

⑤オーバフロー

　演算結果が有限の桁内で表せる範囲を超えることによって，使用している記述方法では値が表現しきれなくなることです。

⑥アンダーフロー

　浮動小数点数演算において，演算結果の指数部が小さくなりすぎ，使用している記述方法では値が表現しきれなくなることです。つまり，浮動小数点数表記では，0や0に近い数値は表現することができません。

用語

与えられた数をすべて加えることを総和といい，Σ（シグマ）という記号で表されます。
この総和を行う足し算の数が有限ではなく，無限個の演算を行うことを無限級数，または単に級数と呼びます。

■集合

　集合は，ある条件で集まったグループです。例えば，集合A「コーヒーが好きな人」，集合B「紅茶が好きな人」とすると，コーヒーが好き，紅茶が好き，というのが条件です。
　集合を視覚的に分かりやすく表すために，**ベン図**という図が用いられます。二つ以上の集合を組み合わせることが多く，代表的な組合せに次の五つがあります。

①和集合 (A OR B，A＋B，A∪B，A∨B)

　二つの集合を足したものです。上記の例では，「コーヒーか紅茶が好きな人」になります。

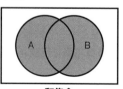

和集合

②積集合 (A AND B, A・B, A∩B, A∧B)

二つの集合の両方に当てはまるものです。前記の例では，「コーヒーも紅茶も好きな人」になります。

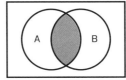

積集合

発展

その他の集合としては，二つの集合演算をかけ合わせた NAND (NOT + AND)，NOR (NOT + OR) などもあります。
さらに，データベースなどで使用する集合演算には，直積，射影，選択，商などもあります。

③補集合 (NOT A, $\overline{A}$)

ある集合の否定です。前記の例では，「コーヒーが好きではない人」になります。

補集合

④差集合 (A − B)

ある集合から，別の集合の条件にあてはまるものを引いたものです。前記の例では，「コーヒーは好きだけれど紅茶は好きではない人」になります。

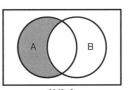

差集合

⑤対称差集合 (A XOR B, A⊕B, A△B)

二つの集合のうち，どちらかの条件にあてはまるものから，両方の条件にあてはまるものを引いたものです。前記の例では，「コーヒーか紅茶が好き，しかし両方は好きではない人」になります。

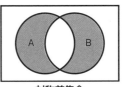

対称差集合

■ 論理演算

コンピュータの内部表現では，数値のほかに論理（真か偽か）も表現できます。論理演算とは，データを論理で表現し，その組合せを演算することです。

通常，真 (TRUE, YES, 正しい) を1，偽 (FALSE, NO, 正しくない) を0で表します。そして，それについてビットごとに

論理和，論理積などを考えることによって，論理演算を行います。

それでは，実際に論理演算を行っていきましょう。

問題

0以上255以下の整数nに対して，

$$\text{next}(n) = \begin{cases} n+1 & (0 \leq n < 255) \\ 0 & (n = 255) \end{cases}$$

と定義する。next (n) と等しい式はどれか。ここで，x AND y 及びx OR yは，それぞれxとyを2進数表現にして，桁ごとの論理積及び論理和をとったものとする。

ア　$(n+1)$ AND 255　　　イ　$(n+1)$ AND 256

ウ　$(n+1)$ OR 255　　　エ　$(n+1)$ OR 256

（令和5年春 応用情報技術者試験 午前 問1）

解説

next(n)では，演算を行ったときにnの値によって二つの場合に分けて計算するので，それぞれの場合を考えてみましょう。

① 　$0 \leq n < 255$の場合

例として，$n = 100$の場合を考えてみましょう。$n = 100$を16ビットの2進数で表すと次のようになります。

00000000 01100100

これに1を加えると$n = 101$となり，最後尾のビットに1を加えるだけなので次のようになります。

00000000 01100101

この$n+1$と同じ演算結果になる選択肢を考えてみましょう。10進数の255は2進数で00000000 11111111，256は2進数で00000001 00000000なので，$n = 100$の場合，次のようになります。

発展

このようなAND演算の使い方を，マスク演算とも呼びます。ビットが1の部分のみを取り出して，ほかの部分をマスク（排除）するときに使用します。

IPアドレスに対するサブネットマスクは，このマスク演算を応用した例です。

ア　$(n + 1)$ AND 255

　　= 00000000 01100101 AND 00000000 11111111

　　= 00000000 01100101（←$n + 1$と同じ）

イ　$(n + 1)$ AND 256

　　= 00000000 01100101 AND 00000001 00000000

　　= 00000000 00000000（←0になってしまう）

ウ　$(n + 1)$ OR 255

　　= 00000000 01100101 OR 00000000 11111111

　　= 00000000 11111111（←255になってしまう）

エ　$(n + 1)$ OR 256

　　= 00000000 01100101 OR 00000001 00000000

　　= 00000001 01100101（←357になってしまう）

したがって，アの演算のみ正しい結果となります。

② 　$n = 255$の場合

　選択肢アで，nが255の場合を考えてみます。$n + 1 = 256$，2進数で00000001 00000000をアの計算式で計算します。

$(n + 1)$ AND 255

= 00000001 00000000 AND 00000000 11111111

= 00000000 00000000（←0になる）

したがって，$n = 255$のときに0になるという条件も満たしています。

《解答》 ア

■ 論理式の変形・簡略化

　論理式では，論理演算の法則・定理を使って変形や簡略化を行うことができます。代表的なものには，ド・モルガンの法則や結合の法則，分配の法則などがあります。

　すべての法則を覚えなくても，ベン図などを用いたり，実際の値を入れたりすることで，等価な式を見つけることはできます。それでは，実際の問題を解いてみましょう。

用語

ド・モルガンの法則
$\overline{A \cup B} = \overline{A} \cap \overline{B}$
$\overline{A \cap B} = \overline{A} \cup \overline{B}$

結合の法則
$(A \cup B) \cup C = A \cup (B \cup C)$
$(A \cap B) \cap C = A \cap (B \cap C)$

分配の法則
$A \cap (B \cup C)$
$= (A \cap B) \cup (A \cap C)$
$A \cup (B \cap C)$
$= (A \cup B) \cap (A \cup C)$

問題

全体集合S内に異なる部分集合AとBがあるとき，$\overline{A} \cap \overline{B}$に等しいものはどれか。ここで，$A \cup B$は$A$と$B$の和集合，$A \cap B$は$A$と$B$の積集合，$\overline{A}$は$S$における$A$の補集合，$A - B$は$A$から$B$を除いた差集合を表す。

ア　$\overline{A} - B$　　　　　　　　イ　$(\overline{A} \cup \overline{B}) - (A \cap B)$

ウ　$(S - A) \cup (S - B)$　　　エ　$S - (A \cap B)$

(令和4年春 応用情報技術者試験 午前 問2)

過去問題をチェック

論理演算についての問題は，応用情報技術者試験の定番です。この問題のほかに次の出題があります。
【論理演算】
・平成24年春 午前 問1
・平成24年秋 午前 問1
・平成25年春 午前 問2
・平成25年秋 午前 問4
・平成26年秋 午前 問1
・平成27年秋 午前 問2
・平成28年春 午前 問1
・平成28年秋 午前 問1
・平成29年春 午前 問1
・平成30年春 午前 問1
・令和元年秋 午前 問2
・令和3年春 午前 問1
・令和4年秋 午前 問2

解説

論理演算を行う方法

それぞれの選択肢で，すべてのパターンを考えてみます。

A	B	$\overline{A} \cap \overline{B}$	ア $\overline{A} - B$	イ $(\overline{A} \cup \overline{B})$ $-(A \cap B)$	ウ $(S - A)$ $\cup (S - B)$	エ $S -$ $(A \cap B)$
0	0	1	1	1	1	1
0	1	0	0	1	1	1
1	0	0	0	1	1	1
1	1	0	0	0	0	0

$\overline{A} \cap \overline{B}$と同じものは，アのみです。

ベン図を書いて解く方法

$\overline{A} \cap \overline{B}$をベン図で書いてみると，以下のようになります。

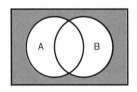

このベン図は，アの$\overline{A} - B$を書いたものと同じです。

その他の選択肢は，次のように同じベン図になります。

発展

論理式を簡略化するための表としてカルノー図などがあります。
例えば，ABCDの四つの論理変数がある場合に，ABとCDをまとめ，それを表にします。
応用情報技術者試験
平成26年秋 午前 問1などで出題されています。

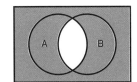

イ $(\overline{A} \cup \overline{B}) - (A \cap B)$
ウ $(S - A) \cup (S - B)$
エ $S - (A \cap B)$

《解答》ア

カルノー図

カルノー図とは，論理式の演算結果を表し，論理回路を簡略化するための図です。二つ以上の論理変数に対する結果を視覚的に表現するために用います。

それでは，問題を例に，カルノー図について考えてみましょう。

問題

A，B，C，Dを論理変数とするとき，次のカルノー図と等価な論理式はどれか。ここで，・は論理積，+は論理和，$\overline{X}$はXの否定を表す。

CD \ AB	00	01	11	10
00	1	0	0	1
01	0	1	1	0
11	0	1	1	0
10	0	0	0	0

ア $A \cdot B \cdot \overline{C} \cdot D + \overline{B} \cdot \overline{D}$　イ $\overline{A} \cdot \overline{B} \cdot \overline{C} \cdot D + B \cdot D$
ウ $A \cdot B \cdot D + \overline{B} \cdot \overline{D}$　エ $\overline{A} \cdot \overline{B} \cdot \overline{D} + B \cdot D$

(令和4年秋 応用情報技術者試験 午前 問2)

解説

この問では，問題文のカルノー図に対して等価な論理式を考えます。等価とは，論理式のすべての演算結果がカルノー図の値と一致するものです。それぞれの選択肢について考えると，次のようになります。

ア　カルノー図では，ABが01，CDが01（A＝0，B＝1，C＝0，D＝1）のとき，結果は1になるはずです。しかし，論理A・B・$\overline{C}$・D＋$\overline{B}$・$\overline{D}$＝0・1・1・1＋0・0＝0＋0＝0となり，カルノー図の結果と異なります。したがって，等価ではありません。

イ　カルノー図では，ABが00，CDが10（A＝0，B＝0，C＝1，D＝0）のとき，結果は1になるはずです。しかし，論理$\overline{A}$・$\overline{B}$・$\overline{C}$・$\overline{D}$＋B・D＝1・1・0・1＋0・0＝0＋0＝0となり，カルノー図の結果と異なります。したがって，等価ではありません。

ウ　カルノー図では，ABが01，CDが01（A＝0，B＝1，C＝0，D＝1）のとき，結果は1になるはずです。しかし，論理A・B・D＋$\overline{B}$・$\overline{D}$＝0・1・1＋0・0＝0＋0＝0となり，カルノー図の結果と異なります。したがって，等価ではありません。

エ　論理変数A，B，C，Dのすべてのパターンにおいて，カルノー図の結果と論理演算の結果が一致します。

　したがって，エが正解となります。

《解答》エ

||▶▶▶ 覚えよう！

□　桁落ちは有効桁数が減ること，情報落ちは小さい数値の方の情報が落ちること

1-1-2 ◯ 応用数学

頻出度 ★★★

　コンピュータを学ぶ上で基礎となる応用的な数学です。高校から大学レベルで学ぶ数学の一部で，押さえておくといろいろなコンピュータ技術の理解に役立ちます。

◯確率

　ある事象（出来事）が起こる確率を求めるときにはまず，場合の数を求めます。それぞれの場合が起こる確率が等しいときには，全体の場合の数のうち，ある特定の事象に対しての場合の数の割合が，その事象が起こる確率になります。

$$\text{ある事象が起こる確率} = \frac{\text{ある事象の場合の数}}{\text{全体の場合の数}}$$

✏ 勉強のコツ

確率・統計のほかに微分積分や指数・対数など，高校レベルの数学も試験範囲です。
たまに出題されますし，基礎としてとても役に立つので，勉強をしたことがない方，苦手な方は勉強しておいた方がいいでしょう。
ただ，労力をかけても出題は1問程度なので，時間がない場合は飛ばしてもOKです。

■ベイズの定理

ベイズの定理は，条件付き確率を用いて，ある事象が起こる確率を計算する方法です。ベイズの定理では，結果が与えられたときに，ある仮説（原因）が真である確率（事後確率）を求めることができます。

事象A，事象Bの二つがあるとき，ベイズの定理の式は以下のとおりです。

$$P(A|B) = \frac{P(B|A)P(A)}{P(B)}$$

ここで，$P(A)$，$P(B)$はそれぞれ，Aが起こる確率，Bが起こる確率です。事象Aが起きたときに事象Bが起こる確率を$P(B|A)$と表し，事象Bが起きたときに事象Aが起こる確率を$P(A|B)$と表し，これらを条件付き確率といいます。

それでは，次の問題を考えてみましょう。

問題

複数の袋からそれぞれ白と赤の玉を幾つかずつ取り出すとき，ベイズの定理を利用して事後確率を求める場合はどれか。

- ア　ある袋から取り出した二つの玉の色が同じと推定することができる確率を求める場合
- イ　異なる袋から取り出した玉が同じ色であると推定することができる確率を求める場合
- ウ　玉を一つ取り出すために，ある袋が選ばれると推定することができる確率を求める場合
- エ　取り出した玉の色から，どの袋から取り出されたのかを推定するための確率を求める場合

（令和6年春 応用情報技術者試験 午前 問1）

解説

ベイズの定理で利用する事後確率とは，新たな情報が得られた後の事象の確率です。複数の袋からそれぞれ白と赤の玉を幾つかずつ取り出すとき，取り出した玉の色が分かった後で，どの袋か

ら取り出されたのかを推定するためには，事後確率を利用します。したがって，エが正解です。

　ア，イ，ウは，ベイズの定理を用いる場合とは異なる問題設定となります。アとイは，取り出した玉の色が同じである確率を求める問題であり，ウは袋の選択についての確率を求める問題となります。

≪解答≫エ

■ 統計の尺度

　統計で用いられる尺度は，データの特性に基づいて測定値を分類，比較するための方法です。代表的な尺度には，次のようなものがあります。

- 名義尺度……カテゴリーごとに分類され，順序や数値的な意味を持たない尺度(例：性別，血液型)
- 順序尺度……データは順序をもち，各値間の差に意味がない尺度(例：満足度の評価，順位)
- 間隔尺度……データは順序をもち，各値間の差が一定で，ゼロ点が決まっていない(例：温度(摂氏，華氏)，カレンダーの日付)
- 比例尺度……データは順序をもち，各値間の差が一定で，ゼロ点がある(例：重量，身長，時間)

■ 正規分布

　統計で最も使われる考え方に，**正規分布**があります。繰り返し実行した場合，それが独立した事象であれば，その分布は正規分布に従うことが知られています。

　正規分布の場合，その確率の散らばり具合によって，**標準偏差**(σ)が求められます。その分布が正規分布に従っていた場合に，±1σ(−1σから1σ)の間に約**68%**のデータが含まれます。±2σの間には約**95%**，±3σの間には約99.7%のデータが含まれます。

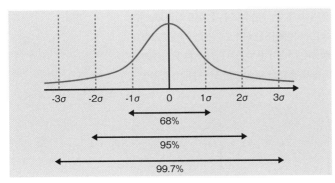

正規分布

■ 統計分析

統計分析とは，統計学の手法で，データを解析することです。
統計分析には，次のような種類があります。

①回帰分析

連続的なデータについて，y＝f（x）などの関数モデルを当てはめる分析です。このとき，変数となるxが一つなら**単回帰分析**，複数なら**重回帰分析**といいます。確率pから求めるロジット（log(p)－log$(1-p)$）を使用するロジスティック回帰分析などの手法があります。

②主成分分析

多くの変数をより少ない指標や合成変数にまとめ，要約する手法です。変数を統合した新たな変数を使用して，データがもつ変数の数を減らすことを実現します。

③因子分析

観測された結果について，どのような潜在的な要因（因子）から影響を受けているかを探る手法です。

④相関分析

二つの変数の間にどの程度の直線的な関係があるのかを数値で表す分析です。
相関分析で用いられる，データの分布がどれだけ直線に近いか

を示す係数に，相関係数があります。完全に右上がりの直線上に
データが分布している場合には相関係数が1，まったく相関のない
無相関な場合には相関係数が0になります。さらに，右下がりの直
線上にデータが分布している場合には相関係数が−1になります。

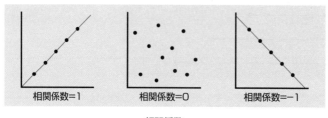

相関係数

それでは，相関係数に関する問題を解いてみましょう。

問　題

相関係数に関する記述のうち，適切なものはどれか。

ア　全ての標本点が正の傾きをもつ直線上にあるときは，相関係
　　数が＋1になる。

イ　変量間の関係が線形のときは，相関係数が0になる。

ウ　変量間の関係が非線形のときは，相関係数が負になる。

エ　無相関のときは，相関係数が−1になる。

(平成29年秋 応用情報技術者試験 午前 問1)

解　説

　相関係数は−1から＋1までの値をとり，完全に正の傾きをもつ
直線上にすべての標本点があるときには＋1になります。したがっ
て，アが正解です。

　相関係数は線形の度合いを示す数字で，まったく無相関のとき
に0になります。また，相関係数は「いかに直線か」を示すものな
ので，非線形の場合には相関係数の値は意味がありません。同じ
直線でも正の傾きをもつ直線の場合は＋1，負の傾きをもつ場合に
は−1となります。

《解答》ア

1

■ 相関関係と因果関係

　相関関係とは，二つの事柄に関連があるという関係です。因果関係とは，二つの事柄のどちらかが原因となって別の事柄が起こるという関係です。この二つは似ているようですが，**まったく別のものとして区別すること**が**大切**です。

　相関分析で求められる相関係数は，相関関係を表す数値です。相関係数が1に近い場合には，相関関係はあり，二つの事柄には関連があるとはいえます。しかし，二つの事柄のどちらが原因でどちらが結果かは，相関分析だけでは求められません。因果関係を求めるには，二つのグループにランダムに分けて分析するランダム化比較試験など，さらなる検証が必要となります。

　また，二つの事柄の間の相関が，直接の関連ではなく他の要素を原因とした**疑似相関**の可能性もあります。例えば，子の体重が重いほど算数がよくできるという相関があったときには，体重と算数の出来に直接の相関があるわけではありません。「年齢」が隠れた原因であり，年齢が上がると体重が重くなり，学年が上がることで算数の学習が進むということになります。

■ 推定

　推定とは，母集団の特性をサンプルデータから推測する方法です。点推定と区間推定があり，**点推定**は特定の値を推測し，**区間推定**は範囲を推測します。

　尤度はデータが得られる確率であり，**最尤推定**は尤度を最大化するパラメータを推定します。

　仮説検定では，帰無仮説と対立仮説を比較し，**t検定**や**z検定**，**カイ二乗検定**を用いて検証します。**有意水準**に基づき**p値**を計算し，**棄却域**に基づいて帰無仮説を棄却するかを決定します。

■ 数値計算

　データ分析などで数値計算を行うときには，データの次元を考える必要があります。例えば，画像データなどは縦×横の座標ごとに画像の明るさのデータをもつ2次元データであり，このようなデータを表すためには行列を用います。

　様々なデータの次元と，それぞれの次元での例には，次のものがあります。

①スカラ

　普通の数値，例えば10など，データが一つだけのものは，スカラと呼ばれます。スカラは0次元のデータであるともいえます。

②ベクトル

　[1, 2, 3, ・・・]など，複数のデータの1次元での並びをベクトルといいます。通常，データは複数あるので，データ分析での単純なデータは，ベクトルになります。例えば，1時間ごとの気温のデータなどはベクトルで表されます。

③行列

　縦と横の2次元を使ってデータを表す方法を行列といいます。例えば，画像データなどは，縦と横で表現される座標があり，座標ごとに色の濃さなどを表すので，2次元データとなります。

④テンソル

　縦と横に加えて高さがあり，3次元でデータを表す場合は，テンソルというかたちで表現します。テンソルは，3次元に限らず，どのような次元でも表現可能です。例えば，白黒の画像データは2次元の行列で表されますが，カラー画像だと，RGB（Red, Green, Blue）など，光の三原色ごとの色の濃さを表すため，3次元のテンソルになります。

■ 数値演算

　数値演算をするとき，正確に値を求められなくても，大体の近い値を求めて近似解とすることで役立つ場合も多くあります。近似解を求める方法には，次のようなものがあります。

①ニュートン法

　反復的に近似解を求める手法です。最初は適当に値を決め，その値からグラフの接線を求め，より適切な値に更新することで，近似解を求めていきます。

②シンプソン法

関数f (x) の定積分の近似値を，f (x) を二次関数で近似することで求めるアルゴリズムです。

③オイラー法

微分の定義に基づいたオイラー法の式

$$y(t + \Delta t) = y(t) + f(t, y(t)) \Delta t$$

を用いて，t の値を Δt だけ増加させた場合の y の値を逐次求める方法です。

■ グラフ理論

グラフ理論とは数学の1分野で，ノード (node：節点) とエッジ (edge：枝，辺) から構成されるグラフについての理論です。

参考
グラフ理論は，Facebookでのソーシャルグラフ（友達関係を表すグラフ）や，電車の乗り換え案内などでも利用されています。

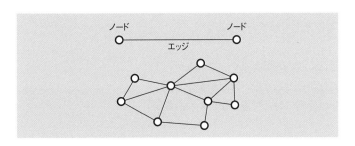

グラフ

グラフには，方向性のある有向グラフと，方向性のない無向グラフの2種類があります。A→Bには行けるがB→Aには行けないことがあるという場合は有向グラフ，どちらからも行けるという場合には無向グラフを用います。

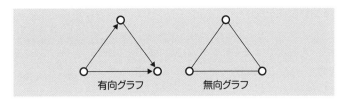

有向グラフと無向グラフ

そして，グラフ理論の重要な考え方に**木**という概念があります。木とは，閉路（ループ）をもたないグラフの構造で，根（root）と節点（ノード：node），葉（leaf）をもちます。

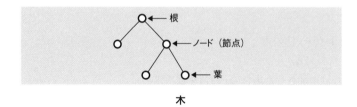

木

■ 待ち行列理論

待ち行列理論とは，ある列に並ぶときに，平均でどれだけ待たされるかを統計学的な計算で求めるための理論です。

列に並んでいるとき，待ち行列のモデルでは次の三つの要素が待ち時間に影響を与えると考えられています。

- **到着率** …………… どれくらいの頻度でやって来るか
- **サービス時間** …… 実作業にどれくらい時間がかかるか
- **窓口の数** ………… 一つの列に対して窓口がいくつあるか

これら三つの要素について，次のようなかたちで待ち行列のモデルを表します。

待ち行列のモデル

M/M/1とは，到着率が一定（D）ではなくランダム（M）（ポアソン分布）で，サービス時間が一定（D）ではなくランダム（M）（指数分布）な場合の待ち行列のモデルです。

発展

待ち行列モデルの「D」は，確定分布（Deterministic distribution）の意味です。これは，到着率やサービス時間が一定であることを指します。この場合には，ゆらぎがないので待ちが発生しにくくなります。
「M」は，到着やサービスがランダムに行われる場合のモデルで，ポアソン分布または指数分布のことを指します。

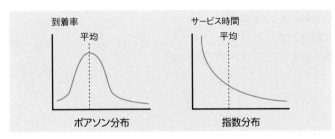

ボアソン分布と指数分布

待ち時間の計算

待ち時間は，待ち行列理論を使うと計算できます。待ち行列モデルがM/M/1以外の場合は計算方法が少し複雑なので，あらかじめ計算された表などを利用しますが，M/M/1モデルの場合には次の式で計算できます。

$$利用率\overset{ロー}{\rho} = \frac{仕事をしている時間}{全体の時間} = \frac{平均サービス時間}{平均到着間隔}$$

$$平均待ち時間 = \frac{\rho}{1-\rho} \times 平均サービス時間$$

$$平均応答時間 = 平均待ち時間 + 平均サービス時間$$

$$= \frac{1}{1-\rho} \times 平均サービス時間$$

それでは，実際の問題を例に，待ち行列の計算を行っていきましょう。

過去問題をチェック

M/M/1待ち行列について，応用情報技術者試験では次の出題があります。およそ2回に1回は出題される頻出ポイントです。
【M/M/1待ち行列】
・平成24年春 午前 問2
・平成25年秋 午前 問5
・平成26年秋 午前 問3
・平成27年春 午前 問1
・平成28年春 午前 問3
・平成30年秋 午前 問2
・令和元年秋 午前 問3
・令和4年春 午前 問3
・令和6年春 午前 問2

午後でも，M/M/nモデルなど，複雑な待ち行列計算について出題されることがあります。
【M/M/nモデルでの待ち時間の計算】
・平成22年秋 午後 問4
・平成26年春 午後 問4

問題

コンピュータによる伝票処理システムがある。このシステムは，伝票データをためる待ち行列をもち，M/M/1の待ち行列モデルが適用できるものとする。平均待ち時間がT秒以上となるのは，システムの利用率が少なくとも何%以上となったときか。ここで，伝票データをためる待ち行列の特徴は次のとおりである。

・伝票データは，ポアソン分布に従って到着する。

・伝票データをためる数に制限はない。

・1件の伝票データの処理時間は，平均T秒の指数分布に従う。

　　ア　33　　　　イ　50　　　　ウ　67　　　　エ　80

(平成30年秋 応用情報技術者試験 午前 問2)

解説

　伝票データをためる待ち行列の特徴としては，発生(到着)がポアソン分布，処理時間(平均サービス時間)が指数分布に従うので，M/M/1の待ち行列モデルが適用できます。M/M/1待ち行列モデルの場合には，平均待ち時間は，利用率をρとして次のように表されます。

$$平均待ち時間 = \frac{\rho}{1-\rho} \times 平均サービス時間$$

　設問では，処理時間(平均サービス時間)がT秒，平均待ち時間がT秒以上なので，次のように表されます。

$$T \leq \frac{\rho}{1-\rho} \times T \ [秒]$$

$$1 - \rho \leq \rho, \ 2\rho \geq 1, \ \ \rho \geq 1 \diagup 2 = 0.5 = 50 \ [\%]$$

　したがって，平均待ち時間がT秒以上になるのは伝票処理システムの利用率が50%以上となったときなので，イが正解です。

≪解答≫イ

> ☆参考
>
> M/M/1モデルの確率分布については，「ポアソンは到着率，指数はサービス時間」ぐらいで覚えていれば，試験対策としては十分です。ただ，背景を理解されたい方は，確率論を勉強するのも楽しいと思います。

▶▶ 覚えよう !

☐　正規分布の場合，±1σの中に入っているデータは全体の約68%，±2σでは約95%

☐　平均待ち時間＝$\dfrac{\rho}{1-\rho}$ × 平均サービス時間

1-1-3 ● 情報に関する理論 頻出度 ★★☆

　情報技術に応用されている理論です。情報量やオートマトンなど，コンピュータでの処理を効率良く実現するにあたって必要な理論について学びます。

■ 情報量

　情報量とは，ある事象が起きたとき，それが**どれくらい起こりにくいか**を表す尺度です。例えば，6月に雨が降るのと雪が降るのとでは雪が降る方が起こりにくいので，情報量としては多くなります。

　ある事象が起こるときの情報量を，選択情報量（自己エントロピー）といいます。選択情報量は，次の式で表されます。

$$選択情報量 = -\log_2 P$$

　Pは，その事象が起こる確率です。例えば，明日雨が降る確率が50%なら，雨という事象の選択情報量は，

$$雨の選択情報量 = -\log_2 0.5 = -\log_2 \frac{1}{2}$$
$$= -\log_2 2^{-1} = 1$$

となり，選択情報量は1［ビット］となります。

　また，系全体，つまり，すべての場合を考えて，その全体の平均をとったときの情報量を**平均情報量**（**エントロピー**）といいます。平均情報量は，次の式で表されます。

$$平均情報量 = \sum_{i=1}^{n} （選択情報量 \times P_i）$$
$$= \sum_{i=1}^{n} \{(-\log_2 P_i) \times P_i\}$$

　例えば，明日の天気が，晴れが25%，曇りが25%，雨が50%の確率だと考えてみます。晴れと曇りの選択情報量は，$-\log_2 0.25 = -\log_2 2^{-2} = 2$なので，次のようになります。

$$平均情報量 = 2 \times 0.25 + 2 \times 0.25 + 1 \times 0.5 = 1.5$$

　したがって，平均情報量は1.5ビットです。

　それでは，次の例題を解いてみて，その後で情報量の使い方について考えていきましょう。

問 題

　a，b，c，dの4文字から成るメッセージを符号化してビット列にする方法として表のア〜エの4通りを考えた。この表はa，b，c，dの各1文字を符号化するときのビット列を表している。メッセージ中でのa，b，c，dの出現頻度は，それぞれ50％，30％，10％，10％であることが分かっている。符号化されたビット列から元のメッセージが一意に復号可能であって，ビット列の長さが最も短くなるものはどれか。

	a	b	c	d
ア	0	1	00	11
イ	0	01	10	11
ウ	0	10	110	111
エ	00	01	10	11

（令和2年10月 応用情報技術者試験 午前 問4）

解 説

　まず，「符号化されたビット列から元のメッセージが一意に復元可能か」を考える必要があります。

　アの場合には，例えばビット列が000のときに，元のメッセージがaaaなのかacなのかcaなのか区別できません。

　イも，ビット列が010のとき，baなのかacなのか区別できません。これらの場合には，いくらビット列の長さが短くても採用できません。

　エの場合は，すべてが2ビットなので，2ビットごとに区切れば，0110はbcというように一意に復号可能です。しかし，ビット列の長さは2ビット必要になります。

　ウの場合，元のメッセージを一意に識別することが可能です。さらに，出現頻度がa，b，c，dそれぞれ50％，30％，10％，10％なので，平均のビット数は，

$$1 \times 0.5 + 2 \times 0.3 + 3 \times 0.1 + 3 \times 0.1 = 1.7 \ [ビット]$$

となり，エの場合（2ビット）よりも短くなります。

≪解答≫ ウ

1

この問題を使って，情報量について計算してみましょう。

a, b, c, dの出現頻度はそれぞれ50%, 30%, 10%, 10%なので，選択情報量を求めると次のようになります。

$$aの選択情報量 = -\log_2 0.5 = -\log_2 2^{-1} = 1$$

$$bの選択情報量 = -\log_2 0.3 = \frac{-\log_{10} 0.3}{\log_{10} 2}$$

$$= \frac{-(\log_{10} 3 - 1)}{\log_{10} 2} \fallingdotseq 1.74$$

$$c, dの選択情報量 = -\log_2 0.1 = \frac{-\log_{10} 0.1}{\log_{10} 2}$$

$$= \frac{1}{\log_{10} 2} \fallingdotseq 3.32$$

ここから，平均情報量（エントロピー）を求めます。

すべての選択情報量を合計して平均情報量を求めると，次のようになります。

$$平均情報量 = 1 \times 0.5 + 1.74 \times 0.3 + 3.32 \times 0.1 + 3.32 \times 0.1$$
$$= 1.686 \ [ビット]$$

この平均情報量1.686［ビット］というのは系全体がもっている情報量で，この値が実は**圧縮の限界値**になります。前掲の問題で，選択肢ウのようにaを0（1ビット），bを10（2ビット），c, dをそれぞれ110, 111（3ビット）割り当てると，平均情報量は1.7と，圧縮の限界値に近い値になります。

■ ハフマン符号

平均情報量（エントロピー）をもとに圧縮の概念を理解したところで，具体的な圧縮方法を考えてみましょう。

それぞれの事象の出現確率をもとに事象ごとに異なる長さの符号を割り当てる考え方をエントロピー符号といいます。具体的には，よく出現する文字には短いビット数を，あまり出現しない文字には長いビット数を割り当てることで，全体のデータ量を削減します。

ハフマン符号は，1952年に米国のデビッド・ハフマンによって開発されたエントロピー符号の一つで，データ構造の一つであ

関連

2分木などのデータ構造については，「1-2-1 データ構造」を参照してください。

る2分木構造を利用することで，復号によって元の情報を復元できる可逆圧縮でありながらデータの全体量を減らすことができる方法です。

　例えば，前掲の問題と同じく，メッセージ中でのa，b，c，dの出現頻度は，それぞれ50%，30%，10%，10%である四つの文字から成り立っているメッセージを考えます。まず，出現頻度が1番少ない記号と2番目に少ない記号（この場合はcとd）を葉として，一つの新しい枝を作ります。図にすると次のようなかたちです。

　cとdを合わせた確率は，10% + 10% = 20%なので，この合わせたものを新たな枝として，出現頻度が1番少ない記号と2番目に少ない記号（この場合は，cとdを合わせた枝と，b）を葉として，一つの新しい枝を作ります。これを繰り返し，最後の値が結び付いて一つの2分木になると完成です。その後，2分木のそれぞれの枝に，図中の色文字のように0と1を割り当てます。

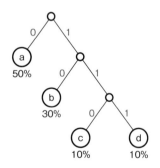

　a，b，c，dそれぞれを表すビット列は，この2分木を根から順に読んで，aは0，bは10，cは110，dは111となります。これは前掲の問題の解答と同じであり，この問題はハフマン圧縮を行いビット列の長さを短くしているともいえます。

📚 **過去問題をチェック**

ハフマン符号や情報量については，その名前が出てくることは少ないのですが，実際にビット列を考えさせる問題は頻出です。応用情報技術者試験では，次のような問題でハフマン圧縮に関する内容が出題されています。
【ハフマン符号】
・平成22年秋 午前 問2
・平成28年春 午前 問4
・平成29年秋 午前 問3
・平成30年春 午前 問2
・平成30年秋 午前 問5
・令和2年10月 午前 問4

■オートマトン

オートマトンとは，次のような三つの特徴をもったシステムのモデルです。

1. 外から，情報が連続して入力される
2. 内部に，**状態**を保持する
3. 外へ，情報を出力する

特定の条件が起こったときに，ある状態から別の状態に移ることを遷移といいます。例えばデートのとき，相手が来るのを待っている状態が待ち状態で，相手が来るという遷移条件が起こると，デートをするデート状態に移ります。

オートマトンのうち，状態や遷移の数を有限個で表すことができるものを有限オートマトンといいます。

実際の問題をもとに，オートマトンを体験してみましょう。

問題

次に示す有限オートマトンが受理する入力列はどれか。ここで，S₁は初期状態を，S₃は受理状態を表している。

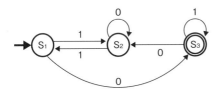

ア　1011　　イ　1100　　ウ　1101　　エ　1110

（平成21年春 応用情報技術者試験 午前 問3）

解説

初期状態がS_1なので，S_1を起点としてそれぞれの文字列を入力して状態遷移を見ていきます。

ア　1011　　　$S_1 \xrightarrow{1} S_2 \xrightarrow{0} S_2 \xrightarrow{1} S_1 \xrightarrow{1} S_2$

イ　1100　　　$S_1 \xrightarrow{1} S_2 \xrightarrow{1} S_1 \xrightarrow{0} S_3 \xrightarrow{0} S_2$

ウ　1101　　　$S_1 \xrightarrow{1} S_2 \xrightarrow{1} S_1 \xrightarrow{0} S_3 \xrightarrow{1} S_3$
　　　　　　　　　　　　　　　　　　　　受理状態

エ　1110　　　$S_1 \xrightarrow{1} S_2 \xrightarrow{1} S_1 \xrightarrow{1} S_2 \xrightarrow{0} S_2$

ア，イ，エはS_2，ウのみS_3になります。受理状態とは，その状態で終了すると受理するという状態で，この問題の場合，受理状態はS_3です。

≪解答≫　ウ

このように，初期状態からスタートして順番に状態遷移を行い，最後に受理状態で終われば正常終了という流れで評価を行うことがオートマトンの基本です。

■ 木の走査順と逆ポーランド表記法

グラフ理論における木で，木のそれぞれのノード（節点）を順番に読んでいくことを走査といいます。走査を行う際の順番には，先行順，中間順，後行順の3種類があります。

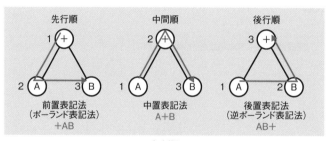

走査順

1

先行順，中間順，後行順でノードの内容を表記する方法をそれぞれ，前置表記法（ポーランド表記法），中置表記法，後置表記法（逆ポーランド表記法）といいます。

人間の頭脳が理解しやすいのは中置表記法ですが，コンピュータは逆ポーランド表記法の方が処理しやすいという違いがあります。そのため，演算などを行うときには，コンピュータ内で逆ポーランド表記法に置き換えていきます。

以下の問題で，実際に表記法を置き換えてみましょう。

問 題

式A＋B×Cの逆ポーランド表記法による表現として，適切なものはどれか。

ア ＋×CBA
イ ×＋ABC
ウ ABC×＋
エ CBA＋×

（令和2年10月 応用情報技術者試験 午前 問3）

解 説

式A＋B×Cでは，＋より×の方が優先されるので，A＋（B×C）と考えることができます。そのため，木構造に直すと，次のようになります。

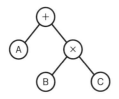

この木を逆ポーランド表記法にするには後行順で順に読んでいけばいいので，次のようになります。

ABC×＋

≪解答≫ ウ

過去問題をチェック

逆ポーランド表記法や木の走査順については，応用情報技術者試験で以下の出題があります。
【逆ポーランド表記法，木の走査順】
・平成22年秋 午前 問1
・平成23年秋 午前 問2
・平成24年秋 午前 問4
・平成26年秋 午前 問4
・令和2年10月 午前 問3
・令和5年秋 午前 問3
午後でも，プログラミング問題として出題されています。
【逆ポーランド表記法への変換プログラム】
・平成25年春 午後 問2

■ BNF (Backus-Naur Form) 記法

BNFは，文法などの形式を定義するために用いられる言語で，プログラム言語などの定義に利用されています。繰返しの表現に再帰を使うのが特徴です。

実際の問題を例に，BNFについて学習していきましょう。

問題

あるプログラム言語において，識別子 (identifier) は，先頭が英字で始まり，それ以降に任意個の英数字が続く文字列である。これをBNFで定義したとき，aに入るものはどれか。

<digit> :: = 0 | 1 | 2 | 3 | 4 | 5 | 6 | 7 | 8 | 9
<letter> :: = A | B | C | … | X | Y | Z | a | b | c | …
          | x | y | z
<identifier> :: = ☐ a ☐

ア <letter> | <digit> | <identifier><letter> |
    <identifier><digit>
イ <letter> | <digit> | <letter><identifier> |
    <identifier><digit>
ウ <letter> | <identifier><digit>
エ <letter> | <identifier><digit> | <identifier>
    <letter>

(平成29年春 応用情報技術者試験 午前 問4)

解説

記号の「:: =」は「定義する」，「 | 」は「いずれか」を意味します。したがって，

 <digit> :: = 0 | 1 | 2 | 3 | 4 | 5 | 6 | 7 | 8 | 9

は，<digit>が0から9までの数字であることを定義し，

 <letter> :: = A | B | C | … | X | Y | Z | a | b | c | … | x | y | z

は，<letter>が大文字か小文字の英字であることを定義しています。

識別子<identifier>については，問題文に「先頭が英字で始まり，

過去問題をチェック

BNFのアルゴリズムについては，この問題のほかにも応用情報技術者試験で次の出題があります。
【BNFのアルゴリズム】
・平成22年秋 午後 問2
・平成23年特別 午前 問4
・平成24年春 午前 問3
・平成26年春 午前 問3
・平成29年秋 午前 問2
・平成30年秋 午前 問4

それ以降に任意個の英数字が続く文字列」と記載されています。

つまり，識別子<identifier>は，

　　<identifier> :: = <letter>　…最初の1文字（英字）のみか，そ
こに再帰を用いて，

　　<identifier> :: = <identifier><digit>

または，

　　<identifier> :: = <identifier><letter>

というように，2番目以降には英数字（英字か数字のどちらか）が
続くという状態を表現できます。したがって，次のようになります。

　　<identifier> :: = <letter> | <identifier><digit> | <identifier>
　　<letter>

《解答》 エ

■ 計算量（オーダ）

　計算量とは，あるプログラム（アルゴリズム）を実行するのに
どれくらいの時間がかかるかを，入力データに対する増加量で
表したものです。計算量を表すときには，**O-記法**という表記法で，
O（オーダ）という考え方が用いられます。

　例えば，入力データの数（n）が増加したとき，その計算量も n
に比例して増加していくときのことを，$O(n)$ と表します。n^2 に
比例して増加する場合には，$O(n^2)$ です。オーダは，n が非常に
大きいときの計算量を考えるので，数値が小さい場合には無視
し，定数も無視します。例えば，入力データの数（n）が増加した
とき，$3n^2 + n + 2$ に比例して計算量が大きくなるときには，n が
大きくなってもあまり増加しない n + 2 の部分や，比例定数3の
部分は無視されて，$O(n^2)$ となります。

　以下に，試験によく出てくる代表的な O（オーダ）とその例を示
します。

代表的なO（オーダ）とその例

O（オーダ）	例（アルゴリズム）
$O(1)$	ハッシュ
$O(\log n)$	2分探索
$O(n)$	線形探索
$O(n\log n)$	クイックソート，シェルソート
$O(n^2)$	バブルソート，挿入ソート

■ AI

　AI（Artificial Intelligence：人工知能）とは，人間と同様の知能をコンピュータ上で実現させるための技術です。人間を完全に模倣できる「強いAI」と呼ばれる技術はまだ実現していませんが，人間の一部の機能を代替して実現できる「弱いAI」と呼ばれる技術としては，現在様々なものが実用化されています。

　AIの代表的な実用化事例に画像認識があり，音声認識やテキスト翻訳などの分野でも技術が大きく進歩しています。

■ 機械学習

　AIで利用する技術のうち，よく用いられる手法が機械学習です。機械学習とは，アルゴリズムを使って，データの特性をコンピュータが自動的に学習するものです。機械学習の結果として，予測などを行うためのモデル（計算式など）を作成します。

　機械学習の分類には，教師あり学習，教師なし学習，及びその他の機械学習があり，それぞれに様々なアルゴリズムがあります。それぞれの特徴をまとめると，次のようになります。

● 教師あり学習

　教師あり学習とは，教師となる正解データ（ラベル）を用意する機械学習です。データを複数のグループに分ける**分類**や，連続的なデータの値を予測する**回帰**を行うことができます。

　教師あり学習の代表的なアルゴリズムには，次のものがあります。

・サポートベクタマシン

　　分類と回帰を行うことができるアルゴリズムです。線形の分類では，データを区切る直線から分類されたデータまでの距離が最も遠くなるように，適切な直線を求めて分類します。

・ニューラルネットワーク

　　人間の脳神経回路（ニューロン）を模倣して作成した，分類と回帰を行うことができるアルゴリズムです。ニューロンの階層を複数段重ねて複雑な学習を可能にしたアルゴリズムをディープラーニング（深層学習）といいます。

過去問題をチェック

AIに関する問題は，応用情報技術者試験の新定番です。機械学習，ディープラーニングについては，以下の出題があります。
【機械学習】
・令和元年秋 午前 問4
・令和5年春 午前 問4
【ディープラーニング】
・平成31年春 午前 問3
・平成30年春 午前 問1
・令和3年秋 午前 問3
・令和6年春 午前 問3
【AIの評価】
・令和4年秋 午前 問4
・令和5年春 午前 問3
午後問題でも，機械学習やディープラーニングの問題が出題されています。
【ニューラルネットワーク】
・令和元年秋 午後 問3
【クラスタリング】
・令和3年春 午後 問3

●教師なし学習

データのみからその傾向を学習する手法です。正解データがないため,学習がうまくいっているかどうかを評価することが難しく,発展途上の技術です。データの性質で複数のグループに分ける**クラスタリング**などを行うことができます。

教師なし学習の代表的なアルゴリズムには,次のものがあります。

・K-means法

データをK個のクラスタにランダムに分け,そのクラスタごとの重心(平均となる座標)を求め,今のクラスタよりも重心の距離が近いクラスタがあった場合に,クラスタを変更することを繰り返すアルゴリズムです。

●その他の機械学習

その他の機械学習手法として,正解を用意するのではなく,行動を試すための環境を用意し,とるべき行動を自分で学習していく方法に**強化学習**があります。強化学習は,半教師あり学習ともいえるものです。強化学習の代表的な手法に,GAN(Generative Adversarial Network:敵対的生成ネットワーク)があります。

■ ディープラーニング

ディープラーニングは,機械学習の一分野であるニューラルネットワークが発展してできたものです。大量のデータから精度の高いモデルを作成することができるため,様々な分野で応用されています。

ディープラーニングの技術を応用した実用的なアルゴリズムに,**CNN**(Convolutional Neural Network:畳み込みニューラルネットワーク)があり,画像解析などで主に活用されています。また,文章の翻訳や生成などの自然言語処理などでよく用いられるアルゴリズムに,**RNN**(Recurrent Neural Network:リカレントニューラルネットワーク)やLSTM(Long Short Term Memory)があります。

■ AIの評価

　機械学習やディープラーニングなど，AIから得られた結果については，本当に正しいかどうかを評価する必要があります。AIでの学習では，学習に使用したデータだけに特化し，未知のデータに対してはかえって精度が下がる過学習が起こることがあります。過学習を防ぐためには，訓練データとは別にテストデータを用意し，その精度を確認することが大切です。

　学習によって得られた結果を評価するとき，2クラス分類モデルでは，陽性（Positive）か陰性（Negative）の二つに分けます。真の値が陽性か陰性かと，AIによって得られた予測結果が陽性か陰性かで，次の四つに分類されます。

		予測	
		陽性（P）	陰性（N）
真の値	陽性（P）	TP	FN
	陰性（N）	FP	TN

混同行列

　この分類は，混同行列と呼ばれます。混同行列では，正解であればT（True），不正解であればF（False）とすることで，TP（True Positive），FP（False Positive），TN（True Negative），FN（False Negative）と表現します。

　混同行列をもとに，AIでの学習モデルを評価するときには，次のような指標が使われます。

$$正解率（Accuracy）= \frac{TP+TN}{TP+TN+FP+FN}$$

$$適合率（Precision）= \frac{TP}{TP+FP}$$

$$再現率（Recall）= \frac{TP}{TP+FN}$$

　一般的には正解率（正答率）がよく用いられます。病気の判定など，真の値が見過ごされないことが重要な場合には，**再現率**が用いられます。

　連続したデータを陽性と陰性の二つに分けるには，**しきい値**を使用します。しきい値と比較して上か下かで判断するので，し

きい値を変化させることで，陽性と陰性の数を調整できます。

しきい値を変化させると，混同行列は変化します。しきい値による混同行列の変化をグラフにしたものが**ROC曲線**（Receiver Operating Characteristic Curve）です。横軸に偽陽性率FPR（False Positive Rate：陰性のうち誤って陽性と判定されてしまった割合）をとり，縦軸に真陽性率TPR（True Positive Rate：陽性のうち正しく陽性と判定された割合）をとります。偽陽性率，真陽性率は，次の式で計算できます。

$$偽陽性率（FPR）= \frac{FP}{TN+FP}$$

$$真陽性率（TPR）= \frac{TP}{TP+FN}$$

ランダムな分類データで生成したROC曲線は，次のようなグラフとなります。

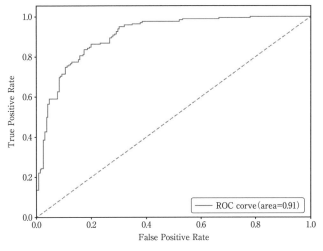

ROC曲線の例

それでは，次の問題を考えてみましょう。

問題

AIにおける機械学習で，2クラス分類モデルの評価方法として用いられるROC曲線の説明として，適切なものはどれか。

ア　真陽性率と偽陽性率の関係を示す曲線である。
イ　真陽性率と適合率の関係を示す曲線である。
ウ　正解率と適合率の関係を示す曲線である。
エ　適合率と偽陽性率の関係を示す曲線である。

(令和5年春 応用情報技術者試験 午前 問3)

解説

ROC（Receiver Operatorating Characteristic）曲線は，2クラス分類モデルで陽性と陰性を分けるときに使うしきい値を変化させた場合の状況を表すグラフです。横軸に陰性のうち誤って陽性と判定されてしまった割合（偽陽性率）をとり，縦軸に陽性のうち正しく陽性と判定された割合（真陽性率）をとります。したがって，アが正解です。

イ，エ　適合率は，陽性と判断されたうちの真の値が陽性である割合です。
ウ　正解率は，全体に対する正解の割合です。

≪解答≫ア

■ AIの応用

AIは，自然言語処理，音声・画像・動画の認識・合成・生成などに応用することができます。特に，AIを使用してコンテンツを生成する手法を生成AIといいます。自然言語処理を用いて，LLM（Large Language Model：大規模言語モデル）を使用することで，様々な文章を生成することができます。LLMでは，Transformerという自己注意（Self-Attention）機構が使用されています。また，RLHF（Reinforcement Learning from Human Feedback：人間のフィードバックによる強化学習）により，より安全なLLMが生成されます。

1

　プロンプトエンジニアリングとは，AIモデルに対して最適な出力を得るために，入力文（プロンプト）を工夫して設計する技術です。**ゼロショット学習**は，特定のタスクに関する事前の学習なしにAIが問題を解決する能力を指し，**フューショット学習**は少数の例を与えてタスクを学習させる方法です。

▶▶ 覚 え よ う！

- [ ] 木の走査順は，先行順，中間順，後行順の3種類。後行順で読むと，逆ポーランド表記法が表記できる
- [ ] 2分探索の計算量は$O(\log n)$，クイックソートの計算量は$O(n\log n)$

1-1-4 ◯ 通信に関する理論

頻出度 ★★★

　情報理論の中でも，特に通信に関する理論です。データがネットワークを通じて伝送されるときには途中で誤りが発生することが多く，その誤りの検出・訂正がこの分野のカギになります。

■誤り検出・訂正

　二つの装置間で通信を行うとき，通信時の回線状況や機器同士のやり取りなど，様々な原因で通信データの送信誤りが起こります。誤り検出・訂正の種類とその代表的な手法を以下の表にまとめます。

誤り検出・訂正の種類と代表的な手法

誤り検出・訂正の種類	代表的な手法
1ビット誤り検出	パリティ（奇数パリティ，偶数パリティ）
1ビット誤り訂正＋1ビット誤り検出	垂直パリティ＋水平パリティ
1ビット誤り訂正＋2ビット誤り検出	ハミング符号
nビット誤り検出	CRC

　それでは，それぞれの代表的な手法について詳しく見ていきましょう。

発展

メモリのエラーなど，めったに誤りが起こらず，起こっても1ビットのみのことが多い場合には，誤り訂正も可能なハミング符号が用いられます。ハミング符号による誤り訂正ができるメモリのことを，ECCメモリ（Error Check and Correct Memory）といい，サーバなど，信頼性が求められる場面で使用されます。
逆に，通信データのように，頻繁に誤りが起こり，また一度にまとめて起こること（バースト誤り：P.78「発展」参照）が多い場合には，複数ビットの誤りを検出できるCRCを用います。

■ パリティ

パリティとは，ある数字の並びの合計が偶数か奇数かによって通信の誤りを検出する技術です。データの最後にパリティビットを付加し，そのビットを基に誤りを検出します。

そのとき，**1の数が偶数になるようにパリティビットを付加する**のが偶数パリティ，**奇数になるように**パリティビットを付加するのが奇数パリティです。

例えば，7ビットのデータ1100010を考えます。

偶数パリティの場合，現在のデータは1の数が奇数なので最後に1を付加して11000101とします。奇数パリティの場合は，すでに1の数が奇数なので最後に0を付加し，11000100とします。

また，パリティは，使い方によっては，誤り訂正を行うことができます。データが送られるごとに，最後に1ビットのパリティビットを付けるやり方を垂直パリティといいます。7ビットデータを送り，それに1ビット垂直パリティを加える，ということを何度か繰り返し，データを送信します。そして最後に，それぞれのビットのデータを横断的に見て，全体で誤りがないかどうかをチェックするのに水平パリティを用います。図に表すと以下のようになります。

垂直パリティと水平パリティ

垂直パリティと水平パリティを組み合わせることにより，どこかに1ビットの誤りが発生した場合にその場所を特定でき，ビットを反転させることでエラーを訂正できます。

■ハミング符号

　ハミング符号とは，データにいくつかの冗長ビットを付加することによって，1ビットの誤りを検出し，それを訂正できる仕組みです。実際の問題を例に誤り箇所を検出し，それの訂正を行ってみましょう。

過去問題をチェック

ハミング符号やパリティビットについては，この問題のほかにも応用情報技術者試験では次の出題があります。
毎回少しずつ数値を変えて出題されていますので，答えを覚えるのではなく解き方を正しく理解しておきましょう。
【ハミング符号】
・平成24年秋 午前 問3
・平成25年春 午前 問4
・平成23年秋 午前 問3
・平成30年春 午前 問3
・平成30年秋 午前 問9
・令和6年春 午前 問4
【パリティビット】
・平成24年春 午前 問5
・平成27年秋 午前 問4
・令和3年秋 午前 問4
・令和5年秋 午前 問4

問題

　ハミング符号とは，データに冗長ビットを付加して，1ビットの誤りを訂正できるようにしたものである。ここでは，X_1，X_2，X_3，X_4の4ビットから成るデータに，3ビットの冗長ビットP_3，P_2，P_1を付加したハミング符号$X_1 X_2 X_3 P_3 X_4 P_2 P_1$を考える。付加したビット$P_1$，$P_2$，$P_3$は，それぞれ

$$X_1 \oplus X_3 \oplus X_4 \oplus P_1 = 0$$
$$X_1 \oplus X_2 \oplus X_4 \oplus P_2 = 0$$
$$X_1 \oplus X_2 \oplus X_3 \oplus P_3 = 0$$

となるように決める。ここで，$\oplus$は排他的論理和を表す。

　ハミング符号1110011には1ビットの誤りが存在する。誤りビットを訂正したハミング符号はどれか。

　ア　0110011　　　　　イ　1010011
　ウ　1100011　　　　　エ　1110111

（令和4年春 応用情報技術者試験 午前 問4）

解説

　ハミング符号$X_1X_2X_3P_3X_4P_2P_1$では，ビット誤りがない場合には，付加ビットP_1，P_2，P_3を含めた三つの式の計算結果はすべて0となるはずです。しかし，1ビットの誤りが存在するハミング符号1110011では，計算結果は次のようになります。

　　$1 \oplus 1 \oplus 0 \oplus 1 = 1$
　　$1 \oplus 1 \oplus 0 \oplus 1 = 1$
　　$1 \oplus 1 \oplus 1 \oplus 0 = 1$

　このように，すべての式が1となってしまいます。1ビットしか誤りがないとすると，三つの式すべてに含まれるビットはX_1のみ

なので，これが誤りビットだと判断できます。したがって，X_1を反転させたハミング符号0110011が訂正した元のデータだと考えられるので，アが正解です。

《解答》ア

CRC（Cyclic Redundancy Check）

CRCは，連続する誤りを検出するための誤り制御の仕組みです。送信する基となるデータを，あらかじめ決められた多項式で除算し，その余りをCRCとします。CRCのエラーチェックは，次の図のように示すことができます。

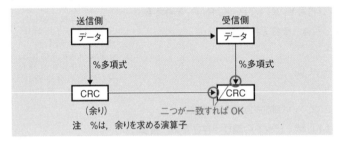

CRCのエラーチェック

なお，CRCのエラーチェックは，改ざん防止などのセキュリティチェックには使えません。これは，データは暗号化されていないテキストであり，多項式は公開されているため，改ざんして再計算することが可能だからです。

 過去問題をチェック

CRCについては，応用情報技術者試験では次の出題があります。
【CRC】
・平成21年秋 午前 問4

 発展

通信データの場合，ケーブルの不良や混線などによって誤りが一度にまとめて起こることがあります。こういった誤りを**バースト誤り**と呼びます。
バースト誤りに対しては，複数ビットの誤りを検出できるCRCを用います。
家庭や社内のLANで一般的に使われているイーサネットのパケットでは，誤り検出にCRCを用いています。

|||▶▶ 覚えよう！

☐ 1の数を足すと奇数になるのが奇数パリティ，偶数になるのが偶数パリティ

☐ ハミング符号では，1ビットの誤り訂正ができる

☐ CRCでは，バースト誤りが検出できる

1-1-5 ◯ 計測・制御に関する理論 【頻出度 ★☆☆】

計測・制御に関する理論は，主に組込系のシステムにおいて使われます。

◯ A/D変換，D/A変換

人間世界にあるアナログの情報（音，画像など）をコンピュータで扱うためには，デジタルのデータに変換する必要があります。この変換を**A/D変換**（Analog/Digital変換）といいます。また，そのデジタルのデータを実際に用いる場合（録音したデジタル音声を聞く場合など）は，逆にアナログの情報に変換する必要があります。この逆の変換を**D/A変換**（Digital/Analog変換）といいます。

A/D変換を行うためには，**標本化，量子化と符号化**という三つの作業が必要です。標本化とは，連続のデータを一定の間隔をおいてサンプリングすることです。そのサンプリングしたアナログの値をデジタルに変換することを量子化，デジタル値を2進数に変換することを符号化といいます。

例えば，下図のような音の波があったときに，一定間隔でデータを取得することを標本化，それをデジタルのデータに置き換えることを量子化，それを2進数にすることを符号化といいます（量子化と符号化をまとめて符号化と呼ぶこともあります）。

過去問題をチェック

計測・制御について，応用情報技術者試験では次の出題があります。
【A/D変換，D/A変換】
・平成22年春 午前 問23
・平成22年秋 午前 問13
・平成23年秋 午前 問4
・平成28年秋 午前 問22

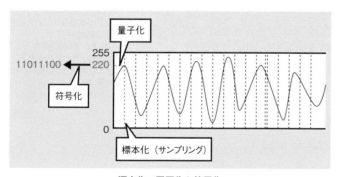

標本化，量子化と符号化

それでは，次の問題を解いてみましょう。

問題

サンプリング周波数40kHz，量子化ビット数16ビットでA/D変換したモノラル音声の1秒間のデータ量は，何kバイトとなるか。ここで，1kバイトは1,000バイトとする。

　ア　20　　　イ　40　　　ウ　80　　　エ　640

(令和3年春 応用情報技術者試験 午前 問3)

解説

　サンプリング周波数40kHzということは，1秒間に40×10^3回サンプリングするということです。そのため，1サンプリング当たりの量子化ビット数を16ビットでA/D変換した場合の1秒間のデータ量は，次のようになります。

16［ビット］$\times 40 \times 10^3$［回／秒］$\div 8$［ビット／バイト］
$= 80 \times 10^3$［バイト］$= 80$［kバイト］

《解答》ウ

■PCM

　音を標本化し，量子化，符号化したデータを格納する方式として代表的なものにPCM（Pulse Code Modulation）があります。符号化したデータをそのまま活用する方式で，音楽CDなどでは，PCMが用いられています。

　また，単純なPCMでは標本化ごとのデータの変化が小さいことが多いため，データの差分を用いて動的にデータを作成することでデータ圧縮を行うADPCM（Adaptive Differential Pulse Code Modulation）という方式があります。

過去問題をチェック

PCMやADPCMについて，応用情報技術者試験では次の出題があります。
【PCM，ADPCM】
・平成22年春 午前 問27
・平成22年秋 午前 問3
・平成25年春 午前 問26
・平成31年春 午前 問22

■標本化定理

　標本化定理とは，ある周波数のアナログ信号をデジタルデータに変換するとき，それをアナログ信号に復元するためには，その周波数の**2倍のサンプリング周波数**が必要だという定理です。例えば，4kHzまでの音声データを復元させるためには，その倍の8kHzのサンプリング周波数が必要です。

　実際の問題で考えてみましょう。

問題

　0 ～ 20kHzの帯域幅のオーディオ信号をデジタル信号に変換するのに必要な最大のサンプリング周期を標本化定理によって求めると，何マイクロ秒か。

　　ア　2.5　　　イ　5　　　　ウ　25　　　エ　50

（平成21年秋 応用情報技術者試験 午前 問3改）

解説

　最大で20kHzのオーディオ信号なので，必要なサンプリング周波数を標本化定理によって求めると，次のようになります。

　　　$20\text{kHz} \times 2 = 40\text{kHz}$

　ここからサンプリング周期を求めます。

$$\text{サンプリング周期} = \frac{1}{\text{サンプリング周波数}} = \frac{1}{40000}$$

$$= 0.000025 \,[秒] = 25 \,[\text{マイクロ秒}]$$

《解答》ウ

■ 制御システム

制御システムとは，ロボットや機械など，他の機器を制御するシステムです。制御システムを構成する要素には以下のようなものがあります。

①センサー

動きや温度などを計測するための機構です。センサーには，温度を測定する温度センサーとしてのサーミスタや，光を測定するフォトダイオード，物体の角度や角速度を測定する**ジャイロセンサー**などがあります。

また，距離画像センサーを用いて目的物までの距離を測定することが可能です。家庭用ゲーム機などで使われる距離画像センサーではTOF（Time of Flight）方式が用いられており，照射した光線が対象物に当たって反射し，反射光が戻るまでにかかる時間を基に距離を計測しています。血流計など，液体の流れを測定するセンサーでは，ドップラー効果を利用し，レーザー光の反射の仕方の違いで測定します。

② アクチュエータ

機械・機構を**物理的に動かす**ための機構です。制御棒やロボットの腕などを実際に動かします。

過去問題をチェック

制御システムについて，応用情報技術者試験では次の出題があります。
【アクチュエータ】
・平成22年秋 午前 問4
・平成28年春 午前 問23
【サーミスタ】
・令和3年春 午前 問4
【ジャイロセンサー】
・平成27年春 午前 問4
【TOF方式】
・平成31年春 午前 問4

▶▶ 覚えよう！

□　標本化定理では，2倍のサンプリング周波数が必要

□　アクチュエータは，機械を物理的に動かす

1-2 アルゴリズムとプログラミング 1

アルゴリズムとプログラミングは，午前でも午後でも出題される，テクノロジ系では最重要分野です。『データ構造＋アルゴリズム＝プログラム』という有名な古典があるほど，データ構造とアルゴリズムはプログラミングのカギになります。データ構造とアルゴリズムの基本を押さえて，様々なプログラム言語を学習していきましょう。

1-2-1 データ構造

 頻出度 ★☆☆

データ構造とは，データをコンピュータ上でどのように保持するかを決めた形式です。基本的なデータ構造のほかに，配列，スタックなど，様々なデータ構造があります。

配列

データ構造を複数個連続させたものです。複数のデータを一度に管理することができます。例えば，文字型を連続させて文字配列とすることで，文字列を表現することができます。同じデータ型のデータをあらかじめ決めた数しか収納できない**静的配列**が基本ですが，最近のプログラム言語では，異なった型のデータを収納することや，データの数に応じて可変長の配列とすることが可能な**動的配列**を扱えるものもあります。

スタック

スタックとは，後入れ先出し（**LIFO**：Last In First Out）のデータ構造です。データを取り出すときには，最後に入れたデータが取り出されます。スタックにデータを入れる操作を**push**操作，データを取り出す操作を**pop**操作と呼びます。スタックは，CPUのレジスタやプログラムでの関数呼出しなど，現在のコンピュータシステムで非常に広範囲で使われています。

 勉強のコツ

プログラミングは，"慣れ"が一番大切なので，基本を押さえたあとは演習を行いましょう。午後のアルゴリズム問題を数多く演習するか，または実際にプログラミングしてみるなどして，実践力をつけると効果的です。

 発展

データ構造は，プログラムの様々な部分で使われるため，いったん決めると変更が大変です。
そして，データ構造の選び方によって，処理速度が変わってきたり，変更のしやすさが変わったりと，影響が大きい部分でもあります。そのため，「データ構造の選び方」が，プログラマの腕の見せ所になります。

発展

C++，Javaなどは基本的には静的配列ですが，ライブラリを使用することで動的配列にすることができます。Perlなどでは，言語に組み込まれており，意識せず可変長の動的配列を使うことが可能です。

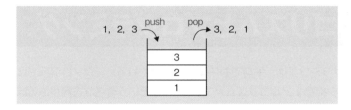

スタック

次の問題で，スタックについて確認しましょう。

過去問題をチェック

スタックについては応用情報技術者試験でよく出題されるので，確実に理解しておくことが大切です。この問題のほかに次の出題があります。
【スタック】
・平成23年特別 午前 問7
・平成24年春 午前 問6
・平成27年春 午前 問7
・平成28年春 午前 問5
・令和3年春 午前 問5
次の午後問題では，逆ポーランド表記法のアルゴリズムでスタックが利用されています。
・平成25年春 午後 問2

問題

配列を用いてスタックを実現する場合の構成要素として，最低限必要なものはどれか。

ア　スタックに最後に入った要素を示す添字の変数

イ　スタックに最初に入った要素と最後に入った要素を示す添字の変数

ウ　スタックに一つ前に入った要素を示す添字の変数を格納する配列

エ　スタックの途中に入っている要素を示す添字の変数

（平成24年秋 応用情報技術者試験 午前 問5）

解説

スタックを配列で表現するためには，スタック用の配列を用意します。配列に次の要素を入れるために，最後に入った要素の添字（下の図の場合は1）を示しています。

push操作を行うと，次の添字2の配列要素に値が入ります。このとき，最後に入った要素の添字は，一つずれて2になります。

添字　0　1　2　3　4　5　6　7

→ ↑最後に入った要素　添字2

　ここでpop操作を行うときには，最後に入った要素の添字，添字2の配列要素を取り出します。その後，次にデータを入れる場所を一つずらして，添字1とします。

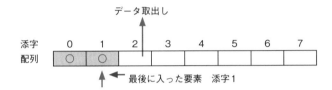

データ取出し

添字　0　1　2　3　4　5　6　7

↑　←最後に入った要素　添字1

　スタックではpush操作とpop操作しか行わないので，必要なデータ構造としては，配列以外では，スタックに最後に入った要素を示す添字の変数のみとなります。したがって，アが正解です。

《解答》ア

■ キュー（待ち行列）

　キュー（待ち行列）とは，**先入れ先出し**（**FIFO**：First In First Out）のデータ構造です。データを取り出すときには，最初に入れたデータが取り出されます。キューにデータを入れる操作を**enqueue**操作，データを取り出す操作を**dequeue**操作と呼びます。キューは，プリンタの出力やタスク管理など，順番どおりに処理する必要がある場合に用いられます。データに優先度を付け，優先度を考慮して順番を決定する**優先度付きキュー**もよく用いられます。

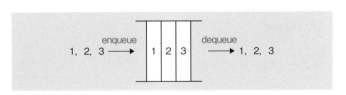

enqueue　dequeue
1, 2, 3 →　1 2 3 →　1, 2, 3

キュー

■リスト

　リストは，線形リストともいい，順序づけられたデータの並びです。データ構造としては，データそのものを格納するデータ部と，データの並び（次のデータへのポインタ，前のデータへのポインタなど）を格納するポインタ部を合わせて管理します。データの先頭を指し示すために，先頭ポインタを使用し，管理します。また，先頭ポインタだけでなく，末尾ポインタを用いて，最後方のデータに簡単にたどりつけるようにすることもあります。

過去問題をチェック
リストについて，応用情報技術者試験では次の出題があります。
【リスト】
・平成21年秋 午前 問5
・平成22年秋 午前 問5
・令和元年秋 午前 問6
・令和2年10月 午前 問5
・令和4年春 午前 問5
・令和5年秋 午前 問5
午後では次の出題があります。
【単方向リスト】
・平成21年春 午後 問2
・平成26年秋 午後 問3
【双方向リスト】
・平成22年春 午後 問2

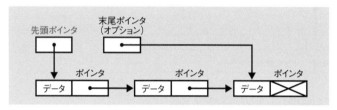

データ部とポインタ部

　リストには，次のデータへのポインタのみをもつ単方向リストと，前へのポインタと次へのポインタをもつ双方向リストがあります。また，最後尾のデータから先頭に戻って環状につなげる環状リストなどもあります。

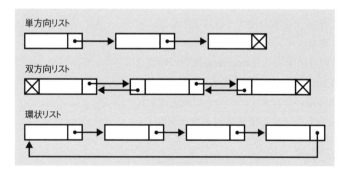

リストの種類

　実際の問題を例に，リストの動きを確認してみましょう。

1

先頭ポインタと末尾ポインタをもち，多くのデータがポインタ
でつながった単方向の線形リストの処理のうち，先頭ポインタ，
末尾ポインタ又は各データのポインタをたどる回数が最も多いも
のはどれか。ここで，単方向のリストは先頭ポインタからつながっ
ているものとし，追加するデータはポインタをたどらなくても参
照できるものとする。

　ア　先頭にデータを追加する処理
　イ　先頭のデータを削除する処理
　ウ　末尾にデータを追加する処理
　エ　末尾のデータを削除する処理

（令和元年秋 応用情報技術者試験 午前 問6）

　先頭ポインタと末尾ポインタをもち，多くのデータがポインタ
でつながった単方向の線形リストを図で表すと，以下のようにな
ります。

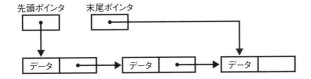

　この線形リストに，ア，イ，ウ，エそれぞれの処理を行う場合
を考えてみます。
ア　先頭にデータを追加する処理は，現在の先頭ポインタの値を
　　追加するデータの次へのポインタにし，先頭ポインタが追加
　　するデータを指し示すようにすればOKです。
イ　先頭のデータを削除する処理は，先頭ポインタを2番目のデー
　　タ（＝1番目のデータの次へのポインタ）を指すようにすれば
　　OKです。
ウ　末尾にデータを追加する処理は，末尾ポインタをたどり，末

尾のデータの次へのポインタが，追加するデータを指し示す
ようにすればOKです。

エ 末尾のデータを削除する処理は少し複雑です。末尾のデータ
を削除すると，末尾ポインタは**末尾の一つ前のデータ**を指し
示す必要があるのですが，それを見つけるためには，先頭か
ら末尾の直前までたどっていく必要があります。図にすると，
次のようなかたちです。

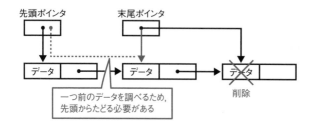

先頭ポインタ　　　　　　末尾ポインタ

データ　　データ　　データ

一つ前のデータを調べるため，
先頭からたどる必要がある

削除

先頭から順に末尾の一つ前までたどるには，（データの個数－1）
回，データのポインタをたどる必要があります。したがって，選
択肢エが，ポインタをたどる回数が最も多くなります。

≪解答≫エ

■ ハッシュ

ハッシュ関数とは，あるデータが与えられたときに，そのデー
タを代表する値に変換する関数です。ハッシュ関数$y = h(x)$があっ
た場合，$x \rightarrow y$に変換できますが，$y \rightarrow x$には変換できない**一方向
性**の関数になります。ハッシュ関数で求められた値のことを**ハッ
シュ値**または単に**ハッシュ**といいます。

ハッシュ関数の典型例としては，割り算の余りを求める関数$h(x)$
$= x \bmod n$などがあります（modは余りを求める演算子）。

それでは，次の問題を確認してみましょう。

🌓 関連

ハッシュは，セキュリティ
の改ざん検出や，探索のア
ルゴリズム（ハッシュ表探
索）など，様々な場面で利
用されます。
具体的な活用例は「3-5-1
情報セキュリティ」で取り
上げますので，そちらを参
照してください。

問題

**自然数をキーとするデータを，ハッシュ表を用いて管理する。
キーxのハッシュ関数$h(x)$を**

$$h(x) = x \bmod n$$

とすると，任意のキーaとbが衝突する条件はどれか。ここで，nはハッシュ表の大きさであり，x mod nはxをnで割った余りを表す。

ア　$a+b$がnの倍数　　　イ　$a-b$がnの倍数
ウ　nが$a+b$の倍数　　　エ　nが$a-b$の倍数

（令和4年秋 応用情報技術者試験 午前 問5）

解説

　任意のキーaとbの余りが同じ数mだとすると，a, bは次のように表すことができます。

　　$a=a'\times n+m$,　　$b=b'\times n+m$　　（a', b'は任意の整数）

　そのため，aとbの差$a-b$を計算すると，

　　$a-b=(a'-b')\times n$

となり，a', b'は整数なので，$a-b$はnの整数倍，つまり倍数となります。したがって，イが正解です。

《解答》イ

■木

　木（木構造）とは，グラフ理論の木の構造をしたデータ構造です。ノード間の関連は親子関係で表され，根ノード以外の子ノードでは，親ノードは必ず一つです。親ノードに対する子ノードの数が二つまでに限定されるものを**2分木**，三つ以上もてるものを**多分木**と呼びます。また，2分木のうち形が完全に決まっているもの，つまり，一つの段が完全にいっぱいになるまでは次の段に行かないものを**完全2分木**といいます。

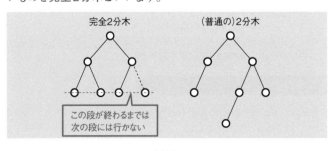

2分木

過去問題をチェック

木について，応用情報技術者試験では次の出題があります。
【木】
・平成23年特別 午前 問6
・平成25年秋 午前 問6
・平成26年秋 午前 問4
・平成30年秋 午前 問6
・令和3年春 午前 問6

関連

グラフ理論については，「1-1-2 応用数学」を参照してください。

　2分木の実用例としては，データの大小関係を，木を使ってた
どっていく2分探索木や，構文や文法を表現する**構文木**などが
あります。完全2分木の実用例としては，2分探索木を完全2分
木に変換した**AVL木**や，根から葉に向けてだけデータを整列さ
せたヒープなどがあります。多分木の例としては，完全多分木
で2分探索木の多分木バージョンである**B木**などがあります。ま
とめると，以下のように分類することができます。

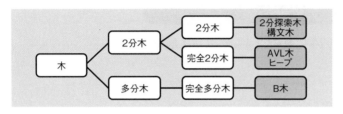

木構造の分類

　それでは，実際の問題を例に，木について確認してみましょう。

問　題

　葉以外の節点は全て二つの子をもち，根から葉までの深さが全
て等しい木を考える。この木に関する記述のうち，適切なものは
どれか。ここで，木の深さとは根から葉に至るまでの枝の個数を
表す。また，節点には根及び葉も含まれる。

　　ア　枝の個数がnならば，節点の個数もnである。
　　イ　木の深さがnならば，葉の個数は2^{n-1}である。
　　ウ　節点の個数がnならば，木の深さは$\log_2 n$である。
　　エ　葉の個数がnならば，葉以外の節点の個数は$n-1$である。

（平成30年秋 応用情報技術者試験 午前 問6）

解　説

　葉以外の節点はすべて二つの子をもち，根から葉までの深さが
すべて等しい木の例を図にすると，次のようになります。

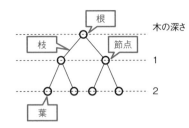

この木は完全2分木で，木の深さ（根から葉までの段数）は2です。○はすべて節点で，頂点が根，一番下の子がない節点が葉です。節点と節点を結ぶ線が枝になります。

この図から，葉の個数が4，それ以外の根も含む節点の個数が3であることが分かります。つまり，葉の数がnならば，葉以外の節点の個数が$n-1$個になっているということです。これは木の深さを増やしても成り立つので，エが正解です。

ア　枝の個数（6）は，葉を含むすべての節点（7）より少なくなります。一般的には，枝の個数がnならば，節点の個数は$n+1$です。

イ　木の深さがnならば，葉の個数は2^nになります。

ウ　節点の個数がnならば，深さは$\log_2(n+1)-1$となります。

≪解答≫エ

■ヒープ

ヒープとは，完全2分木の一種で，最大値または最小値を求めるのに適したデータ構造です。「**子要素は親要素より常に大きいか等しい**」か，または逆に「**子要素は親要素より常に小さいか等しい**」のどちらかになります。子要素が親要素より常に大きいか等しい場合，根の値は全体の最小値，逆の場合は最大値になります。

|||▶▶ 覚 え よ う ！

☐ リストには単方向リストと双方向リストがあり，単方向だと後ろからたどれないので削除時の探索量が多くなる

☐ ヒープは完全2分木の一種で，子要素は親要素より「常に大きいか等しい」または，「常に小さいか等しい」

1-2-2 ◯ アルゴリズム

アルゴリズムとは，処理の流れ，手順を記述したものです。定番アルゴリズムを知ることで，プログラミングに必要な基礎力を身に付けることができます。

◼ 流れ図（フローチャート）

流れ図（フローチャート）では，順次・選択・繰返し（ループ）という基本3構造（ダイクストラが提言したので，**ダイクストラの基本3構造**とも呼ばれます）を用いて，プログラムの骨組みを記述します。

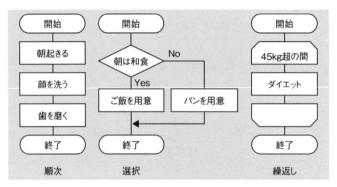

流れ図を基本3構造で記述

応用情報技術者試験の午後では，疑似言語を用いて基本3構造を表現することが多いのですが，このとき，選択をif，繰返しをwhileまたはforとしてアルゴリズムを表現します。

また，アルゴリズムでは，プログラミングを1行1行追って確認していくことを**トレース**といいます。変数の値を1行ごとに確認していくことが大切です。

それでは，流れ図の例として，次の問題を解いてみましょう。

問題

正の整数Mに対して，次の二つの流れ図に示すアルゴリズムを実行したとき，結果xの値が等しくなるようにしたい。aに入れる条件として，適切なものはどれか。

勉強のコツ

アルゴリズム分野のポイントは，定番アルゴリズムについてしっかり知っておくことと，プログラムを読み解くスキルを身に付けることの二つです。

午前問題では，定番アルゴリズムについての知識問題と，簡単な流れ図を読み解く問題が中心になります。

発展

アルゴリズムは，業務でプログラムを作成するときにも使えます。自分のやりたいことを実現してくれるアルゴリズムを「アルゴリズム辞典」などから探し，それを適用することで，自分で一から考えなくても効率的なプログラムを組むことができます。

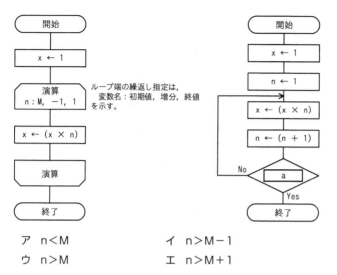

ループ端の繰返し指定は，
　変数名：初期値，増分，終値
を示す。

ア　n＜M

イ　n＞M−1

ウ　n＞M

エ　n＞M＋1

（令和6年春 応用情報技術者試験 午前 問5）

過去問題をチェック

流れ図を読み解く問題は，応用情報技術者試験ではかなりの頻度で出題されています。
【流れ図】
・平成22年春 午前 問5
・平成22年秋 午前 問7
・平成23年特別 午前 問9
・平成23年秋 午前 問8
・平成25年春 午前 問8
・平成25年秋 午前 問9
・平成27年秋 午前 問6
・令和2年10月 午前 問47
・令和4年秋 午前 問6
・令和6年春 午前 問5
また午後では，疑似言語になりますが，問3で毎回，プログラムの流れを読み解く問題が出されます。

解説

　二つの流れ図では，左が繰返し，右が選択を用いています。このように，選択を用いることで，繰返しと同じような内容を表現することができます。

　まず左の流れ図（繰返し）では，ループの繰返し指定で，nの初期値がM，増分が−1，終値が1となっています。このループの間，x ← (x × n)という計算を繰り返します。xの初期値は1なので，ここでの計算結果は以下のようになります。

　　$x = 1 \times M \times (M-1) \times (M-2) \times (M-3) \times \cdots \cdots \times 3 \times 2 \times 1$

　右の流れ図（選択）で表現されるループは，nの初期値が1でスタートし，n ← (n+1)でnを1ずつ増やしながら，x ← (x × n)という計算を繰り返します。xの初期値は1なので，ここでの計算結果は次のようになります。

　　$x = 1 \times 1 \times 2 \times 3 \times \cdots \cdots$

　ここで，左図のループとxの値が等しくなるためには，最後をMで終わらせて以下のようにする必要があります。

　　$x = 1 \times 1 \times 2 \times 3 \times \cdots \cdots \times (M-3) \times (M-2) \times (M-1) \times M$

　つまり，nがMまでの間は計算して，Mを超えたら終了となればOKです。したがって，空欄aに入れる条件はn＞Mとしてnが

勉強のコツ

流れ図やプログラムを読み解く問題では，面倒がらずに一つ一つをトレースすることが大切です。慣れないうちは大変かもしれませんが，変数の値の変化を1行1行確かめながら追っていくと，確実に答えを導き出せるようになります。

Mを超えたら終了というかたちにすれば，左の流れ図と同じ結果になります。

その他の選択肢については，次のとおりです。

ア nの初期値は1なので，n＜Mだと1回で処理を終了してしまいます。

イ n＞M－1だと，nの値がM－1までしか実行しません。

エ n＞M＋1だと，nの値がM＋1になるまで実行してしまいます。

《解答》ウ

■ 探索アルゴリズム

探索のアルゴリズムは，データの並びの中から目的のものを見つけ出すという最も基本的な定番アルゴリズムです。探索アルゴリズムの代表的なものには，以下の三つがあります。

①線形探索

データを先頭から順番に探索していく単純なアルゴリズムです。データがランダムに並んでいる場合，探索するデータは先頭にあることも最後尾にあることもありますが，平均すると大体真ん中くらいで見つかると考えられます。そのため，n個のデータで探索を行うと，平均探索回数は(n+1)／2回，**計算量は$O(n)$** となります（計算量については，P.69を参照）。

②2分探索

データをあらかじめ整列させておき，最初に真ん中のデータと探索するデータを比較します。二つのデータの関係から前後どちらのグループに目的のデータがあるかを予測し，そのグループの真ん中のデータと比較します。例えば，次のようなデータがある場合を考えます。

探索されるデータ

1	2	3	4	5	6	7	8	9

探索するデータ

3

勉強のコツ

定番のアルゴリズムでは，同じ結果を出すために複数の方法が存在します。それぞれの手法には特徴があり，得意な条件とそうでない条件があります。そのアルゴリズムにかかる計算量などを中心に，やり方だけでなくそれぞれの特徴を押さえておきましょう。

頻出ポイント

アルゴリズムの分野では，**探索・整列アルゴリズム**に関する問題が最も多く出題されています。

　最初に，真ん中のデータ「5」と探索するデータ「3」を比較します。5＞3なので，探索するデータは「5」より前のグループ

| 1 | 2 | 3 | 4 |

の中にあることが分かります。

　したがって，このグループについて再度，真ん中の値を求めます。このとき，「2」と「3」はどちらも真ん中なのでどちらでもいいのですが，通常は前の値「2」をとります。このとき，2＜3なので，探索するデータは「2」より後ろにあることが分かります。その後ろのグループ「3」「4」の真ん中のデータ「3」と比較し，3＝3でデータが見つかります。

　このように，半分にデータを絞って探索を行うため，n回の探索で2^nまでのデータ数に対応できます。したがって，**計算量は$O(\log n)$となります**。

③ハッシュ表探索

　ハッシュ関数を利用し，データからハッシュ値を求めることによって探索します。例えば，ハッシュ関数として，

　　　h（x）＝ x ％ 5（％は余りを計算する演算子）

というものを設定し，データの格納場所を五つ用意します。

ハッシュ表の例

ハッシュ値	データ
0	25
1	11
2	7
3	13
4	4

　ここで，探索するデータが「7」のとき，h（7）＝ 7 ％ 5 ＝2となり，ハッシュ値が「2」の場所を見るとデータ「7」が見つかります。この方法は演算ですぐに格納場所が見つかるので，データ量に関係なく**計算量は$O(1)$となります**。ただし，違うデータでハッシュ値が重なるシノニムという問題が発生することがあり，その場合には工夫が必要です。

　それでは，次の問題を解いてみましょう。

発展

O-記法での対数関数では，$\log_2 n$や$\log_{10} n$などといったかたちの底は記入せず，$O(\log n)$と表現します。O-記法は，「だいたいこれくらいの割合で増加する」ということを示す記法です。対数関数の場合，底がいくつでも増加の割合は同じなので，底を記入する必要がないのです。

発展

シノニムの解決方法としては，そのシノニムデータを線形リストによって管理するチェイン法や，次の空き位置にデータを格納するオープンアドレス法などがあります。チェイン法については，応用情報技術者試験平成21年春 午後 問2で詳しく出題されています。

問題

探索表の構成法を例とともにa～cに示す。最も適した探索手法の組合せはどれか。ここで、探索表のコードの空欄は表の空きを示す。

a　コード順に格納した
　　探索表

コード	データ
120380	……
120381	……
120520	……
140140	……

b　コードの使用頻度順に
　　格納した探索表

コード	データ
120381	……
140140	……
120520	……
120380	……

c　コードから一意に決まる
　　場所に格納した探索表

コード	データ
120381	……
120520	……
140140	……
120380	……

	a	b	c
ア	2分探索	線形探索	ハッシュ表探索
イ	2分探索	ハッシュ表探索	線形探索
ウ	線形探索	2分探索	ハッシュ表探索
エ	線形探索	ハッシュ表探索	2分探索

（平成30年秋 応用情報技術者試験 午前 問8）

解説

a～cの探索表をそれぞれ見ていきます。

a：コード順に格納した探索表の場合

線形探索では上から順に単純に見ていくため、計算量は$O(n)$になります。これに対し、**2分探索**を用いると、真ん中のデータと比較して半分にしていくので計算量が$O(\log n)$となり、線形探索より効率的です。なお、ハッシュ値で格納されているわけではないので、ハッシュ表探索は使用できません。

b：コードの使用頻度順に格納した探索表の場合

線形探索で上から順番に見ていく場合、一番上に最も使用頻度の高いデータがあるので、通常の並びに比べて早く見つかる可能性が高くなります。なお、2分探索は整列されていないデータには

過去問題をチェック

応用情報技術者試験の午後で、探索に関するプログラミング問題が出題されています。
【ハッシュ表探索に関するプログラミング】
・平成21年春 午後 問2
・平成23年秋 午後 問2
【2分探索木に関するプログラミング】
・平成27年秋 午後 問3
・令和5年秋 午後 問3
【探索アルゴリズムに関するプログラミング】
・平成29年春 午後 問3

午前でも、探索について数多くの問題が出題されています。
【ハッシュ表探索】
・平成23年特別 午前 問8
・平成23年秋 午前 問5
・平成27年春 午前 問5
・令和元年秋 午前 問7
・令和5年春 午前 問19
【2分探索】
・平成23年秋 午前 問8
【探索アルゴリズム】
・平成22年秋 午前 問6
・平成25年春 午前 問5
・平成30年春 午前 問8
・令和5年春 午前 問6
【線形探索】
・平成30年春 午前 問6
・令和5年春 午前 問6

午前でも午後でも周期的に出題されていますので、探索方法については押さえておきましょう。

使用できず，ハッシュ表探索はハッシュ値を使用していないデータには使用できません。

c：コードから一意に決まる場所に格納した探索表の場合

　コードから一意に決まる場所はハッシュ値によって求められるので，**ハッシュ表探索**が計算量$O(1)$で使用できます。線形探索でも探索はできますが，データが格納されていない領域などもあるので効率は悪くなります。また，整列されていないデータなので2分探索は使用できません。

≪解答≫ア

■ 整列アルゴリズム

　整列のアルゴリズムは，昇順（小さい順）または降順（大きい順）にデータを並び替えるアルゴリズムです。代表的な整列アルゴリズムには以下の七つがあります。

①バブルソート

　隣り合う要素を比較して，大小の順が逆であれば，その要素を入れ替える操作を繰り返すアルゴリズムです。隣同士を繰り返しすべて比較するので，**計算量は**$O(n^2)$となります。

②挿入ソート

　整列された列に，新たに要素を一つずつ**適切な位置に挿入**する操作を繰り返すアルゴリズムです。挿入位置を決めるのに線形探索を行うため，**計算量は**$O(n^2)$となります。

③選択ソート

　未整列の部分列から**最大値（または最小値）を検索**し，それを繰り返すことで整列させていくアルゴリズムです。最小値の探索を毎回行うため，**計算量は**$O(n^2)$となります。

④クイックソート

　最初に**中間的な基準値**を決めて，それよりも大きな値を集めた部分列と小さな値を集めた部分列に要素を振り分けます。そ

発展

整列アルゴリズムは，①～③が基本3ソート，④～⑦が応用4ソートとして分類されます。基本3ソートは，単純ですが時間がかかります。応用4ソートは，それぞれアルゴリズムは複雑ですが，速度が改善されて効率良く整列を行うことができます。

発展

クイックソートでは，ランダムなデータなどでうまく基準値を選べると非常に効率的な計算が行えるため，クイックソートの名のとおり，ランダムに並んだデータを整列させるときの速度は最も速くなります。しかし，最初から整列してあるデータなどではかえって非効率になり，最悪の場合，計算量が$O(n^2)$となってしまうことがあるため，使う場面には注意が必要です。

の後，それぞれの部分列の中で基準値を決めて，同様の操作を繰り返すアルゴリズムです。ランダムなデータの場合には，**計算量はO(nlog n)** となります。部分列に分解して後からまとめる**分割統治**を利用したアルゴリズムとなります。

⑤シェルソート

　ある**一定間隔おきに取り出した要素**から成る部分列をそれぞれ整列させ，さらに間隔を狭めて同様の操作を繰り返し，最後に間隔を1にして完全に整列させるというアルゴリズムです。挿入ソートの発展形で，ざっくり整列させてから細かくしていくので効率が良くなります。間隔は，15，7，3，1……と，$2^n - 1$でnを一つずつ減らして狭めていくので，**計算量はO(nlog n)** となります。

⑥ヒープソート

　未整列部分で**ヒープ**を構成し，その根から最大値（または最小値）を取り出して整列済の列に移すという操作を繰り返して，未整列部分をなくしていくアルゴリズムです。選択ソートの発展形であり，ヒープを使うことで，最大値（または最小値）を検索する作業を効率化しています。そのため，**計算量はO(nlog n)** となります。

🔎 関連

ヒープについては，「1-2-1 データ構造」を参照してください。

⑦マージソート

　未整列のデータ列を前半と後半に分ける分割操作を，これ以上分割できない，大きさが1の列になるところまで繰り返します。その後，**分割した前半と後半をマージ（併合）** して，整列済のデータ列を作成することを繰り返し，最終的に全体をマージするアルゴリズムです。**計算量はO(nlog n)** と効率的ですが，マージするための領域が必要となるので，作業領域（メモリ量）を多く消費することが欠点です。クイックソートと同様，分割統治を利用したアルゴリズムとなります。

　それでは，次の問題を解いてみましょう。

1

勉強のコツ

整列のアルゴリズムは，以前のソフトウェア開発技術者試験ではよく出題されていましたが，最近はあまり出題されていません。
アルゴリズム問題は知識よりも実際に流れを追う問題が出題される傾向があります。それぞれのアルゴリズムの特徴を実際の流れで確認しておきましょう。

問題

　次の手順はシェルソートによる整列を示している。データ列7，2，8，3，1，9，4，5，6を手順（1）～（4）に従って整列するとき，手順（3）を何回繰り返して完了するか。ここで，〔　〕は小数点以下を切り捨てた結果を表す。

〔手順〕
(1)　"$H \leftarrow$ 〔データ数÷3〕"とする。
(2)　データ列を，互いにH要素分だけ離れた要素の集まりから成る部分列とし，それぞれの部分列を，挿入法を用いて整列する。
(3)　"$H \leftarrow$ 〔$H \div 3$〕"とする。
(4)　Hが0であればデータ列の整列は完了し，0でなければ（2）に戻る。

　ア　2　　　イ　3　　　ウ　4　　　エ　5

（平成31年春 応用情報技術者試験 午前 問6）

過去問題をチェック

整列のアルゴリズムは午前の定番です。次の出題があります。
【バブルソート】
・令和3年秋 午前 問5
・令和4年秋 午前 問6
・令和5年秋 午前 問6
・令和6年春 午前 問7
【クイックソート】
・令和元年秋 午前 問8
・令和5年春 午前 問7
【シェルソート】
・平成24年春 午前 問7
・平成31年春 午前 問6
【マージソート】
・平成26年秋 午前 問6

午後でも次の出題があります。
【マージソート】
・平成26年秋 午後 問3

解説

　データ列7，2，8，3，1，9，4，5，6を手順(1)～(4)に従って，シェルソートにより順に整列していきます。データ列より，データ数は9です。

〔手順1回目〕
(1)　〔データ数(9)〕÷3 → 3で，$H = 3$
(2)　データ列を3ごとの部分列とし，それぞれの部分列を，挿入法を用いて整列します。次のようなかたちになります。

　　　　　7, 2, 8, 3, 1, 9, 4, 5, 6

　それぞれの部分列ごとに整列すると，次のようになります。

　　　　　3, 1, 6, 4, 2, 8, 7, 5, 9

(3)　$[3 \div 3] \rightarrow 1$で，$H = 1$

(4)　Hは1で，0ではないので(2)に戻ります。

〔手順2回目〕

(2)　データ列を1ごとの部分列にします。1ごとなので，すべて
　　　一つにまとまります。1回目でできた列が

　　　　3, 1, 6, 4, 2, 8, 7, 5, 9

　　　なので，これを挿入法で整列すると，

　　　　1, 2, 3, 4, 5, 6, 7, 8, 9

　　　となります。

(3)　$[1 \div 3] \rightarrow 0$で，$H = 0$

(4)　$H = 0$なので，データ列の整列は完了です。

　　　したがって，(3)は2回実行されるので，アの2が正解になります。

≪解答≫ア

■ 再帰のアルゴリズム

　再帰とは，再び帰る，つまり，自分自身をもう一度呼び出すよ
うなアルゴリズムです。関数などで，呼び出した関数自身を呼び
出す場合が再帰に当たります。

　言葉だけではイメージしづらいので，問題を見ながら再帰を
感じてみましょう。

発展

クイックソート，マージソートなどは，再帰を用いてプログラムを記述することもできます。

過去問題をチェック

再帰のアルゴリズムは応用情報技術者試験の午前の定番です。様々なかたちで，実際に再帰のアルゴリズムをトレースする問題が出てきます。

【再帰のアルゴリズム】
・平成21年春 午前 問7
・平成23年秋 午前 問7
・平成24年秋 午前 問7
・平成25年春 午前 問6
・平成25年秋 午前 問8
・平成27年春 午前 問7
・平成29年秋 午前 問7
・平成30年春 午前 問8
・令和6年春 午前 問6

問題

　fact (n)は，非負の整数nに対してnの階乗を返す。fact (n)
の再帰的な定義はどれか。

　　ア　if $n = 0$ then return 0 else return $n \times$ fact $(n - 1)$
　　イ　if $n = 0$ then return 0 else return $n \times$ fact $(n + 1)$
　　ウ　if $n = 0$ then return 1 else return $n \times$ fact $(n - 1)$
　　エ　if $n = 0$ then return 1 else return $n \times$ fact $(n + 1)$

（平成29年秋 応用情報技術者試験 午前 問7）

解説

nの階乗$\mathrm{fact}(n)$とは，$1\times2\times3\times\cdots\times(n-1)\times n$のように，1から順に$n$までを乗算したものです。$(n-1)$の階乗は$\mathrm{fact}(n-1)$と表され，$1\times2\times3\times\cdots\times(n-1)$です。この式に$n$を掛けると$n$の階乗の式と等しくなるので，$\mathrm{fact}(n)=n\times\mathrm{fact}(n-1)$と表すことができます。また，$n=0$のときの0の階乗は数学的には1と定義されており，1にすることで1以上の階乗を正しく計算することができます。

したがって，$n=0$のときには1，それ以外のときには$n\times\mathrm{fact}(n-1)$を返すウが正解です。

≪解答≫ウ

文字列処理のアルゴリズム

文字列処理のアルゴリズムには，文字列の探索，置換などがあります。文字列の探索には，単純に前から探索する方法のほかに，BM法（ボイヤ・ムーア法）などの効率的な探索方法があります。置換は探索の後に行われるので，基本的に文字列探索と同じアルゴリズムです。

遺伝的アルゴリズム

遺伝的アルゴリズムとは，生物の進化論を利用し，進化を模倣することで最適化問題を解く手法です。与えられた問題の解の候補を記号列で表現して，それを遺伝子に見立てて突然変異，交配，とう汰を繰り返して逐次的により良い解に近づけていきます。

自然言語処理のアルゴリズム

自然言語処理のアルゴリズムは，情報検索，機械翻訳などに用いられます。代表的なアルゴリズムには，次のものがあります。

- **形態素解析** ……… テキストを最小単位（形態素）に分割し，各単語の品詞などを識別
- **構文解析** ………… 単語間の文法的な関係を明らかにし，文の構造を解析

遺伝的アルゴリズムなど，AIや人工生命に関するアルゴリズムも，出題され始めています。応用情報技術者試験ではまだそれほど出題されていませんが，今後を見据えて学習してみると面白い分野です。
【遺伝的アルゴリズム】
・平成30年春 午前 問1
【ライフゲーム】
・平成28年春 午後 問3

- **意味解析**‥‥‥‥‥ 単語やフレーズの意味を解析し，文全体の意味を理解
- **文脈解析**‥‥‥‥‥ 文脈を考慮して単語やフレーズの意味を解釈
- **係り受け解析**‥‥‥ 文中の主語，述語，目的語などの関係を解析
- **n-gram**‥‥‥‥‥‥ 連続するn個の単語または文字の並びを抽出し，テキストの特徴を捉える手法
- **文章間類似度**‥‥‥ 二つの文章の間で，意味や内容の類似性を測定する手法

■ その他のアルゴリズム

　その他のアルゴリズムとして定番のものには，グラフのアルゴリズム，近似・確率統計などの数学的なアルゴリズム，データ圧縮のアルゴリズム，図形描画のアルゴリズム，メモリ管理のアルゴリズムなどがあります。

　出題頻度は低いですが様々なものがありますので，見かけたらその仕組みを理解しておきましょう。

▶▶ 覚えよう！

- [ ] 基本3ソートの計算量は$O(n^2)$，応用4ソートの計算量は$O(n\log n)$
- [ ] プログラムの構造を追っていくときには，ループ（繰返し）がポイント

アルゴリズム問題のポイント

アルゴリズム問題，特に午後問題で出される流れ図や疑似言語の問題を解くポイントとしては，次の三つが挙げられます。

> 1. プログラムの構造を明らかにする
> 2. 実際に値を入れて，トレースする
> 3. 最後の値を意識する

1の「プログラムの構造」とは，基本3構造のことです。特にループ（繰返し）を意識すると，プログラムの流れがよく見えてきます。そしてその構造を，実際の問題文でのアルゴリズムの説明と対比させることにより，プログラムの全体像が見えてきます。

2の「トレース」は，面倒がらずやることが大切です。実際に手を動かして，iの値を1，2……と増やしていきましょう。最後までやらなくても流れは見えてくると思いますが，最初からやらないとイメージが湧きません。

3の「最後の値」というのは，最後の値がnで終わるのかn−1で終わるのかといった，微妙な±1の範囲の話です。実は，プログラムのミスはこの±1の差で起こることが多いので，アルゴリズム問題ではここを聞いていることが多いのです。実際に問題を解くときには，ぜひ，この「最後の値」はていねいに導き出していきましょう。

最後に，アルゴリズム問題は「慣れ」が肝心です。実際にプログラムしたりアルゴリズム問題を解いたりして，解く感覚を磨いていきましょう。

1-2-3 ◉ プログラミング 頻出度 ★★★

プログラミングにおいては，いろいろなプログラムの構造や
その動きを知ることが大切です。

◼ プログラム構造

プログラムは，再使用できるか，同じものを呼び出すことがで
きるかなどの観点で，次の四つの構造に分類されます。

①再使用可能（リユーザブル）プログラム

一度使用したプログラムを再度使用できるプログラムです。
つまり，プログラムを一度終了させた後に再度起動させることが
可能です。再使用が不可能なプログラムとは，一度終了させた
ら電源を切って再起動しないと動かないものなので，現在のプロ
グラムはほとんどが再使用可能です。

 発展

逐次再使用可能プログラム
(Serially Reusable Program)
は，再使用可能プログラム
の一種です。再使用可能プ
ログラムのうち，複数の要
求が来たときに**一度に一つ
ずつ**しか処理を行わないプ
ログラムを指します。その
ため，逐次再使用可能プロ
グラムは再入可能プログラ
ムとはなりません。

②再入可能（リエントラント）プログラム

プログラムが使用中でも，再度入ってもう一つ起動させること
ができるプログラムです。一つのプログラムを複数立ち上げるこ
とができ，その複数のプログラムを管理するために，共通の領域
のほかに**それぞれのプログラムを独立で管理する領域**が必要に
なります。そして，再入可能プログラムは複数起動が可能なので，
必ず再使用可能プログラムでもあります。

 発展

再入可能プログラムの代表
例としては，IE（インター
ネットエクスプローラ）な
どのWebブラウザがありま
す。一つのプログラムに
対していくつも同じものを
立ち上げることができま
す。そして，それぞれの
Webブラウザは別のWeb
ページを見に行くので，見
に行ったWebページの情
報を別々に格納しておく必
要があります。

③再帰（リカーシブ）プログラム

自分自身を呼び出すことができるプログラムのことを，再帰
プログラムと呼びます。再帰のアルゴリズムを使うようなプログラ
ムで使用されます。そして，再帰プログラムは，自分自身に再入
するので，**必ず再入可能プログラムでもあります。**

①～③の関係を図にすると，右
のようになります。

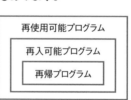

各プログラムの関係

④再配置可能（リロケータブル）プログラム

プログラムをメモリ上で再配置することが可能なプログラムです。メモリのアドレスを指定する際，相対アドレスですべて指定しているプログラムは再配置可能になります。メモリの位置を指定する必要があるOSなどのプログラムのほかは，ほとんどの場合，再配置可能にすることができます。

それでは，実際の問題を解いてみましょう。

問題

プログラム特性に関する記述のうち，適切なものはどれか。

ア　再帰的プログラムは再入可能な特性をもち，呼び出されたプログラムの全てがデータを共用する。

イ　再使用可能プログラムは実行の始めに変数を初期化する，又は変数を初期状態に戻した後にプログラムを終了する。

ウ　再入可能プログラムは，データとコードの領域を明確に分離して，両方を各タスクで共用する。

エ　再配置可能なプログラムは，実行の都度，主記憶装置上の定まった領域で実行される。

（令和3年秋 応用情報技術者試験 午前 問6）

解説

プログラム特性の説明のうち，再使用可能（リユーザブル）プログラムは，一度使用したプログラムを再度使用できるプログラムです。変数のデータをプログラムごとに独立させ，実行の始めに変数を初期化することで，同じプログラムの再利用が可能となります。したがって，イが正解です。

ア　再帰的プログラムは再入可能ですが，データは各タスクそれぞれで独自に保持します。

ウ　再入可能プログラムでは，コードの領域は共有できますが，データ領域は各タスクで独立して使用します。

エ　再配置可能なプログラムでは，主記憶装置上の領域は特定す

過去問題をチェック

プログラム構造については，次の出題があります。
【再入可能プログラム】
・平成22年秋 午前 問8
・令和4年春 午前 問6
【プログラム特性】
・平成27年春 午前 問7
・平成29年春 午前 問7

る必要がありません。

≪解答≫イ

▶▶ 覚 え よ う ！

☐ 再帰プログラムは再入可能プログラム

☐ 再入可能プログラムは再使用可能プログラム

1-2-4 ◯ プログラム言語

プログラム言語については，それぞれの特徴だけでなく，「なぜその言語ができたのか」という背景を知っておくと，より深く理解できます。

◯ プログラム言語の変遷

プログラム言語は，人間と機械を結び付けるためにできたものです。コンピュータは機械語（マシン語）しか理解できないのですが，人間が機械語でプログラムを組もうとするととても大変です。そこで，機械語との橋渡しを行うために，いろいろなプログラム言語が登場してきました。

プログラム言語は，人間の役に立つために，そして，時代の需要に合わせるために徐々に進化してきました。進化の流れを次表にまとめます。

進化の流れ →

種類	機械語	アセンブリ言語	高級言語	構造化言語	オブジェクト指向言語
特徴	0101011 110101	MOV AX ADD AY	Z＝X＋Y	if(a==b) while(1)	class A private b
言語例	―	CASLII, Z80	FORTRAN, COBOL	C，Pascal	Smalltalk, C++, Java

言語の種類

発展

基本情報技術者試験で出題されるアセンブリ言語（CASLII）は，仮想機械をイメージしたアセンブリ言語です。一度勉強してみると，機械がプログラムをどう処理していくのかイメージしやすくなると思います。

流れを追いつつ，それぞれの言語の特徴を見ていきましょう。

1

①機械語（マシン語）

コンピュータが解釈できるのは，2進数の機械語のみです。2進数の羅列なので人間にはとても分かりにくく，実際には16進数で表記させてプログラムしていました。

②アセンブリ言語

機械語と1対1で対応させることで書きやすくした言語です。加算演算をADD，データの移動（コピー）をMOVなどで表現します。ただし，機械語を置き換えただけなので，人間の考え方とはだいぶ異なります。例えば，C＝A＋Bを計算する場合は次のようになります。なお，PA，PBはCPU内にある，計算に使用するためのレジスタ領域です。

```
MOV  PA, A      ; 変数Aの値をPAに移動(コピー)
MOV  PB, B      ; 変数Bの値をPBに移動(コピー)
ADD  PA, PB     ; PAとPBを加算し, その結果をPAに格納
MOV  Z, PA      ; PAの値を変数Zに移動(コピー)
```

このように，一つ一つプログラムを考えるのが大変でした。

③高級言語（高水準言語）

人間にとってわかりやすい形式というコンセプトで書かれた言語です。高水準言語とも呼びます。前述のC＝A＋Bなどは，そのままC＝A＋Bと書けるようになりました。

人間にとって分かりやすくといっても，いろいろな手法があります。英語で文章を書くように事務処理を記述できる言語が**COBOL**です。また，数式で科学技術計算を行うための言語が**FORTRAN**です。

発展

一般にコンピュータの世界では，人間に近いものを高級（または高レベル），コンピュータに近いものを低級（または低レベル）と呼びます。高級言語とは，人間に近い言語という意味です。

④構造化言語

高級言語でプログラムするとき，適当に行をジャンプすることを繰り返していると，混沌として分かりづらいプログラム（これをスパゲティプログラムと呼びます）になりがちでした。それを解消しようと，ダイクストラという人が基本3構造を提案しました。プログラムは，順次，選択，繰返しの基本3構造のみで記述し，適当にジャンプするためのGOTO命令は極力使わない「構造化プログラミング」という考え方です。

関連

ダイクストラの基本3構造については，「1-2-2 アルゴリズム」で解説しています。

その結果登場したのが，構造化言語です。CやPascalなどがこれに該当します。選択を表すif文，繰返しを表すwhileやfor文が加わりました。さらに，関数やサブルーチンという，同じ処理をする単位にまとめるという考え方も，構造化言語あたりから進化してきました。

⑤オブジェクト指向言語

関数（及びサブルーチン）などによるプログラムでは，グローバル変数（複数の関数で共通使用する変数）の内容が，意図しない場所で書き換えられたりして不具合を起こすことが多くなりました。そこで，グローバル変数をなくし，共通で同じ変数を使用する関数をまとめる**クラス**という考え方が必要になりました。

また，クラス以外にも，オブジェクト指向という，オブジェクトやクラスを中心とする考え方が提唱されました。それらはプログラミングに様々なメリットをもたらすため，新しい言語がいろいろ開発されています。最初にできたオブジェクト指向言語は**Smalltalk**で，その後，C言語の発展形である**C++**や**Java**言語などが登場しました。オブジェクト指向言語では，クラス内に同じ名前で引数の内容が異なる複数の関数を用意し，クラスに渡される内容に応じて異なる動作を行わせるオーバーロードが可能となります。括弧ではなく字下げでブロックを表現する**Python**や，Webサイトの構築によく用いられるPHPやRubyなども，オブジェクト指向言語です。

■ その他の言語分類

プログラム言語は，進化の流れ以外にも様々に分類できます。代表的なものを紹介します。

①手続型言語

処理手順を，1行1行順を追って記述する言語です。COBOL，FORTRAN，C，C++，Javaなど，従来のプログラム言語はほとんどがこれに該当します。

②関数型言語

関数の定義とその呼出しでプログラムを記述する言語です。

発展

もともとオブジェクト指向言語として作られた代表的なものはC++やJavaですが，それ以外でも新しいバージョンでオブジェクト指向的な要素を取り込んだ言語が多くあります。例えば，PerlはPerl5.0からオブジェクト指向に対応しています。また，オブジェクト指向COBOLなど，既存の言語にオブジェクト指向を取り入れた言語もあります。

再帰処理向きで，代表的なものに**Lisp**があります。C言語の関数とは意味が異なる数学的な形式なので，注意が必要です。

③論理型言語

述語論理を基礎とした論理式でプログラムを記述する言語です。人工知能の研究開発で使用される**Prolog**などが代表例です。

④スクリプト言語

プログラムを機械語にコンパイルするのではなく，スクリプト（台本）のように記述して1行1行処理する簡易的な言語です。UNIX上でシェルを動かすための**シェルスクリプト**や，Excelのマクロ言語などがあります。

Webブラウザ上で動くスクリプト言語として，Java言語と似た言語で記述するJavaScriptとJScriptがあります。これら二つは互換性が低いので，共通する部分をまとめて標準化した**ECMAScript**が作られました。JavaScriptではデータ型の定義が必要ないのですが，型定義を加えたTypeScriptがあります。Webサーバ上で動くJavaのスクリプト言語には**JSP**（Java Server Pages）があります。なお，サーバ上では，スクリプト言語ではないJavaアプリケーションや**サーブレット**も動きます。その他，Webサーバ上で動くJava以外のスクリプト言語としては，Perl，Ruby，PHP，Pythonなどがあります。

それでは，次の問題を解いてみましょう。

問題

プログラム言語のうち，ブロックの範囲を指定する方法として特定の記号や予約語を用いず，等しい文字数の字下げを用いるという特徴をもつものはどれか。

ア C　　　イ Java　　　ウ PHP　　　エ Python

（令和4年春 応用情報技術者試験 午前 問7）

発展

簡易的といっても，最近はそのスクリプト言語で本格的なWebシステムを作る例も多くなってきました。PHPやPerl，Rubyなどは大規模な用途にも使われています。

用語

シェルとは，UNIX上でユーザーからの指示を解釈し，プログラムの起動や制御を行うプログラムです。シェルスクリプトには，Bourne Shell（sh），C Shell（csh），TENEX C Shell（tcsh）など様々な種類があり，ユーザーの好みによって置き換え可能です。

用語

Pythonは，汎用的なオブジェクト指向スクリプト言語です。関数やクラス，ループなどの区切りをインデント（字下げ）を用いて表現します。Djangoなどのフレームワークを用いてWebシステムを構築することもできます。AI，機械学習の分野での活用が多く，近年普及している言語です。

解説

　プログラム言語で，ブロックの範囲を指定する方法としては，特定の記号や予約語を用いる方法や，等しい文字数の字下げを用いるという方法があります。選択肢のプログラム言語のうち，Pythonでは，等しい文字数の字下げでブロックの範囲を指定します。したがって，エが正解です。

　ア，イ，ウ　ブロックの範囲を { }（中括弧）で囲みます。

≪解答≫エ

過去問題をチェック

プログラム言語について，応用情報技術者試験では次の出題があります。
【プログラム言語】
・令和2年10月 午前 問7
・令和3年秋 午前 問7
・令和4年春 午前 問7
【プログラム言語の記憶域】
・平成21年春 午前 問18
・平成26年秋 午前 問15
・平成31年春 午前 問17
【Ajax】
・平成24年秋 午前 問32

■ プログラム言語でのメモリ管理

　プログラムの実行時には，プログラムごとの記憶領域が用意されます。その記憶領域には，プログラムを格納するプログラム領域のほかに，スタック領域とヒープ領域が用意されます。スタック領域は一時的にデータを置くための領域です。一時変数や関数の戻り値などを格納します。ヒープ領域は動的に確保可能な記憶領域で，メモリ確保命令を用いて確保します。

　プログラム言語では，その種類によってメモリの扱い方が異なります。

　データを取り扱うとき，プログラムではメモリの領域をヒープ領域に確保し，内容を保存します。使い終わった領域は解放させないと，メモリが足りなくなることがあります。使用が終わったメモリを解放しないことを**メモリリーク**といい，メモリの解放をプログラマが自分で記述するCやC++ではよく起こります。Java言語では，メモリリークに対応するため，自動でメモリを解放する**ガベージコレクション**という機能を備えています。

　また，関数やクラスにデータを送るときに，データの値そのものを渡すことを**値渡し**，データが置かれているメモリの番地を渡すことを**参照渡し**といいます。値渡しの場合には，送られた関数やクラスで値が変更されても，元の値に影響はありません。参照渡しの場合には，データが書き換わります。プログラム言語によって渡し方を自分で宣言するものや，自動的に行うものがあるので，値の変化には注意が必要です。

◼ 共通言語基盤

共通言語基盤 (CLI：Common Language Infrastructure) は, プログラム言語やコンピュータアーキテクチャに依存しない環境を定義したものです。様々な高級言語で書いたプログラムを, 書き直すことなく他のプラットフォームでも使うことができます。マイクロソフトが策定した**.NET Framework**の基幹を構成する実行コードや実行環境などについての仕様です。

 用語

.NET Framework とは, マイクロソフトが開発したアプリケーションの開発・実行環境です。.NET Frameworkでコンパイルしたプログラムは, LinuxやMac OSなど, Windows以外のOSでも動かすことができます。

◼ Ajax

Ajax (Asynchronous JavaScript + XML) は, Webブラウザ上で非同期通信を実施し, 通信結果によってページの一部を書き換える手法です。JavaScriptの通信機能を利用し, 新技術ではなく従来の技術を組み合わせて非同期通信を実現します。

▶▶▶ **覚 え よ う !**

☐　サーバで動くJSP, サーブレット, **クライアントで動く**JavaScript, アプレット

1-2-5 その他の言語

コンピュータ上でやりたいことを実現するために，プログラム言語以外の言語を用いることもあります。その代表的なものに次のようなマークアップ言語があります。

データ定義言語

データ定義言語（DDL：Data Definition Language）は，コンピュータのデータを定義するための言語や言語の要素です。XMLのデータを定義するDTD（Document Type Definition）や，データベース言語SQLの一部であるSQL-DDLは，データ定義言語の一例です。

関連

SQL-DDLについては，「3-3-3　データ操作」で詳しく取り上げます。

Webページを記述するためのマークアップ言語

Webページを記述するためのマークアップ言語には，次のようなものがあります。

①HTML（HyperText Markup Language）

Webページを作成するために開発された言語です。**ハイパーテキスト**と呼ばれる，通常のテキストのほかに別のページへのリンク（ハイパーリンク）を埋め込むことができるテキストを使用します。画像，音声，映像などのデータファイルもリンクで埋め込むことができます。

最新の規格は**HTML5**です。HTML5では，クライアントとサーバの間でソケット（通信路）を確立し，データの送受信がいつでも可能となる**WebSocket**などの技術が使用できます。

発展

HTML, XMLはともに, SGML (Standard Generalized Markup Language) から派生した言語です。XMLはより厳密に進化したのに対し, HTMLはあいまいさを残していましたが, XMLが一般化するにつれ, HTMLをXMLに適合させたいという需要ができてきたため, XHTMLができました。

②XHTML（Extensible HTML）

HTMLをXMLの文法で定義し直したものです。より厳密に記述のチェックを行います。例えば，XML文書であるため，次のようなXML宣言を行う必要があります。

```
<?xml version="1.0" encoding="Shift_JIS"?>
```

その他，要素名や属性名はすべて小文字でなければならない，必ず開始タグと終了タグで囲まれていなければならないなど，様々な制約があります。

③CSS (Cascading Style Sheet)

文章のスタイルを記述するためにできた言語で，HTMLやXHTMLの要素をどのように表示するか定義します。文章の構造と体裁を分離させるという理念の下，文章の構造はHTMLで，体裁はCSSで記述します。

■ XML (Extensible Markup Language)

特定の用途に限らず，汎用的に使うことができる**拡張可能な**マークアップ言語です。文書構造の定義は，DTDで行います。XMLで使用される文字コードは，デフォルトではUTF-8またはUTF-16です。それ以外の文字コードを使用する場合には，宣言する必要があります。

XML文書の正当性の水準には，次の二つがあります。

①整形式XML文書 (well-formed XML Document)

XMLデータを記述するための文法に従ったXML文書です。DTDでの定義は存在しない，または定義に適合していなくても支障はありません。

②妥当なXML文書 (valid XML Document)

DTDの定義に適合したXML文書です。整形式XML文書でもあります。

厳密に，妥当なXML文書のみを許可することも，整形式の文書で手軽にXMLを利用することも可能です。

その他，XML文書を変換するために使われる**XSLT**（XSL Transformation），XML文書同士のリンクを設定するための**XLink**（XML Linking Language）など，XML文書を扱うための言語にも様々なものがあります。

また，応用例として，円や直線などの図形オブジェクトをXML形式で記述する画像フォーマットであるSVG（Scalable Vector Graphics）や，ユーザーの認証情報をXML形式で表現する仕様である**SAML**（Security Assertion Markup Language）など，様々なものがあります。

過去問題をチェック

マークアップ言語について，応用情報技術者試験では次の出題があります。
【CSS】
・平成22年秋 午後 問8
【HTML】
・平成22年春 午前 問7
【XML】
・平成21年秋 午前 問8
・令和4年秋 午前 問7
少しずつ出題されていますし実務でもよく使われているものなので，知識は押さえておきましょう。

過去問題をチェック

SVGについて，応用情報技術者試験では次の出題があります。
【SVG】
・平成24年秋 午前 問34

■ その他のデータ記述言語

HTMLやXML以外に，近年用いられているデータの表現を行う形式には，次のようなものがあります。

① JSON（JavaScript Object Notation）

JavaScriptの一部をベースに作られた軽量のデータ交換フォーマットです。次のようなかたちで名前と情報を簡単に表現します。

{"name":"Jyoho"}

② YAML（YAML Ain't Markup Language）

構造化データなどを表現する形式で，軽量のマークアップ言語としても使用できます。次のように簡潔なかたちで表現します。

name: Jyoho

それでは，次の問題を考えてみましょう。

問題

JavaScriptのオブジェクトの表記法などを基にして規定したものであって，"名前と値との組みの集まり"と"値の順序付きリスト"の二つの構造に基づいてオブジェクトを表現する，データ記述の仕様はどれか。

ア	DOM	イ	JSON
ウ	SOAP	エ	XML

（令和5年秋 応用情報技術者試験 午前 問7）

解説

JavaScriptで"名前と値の組みの集まり"と"値との順序付きリスト"の二つの構造に基づいてオブジェクトを表現するデータ記述の仕様に，JSON（JavaScript Object Notation）があります。JSONでは，名前と値との組みの集まりを{"name":"Jyoho"}といったかたちで表現します。さらに，値を順序付きリストとして，{"name":"Jyoho", "age": 30 }といったかたちで表現します。し

たがって，イが正解です。

ア DOM（Document Object Model）は，文書の構造をメモリ内に表現することで，Webページとスクリプトやプログラミング言語を接続するものです。

ウ SOAPは，複数のWebサービスにおいて，構造化された情報を交換するための通信プロトコルの仕様です。

エ XML（eXtensible Markup Language）は拡張可能なマークアップ言語の仕様です。

≪解答≫イ

▶▶▶ 覚 え よ う ！

□ **XML文書には，整形式XML文書と妥当なXML文書がある**

1-3 演習問題

問1 排他的論理和の相補演算　　　　　CHECK ▶ □□□

任意のオペランドに対するブール演算Aの結果とブール演算Bの結果が互いに否定の関係にあるとき，AはBの（又は，BはAの）相補演算であるという。排他的論理和の相補演算はどれか。

ア　等価演算 　　　イ　否定論理和

ウ　論理積 　　　エ　論理和

問2 主成分分析　　　　　CHECK ▶ □□□

複数の変数をもつデータに対する分析手法の記述のうち，主成分分析はどれか。

ア　変数に共通して影響を与える新たな変数を計算して，データの背後にある構造を取得する方法
イ　変数の値からほかの変数の値を予測して，データがもつ変数間の関連性を確認する方法
ウ　変数の値が互いに類似するものを集めることによって，データを分類する方法
エ　変数を統合した新たな変数を使用して，データがもつ変数の数を減らす方法

問3 ディープラーニング　　　　　　　　　CHECK ▶ □□□

AIにおけるディープラーニングに関する記述として，最も適切なものはどれか。

ア　あるデータから結果を求める処理を，人間の脳神経回路のように多層の処理を重ねることによって，複雑な判断をできるようにする。

イ　大量のデータからまだ知られていない新たな規則や仮説を発見するために，想定値から大きく外れている例外事項を取り除きながら分析を繰り返す手法である。

ウ　多様なデータや大量のデータに対して，三段論法，統計的手法やパターン認識手法を組み合わせることによって，高度なデータ分析を行う手法である。

エ　知識がルールに従って表現されており，演繹手法を利用した推論によって有意な結論を導く手法である。

問4 BNF　　　　　　　　　　　　　　CHECK ▶ □□□

次のBNFにおいて非終端記号〈A〉から生成される文字列はどれか。

$\langle R_0 \rangle ::= 0 \mid 3 \mid 6 \mid 9$

$\langle R_1 \rangle ::= 1 \mid 4 \mid 7$

$\langle R_2 \rangle ::= 2 \mid 5 \mid 8$

$\langle A \rangle ::= \langle R_0 \rangle \mid \langle A \rangle \langle R_0 \rangle \mid \langle B \rangle \langle R_2 \rangle \mid \langle C \rangle \langle R_1 \rangle$

$\langle B \rangle ::= \langle R_1 \rangle \mid \langle A \rangle \langle R_1 \rangle \mid \langle B \rangle \langle R_0 \rangle \mid \langle C \rangle \langle R_2 \rangle$

$\langle C \rangle ::= \langle R_2 \rangle \mid \langle A \rangle \langle R_2 \rangle \mid \langle B \rangle \langle R_1 \rangle \mid \langle C \rangle \langle R_0 \rangle$

ア　123　　　　　イ　124　　　　　ウ　127　　　　　エ　128

問5　ADPCMで圧縮した場合のデータ量　　　　CHECK ▶ □□□

音声を標本化周波数10kHz，量子化ビット数16ビットで4秒間サンプリングして音声データを取得した。この音声データを，圧縮率1／4のADPCMを用いて圧縮した場合のデータ量は何kバイトか。ここで，1kバイトは1,000バイトとする。

ア　10　　　　　　イ　20　　　　　　ウ　80　　　　　エ　160

問6　空き領域を管理するデータ構造　　　　CHECK ▶ □□□

要求に応じて可変量のメモリを割り当てるメモリ管理方式がある。要求量以上の大きさをもつ空き領域のうちで最小のものを割り当てる最適適合（best-fit）アルゴリズムを用いる場合，空き領域を管理するためのデータ構造として，メモリ割当て時の平均処理時間が最も短いものはどれか。

ア　空き領域のアドレスをキーとする2分探索木
イ　空き領域の大きさが小さい順の片方向連結リスト
ウ　空き領域の大きさをキーとする2分探索木
エ　アドレスに対応したビットマップ

問7　線形探索法の平均比較回数　　　　CHECK ▶ □□□

従業員番号と氏名の対がn件格納されている表に線形探索法を用いて，与えられた従業員番号から氏名を検索する。この処理における平均比較回数を求める式はどれか。ここで，検索する従業員番号はランダムに出現し，探索は常に表の先頭から行う。また，与えられた従業員番号がこの表に存在しない確率をaとする。

ア　$\dfrac{(n+1)\,na}{2}$　　　　　　イ　$\dfrac{(n+1)\,(1-a)}{2}$

ウ　$\dfrac{(n+1)\,(1-a)}{2}+\dfrac{n}{2}$　　　　エ　$\dfrac{(n+1)\,(1-a)}{2}+na$

1

　各ノードがもつデータを出力する再帰処理f（ノードn）を定義した。この処理を，図の2分木の根（最上位のノード）から始めたときの出力はどれか。

〔f（ノードn）の定義〕
1. ノードnの右に子ノードrがあれば，f（ノードr）を実行
2. ノードnの左に子ノードlがあれば，f（ノードl）を実行
3. 再帰処理f（ノードr），f（ノードl）を未実行の子ノード，又は子ノードがなければ，ノード自身がもつデータを出力
4. 終了

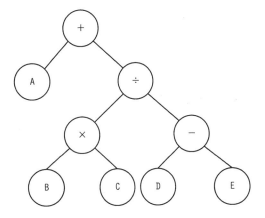

　　ア　＋÷－ED×CBA　　　　　　　　イ　ABC×DE－÷＋
　　ウ　E－D÷C×B＋A　　　　　　　　エ　ED－CB×÷A＋

問9 整列のアルゴリズム CHECK ▶ □□□

あるデータ列を整列したら状態0から順に状態1, 2, …, Nへと推移した。整列に使ったアルゴリズムはどれか。

```
状態0  3, 5, 9, 6, 1, 2
状態1  3, 5, 6, 1, 2, 9
状態2  3, 5, 1, 2, 6, 9
        ⋮
状態N  1, 2, 3, 5, 6, 9
```

ア クイックソート	イ 挿入ソート
ウ バブルソート	エ ヒープソート

■ 演習問題の解答

　排他的論理和は，二つの集合のうち，どちらかの条件に当てはまるものから両方の条件に当てはまるものを引いたものです。図示すると，下図左のようになります。

相補演算

　互いに否定ということは白黒反転させればいいので，相補演算は上図右のようになります。したがって，アの等価演算が正解です。

　複数の変数をもつデータに対する分析手法の記述のうち，主成分分析とは，多くの変数をより少ない指標や合成変数にまとめ，要約する手法です。変数を統合した新たな変数を使用して，データがもつ変数の数を減らすことを実現します。したがって，エが正解です。
ア　因子分析に関する記述です。
イ　回帰分析に関する記述です。
ウ　データの分類に関する記述です。

　AIにおけるディープラーニングは，機械学習のアルゴリズムの一つであるニューラルネットワークを多層化したものです。機械学習とは，データを学習して特定の結果を得ることで，ニューラルネットワークとは，人間の脳神経回路をイメージした手法です。したがって，アが正解です。
イ　データマイニングに関する記述です。
ウ　一般的なデータ分析に関する記述です。
エ　エキスパートシステムなど，ルールベースで行われる推論の手法です。

問4　　　　　　　　　　　　　　　　（平成29年秋 応用情報技術者試験 午前 問2）

《解答》ア

　BNFにおいて,記号の「::=」は「定義する」,「｜」は「いずれか」を意味します。選択肢を見るとすべての文字列が"12"で始まっているので,これを$\langle R_0 \rangle$,$\langle R_1 \rangle$,$\langle R_2 \rangle$で表現すると,$\langle R_1 \rangle \langle R_2 \rangle$となります。この形が$\langle A \rangle$,$\langle B \rangle$,$\langle C \rangle$のいずれに当てはまるのかを考えると,最初の$\langle R_1 \rangle$は$\langle B \rangle$,次も合わせて$\langle B \rangle \langle R_2 \rangle$となるのは$\langle A \rangle$です。

　その後,非終端記号$\langle A \rangle$から生成される文字列になるためには,$\langle A \rangle ::= \langle R_0 \rangle \mid \langle A \rangle \langle R_0 \rangle \mid \langle B \rangle \langle R_2 \rangle \mid \langle C \rangle \langle R_1 \rangle$なので,さらに$\langle A \rangle$に続けるとなると,$\langle A \rangle \langle R_0 \rangle$となります。$\langle R_0 \rangle ::= 0 \mid 3 \mid 6 \mid 9$なので,3文字目は0,3,6,9のいずれかとなり,選択肢の中では"123"が当てはまります。したがって,**ア**が正解です。

問5　　　　　　　　　　　　　　　　（平成31年春 応用情報技術者試験 午前 問22）

《解答》イ

　標本化周波数10kHzとは,1秒間に10k（$=10 \times 10^3$）回サンプリングすることです。1サンプリング当たりの量子化ビット数16ビットで4秒間サンプリングすると,圧縮率1／4なので,次のようになります。

　　10×10^3[回／秒]×16[ビット／回]×4[秒]／（4×8[ビット／バイト]）

　　$= 20 \times 10^3$[バイト]＝20[kバイト]

　したがって,**イ**が正解です。

問6　　　　　　　　　　　　　　　　（令和5年春 応用情報技術者試験 午前 問5）

《解答》ウ

　要求量以上の大きさをもつ空き領域のうちで最小のものを割り当てるためには,空き領域の大きさを基に最適な空き領域を効率的に探索する必要があります。空き領域が大きさ順に整列されていないと,すべての空き領域を探索しなければなりません。この場合,空き領域の数をnとすると,n回の比較が必要です。効率的に探索を行うには,空き領域を大きさ順に整列させる必要があります。

　イのように片方向連結リストを利用すると,空き領域の小さい順に確認していき,要求量以上の領域をもつものができた時点で探索が終了するため,平均処理回数は$\dfrac{n+1}{2}$となり,多少は効率化できます。

　さらにウのように,空き領域の大きさをキーとする2分探索木を用いると,1回の探索で範囲が$\dfrac{1}{2}$に絞れるので,要求量に近い空き領域を効率的に見つけることができます。この

場合，平均処理回数は$\log_2 n$回となります。したがって，**ウ**が正解です。

ア　アドレスをキーにしても，空き容量の探索は効率化されません。

エ　ビットマップは，大小関係を比較する探索には不向きです。

　表に従業員番号が存在する場合には，線形探索法での比較回数は最少で1回，最多でn回なので，平均すると$\dfrac{n+1}{2}$回となります。表に従業員番号が存在しない場合には，最後まで検索してないことを確認する必要があるので，検索回数はn回となります。表に存在しない確率がaなので，存在する確率は$1-a$となり，平均比較回数は，次の式で計算できます。

$$平均比較回数 = \frac{(n+1)(1-a)}{2} + na$$

　したがって，**エ**が正解です。

　二分木の深さ優先探索（特に右の子ノードから探索を開始する後順の巡回）に関する問題です。

〔f（ノード n）の定義〕の手順に従って，ノードのデータを出力すると，次のような実行順となります。

1. ノード（根が＋）の右に子ノードがあるので，ノード（根が÷）を実行
2. ノード（根が÷）の右に子ノードがあるので，ノード（根が－）を実行
3. ノード（根が－）の右に子ノードがあるので，ノード（根がE）を実行
4. ノード（根がE）には子ノードがないので，"E"を出力
5. ノード（根が－）の左に子ノードがあるので，ノード（根がD）を実行
6. ノード（根がD）には子ノードがないので，"D"を出力
7. ノード（根が－）には未実行の子ノードがなくなったので，"－"を出力
8. ノード（根が÷）の左に子ノードがあるので，ノード（根が×）を実行
9. ノード（根が×）の右に子ノードがあるので，ノード（根がC）を実行
10. ノード（根がC）には子ノードがないので，"C"を出力
11. ノード（根が×）の左に子ノードがあるので，ノード（根がB）を実行

12. ノード（根がB）には子ノードがないので，"B"を出力

13. ノード（根が×）には未実行の子ノードがなくなったので，"×"を出力

14. ノード（根が÷）には未実行の子ノードがなくなったので，"÷"を出力

15. ノード（根が＋）の左に子ノードがあるので，ノード（根がA）を実行

16. ノード（根がA）には子ノードがないので，"A"を出力

17. ノード（根が＋）には未実行の子ノードがなくなったので，"＋"を出力

したがって，出力は"ED－CB×÷A+"となり，**エ**が正解です。

問9　　　　　　　　　　　　　　　（令和5年秋 応用情報技術者試験 午前 問6）
《解答》**ウ**

　データ列を整列した状態0〜状態Nの推移状況から，整列に使ったアルゴリズムを特定します。状態0から状態1の変化では，3番目にあった数字の9が末尾に移動しており，ほかの順番はそのままです。この挙動は，隣り同士を比較して大小関係が逆の場合に入れ替えることを繰り返すバブルソートで出現する状態です。

　状態1から状態2でも，2番目に大きい6が末尾から2番目に移動しています。そのため，バブルソートで最大値を取り出す繰返しを実行していると考えられます。したがって，**ウ**が正解です。

ア　クイックソートの場合は，基準値の大小で分けるので，状態0から状態1にはなりません。基準値が9だった場合，2と9が入れ替わるかたちになります。

イ　挿入ソートだと，整列済みの配列「3, 5, 9」に6を挿入するので，状態1が「3, 5, 6, 9」となると考えられます。

エ　ヒープソートでは，ヒープ木から最大値9を取り出して末尾の値と入れ替えるので，末尾の2が先頭に来ます。状態1はヒープである必要があるので，「2, 6, 3, 5, 1, 9」といったかたちになると考えられます。

第2章

コンピュータシステム

コンピュータを組み合わせてシステムを構成するときに，実際に使われる機器やソフトウェアについて学ぶ分野がコンピュータシステムです。知っておくと実務にも役立ちます。

分野は四つ，「コンピュータ構成要素」「システム構成要素」「ソフトウェア」「ハードウェア」です。コンピュータ構成要素では個々のコンピュータの構成要素について，システム構成要素ではコンピュータをつないだシステムの構成要素について学びます。そして，ソフトウェアでは，システム上で動いているソフトウェアについて，ハードウェアではシステムを構成するハードウェアについて学びます。

2-1 コンピュータ構成要素

現在のコンピュータのほとんどは，「プログラム内蔵方式」と呼ばれる，フォン・ノイマンが考案した形のコンピュータです。プログラム内蔵方式では，コンピュータの内部にプログラムを保存することで様々な処理を行うことができます。

■ プログラム内蔵方式

コンピュータは，登場した当初は，決まった演算を高速で行う機械でした。計算式を変更したり，別の目的で使用したりする場合には，そのたびに機械の配線をつなぎ替える必要がありました。

そうした煩雑さを解消し，コンピュータを多様な目的で使用できるようにするために考え出されたのが，**プログラム内蔵方式**です。コンピュータの内部にプログラムを記憶させることで，プログラムを切り替えて様々な処理を実行させることが可能になりました。

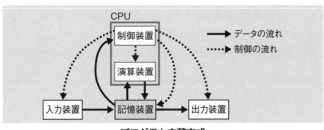

プログラム内蔵方式

プログラム内蔵方式では，演算を行う**演算装置**のほかに，プログラムの制御を行う**制御装置**，プログラムやデータを記憶しておく**記憶装置**が必要となります。演算装置と制御装置は，CPU（Central Processing Unit）と呼ばれる，コンピュータの心臓部に当たるハードウェアです。記憶装置はメモリと呼ばれ，入力したデータ，出力するデータ，CPUで演算するデータがすべて格納されています。記憶装置の一部で，CPUと直結した，速度が最速のものをレジスタといいます。

さらに，外部からデータやプログラムを入力するための**入力装置**や，外部に結果を出力するための**出力装置**も必要です。さらに，それらの装置をつなぐための経路，バスや**入出力デバイス**も，コンピュータを構成する大事な要素となります。

✎ 勉強のコツ

応用情報技術者試験におけるコンピュータの構成要素では，基本情報技術者試験に比べて，それぞれの仕組みについての深い理解を問われる問題が出題されます。プロセッサの動作原理やメモリとキャッシュメモリの関係など，動きをしっかり理解しておきましょう。

動画

コンピュータシステムの分野についての動画を以下で公開しています。
https://www.wakuwaku
academy.net/itcommon/2

本書では取り扱っていない基本的な内容や，CPU（プロセッサ）の動きなどについて詳しく解説しています。本書の補足として，よろしければご利用ください。

2-1-1 ■ プロセッサ

2

プロセッサは，コンピュータの内部でコンピュータを動作させるためのハードウェアです。プロセッサが使われる装置の代表的なものに，コンピュータの中心であるCPUがあります。

■ コンピュータの種類

コンピュータには，様々な種類があります。パーソナルコンピュータ(PC)には，机に固定する**デスクトップPC**と，持ち運びができる**ノートPC**があります。携帯端末である小型の**スマートフォン**や画面の大きい**タブレット端末**もコンピュータの一種です。**シングルボードコンピュータ**(SBC：Single Board Computer)は，CPU，メモリ，ストレージ，I/Oポートなどのコンピュータの主要な機能を1枚の基板上に集約した小型のコンピュータです。低消費電力で，教育，プロトタイプ開発，組み込みシステムなどに広く利用されています。代表例にはRaspberry Piがあります。

業務用途では，ワークステーション，スーパーコンピュータなどの大型の機械を使用できます。**量子コンピュータ**は，量子ビット(Quantum bit)という単位で，量子力学で用いられる重ね合わせの原理を用いて情報を扱います。量子コンピュータの実現方法には，量子ゲートを用いる汎用的な**量子ゲート型**や，組合せ最適化問題などに特化した量子アニーリング型などがあります。

■ プロセッサの種類

プロセッサには，コンピュータの中心として汎用的に用いられるCPU以外にも，それぞれの役割に特化したプロセッサがあります。代表的なプロセッサには，次のようなものがあります。

①DSP（Digital Signal Processor）

A/D変換など，デジタル信号処理に特化したプロセッサです。

②FPU（Floating Point Unit）

浮動小数点演算に特化したプロセッサです。

③GPU（Graphics Processing Unit）

画像処理のための行列演算を行うプロセッサです。画像処理以外の汎用の行列演算でも利用でき，ディープラーニングなどの演算に用いられています。

④TPU（Tensor Processing Unit）

Googleが開発した，ディープラーニングに特化した行列演算を効率的に処理するためのプロセッサです。

■命令のステージと実行手順

プロセッサは，命令を実行します。ただ，一言で「命令を実行」といっても，命令（プログラム）自体は記憶装置にありますし，計算命令などを実行する場合は，その前にデータを用意する必要があります。このように，一つの命令を実行するまでにやることはいくつもあり，それぞれをステージと呼びます。代表的なものが次の五つのステージであり，①〜⑤の順に実行されます。

五つのステージ

①命令の取り出し（「取」と略）

実行する命令を記憶装置（またはキャッシュメモリ）から１行取り出します。

②命令の解読（「解」と略）

制御装置で命令を解読して，何を行うかを知ります。例えば，「ADD　A，B」という命令なら，「AとBを加算してその結果をAに格納する」ということを理解します。

③データの取り出し（「デ」と略）

記憶装置（またはキャッシュメモリ）から，命令の実行に使うデータを演算装置に取り出します。前述の「ADD　A，B」なら，AとBに対応するデータを取得します。

　過去問題をチェック

GPUについて，応用情報技術者試験では次の出題があります。
【GPUの利点】
・令和3年春 午前 問10
・令和4年秋 午前 問8

　発展

CPUの種類によって，ステージの数に差があります。IntelのPentiumでは5ステージでしたが，MotorolaのMC68040では6ステージです。細かいステージの内容はメーカごとに異なるので，命令実行の流れを押さえておきましょう。

　発展

命令を実行するときの情報は，レジスタに格納されます。次に実行するプログラム命令のアドレスを記憶するものがプログラムレジスタ（プログラムカウンタ），命令を解読するために命令そのものを格納するものを命令レジスタといいます。

④命令の実行（「実」と略）

演算装置で命令を実行します。実際に計算などを行うステージです。

⑤結果の格納（「格」と略）

演算結果を記憶装置（またはキャッシュメモリ）に格納します。

　一つの命令を実行するのに，このように複数のステージが必要です。そして，プロセッサが進化するにつれ，この処理を並列で動かすことで高速化を実現していきます。

■ プロセッサの高速化技術

　プロセッサを高速化する一番単純な方法は，クロック周波数（1秒間に実行されるクロック（ステージ）の数）を上げることです。ただ，その方法だけでは限界があるので，次のような様々な高速化技術が考えられました。

①パイプライン

　命令のステージを一つずつずらして，同時に複数の命令を実行させる方法です。右図のようなイメージになります。分岐命令などで順番が変わると，パイプラインハザードが発生し，処理のやり直しとなります。あらかじめ分岐を予測して処理を行う，**投機実行**という方法を使うこともあります。

パイプラインのイメージ

②スーパスカラ

　パイプラインのステージを複数同時に実行させることで効率化を実現します。右図のようなイメージです。演算の割当てはハードウェアによって動的に行います。

スーパスカラのイメージ

☆参考

CPUのクロック周波数は，1秒間に何クロック実行できるかを表す数値です。例えば，クロック周波数1GHzというときには，1秒間に1G（＝1×10^9）クロックが実行されます。これは，1クロックを実行するのに$1/(1\times10^9)$秒＝1×10^{-9}秒＝1n（ナノ）秒かかることを意味します。

🔍用語

パイプラインハザードとは，複数の命令を実行する場合に，その関係から命令の処理を中断しなければならない状況を指します。
パイプラインハザードには，以下の3種類があります。
・**制御ハザード**：分岐処理（if文など）で処理の順番が変わる
・**データハザード**：複数の処理で同じデータを扱うことにより不具合が生じる
・**構造ハザード**：同じハードウェアを同時に使用することによる競合が原因となる

③スーパパイプライン

パイプラインをさらに細分化して，一度に実行できる命令数を増やす方法です。右図のようなイメージです。Pentium4では一つの命令を20ステージに分けています。

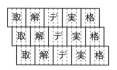

スーパパイプラインの
イメージ

④VLIW（Very Long Instruction Word：超長命令語）

命令語を長くすることで，一つの命令で複数の機能を一度に実行できるようにしたものです。パイプラインと合わせた実行イメージは右図のようになります。

超長命令の由来は，命令語が通常128ビットと長いことです。長い命令に複数の機能を含むことで，一度の命令取得で多くの機能を実現できます。

VLIWのイメージ

それでは，次の問題で確認してみましょう。

問題

スーパスカラの説明として，適切なものはどれか。

ア　処理すべきベクトルの長さがベクトルレジスタよりも長い場合，ベクトルレジスタ長の組に分割して処理を繰り返す方式である。

イ　パイプラインを更に細分化することによって，高速化を図る方式である。

ウ　複数のパイプラインを用い，同時に複数の命令を実行可能にすることによって，高速化を図る方式である。

エ　命令語を長く取り，一つの命令で複数の機能ユニットを同時に制御することによって，高速化を図る方式である。

（平成27年春 応用情報技術者試験 午前 問9）

🔑 頻出ポイント

プロセッサの分野では，パイプライン，スーパスカラなど高速化技術に関する問題が多く出題されています。

📖 過去問題をチェック

プロセッサの高速化技術に関する問題は，応用情報技術者試験の午前の定番です。
【パイプライン】
・平成21年秋 午前 問9
・平成23年秋 午前 問9
・平成27年春 午前 問10
・平成27年秋 午前 問8
・平成28年秋 午前 問8
・平成29年秋 午前 問8
・令和5年春 午前 問9
・令和5年秋 午前 問9
【VLIW】
・平成22年春 午前 問9
・平成28年春 午前 問11
・平成30年春 午前 問9
・令和4年春 午前 問8
【スーパスカラ】
・平成22年秋 午前 問10
・平成24年春 午前 問11
・平成24年秋 午前 問9
・平成31年春 午前 問8
【パイプラインハザード】
・平成25年春 午前 問10
・平成26年秋 午前 問7

2

解説

　スーパスカラは，複数のパイプラインを用いて同時に複数の命令を実行するので，ウが正解です。

ア　ベクトルプロセッサに関する説明です。

イ　スーパパイプラインの説明です。

エ　VLIWの説明です。

《解答》ウ

■ マルチプロセッサ

　プロセッサ自体を高速化させる技術のほかに，複数のプロセッサを同時に稼働させて高速化を図るマルチプロセッサという方法があります。マルチプロセッサの結合方式には次の方式があります。

①密結合マルチプロセッサ

　複数のプロセッサが，**メモリ（主記憶）を共有**するものです。外見的には一つに見えるプロセッサの中に複数のプロセッサ（コア）を封入した**マルチコアプロセッサ**という形態も，密結合マルチプロセッサの一種です。マルチコアプロセッサは，現在のCPU高速化技術の主流となっています。

②疎結合マルチプロセッサ

　複数のプロセッサに別々のメモリを割り当てたものです。複数の独立したコンピュータシステムがあるのと同じなので，その間に高速な通信システムを用いてデータのやり取りを行います。**クラスタシステム**などは，疎結合マルチプロセッサの一種です。

③ ヘテロジニアスマルチコア

　複数のアーキテクチャのコアを搭載した統合したプロセッサです。スマートフォンなどで，高い処理性能と低消費電力の両立のために使用されています。

　big.LITTLEは，ARM社が提唱した省電力技術で，性能が高い「big」コアと，低消費電力の「LITTLE」コアを組み合わせて使用する，ヘテロジニアスマルチコアの一種です。

参考

マルチプロセッサについては，結合方式だけでなく処理方式についても問われることがあります。
複数のプロセッサで同じデータに対して異なる処理を実行することをMISD（Multiple Instruction stream, Single Data stream），プロセッサごとに異なる命令を実行することをMIMD（Multiple Instruction stream, Multiple Data stream）といいます。一般的に分散システムは，MIMDです。

発展

PCでよく用いられているCPUであるIntelのCore i3は，デュアルコア（プロセッサが二つ）のマルチコアプロセッサです。Core i5, Core i7にはクアッドコア（プロセッサが四つ）やヘキサコア（プロセッサが六つ）のものもあります。

■ プロセッサの省電力技術

プロセッサでは，高速化するだけではなく，消費電力を抑えるための工夫も必要です。プロセッサの省電力化技術には，動作していない回路ブロックへのクロック供給を停止する**クロックゲーティング**や，動作していない回路ブロックへの電源供給を遮断する**パワーゲーティング**などがあります。

■ プロセッサの性能指標

プロセッサにはいろいろな種類があります。いくつかの性能指標があり，その数値を基に，異なるプロセッサの性能を比較します。代表的な性能指標は，以下のとおりです。

① MIPS（Million Instructions Per Second）

1秒間に何百万個の命令が実行できるかを表します。PCやサーバなどのプロセッサの性能を表すときによく用いられる指標です。ほとんど分岐のないプログラムを実行させたときのピーク値を示すため，実際のアプリケーションを動かした場合の性能とは異なります。

② FLOPS（Floating-point Operations Per Second）

1秒間に浮動小数点演算が何回できるかを表したものです。科学技術計算やシミュレーションを行うスーパーコンピュータ，ゲーム機などの性能を表すのによく用いられます。

③ CPI（Cycles Per Instruction）

プロセッサが一つの命令を実行するのに必要となるクロック数です。パイプライン処理やスーパースカラなど，高速化技術を利用することでCPIを小さくして，アプリケーションを高速化することができます。

過去問題をチェック

プロセッサの性能について，応用情報技術者試験では次の出題があります。計算問題が中心です。
【MIPSの計算】
・平成22年秋 午前 問9
・平成25年春 午前 問9
・令和3年春 午前 問9
【処理時間比較】
・平成22年春 午前 問10
・平成24年春 午前 問12
【ピーク演算性能】
・平成21年秋 午前 問14
・平成28年春 午前 問13
・令和2年10月 午前 問12
【CPI】
・令和5年春 午前 問8

それでは，実際のMIPS値の計算を行ってみましょう。

問題

表に示す命令ミックスによるコンピュータの処理性能は，何MIPSか。

命令種別	実行速度（ナノ秒）	出現頻度（%）
整数演算命令	10	50
移動命令	40	30
分岐命令	40	20

ア 11　　イ 25　　ウ 40　　エ 90

（令和3年春 応用情報技術者試験 午前 問9）

解説

　表では，整数演算命令の実行速度が10ナノ秒でこの出現頻度が50%（0.5），移動命令の実行速度が40ナノ秒で出現頻度が30%（0.3），分岐命令の実行速度が40ナノ秒で出現頻度が20%（0.2）です。1ナノ秒は10^{-9}秒なので，この命令ミックスの1命令当たりの実行時間は，次の式で求めることができます。

10×10^{-9}［秒］$\times 0.5 + 40 \times 10^{-9}$［秒］$\times 0.3 + 40 \times 10^{-9}$［秒］$\times 0.2$
$= 25 \times 10^{-9}$［秒］

　そのため，コンピュータの処理性能MIPS（$= 10^6$命令／秒）を求めると，次のようになります。

$1 / (25 \times 10^{-9})$［秒／命令］$= 40 \times 10^6$［命令／秒］$= 40$［MIPS］
したがって，ウが正解です。

≪解答≫ウ

■ 割込み

現在実行中のプログラムを中断して別の処理を行うことを割込みといいます。割込みには，次の2種類があります。

①内部割込み

実行しているプログラムの内部からの割込みです。ソフトウェアからの割込みなのでソフトウェア割込みということもあります。内部割込みには次のような種類があります。

- **プログラム割込み** …… プログラム内で0の割り算や**オーバフロー**が起こったときに発生する
- **SVC割込み** …………… プログラムがOSに処理を依頼するときに行われる
- **ページフォールト** …… 仮想記憶管理において存在しないページにアクセスするときに行われる

②外部割込み

外部割込みには次のような種類があります。ハードウェア関連の割込みなのでハードウェア割込みともいいます。

- **タイマー割込み** ………… タイマーから行われる
- **機械チェック割込み** …… ハードウェアの異常が検出されたときに行われる
- **入出力割込み** …………… キーボードなどの入出力装置から行われる
- **コンソール割込み** ……… コンソールからスイッチが行われたときに発生する

■ エンディアン

エンディアンとは，複数バイトのデータを格納するときに，それをメモリに配置する方式です。バイトオーダともいいます。データの上位バイトから順番にメモリに並べる方式をビッグエンディアン，データの下位バイトから順にメモリに並べる方式をリトルエンディアンと呼びます。

実際の例で確認してみましょう。

用語

オーバフローとは，演算結果がレジスタやメモリのビットの範囲を超えてしまい，誤って算出されることです。例えば，演算レジスタが16ビットのCPUでは，符号付きの整数は−32,768 〜 32,767までしか表せません。同じ符号の加算演算などでこの範囲を超えるときに，オーバフローが発生します。

用語

SVC(Super Visor Call：スーパバイザコール)とは，OSの中心部であるカーネルを呼び出すための命令のことです。OSが一般のプログラムに提供する機能が関数として提供されています。

参考

エンディアンの方式は，CPUによって決まっています。Intel系のCPUではリトルエンディアン，モトローラ系のCPUではビッグエンディアンが一般的です。

2

問題

主記憶の1000番地から，表のように4バイトの整数データが格納されている。これを32ビットのレジスタにロードするとき，プロセッサのエンディアンとレジスタにロードされる数値との組合せとして，正しいものはどれか。

バイトアドレス	データ
1000	00
1001	01
1002	02
1003	03

	リトルエンディアン	ビッグエンディアン
ア	00010203	02030001
イ	00010203	03020100
ウ	02030001	00010203
エ	03020100	00010203

(平成23年特別 応用情報技術者試験 午前 問11)

解説

リトルエンディアンでは，下位バイト，つまりバイトアドレスが大きい方（1003番地）から順に1003番地，1002番地……とデータを並べます。そのため，リトルエンディアンでロードされる数値は，03020100となります。

逆にビックエンディアンでは，上位バイト，つまりバイトアドレスが小さい方（1000番地）から順に1000番地，1001番地……とデータを並べます。そのため，ビックエンディアンでロードされる数値は，00010203となります。

したがって，それぞれの数値が正しいエが正解です。

≪解答≫エ

🔼 **発展**
ネットワークでデータを伝送する場合には，こういったエンディアンによる違いがあると大変なので，すべてビッグエンディアンに変換してから送信します。このことを**ネットワークバイトオーダ**と呼びます。

▶▶▶ 覚えよう！

□　内部割込みはソフトウェア，外部割込みはハードウェア

□　密結合はメモリを共有，疎結合はメモリ間で通信

2-1-2 🔲 メモリ

頻出度
★★☆

　メモリ（記憶装置）とは，コンピュータにおいて情報の記憶を行う装置です。記憶装置には，プロセッサが直接アクセスできる主記憶装置と，それ以外の補助記憶装置の2種類があります。

🔲 主記憶装置の種類

　主記憶装置には，大きく分けて，読み書きが自由な**RAM**（Random Access Memory）と，読出し専用の**ROM**（Read Only Memory）の2種類があります。

🔲 RAM

　一般的に使用されている半導体メモリを使ったRAMには，電源の供給がなくなると内容が消えてしまうという特徴があります。このような特徴があるため，揮発性メモリと呼ばれることもあります。そのため，電源を切った後も保存しておきたい情報は補助記憶装置に退避させておき，必要に応じてメモリに呼び出します。

　また，RAMには，一定時間たつとデータが消失してしまう**DRAM**（Dynamic RAM）と，電源を切らない限り内容を保持している**SRAM**（Static RAM）の2種類があります。それぞれの特徴を以下にまとめます。

DRAMとSRAMの特徴

特徴	DRAM	SRAM
リフレッシュ	必要	**不要**
速度	低速	**高速**
電力消費	高消費電力	**低消費電力**
コスト	**安価**	高価
容量	**大容量**	小容量
用途	メモリ	キャッシュメモリ

　主記憶装置に使う**メモリ**には，コストと容量の関係でDRAMが用いられます。しかし，プロセッサがメモリに直接アクセスすることが多くなると処理速度の低下が起こるので，高速な**キャッシュメモリ**を間に置いて両者のギャップを埋めます。このキャッシュメモリにはSRAMが用いられます。メモリに用いられる

🌟 参考

一般に，主記憶装置のRAMをメモリ，補助記憶装置で情報を永続的に記憶するものをストレージと呼びます。ただし，フラッシュメモリなどを用いた補助記憶装置もあるので，注意が必要です。

 発展

メモリの「電源の供給がなくなると内容が消えてしまう」という特徴は，いろいろな分野で考慮する必要のあるポイントです。
例えば，データベースなどでは，障害時でもコミットしたデータを復旧させるために，あらかじめ更新後ログを取得して，メモリのデータが飛んでも支障が出ないようにしておきます（詳細は，「3-3-4　トランザクション処理」参照）。

🏠 発展

SDRAMの規格は，DDR，DDR2，DDR3，DDR4と発展してきています。現在のメモリで主流なのは，DDR4のSDRAMです。

DRAMは，現在ではほとんどが，システムのバスと同期して動作するSDRAM（Synchronous DRAM）となっています。

■ROM

ROMは，基本的に読出し専用の記憶装置ですが，種類によっては全消去，書込み，追記が可能なことがあります。電気の供給がなくても記憶を保持できるため，不揮発性メモリと呼ばれることもあります。

ROMには，書換えが不可能な**マスクROM**と，書込みが可能な**PROM**（Programmable ROM）があります。書込みが可能なROMは，記憶を保持する機器として様々な場面で利用されています。

■フラッシュメモリ

フラッシュメモリはROMの一種で，ブロック単位での消去や書込みを行います。USBメモリやSSD（Solid State Drive）など様々な記憶媒体に使われています。本来ROMなので何度も書換えを行うと劣化するため，書換え回数に上限があります。そのため，ブロック単位での書込み回数がなるべく均等になるように，物理的な書込み位置を選択するウェアレベリングを用いて，全体的な劣化を遅くします。

■キャッシュメモリ

キャッシュメモリは，プロセッサとメモリの性能差を埋めるために両者の間で用いるメモリです。高速である必要があるため，**SRAM**が用いられます。近年では，CPUのチップ内に取り込まれ，内蔵されることが一般的です。

キャッシュメモリは，アドレス管理を効率的に行い，処理を高速化するために，データの格納方法や更新方式に様々なアーキテクチャを採用しています。また，その効果は**ヒット率**（P.141参照）によって変わってきます。

最近のCPUには，キャッシュメモリを多段構成にして，CPUに近い順に1次キャッシュ，2次キャッシュとするものが多く見られます。

過去問題をチェック

フラッシュメモリに関しては，次のような出題があります。
【フラッシュメモリ】
・平成28年秋 午前 問21
・令和4年秋 午前 問22
【フラッシュメモリの展開】
・平成29年春 午前 問11
・令和6年春 午前 問11
【NAND型フラッシュメモリ】
・平成30年春 午前 問10
【ウェアレベリング】
・令和5年春 午前 問11
・令和5年秋 午前 問10

過去問題をチェック

キャッシュメモリに関する問題は，応用情報技術者試験では定番で出題されています。
【キャッシュメモリ】
・平成24年春 午前 問13
・平成24年秋 午前 問11
・平成25年春 午前 問12
・平成25年秋 午前 問11
・平成26年秋 午前 問9
・平成29年春 午前 問10，問16
・平成29年秋 午前 問11
・令和元年秋 午前 問10
・令和3年春 午前 問12
・令和4年春 午前 問9
・令和6年春 午前 問10

■キャッシュメモリのデータ格納方法

キャッシュメモリでデータを管理するときには，ブロックと呼ばれる一定長の単位にまとめます。このとき，メモリのデータがキャッシュメモリのどの部分にあるのかを管理する方法には次の三つがあります。

①ダイレクトマップ方式

メモリのアドレスごとに，キャッシュメモリの格納場所が一つに決まる方式です。メモリのアドレスさえ分かれば場所が特定できるので検索は容易ですが，その分データの衝突が起こりやすくなり，ヒット率が下がります。

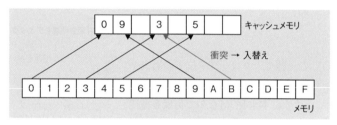

ダイレクトマップ方式のイメージ

②フルアソシエイティブ方式

アドレスによる振分けを行わず，キャッシュメモリの空いているブロックならどこでも使える方式です。キャッシュメモリがいっぱいになるまでデータの衝突は起こりませんが，データの使用時に毎回，すべてのブロックを検索する必要があるため，応答速度に問題が出てきます。

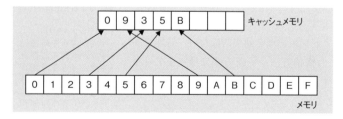

フルアソシエイティブ方式のイメージ

③セットアソシエイティブ方式

ダイレクトマップ方式とフルアソシエイティブ方式には，どちらも一長一短あります。そこで，キャッシュメモリを複数のグループに分け，そのグループ内でならどこでも使えるというセットアソシエイティブ方式が考えられました。

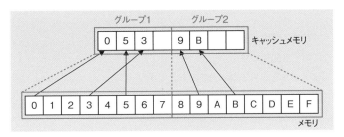

セットアソシエイティブ方式のイメージ

セットアソシエイティブ方式とフルアソシエイティブ方式では，**連想メモリ**（CAM：Content Addressable Memory）を使用することで検索を高速化しています。

それでは，実際の問題を解いて確認しましょう。

問 題

キャッシュメモリの**フルアソシエイティブ方式**に関する記述として，適切なものはどれか。

ア キャッシュメモリの各ブロックに主記憶のセットが固定されている。

イ キャッシュメモリの各ブロックに主記憶のブロックが固定されている。

ウ 主記憶の特定の1ブロックに専用のキャッシュメモリが割り当てられる。

エ 任意のキャッシュメモリのブロックを主記憶のどの部分にも割り当てられる。

（令和4年春 応用情報技術者試験 午前 問10）

解 説

　キャッシュメモリのフルアソシエイティブ方式とは，アドレスに
よる振分けを行わず，キャッシュメモリの空いているブロックな
らどこでも使える方式です。任意のキャッシュメモリのブロック
を主記憶のどの部分にも割り当てられます。したがって，エが正
解です。

ア　セットアソシエイティブ方式に関する記述です。

イ　ダイレクトマップ方式に関する記述です。

ウ　特定の領域にキャッシュメモリを専用で割り当てる方式です。

≪解答≫エ

■ キャッシュメモリのデータ更新方式

　プロセッサがキャッシュメモリのデータを更新した場合，その
内容をメモリに反映させる必要があります。しかし，メモリにアク
セスするのには時間がかかり，毎回アクセスしていると効率が悪
くなります。そのため，更新方式に次の2種類が用意されています。

①ライトスルー方式

　プロセッサがキャッシュメモリに書込みを行ったとき，その内
容を同時にメモリにも転送する方式です。単位時間の処理量で
あるスループットが悪くなるという制約がありますが，コヒーレ
ンシ（データの一貫性）は保たれます。

②ライトバック方式

　プロセッサがキャッシュメモリに書き込んでも，すぐにはメモ
リに転送しない方式です。キャッシュメモリのデータがメモリに
追い出されるなど，条件を満たした場合にのみメモリに書き込ま
れます。スループットは良くなりますが，コヒーレンシが保たれ
ないことがあります。

発展

キャッシュメモリを多段で
構成している場合，ライト
スルー方式には1次キャッ
シュ，ライトバック方式に
は2次キャッシュが用いら
れることが多いです。2段
目のキャッシュがある場合
には速度の低下があまり起
こらないので，ライトス
ルー方式の方が安心だから
です。

それでは，問題で知識の確認をしていきましょう。

過去問題をチェック
ライトスルー方式とライトバック方式については，次の出題があります。
【ライトスルー方式とライトバック方式】
・平成24年春 午前 問13
・平成24年秋 午前 問11
・平成25年春 午前 問12
・平成26年秋 午前 問9
・令和3年春 午前 問12
・令和5年春 午前 問10
【ライトスルー方式】
・平成29年春 午前 問10
・令和4年秋 午前 問9
【ライトバック方式】
・平成25年春 午前 問12
・平成26年秋 午前 問9

問題

キャッシュメモリへの書込み動作には，ライトスルー方式とライトバック方式がある。それぞれの特徴のうち，適切なものはどれか。

ア　ライトスルー方式では，データをキャッシュメモリにだけ書き込むので，高速に書込みができる。

イ　ライトスルー方式では，データをキャッシュメモリと主記憶の両方に同時に書き込むので，主記憶の内容は常にキャッシュメモリの内容と一致する。

ウ　ライトバック方式では，データをキャッシュメモリと主記憶の両方に同時に書き込むので，速度が遅い。

エ　ライトバック方式では，読出し時にキャッシュミスが発生してキャッシュメモリの内容が追い出されるときに，主記憶に書き戻す必要が生じることはない。

(令和5年春 応用情報技術者試験 午前 問10)

解説

ライトスルー方式は，データを更新するときに，キャッシュメモリと主記憶の両方に同時にデータを書き込む方式です。そのため，主記憶の内容は常に最新になるので，イが正解です。

ア　高速な書込みは，ライトバック方式の特徴です。

ウ　速度が遅いのは，ライトスルー方式の特徴です。

エ　書き戻しが必要ないのは，ライトスルー方式の特徴です。

≪解答≫イ

■ キャッシュメモリのヒット率

キャッシュメモリを用いてCPUとメモリがやり取りするとき，データがキャッシュメモリ上にある確率のことを，キャッシュメモリのヒット率といいます。また，そのヒット率が分かることで，

キャッシュメモリに存在する場合もしない場合も含めた，平均的なアクセス時間である**実効アクセス時間**を計算することができます。実効アクセス時間を求める式は，以下のようになります。

実効アクセス時間＝
キャッシュメモリへのアクセス時間×ヒット率
＋メモリへのアクセス時間×（1－ヒット率）

■ メモリインタリーブ

キャッシュメモリ以外の，CPUとメモリのデータ転送を高速化する技術にメモリインタリーブがあります。メモリインタリーブでは，データを複数のメモリバンクに順番に分割して配置しておきます。データを読み出すときには，その複数のメモリバンクにほぼ同時にアクセスすることで，効率良くデータを取り出します。

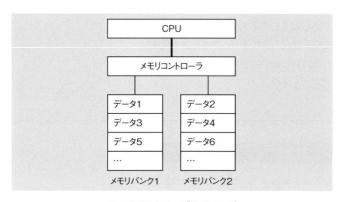

メモリインタリーブのイメージ

それでは，問題を例に，確認してみましょう。

問題

メモリインタリーブの説明として，適切なものはどれか。

ア　主記憶と外部記憶を一元的にアドレス付けし，主記憶の物理容量を超えるメモリ空間を提供する。

イ　主記憶と磁気ディスク装置との間にバッファメモリを置いて，双方のアクセス速度の差を補う。

2

ウ　主記憶と入出力装置との間でCPUとは独立にデータ転送を
　　行う。
エ　主記憶を複数のバンクに分けて，CPUからのアクセス要求
　　を並列的に処理できるようにする。

（令和3年秋 応用情報技術者試験 午前 問9）

解　説

　メモリインタリーブは，CPUと主記憶（メモリ）のデータ転送を
高速化する技術です。主記憶の連続したアドレスを複数のバンク
に分けて，並列的にアクセスすることで高速化を行うので，エが
正解です。
　アは仮想記憶，イはディスクキャッシュ，ウはDMA（Direct
Memory Access）の説明です。

《解答》エ

■ 記憶領域の管理方式

　メモリやキャッシュメモリなどの記憶領域を割り当てるときに
は，どの領域にどのデータを割り当てるのかを管理する必要があ
ります。記憶領域を管理するアルゴリズムの代表的なものには，
記憶領域の空き領域をアドレスの下位から順に検索し，最初に
見つかった空き領域を割り当てる**ファーストフィット方式**や，空
き領域のうち，要求された大きさを満たす最小のものを割り当
てる**ベストフィット方式**があります。また，主記憶（メモリ）を
CPUだけではなく，ディスプレイなど他のデバイスでも利用で
きるようにした方式に，**ユニファイドメモリ方式**があります。

過去問題をチェック
記憶領域の管理方式につい
て，応用情報技術者試験で
は以下の出題があります。
【ベストフィット方式】
・平成26年春 午前 問5
【ユニファイドメモリ方式】
・令和5年秋 午前 問11

▶▶ 覚えよう！

□　配置場所が決まるのがダイレクトマップ，自由なのがフルアソシエイティブ，グループ内
　　がセットアソシエイティブ

□　ライトスルーはメモリまでスルー，ライトバックはためる

2-1-3 ■ バス

頻出度
★★★

　バス（Bus）とは，コンピュータ内部でデータをやり取りするための伝送路です。代表的なバスには，USBやBluetoothなどがあります。

■ シリアルバスとパラレルバス

　1ビットずつ順番にデータを転送するバスを**シリアルバス**，データの複数ビットをひとかたまりにして複数本の伝送路で送るバスを**パラレルバス**といいます。PCが普及した初期の頃にはRS-232Cなどのシリアルバスが中心でしたが，その後，SCSIなどのパラレルバスが主流になりました。しかし，複数の伝送路でデータを送ると干渉が発生するため，高周波信号で高速にデータを送るにはシリアルバスが適しているということから，近年ではまた，USBなどの**シリアルバスが主流**になってきています。

■ 代表的なバス

① USB（Universal Serial Bus）

　コンピュータの周辺機器を接続するためのシリアルバス規格の一つです。マウスやキーボードなど，様々な周辺機器を接続できます。USBケーブルから電力を供給して周辺機器を動作させるバスパワーを利用することが可能です。

USBの規格

規格	スピードモード	最大データ転送速度
USB 1.1	フルスピード	12Mビット／秒
USB 2.0	ハイスピード	480Mビット／秒
USB 3.0	スーパースピード	5Gビット／秒
USB 3.1	スーパースピードプラス	10Gビット／秒

発展

USBのバスパワーは電力が限られているので，電力供給不足で周辺機器が動かないことがあります。外付けハードディスクやDVDプレーヤーなど，電力を多く消費する機器を使用する場合は，バスパワー不足に注意する必要があります。

② Thunderbolt

　高速データ転送，ビデオ出力，電力供給を一つのケーブルで行えるインタフェース技術です。

③ ATA（Advanced Technology Attachment）

　コンピュータとハードディスク間のインタフェース規格で，パラレルバスの一つです。パラレルATAとも呼ばれます。

2

④シリアルATA

　パラレルATAをシリアルバスにして高速化したインタフェース規格です。現在主流になっているハードディスクやSSD，光学ドライブを接続する規格です。ホストコントローラとポイントツーポイントで周辺機器を接続します。

　それでは，次の問題を考えてみましょう。

過去問題をチェック
バスに関しては，次の出題があります。
【USB 2.0】
・平成21年秋 午前 問12
【USB 3.0】
・平成28年春 午前 問10
・平成30年春 午前 問12

問　題

USB 3.0の特徴として，適切なものはどれか。

ア　USB 2.0は半二重通信であるが,USB 3.0は全二重通信である。

イ　Wireless USBに対応している。

ウ　最大供給電流は，USB 2.0と同じ500ミリアンペアである。

エ　ピン数が9本に増えたので，USB 2.0のケーブルは挿すことができない。

（平成30年春 応用情報技術者試験 午前 問12）

解　説

　USB（Universal Serial Bus）とは，周辺機器を接続するためのシリアルバスの規格です。USB 2.0，USB 3.0など様々な世代があり，USB 3.0では，最大データ転送速度が5Gbpsとなっています。通信の方式は，USB 2.0までは半二重通信でしたが，USB 3.0からは全二重通信に変更されました。したがって，アが正解です。

イ　Wireless USBは無線での通信技術の一つで，USB規格とは別のものです。

ウ　最大供給電流は，USB 2.0の500ミリアンペアに対し，USB 3.0では900ミリアンペアと増加しています。

エ　ピン数は増加しましたが，ピン形状の工夫により，USB 1.1やUSB 2.0などとの互換性も確保されています。

≪解答≫ア

▶▶▶ 覚えよう！

☐ **USB 2.0はハイスピードモードで480Mビット／秒，USB 3.0はスーパースピードモードで5Gビット／秒**

2-1-4 ■ 入出力デバイス

入出力デバイスとは，入出力装置や補助記憶装置などの機器です。それらとコンピュータをつなぎ，データをやり取りするのが入出力インタフェースです。また，デバイスにインタフェースを提供するソフトウェアがデバイスドライバです。

関連

入出力インタフェースには，「2-1-3 バス」で説明したUSBなどが汎用的に利用されます。

■ 入出力インタフェース

入出力インタフェースとは，コンピュータや周辺機器を接続するための，形状や通信方式などの規格のことです。代表的な入出力インタフェースには，次のものがあります。

① USB（Universal Serial Bus）

USBでは，通信速度などの規格だけでなく，形状にも様々な種類があります。同じバージョンのUSBでも，プラグ側コネクタの形状によって，接続できるものに違いがあります。代表的なプラグ側コネクタの断面図は，次のようになります。

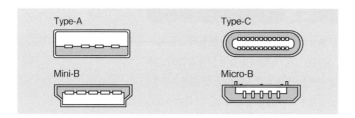

プラグ側コネクタの形状

② HDMI（High-Definition Multimedia Interface）

ディスプレイや映像機器などで，高品位な映像や音声をやり取りするためのインタフェースの規格です。

③ DisplayPort

液晶ディスプレイなどの出力装置のために設計された映像出力インタフェースの規格です。

④無線PAN（Wireless Personal Area Network）

個人エリア内でのデバイス間通信を無線で行うネットワークの

ことで，一般的に数メートルの範囲内で使用されます。代表的な技術にはBluetoothやZigBeeがあります。

⑤ Bluetooth

デジタル機器用の近距離無線通信規格の一つです。IEEE 802.15.1で規格化されています。2.4GHz帯を利用して，マウスやキーボード，携帯ヘッドセットなどの周辺機器を接続します。

Bluetoothはバージョン4.0で大幅に省電力化されました。この省電力化された規格を，BLE（Bluetooth Low Energy）といいます。

⑥ ZigBee

センサーネットワークで用いられる低電力で低速の規格です。IEEE 802.15.4で規格化されています。また，IEEE 802.15.4を拡張したIEEE 802.15.4gをベースに相互接続を行う無線通信規格に，Wi-SUN（Wireless Smart Utility Network）があります。

⑦ NFC （Near Field Communication）

数センチメートル程度の非常に近い距離でデバイス間の通信を行う無線技術です。主にモバイル決済，交通系ICカード，電子チケットなど，セキュアで即時性が求められる用途に利用されます。

それでは，次の問題を考えてみましょう。

参考

IEEE 802.15は，近距離無線通信の仕様をまとめるために，無線LANの規格をまとめているIEEE 802.11から独立して設置された分科会です。

用語

センサーネットワークとは，複数のセンサー付きの無線端末が互いに強調して環境や物理的状況のデータを採取する無線ネットワークです。具体例としては，電力や温度などのモニタで数か所を計測して節電する省エネシステムなどに利用されています。

問 題

NFC（Near Field Communication）の説明として，適切なものはどれか。

ア　静電容量式のタッチセンサーで，位置情報を検出するために用いられる。

イ　接触式ICカードの通信方法として利用される。

ウ　通信距離は最大10m程度である。

エ　ピアツーピアで通信する機能を備えている。

（令和5年春 応用情報技術者試験 午前 問24）

過去問題をチェック

入出力インタフェースについては，次の出題があります。
【USB Type-C】
・令和3年秋 午前 問10
【ZigBee】
・平成31年春 午前 問11
【DisplayPort】
・令和元年秋 午前 問11
【BLE】
・令和3年春 午前 問32
【NFC】
・令和5年春 午前 問24

解説

NFC（Near Field Communication）とは，近距離で無線通信を行うための技術です。NFCには三つの通信モードがあり，P2P（ピアツーピア）モードでは，スマートフォン同士の通信など，対等な立場での通信が可能です。したがって，エが正解です。

ア　タッチパネルに用いられる，静電容量式のタッチセンサーに関する説明です。

イ　NFCは，非接触式ICカードの通信方法として利用されます。

ウ　NFCの通信距離は，最大で10cm程度です。

《解答》エ

■ 入出力制御の方式

入出力制御は通常，CPUを通して行われますが，それだけでは効率が良くありません。そのため，以下のような入出力制御の方式が用意されています。

①DMA（Direct Memory Access）制御方式

DMAコントローラを用いて，メモリと入出力装置間やメモリとメモリ間のデータ転送を，CPUを通さずに行います。

②チャネル制御方式

専用ハードウェアのチャネル装置を用いて，CPUを通さずにデータ転送を行います。DMAではCPUの指示で処理を行いますが，チャネル制御方式では，チャネル装置が独自に動作します。

▶▶ 覚 え よ う ！

☐ DMAはCPUを通さずにメモリ間のデータを転送

2-1-5 ■ 入出力装置

頻出度
★★★

プログラム内蔵方式の装置では，入力装置でデータを入力し，出力装置でデータを出力します。さらに，記憶装置のデータを永続的に保存しておくために補助記憶装置を使用します。それぞれの特徴と種類について見ていきましょう。

■ 入力装置

入力装置には，キーボード，マウス，トラックボール，タブレットなどがあります。タッチスクリーンなど，画面に直接触れて入力するものも入力装置です。その他，スキャナやOCR（Optical Character Reader），OMR（Optical Mark Reader），バーコード読取り装置など，入力したデータを変換するものもあります。生体認証装置やICカード読取り装置なども入力装置です。

■ 出力装置

出力装置には，ディスプレイやプリンタ，プロジェクタなどがあります。

■ ディスプレイの種類

ディスプレイには，以下のような様々な種類があります。

①STN（Super-Twisted Nematic）液晶ディスプレイ

単純マトリクス方式を採用したディスプレイです。単純マトリクス方式とは，X軸方向とY軸方向の2方向から電圧をかけて，交点の液晶を駆動させる方式です。STN液晶を上下2分割することで表示速度を改善させたDSTN（Dual-scan STN）液晶ディスプレイもあります。

②TFT（Thin Film Transistor）液晶ディスプレイ

薄型トランジスタを用い，アクティブマトリクス方式を採用したディスプレイです。アクティブマトリクス方式とは，単純マトリクス方式に加え，各液晶にアクティブ素子を配置させた方式です。

③有機EL（Electro-Luminescence）ディスプレイ

ELとは電圧をかけると発光する物理現象であり，有機発光素子を利用したものが有機ELディスプレイです。低電力で高い輝度を得ることができます。

④ 電気泳動型電子ペーパー

電圧を印加した電極に，着色した帯電粒子を集めて表示するものです。電子書籍端末などのディスプレイに利用されています。

用語
印加（いんか）とは，電極などの装置に電圧や電力を加えることです。

■ 3D映像の立体視を可能とする仕組み

3D映像を出力する場合，立体的に見えるようにするための工夫が必要です。3D映像の立体視を可能とする仕組みには，次のようなものがあります。

①アクティブシャッタ方式

利用者が眼鏡を利用することで，遠近感を伴う映像を表現します。右目用と左目用の映像を用意し，交互に表示します。映像の切替えのタイミングに合わせて，左右交互に映像を透過／遮断と繰り返すことで，立体視が可能となります。

②アナグリフ方式

片方の目に赤色，もう片方の目に青色のフィルタを付けた眼鏡を利用する方式です。ディスプレイに赤色と青色で右目用，左目用の映像を重ねて描画することで，立体視を可能とします。

③パララックスバリア方式

眼鏡を利用しない方式です。専用の特殊なディスプレイに右目用，左目用の映像を同時に描画し，網目状のフィルタを用いてそれぞれの映像が右目と左目に入るようにして，裸眼立体視を可能とします。

2

■ 補助記憶装置

　主記憶装置を補助する補助記憶装置には，以下の図に示すようにいろいろな記憶媒体 (リムーバブルメディア) があります。

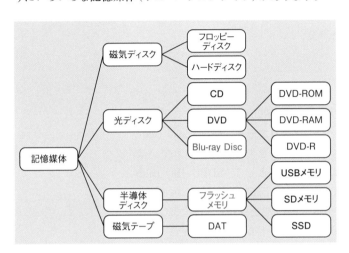

補助記憶媒体の種類

　それでは，代表的なものについて見ていきましょう。

①ハードディスク

　磁性体を塗布した円盤を重ねた記憶媒体です。数Tバイト程度の大容量のデータを格納することができます。

②CD（Compact Disc）

　デジタル情報を記録するための光ディスクの一種です。データの変更ができない**CD-ROM**や，追記のみ可能な**CD-R**，書換え可能な**CD-RW**などがあります。

③DVD（Digital Versatile Disc）

　CDとほぼ同じ形式であり，CDよりはるかに大きい記憶容量をもつ光ディスクです。CDは700Mバイト程度が限界であるのに対し，DVDは片面1層で4.7Gバイト，両面2層で17.08Gバイトの容量をもちます。データの変更ができない**DVD-ROM**や，追記のみ可能な**DVD-R**やDVD+R，書換え可能な**DVD-RW**やDVD-RAM，DVD+RWなどがあります。

④Blu-ray Disc

青紫色半導体レーザーを使用する光ディスクです。DVDより
大容量で,一層で25Gバイト,二層で50Gバイトを実現しています。
データの変更ができないBD-ROMや,追記のみ可能なBD-R,
書換え可能なBD-REがあります。

⑤フラッシュメモリ

フラッシュメモリは,書換え可能で,電源を切ってもデータ
が消えない半導体メモリです。EEPROMの一種です。記憶媒
体としても,USBメモリやSDメモリカード,SSD(Solid State
Drive),メモリスティックなど様々な形態で用いられていま
す。SDメモリカードには,上位規格として,SDHC(SD High
Capacity)とSDXC(SD eXtended Capacity)があります。
SDHCは,ファイルシステムにFAT32を採用し,最大32Gバイ
トの容量をもちます。SDXCは,ファイルシステムにexFATを
採用することで,最大2Tバイトの容量を実現しています。

⑥DAT(Digital Audio Tape)

磁気テープの規格の一つです。デジタル音声データを録音す
るための規格ですが,データのバックアップなどでも用いられま
す。DDS(Digital Data Storage)とも呼ばれます。DAT72では
36Gバイト,DAT320では160Gバイトのデータを記録可能です。

▶▶ 覚 え よ う ！

☐ TFT液晶は高輝度,有機ELディスプレイは低電力

☐ フラッシュメモリはEEPROMの一種

2-2 システム構成要素

システム構成要素では，システム，つまり複数のコンピュータやサーバ，プリンタなどが集まったときの全体の構成について学びます。前節のコンピュータ構成要素で一つ一つのハードウェアとして取り上げた機器の組合せ方や，組み合わせることで性能や信頼性がどうなるかということを考えていきます。

2-2-1 システムの構成

第7位
頻出度
★★★

複数台のコンピュータを接続してシステムを構成するには，複数台のサーバを用意して並列に動かすなど，いろいろな工夫が必要になります。

システム構成の基本

システム構成の基本は，2台のシステムを接続するデュアルシステムとデュプレックスシステムです。3台,4台と増やす場合も，この考え方が基礎になります。

①デュアルシステム

二つのシステムを用意し，**並列して同じ処理を走らせて**，結果を比較する方式です。結果を比較することで高い信頼性が得られます。また，一つのシステムに障害が発生しても，もう一つのシステムで処理を続行することができます。

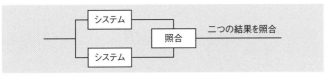

デュアルシステムのイメージ

②デュプレックスシステム

二つのシステムを用意しますが，普段は一つのシステムのみ稼働させて，もう一方は待機させておきます。このとき，稼働させるシステムを主系(現用系)，待機させるシステムを従系(待機系)と呼びます。

📏 勉強のコツ

システム構成要素は，コンピュータシステムの分野では**最も出題頻度が高い**項目です。午後問題でも問4で出題されますし，午前では毎回，3，4問出てきます。計算問題が多く，稼働率の計算が一番のポイントになります。直列・並列システム，またその組合せについて，計算練習を行っておきましょう。

```
┌──────────────┐
│  システム（主系） │
└──────────────┘       障害が起きたら
┌──────────────┐       切り替わる
│  システム（従系） │
└──────────────┘
```

デュプレックスシステムのイメージ

　デュプレックスシステムには，従系の待機のさせ方によって次の三つのスタンバイ方式があります。

●ホットスタンバイ

　従系のシステムを**常に稼働可能な状態**で待機させておきます。具体的には，サーバを立ち上げておき，アプリケーションやOSなどもすべて主系のシステムと同じように稼働させておきます。そのため，主系に障害が発生した場合には，すぐに従系への切替えが可能です。故障が起こったときに自動的に従系に切り替えて処理を継続することを**フェールオーバ**といいます。

●ウォームスタンバイ

　従系のシステムを本番と同じような状態で用意してあるのですが，すぐに稼働はできない状態で待機させておきます。具体的には，サーバは立ち上がっているものの，アプリケーションは稼働していないか別の作業を行っているかで，切替えに少し時間がかかります。

●コールドスタンバイ

　従系のシステムを，機器の用意だけをして稼働せずに待機させておきます。具体的には，電源を入れずに予備機だけを用意しておいて，障害が発生したら電源を入れて稼働し，主系の代わりになるように準備します。主系から従系への切替えに最も時間がかかる方法です。

 発展

ホット，ウォーム，コールドという言葉は，システムの待機系以外でも，よく使われます。
災害時の対応で，別の場所に情報処理施設（ディザスタリカバリサイト）を用意しておくときの形態に，**ホットサイト**，**ウォームサイト**，**コールドサイト**という呼び方を用います。

■クライアントサーバシステム

　クライアントサーバシステムとは，クライアントとサーバでそれぞれ役割分担して，協力して処理を行うシステムです。3層クライアントサーバシステムでは，その役割を次の三つに分けています。それぞれの役割をクライアントとサーバのどちらが行うかは，システムの形態によって異なります。

①プレゼンテーション層

　ユーザーインタフェースを受けもつ層です。

②ファンクション層（アプリケーション層／ロジック層）

　メインの処理やビジネスロジックを受けもつ層です。

③データベースアクセス層

　データ管理を受けもつ層です。

　例えば，一般的なWebシステムの場合には，三つの役割を次のように分担します。

3層クライアントサーバシステム

　それでは，次の問題を解いてみましょう。

問 題

　ストアドプロシージャの特徴を生かして通信回線を減らしたシステムをクライアントサーバシステムで実現するとき，クライアントとサーバの機能分担構成はどれか。ここで，データベースアクセス層はDB層，ファンクション層はFN層，プレゼンテーション層はPR層とそれぞれ略す。

★☆ 参考

クライアントサーバ（略してクラサバ）は，もともとホストマシンが中心だった頃に出てきた言葉です。ホストマシンとその端末の構成ではすべての処理をホストマシンが行っていましたが，クライアントサーバシステムでは，クライアントも処理に協力し，サーバと分担して行います。

発展

3層クライアントサーバシステムのように三つの役割に分けて考える方法には，ほかにMVC（Model View Controller）があります。MVCはWebシステムなどのソフトウェアを設計・実装するときの技法で，次の三つの要素に分割します。
モデル層：データと手続き（ビジネスロジック）
ビュー層：ユーザーに表示
コントローラ層：ユーザーの入力に対して応答し処理
なお，MVCについては，応用情報技術者試験 平成23年特別 午前 問15で出題されています。

📋 過去問題をチェック

クライアントサーバシステムについて，応用情報技術者試験では定番でよく出題されます。この問題のほかに次の出題があります。
【クライアントサーバシステム】
・平成25年春 午前 問13
・平成26年春 午前 問12
・平成26年秋 午前 問11
・平成27年秋 午前 問26
・平成28年春 午前 問12

	クライアント	サーバ
ア	DB層とFN層とPR層	DB層
イ	FN層とPR層	DB層とFN層
ウ	FN層とPR層	DB層とPR層
エ	PR層	DB層とFN層とPR層

(平成24年春 応用情報技術者試験 午前 問15)

解 説

　ストアドプロシージャは，データベースの一連の処理をまとめたもので，アプリケーションから命令を発行して呼び出します。あらかじめ"SP_処理"のような名前で一連の処理を登録しておき，その名前で呼び出すことによって処理を実行でき，通信量の削減が可能です。ストアドプロシージャはアプリケーションなので，FN層に該当します。クライアントとサーバの両方にFN層を置き，そこでデータをやり取りすることで通信量の削減を実現できます。したがって，イが正解です。

《解答》イ

■アムダールの法則

　アムダールの法則は，コンピュータの並列処理での性能向上を定量的に表すときの原則です。システムの一部を高速化しても，全体としての性能向上はその高速化部分が占める比率に依存します。

　マルチプロセッサでのアムダールの法則では，プロセッサ数がn，並列化が可能な部分の割合をrとするとき，1プロセッサのときに対する性能向上比Eは，次の式で表されます。

$$E=\frac{1}{(1-r)+\frac{r}{n}}$$

　並列化できない計算処理がある場合，つまり，r＜1の場合には，nをいくら大きくしても$\frac{1}{1-r}$を超えられず，性能向上比は，プロセッサ数を増やしても$\frac{1}{1-r}$に漸近的に近づくだけになります。

■ RAID

RAID（Redundant Arrays of Inexpensive Disks）は，複数台のハードディスクを接続して全体で一つの記憶装置として扱う仕組みです。その方法はいくつかありますが，複数台のディスクを組み合わせることによって信頼性や性能が上がります。RAIDの代表的な種類としては，以下のものがあります。

① RAID0

複数台のハードディスクにデータを分散することで高速化したものです。これをストライピングと呼びます。性能は上がりますが，信頼性は1台のディスクに比べて低下します。

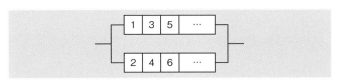

ストライピングのイメージ

② RAID1

複数台のハードディスクに同時に同じデータを書き込みます。これをミラーリングと呼びます。2台のディスクがあっても一方は完全なバックアップです。そのため，信頼性は上がりますが，性能は特に上がりません。

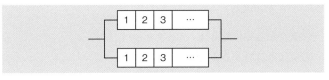

ミラーリングのイメージ

③ RAID0+1，RAID1+0

RAID0，RAID1はそれぞれ，性能（速度），信頼性のどちらか一方しか向上しません。そこで，この二つを組み合わせて性能と信頼性の両方を向上させる技術として，RAID0+1，RAID1+0が考えられました。RAID0+1は，ストライピングされたディスクをミラーリングし，RAID1+0は，ミラーリングされたディスクをストライピングします。最低でもディスクが4台必要です。

発展

RAIDは「レイド」と読みます。PCショップなどでは，大きく「レイド」「RAID対応」などと書かれており，ファイルサーバなどの用途でRAID対応の機器が売られています。

NAS（Network Attached Storage）はネットワーク対応のハードディスクドライブですが，RAIDで信頼性を上げられるものも多くあります。

発展

このように，二つのRAIDを組み合わせる方法はよく使われます。RAID0+1，RAID1+0以外にも，RAID0+5，RAID1+5，RAID5+5，RAID0+6など，RAID5，RAID6と組み合わせるものもあります。

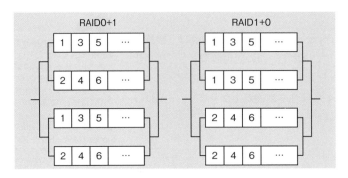

RAID0+1，RAID1+0のイメージ

④RAID3，RAID4

　複数台のディスクのうち1台を誤り訂正用のパリティディスク
にし，誤りが発生した場合に復元します。次ページの図のように，
パリティディスクにほかのディスクの偶数パリティを計算したも
のを格納しておきます。

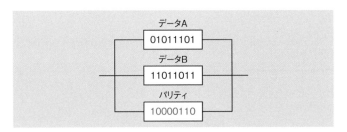

パリティディスクの役割

　この状態でデータBのディスクが故障した場合，データAとパ
リティディスクから偶数パリティを計算することで，データBが
復元できます。データAのディスクが故障した場合も同様に，デー
タBとパリティディスクから偶数パリティでデータAが復元でき
ます。これを**ビット**ごとに行う方式が**RAID3**，**ブロック**ごとにま
とめて行う方式が**RAID4**です。

⑤RAID5

　RAID4のパリティディスクは誤り訂正専用のディスクであり，
通常時は用いません。しかし，データを分散させた方がアクセス
効率が上がるので，パリティを**ブロック**ごとに分散し，通常時に

発展

RAID3，RAID4 は，RAID5
と信頼性が同等でも性能の
面で劣るため，RAID5が用
いられる場合がほとんどで
す。
また，RAID5はRAID1に比
べてもディスクの使用効率
が高いので，非常によく用
いられるRAID方式です。

もすべてのディスクを使うようにした方式がRAID5です。

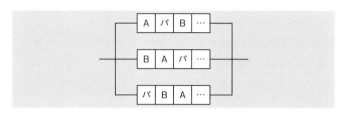

パリティをブロックごとに分散

⑥RAID6

RAID5では，1台のディスクが故障してもほかのディスクの排他的論理和を計算することで復元できます。しかし，ディスクは同時に2台壊れることもあります。そこで，冗長データを2種類作成することで，2台のディスクが故障しても支障がないようにした方式がRAID6です。

それでは，問題を解いて確認してみましょう。

発展

RAID3，RAID4，RAID5では，最低でもディスクが3台必要です。**RAID6**ではパリティディスクに2台割り当てるため，ディスクは最低でも4台必要になります。

問題

RAIDの種類a，b，cに対応する組合せとして，適切なものはどれか。

RAIDの種類	a	b	c
ストライピングの単位	ビット	ブロック	ブロック
冗長ディスクの構成	固定	固定	分散

	a	b	c
ア	RAID3	RAID4	RAID5
イ	RAID3	RAID5	RAID4
ウ	RAID4	RAID3	RAID5
エ	RAID4	RAID5	RAID3

（平成26年春 応用情報技術者試験 午前 問11）

過去問題をチェック

RAIDについて，応用情報技術者試験では定番でよく出題されます。この問題のほかに次の出題があります。
【RAID】
・平成22年春 午前 問12
・平成24年春 午前 問14
・平成25年秋 午前 問13
・平成27年春 午前 問11
・令和4年春 午前 問11

解 説

　aは，ストライピングの単位がビットで，冗長ディスクの構成が固定なので，RAID3です。bは，ストライピングの単位がブロックで，冗長ディスクはRAID3と同じ固定なので，RAID4です。cは，冗長ディスクの構成が分散なので，分散パリティを使用するRAID5です。したがって，アが正解です。

≪解答≫ア

■ 信頼性設計

　システム全体の信頼性を設計するときには，システム一つ一つを見る場合とは違った，全体の視点というものが必要になってきます。代表的な信頼性設計の手法には，次のものがあります。

①フォールトトレランス

　システムの一部で障害が起こっても，全体でカバーして機能停止を防ぐという設計手法です。

②フォールトアボイダンス

　個々の機器の障害が起こる確率を下げて，全体として信頼性を上げるという考え方です。

③フェールセーフ

　システムに障害が発生したとき，**安全側に制御する**方法です。信号が故障したときにはとりあえず赤を点灯させるなど，障害が新たな障害を生まないように制御します。処理を停止させることもあります。

④フェールソフト

　システムに障害が発生したとき，障害が起こった部分を切り離すなどして**最低限のシステムの稼働を続ける**方法です。このとき，機能を限定的にして稼働を続ける操作を**フォールバック**（縮退運転）といいます。

頻出ポイント

システムの構成の分野では，フェールセーフ，フェールソフトなどの信頼性設計に関する問題が多く出題されています。

2

⑤フォールトマスキング

機器などに故障が発生したとき，その影響が**外部に出ないようにする**方法です。具体的には，装置の冗長化などによって，1台が故障しても全体に影響が出ないようにします。

⑥フールプルーフ

利用者が間違った操作をしても危険な状況にならないようにするか，そもそも間違った操作ができないようにする設計手法です。具体的には，画面上で押してはいけないボタンは押せないようにするなどの方法があります。また，機械の近くに人間が来たことをセンサが感知し，機械を停止させる**インタロック**も，フールプルーフの一例です。

それでは，問題で用語を確認していきましょう。

問 題

システムの信頼性向上技術に関する記述のうち，適切なものはどれか。

　ア　故障が発生したときに，あらかじめ指定されている安全な状態にシステムを保つことを，フェールソフトという。

　イ　故障が発生したときに，あらかじめ指定されている縮小した範囲のサービスを提供することを，フォールトマスキングという。

　ウ　故障が発生したときに，その影響が誤りとなって外部に出ないように訂正することを，フェールセーフという。

　エ　故障が発生したときに対処するのではなく，品質管理などを通じてシステム構成要素の信頼性を高めることを，フォールトアボイダンスという。

（令和元年秋 応用情報技術者試験 午前 問16）

📠 過去問題をチェック

信頼性設計は午前問題の定番で，午後の問4のシステムアーキテクチャでもよく出題されます。
【信頼性設計＜午前＞】
・平成23年特別 午前 問16
・平成23年秋 午前 問15
・平成25年春 午前 問15
・平成25年春 午前 問16
・平成27年春 午前 問14
・平成27年秋 午前 問14
・平成28年春 午前 問16
・平成29年秋 午前 問13
・平成30年秋 午前 問48
・令和3年春 午前 問13
・令和4年秋 午前 問13
・令和5年春 午前 問15
・令和6年春 午前 問12
【信頼性設計＜午後＞】
・平成21年秋 午後 問4
　（Webシステムの構成）
・平成28年春 午後 問4
　（冗長構成をもつネットワーク）
・平成30年秋 午後 問4
　（並列分散処理基盤を用いたビッグデータ活用）
・平成31年春 午後 問4
　（システム構成の見直し）

解説

　故障が発生したときにどうするかというフォールトトレランスの考え方ではなく，品質管理などを通じてシステム構成要素の信頼性を高める考え方をフォールトアボイダンスといいます。したがって，エが正解です。

　アはフェールセーフ，イはフェールソフト，ウはフォールトマスキングの説明です。

≪解答≫エ

■ いろいろなシステム構成

　基本的なシステムのほかにも，近年ではいろいろなシステム構成が見られます。ここに代表的なものを示します。

①クラスタ

　複数のコンピュータを結合してひとまとまりにしたシステムです。**クラスタリング**ともいいます。負荷分散（ロードバランス）や，HPC（High-Performance Computing：高性能計算）の手法としてよく使われます。

用語

クラスタとは，「葡萄の房」という意味です。葡萄の房のようにたくさんの実をひとまとまりにしているところに由来します。

②シンクライアント

　ユーザーが使うクライアントの端末には必要最小限の処理を行わせ，ほとんどの処理をサーバ側で行う方式です。

発展

シンクライアントの導入は，性能上の理由以外でも行われます。データがクライアント上に残らないことが情報漏えいの防止につながるため，セキュリティの観点から導入する企業が増えています。

③ピアツーピア

　端末同士で対等に通信を行う方式です。**P2P**ともいわれます。クライアントサーバ方式と異なり，サーバを介さずクライアント同士で直接アクセスするのが特徴です。

発展

ピアツーピアは，サーバへのアクセス集中が起こらないため処理を拡大しやすく，IP電話や動画配信サービスなどで応用されています。Skypeなどでも採用されています。

④分散処理システム

　複数のプログラムが並列的に複数台のコンピュータで実行され，それらが通信しあって一つの処理を行うシステムです。分散処理システムでは複数の場所で処理を行いますが，利便性の面では，利用者にその場所を意識させず，どこにあるプログラムも

同じ操作で利用できることが大切です。これをアクセス透過性といいます。

⑤ CDN（Contents Delivery Network）

動画や音声などの大容量のデータを利用する際に、インターネット回線の負荷を軽減するようにサーバを分散配置する手法です。Webシステムにおいてよく用いられます。

■ HPC

高精度な高速演算を必要とするような分野で利用されるシステム方式に、HPC（High Performance Computing：ハイパフォーマンスコンピューティング）があります。HPCを可能にするために、スーパコンピュータや複数のコンピュータをLANなどで結び、CPUなどの資源を共有して単一の高性能なコンピュータとして利用できるように構成します。

■ ストレージ

ストレージは、ハードディスクやCD-Rなど、データやプログラムを記録するための装置です。従来は、サーバに直接、外部接続装置や内蔵装置として接続するのが一般的でしたが、近年ではネットワークを通じて、コンピュータとは別の場所にあるストレージと接続することも多くなっています。

ストレージを接続する方法には、次の3種類があります。

① DAS（Direct Attached Storage）

サーバにストレージを直接接続する従来の方法です。SANやNASが出てきたことで、DASと位置づけるようになりました。

② SAN（Storage Area Network）

サーバとストレージを接続するために専用のネットワークを使用する方法です。ファイバチャネルやIPネットワークを使って、あたかも内蔵されたストレージのように使用することができます。

③ NAS（Network Attached Storage）

ファイルを格納するサーバをネットワークに直接接続すること

用語

ファイバチャネル（FC：Fibre Channel）とは、主にストレージネットワーク用に使用される、高速ネットワークを構築する技術の一つです。機器の接続に光ファイバや同軸ケーブルを用います。

で，外部からファイルを利用できるようにする方法です。

　DASに比べると，SANもNASもストレージを複数のサーバや
クライアントで共有できるので，ストレージの資源を効率的に活
用することができます。また，物理的なストレージ数を減らせる
ため，バックアップなども取りやすくなります。
　SANとNASの大きな違いは，サーバから見たとき，SANで接
続されたストレージは内蔵のディスクのように利用できるのに対
し，NASでは外部のネットワークにあるサーバに接続するように
見えることです。

④オブジェクトストレージ

　データをファイル単位で扱わず，オブジェクト（データ本体と
メタデータ）として管理するシステムです。必要に応じて柔軟に
データの容量を変更することができます。

⑤ブロックストレージ

　データを固定サイズのブロック単位で分割して保存し，低レベ
ルでの高速な読み書きが可能なストレージシステムです。

　それでは，次の問題を考えてみましょう。

過去問題をチェック
ストレージや仮想化技術に
関しては，次の問題が出題
されています。
【NAS】
・平成24年秋 午前 問13
・平成26年秋 午前 問12
【SAN】
・平成30年秋 午前 問11
　（正解以外の選択肢）
・令和5年秋 午前 問12
【オブジェクトストレージ】
・令和6年春 午前 問13

問題

　SAN（Storage Area Network）におけるサーバとストレー
ジの接続形態の説明として，適切なものはどれか。

　ア　シリアルATAなどの接続方式によって内蔵ストレージとして
　　　1対1に接続する。
　イ　ファイバチャネルなどによる専用ネットワークで接続する。
　ウ　プロトコルはCIFS（Common Internet File System）を使
　　　用し，LANで接続する。
　エ　プロトコルはNFS（Network File System）を使用し，LAN
　　　で接続する。

（令和5年秋 応用情報技術者試験 午前 問12）

2

　SANとは，ストレージ用のネットワークです。ファイバチャネルやイーサネットなどを利用して，専用のネットワークで接続します。したがって，イが正解です。

ア　直接機器とストレージを接続するDAS（Direct Attached Storage）の接続形態です。

ウ　CIFSは，Windowsのファイル共有方式です。

エ　NFSは，UNIXのファイル共有方式です。

《解答》イ

■ 仮想化技術

　コンピュータの物理的な構成と，それを利用するときの論理的な構成を自由にする考え方を仮想化といいます。具体的には，仮想OSを用いて1台の物理サーバ上で複数の仮想マシンを走らせ，それぞれを1台のコンピュータとして利用することや，クラスタリングで複数台のマシンを一つにまとめたりすることです。仮想化で使用されている仮想化技術には，次のようなものがあります。

①サーバの仮想化方式

　サーバの仮想化方式には，OSの上にアプリケーションをインストールして仮想マシンを実行する**ホスト型**と，物理マシンに仮想OSを直接インストールする**ハイパーバイザ型**，及びOSの上にコンテナエンジンを入れ，その中にコンテナという分割した仮想化領域を作成する**コンテナ型**（コンテナ型仮想化）があります。

②スケールアップとスケールアウト

　サーバの性能を上げるための方法には，サーバのハードウェアを高性能なものにするスケールアップと，サーバの数を増やすことで性能を上げるスケールアウトの2通りがあります。また逆に，ハードウェアの性能を落とすことをスケールダウン，サーバの数を減らすことをスケールインといいます。仮想サーバでは，この二つの方法を同時に用い，スケールアップしたサーバ上で仮想サーバをいくつも動かす方法がよくとられます。

③シンプロビジョニング

　サーバではなく，ハードディスクなどのストレージを仮想化する方法です。仮想的なディスクドライブを設定することで，サーバは実際の物理的な容量を意識せず，大容量が割り当てられているものとして運用することができます。

④ライブマイグレーション

　仮想サーバで稼働しているOSやソフトウェアを停止することなく，他の物理サーバへ移し替える技術です。サーバ障害時に切り替えることで処理を継続できます。

⑤VDI（Virtual Desktop Infrastructure：デスクトップ仮想化）

　アプリケーションやデータをVDIサーバで管理し，PC（シンクライアント端末）では通信・操作のみ実行する方式です。クラウド上でVDIサーバを用意し，それをサービスとして利用するDaaS（Desktop as a Service）もあります。

⑥エッジコンピューティング

　端末の近くにサーバを分散配置することで，ネットワークの負荷分散を行う手法です。ネットワークでの遅延が少なくなり，高速化も実現できます。

⑦サーバコンソリデーション

　サーバの仮想化を行うことで物理サーバを統合する方法です。仮想化ソフトウェアを利用して，複数の物理サーバを仮想化し，1台の物理サーバに統合します。

⑧IaC（Infrastructure as Code）

　インフラストラクチャ（サーバ，ネットワークなど）の設定や管理をコードで定義し，自動化する手法です。システムの構築や変更が一貫性をもって迅速に行えるようになります。

　それでは，次の問題を考えてみましょう。

関連

仮想化は，クラウドでよく用いられる基本技術です。クラウドサービスについては，「7-1-3 ソリューションビジネス」で詳しく取り上げています。

問題

物理サーバのスケールアウトに関する記述として，適切なものはどれか。

ア　サーバのCPUを高性能なものに交換することによって，サーバ当たりの処理能力を向上させること

イ　サーバの台数を増やして負荷分散することによって，サーバ群としての処理能力を向上させること

ウ　サーバのディスクを増設して冗長化することによって，サーバ当たりの信頼性を向上させること

エ　サーバのメモリを増設することによって，単位時間当たりの処理能力を向上させること

(平成30年春 応用情報技術者試験 午前 問14)

解説

　物理サーバのスケールアウトとは，サーバ単独での性能をアップさせるのではなく，サーバの台数を増やして負荷分散することによって，サーバ群全体としての性能を上げる手法です。したがって，イが正解です。

ア，エ　サーバのハードウェアを高性能なものにするスケールアップについての記述です。

ウ　RAID（Redundant Arrays of Inexpensive Disks）などのストレージ増強策についての記述です。

≪解答≫イ

過去問題をチェック

仮想化関連の技術について，応用情報技術者試験では近年出題が増えてきています。
【シンプロビジョニング】
・平成26年秋 午前 問10
・平成30年秋 午前 問11
【スケールアウト】
・平成27年春 午前 問12
・平成30年春 午前 問14
・令和5年秋 午前 問13
【スケールイン】
・令和3年秋 午前 問12
・令和5年春 午前 問13
【ライブマイグレーション】
・平成28年秋 午前 問14
・平成30年秋 午前 問12
【クラスタ】
・平成28年秋 午前 問13
【サーバコンソリデーション】
・令和2年10月 午前 問13
【コンテナ型仮想化】
・令和3年秋 午前 問14
・令和4年秋 午前 問12

午後でも出題されています。
【サーバ仮想化】
・平成23年秋 午後 問4
・平成25年秋 午後 問3
・平成29年春 午後 問4
【コンテナ型仮想化】
・令和4年秋 午後 問4

■ コンテナ型仮想化

　コンテナとは，アプリケーションに必要なものをまとめた単位で，仮想マシンに相当します。コンテナエンジンは，コンテナを実行するための環境です。複数の独立したコンテナを，一つのOSの上で並行して稼働させることができます。

2-2-2 ■ システムの評価指標

システムの性能や信頼性，経済性などについて総合的に評価するための指標のことを，システムの評価指標といいます。

■ システムの性能指標

システムの性能を評価する性能指標や手法には，次のようなものがあります。

①レスポンスタイム(応答時間)

システムにデータを入力し終わってから，データの応答が開始されるまでの時間です。「速く返す」ことを表す指標です。また，データの入力が始まってから，応答が完全に終わるまでの時間のことをターンアラウンドタイムと呼びます。

レスポンスタイムとターンアラウンドタイム

②スループット

単位時間当たりにシステムが処理できる処理数です。「数多く返す」ことを表す指標です。Webシステムの応答性能を求めるときにはレスポンスタイムが，処理性能を求めるときにはスループットがよく用いられます。

③ベンチマーク

　システムの処理速度を計測するための指標です。特定のプログラムを実行し，その実行結果を基に性能を比較します。有名なベンチマークとしては，**TPC**（Transaction Processing Performance Council：トランザクション処理性能評議会）が作成している **TPC-C**（オンライントランザクション処理のベンチマーク）があります。ほかに，**SPEC**（Standard Performance Evaluation Corporation：標準性能評価法人）が作成している **SPECint**（整数演算を評価），**SPECfp**（浮動小数点演算を評価）があります。

④モニタリング

　システムを実際に稼働させて，その性能を測定する手法です。システムの性能改善時に用いられます。

■キャパシティプランニング

　キャパシティプランニングとは，システムに求められるサービスレベルから，システムに必要なリソースの処理能力や容量，数量などを見積もり，システム構成を計画することです。次の三つの手順で行われます。

①ワークロード情報の収集

　ワークロードとは，コンピュータ資源の利用状況，負荷状況のことです。CPU利用率などで現行システムの測定を行い，ヒアリングなどで関係者の意見を聞きます。

②サイジング

　サイジングとは，システムに必要な規模や性能を見極めて，構成要素を用意することです。サーバの台数やCPUの性能，ストレージの容量などを見積もります。

③評価・チューニング

　サイジングで見積もった量が適切かどうか，テスト環境などで評価を行い，チューニングを繰り返します。TPCやSPECなど，ベンチマークの数値を参考にすることもあります。

■システム信頼性の評価項目　RASIS

　システムの信頼性を総合的に評価する基準として，RASISという概念があります。次の五つの評価項目を基に，信頼性を判断します。各項目で用いる指標の詳細は，次項の「信頼性指標」を参照してください。

①Reliability（信頼性）

　故障や障害の発生しにくさ，安定性を表します。具体的な指標としては，MTBFやその逆数の**故障率**があります。

②Availability（可用性）

　稼働している割合の多さ，稼働率を表します。具体的な指標としては，稼働率が用いられます。

③Serviceability（保守性）

　障害時のメンテナンスのしやすさ，復旧の速さを表します。具体的な指標としては，MTTRが用いられます。

④Integrity（保全性・完全性）

　障害時や過負荷時におけるデータの書換えや不整合，消失の起こりにくさを表します。一貫性を確保する能力です。

⑤Security（機密性）

　情報漏えいや不正侵入などの起こりにくさを表します。セキュリティ事故を防止する能力です。

　それでは，問題を解いて確認していきましょう。

☆参考

信頼性と可用性は，似ているようで少し意味が違います。信頼性は「故障しないこと」，可用性は「稼働している割合が多いこと」が基準です。

試験問題などで「可用性の観点から」と書かれているときには，故障率を下げるのではなく稼働率を上げるような対策を述べる必要があります。

問題

RASISの各特性のうち，"I"で表される特性は，何に関するものか。

ア　情報の一貫性を確保する能力

イ　情報の漏えい，紛失，不正使用などを防止する能力

ウ　要求された機能を，規定された期間実行する能力

エ　要求されたサービスを，提供し続ける能力

（平成22年春 応用情報技術者試験 午前 問14）

解 説

RASISのIは，Integrity（保全性・完全性）で，情報の一貫性を確保する能力です。したがって，アが正解です。

イはSのSecurity（機密性），ウはAのAvailability（可用性），エはRのReliability（信頼性）の説明です。

《解答》ア

■ 信頼性指標

信頼性を表す指標です。代表的なものを以下に挙げます。

① MTBF（Mean Time Between Failure：平均故障間隔）

故障が復旧してから次の故障までにかかる時間の平均です。連続稼働できる時間の平均値にもなります。

② MTTR（Mean Time To Repair：平均復旧時間）

故障したシステムの復旧にかかる時間の平均です。

③ 稼働率

ある特定の時間にシステムが稼働している確率です。次の式で計算されます。

$$稼働率 = \frac{MTBF}{MTBF + MTTR}$$

④ 故障率

故障率という言葉は2通りの意味で使われます。一つ目は稼働率の反対で，ある特定の時間にシステムが稼働していない確率です。以下の式で計算され，この値は不稼働率とも呼ばれます。

故障率 ＝（1 － 稼働率）

二つ目は，単位時間内で予想される故障数を表したものです。これはMTBFを使用し，以下の式で計算されます。

$$故障率 = \frac{1}{MTBF}$$

過去問題をチェック

信頼性指標の計算問題は，応用情報技術者試験では午前・午後の両方で出題される定番中の定番で，ほぼ毎回出題されています。
【稼働率】
・平成23年秋 午前 問18
・平成24年秋 午前 問16
・平成25年春 午前 問16
・平成25年秋 午前 問17
・平成26年春 午前 問15
・平成26年秋 午前 問14
・平成27年春 午前 問15
・平成27年秋 午前 問15
・平成28年秋 午前 問14
・平成29年春 午前 問15
・平成30年春 午前 問16
・平成30年秋 午前 問14
・平成31年春 午前 問13
・令和2年10月 午前 問14
・令和3年春 午前 問14
・令和4年春 午前 問15
・令和4年秋 午前 問14
・令和5年春 午前 問16
・令和5年秋 午前 問15

頻出ポイント

システムの評価指標の分野では，稼働率の計算に関する問題が圧倒的に多く出題されています。午後の問4でも定番のポイントです。

■ 信頼性計算

　信頼性，特に稼働率の計算については，複雑なものがたくさん出題されます。基本的な計算方法を押さえておきましょう。

①並列システム

　機器を並列に並べたシステムは，どれか一つが稼働していれば全体で稼働していることになるので，稼働率が向上します。

　図のようなA，B二つの機器がある並列システムで，それぞれの稼働率がa，bだとします。このシステムは，A，Bのいずれも動かないとき以外は稼働するので，Aの不稼働率$(1-a)$とBの不稼働率$(1-b)$を用いて，稼働率は$1-(1-a)(1-b)$となります。

②直列システム

　機器を直列に並べたシステムは，すべて稼働していなければ全体で稼働しないので，稼働率が低下します。

　図のようなA，B二つの機器がある直列システムで，それぞれの稼働率がa，bだとします。このシステムは，A，Bのどちらも動くときだけ稼働するので，稼働率は$a \times b$となります。

③三つ以上の組合せのシステム

　三つ以上を組み合わせてシステム全体の稼働率を求める場合には，次の二つの方法があります。

　1.　部分ごとにグループに分け，全体を考える
　2.　一つ一つの組合せをすべて考える

　では，実際の問題を基に稼働率の計算を行っていきましょう。

問題

　3台の装置X～Zを接続したシステムA，Bの稼働率に関する記述のうち，適切なものはどれか。ここで，3台の装置の稼働率は，いずれも0より大きく1より小さいものとし，並列に接続されている部分は，どちらか一方が稼働していればよいものとする。

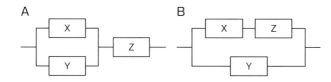

ア　各装置の稼働率の値によって，AとBの稼働率のどちらが高いかは変化する。

イ　常にAとBの稼働率は等しい。

ウ　常にAの稼働率はBより高い。

エ　常にBの稼働率はAより高い。

（令和5年春 応用情報技術者試験 午前 問16）

解 説

3台の装置X，Y，Zの稼働率をx，y，zとして全体の稼働率を計算して，その稼働率の差を求めます。

1. 部分ごとにグループに分け，全体を考える場合

Aのシステムは，下図のようにXYの並列システムと，Zとの直列システムというように分けて考えます。

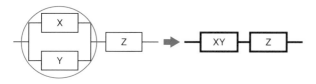

XとYの並列システムの稼働率は$1 - (1 - x)(1 - y)$なので，Zとの直列システムの稼働率は，$\{1 - (1 - x)(1 - y)\} \times z$になります。

Bのシステムは，下図のようにXZの直列システムと，Yとの並列システムに分けられます。

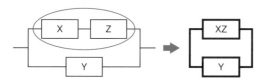

XとZの直列システムの稼働率はxzなので，Yとの並列システムの稼働率は，$1 - (1 - xz)(1 - y)$になります。

ここでB－Aを求めます。

$1 - (1 - xz)(1 - y) - \{1 - (1 - x)(1 - y)\} \times z$

$= \cancel{1} - \cancel{1} + y + x\cancel{z} - x\cancel{y}z - \cancel{z} + \cancel{z} - yz - x\cancel{z} + x\cancel{y}z = y - yz$

$= y(1-z)$

　y，zは稼働率で$0 < y$，$z < 1$なので，$y(1-z) > 0$となります。つまり，常にBの稼働率が高いことになります。

2. 一つ一つの組合せをすべて考える場合

　X，Y，Zそれぞれのシステムが稼働している場合を○，稼働していない場合を×として，すべての組合せで全体のシステムが稼働するかどうかを考えます。

X	Y	Z	A	B	確率
○	○	○	○	○	xyz
○	○	×	×	○	$xy(1-z)$
○	×	○	○	○	$xz(1-y)$
×	○	○	○	○	$yz(1-x)$
○	×	×	×	×	$x(1-y)(1-z)$
×	○	×	×	○	$y(1-x)(1-z)$
×	×	○	×	×	$z(1-x)(1-y)$
×	×	×	×	×	$(1-x)(1-y)(1-z)$

　すると，A，B二つのシステムで結果が異なるのは，X，Yが稼働してZが稼働していない場合と，Yのみが稼働している場合の2通りだけで，どちらもBだけが稼働します。この2通り，つまり，

$xy(1-z) + y(1-x)(1-z) = (x + 1 - x) \times y(1-z)$

$= y(1-z)$

の分だけBの稼働率が常に高いということなります。したがって，どちらの場合でもエが正解です。

≪解答≫エ

||▶▶ 覚えよう！

□　稼働率 ＝ $\dfrac{\text{MTBF}}{\text{MTBF} + \text{MTTR}}$

□　稼働率，直列システムはab，並列システムは$1 - (1-a)(1-b)$

2-3 ソフトウェア

ソフトウェアは，コンピュータ上で動くプログラムです。ソフトウェアには，ワープロや表計算など，特定の作業を目的としたアプリケーションプログラムと，ハードウェアの管理や基本的な機能を提供するオペレーティングシステム，そしてその中間で制御を行うミドルウェアがあります。

2-3-1 オペレーティングシステム

第3位 頻出度 ★★★

オペレーティングシステム（OS：Operating System）は，ハードウェアを抽象化したインタフェースをアプリケーションプログラムに提供するソフトウェアです。

システムの中のOSのイメージ

OSの起動

コンピュータの電源を入れたときにOSは自動的に起動し，通常の操作が可能になるようにプログラムを立ち上げます。そのときの一連の処理の流れをブートストラップといいます。コンピュータのROMにブートストラップローダと呼ばれる特殊なプログラムが用意されており，それがブートストラップを起動して実行します。

OSの機能

OSの主な目的に，複数のアプリケーションプログラムを同時に動かしたときのリソースを管理し，コンピュータの利用効率を向上させることがあります。そのため，OSは次のような管理機能をもっています。

 勉強のコツ

ソフトウェアの中でも，最もよく出題されるのがオペレーティングシステム（OS）に関する問題です。普段使っているOSがどんなことをしているのか，その管理機能を中心に押さえておきましょう。また，オープンソースソフトウェアについてもよく出題されます。どちらも，細かい機能より，なぜそれが必要なのかを考えると頭に入りやすくなります。

発展

PC向けの代表的なOSには，マイクロソフトのWindowsシリーズや，アップルのmacOSなどがあります。サーバ向けのOSとしては，LinuxやSolarisなどのUNIX系OSや，マイクロソフトのWindows Serverなどがあります。また，近年ではiPhoneのiOSや，Androidなど，スマートフォン向けのOSも注目をされています。

①ジョブ管理

　一つのまとまった仕事の単位であるジョブを，それを構成するジョブステップごとに管理します。

②タスク管理

　タスク（または**プロセス**）は，動作中のプログラムの実行単位です。近代的なOSは，一度に複数のタスクを実行できる**マルチタスク**OSですが，一つのCPUでは一度に一つのタスクしか処理できないので，いつどのタスクを実行させるかということを管理します。さらに一つのタスクは一つ以上のスレッドから構成され，CPUの利用はスレッド単位で行われます。

③記憶管理

　コンピュータ上の記憶を管理します。コンピュータの記憶は主記憶装置に格納されていますが，主記憶が足りないときには仮想記憶を用いて容量を大きくします。そのため，記憶管理には，**実記憶管理**と**仮想記憶管理**の2種類があります。

④データ管理，入出力管理

　補助記憶装置へのアクセスをデータ管理で，入出力装置へのアクセスを入出力管理で行います。また，スプーリングなどを用いて，複数の周辺装置を同時並行で動作させます。

　以降で，それぞれの管理機能について詳しく見ていきます。

■ ジョブ管理

　ジョブ管理では，複数のジョブの起動や終了を制御し，それぞれのジョブの実行や終了の状態を管理します。メインフレームなどの汎用機ではOSに組み込まれており，**JCL**（Job Control Language）というジョブ制御用のスクリプト言語を使用して，バッチ処理やプロセスの起動を制御します。

用語

タスクとプロセスは，ほぼ同じ意味で用いられます。単位の大きさは，ジョブ≧タスク（プロセス）≧スレッドとなります。

関連

入出力管理では，「2-1-4入出力デバイス」で説明したDMAコントローラなどに命令を出し，入出力の制御を行います。

用語

スプーリングは，メモリやディスク装置などのバッファに出力内容を保存し，出力装置が処理を受け付けられるようになったら出力を行う方法です。
印刷時の印刷スプーリングが一般的な例となります。

参考

ジョブ管理は，UNIXやWindowsなどのOSではシェルスクリプトによって行われますが，こちらはOSの機能ではなくミドルウェアとなります。

2

■ タスク管理

タスク管理（プロセス管理）では，タスクの生成，実行，消滅を管理します。タスクの実行では，タスクを実行状態，実行可能状態，待ち状態の三つの状態に分けて管理します。

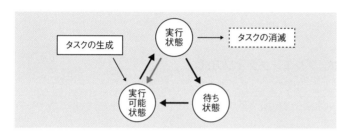

タスクの状態遷移

タスクは生成されるとまず，**実行可能状態**になります。そこでCPUに空きができると**実行状態**に移り，処理を実行します。そこで実行が完了するとタスクは消滅します。実行中に入出力が必要な処理など，CPU以外を使用する処理が始まると**待ち状態**に移り，入出力が完了するとまた**実行可能状態**になります。

実行状態でタスクを実行中にタイムクォンタム（一つのタスクに割り当てられた時間）を使い切ると，**実行可能状態**に戻ります。また，実行状態のタスクを中断させるプリエンプションが発生した場合も，実行可能状態に戻ります。プリエンプションは，ほかに優先度の高いタスクが生成された場合や，割込みが起こった場合に発生します。

■ タスクのスケジューリング方式

代表的なタスクのスケジューリング方式を以下に挙げます。

①到着順方式

タスクを**到着順**で処理します。**FIFO**（First In First Out），FCFS（First Come First Served）とも呼ばれます。

②処理時間順方式

タスクの**処理時間が短いものから順**に処理を行います。SPT（Shortest Processing Time first）とも呼ばれます。

　頻出ポイント

オペレーティングシステムの分野では，タスクのスケジューリングなどタスク管理に関する問題が多く出題されています。

③優先度順方式

タスクを**優先度順**で処理します。

④ラウンドロビン方式

一つ一つのタスクに**同じタイムクォンタム**を割り当て，一定時間ごとに順番に処理を回していく方式です。

⑤プリエンプション方式（プリエンプティブ方式）

タスクに優先度をつけ，優先度の高いタスクが実行可能状態になると**プリエンプション**を発生させる方式です。

⑥多段フィードバック待ち行列

複数の優先度の待ち行列をもち，高い優先度の待ち行列から順次処理していく方式です。このとき，低い優先度で長時間待っているタスクの優先度を上げる，一度実行したタスクの優先度を下げるなどのフィードバック調整を行います。

⑦イベントドリブンプリエンプション方式

割込みによってタスクの切替えを行うイベントドリブン方式と，優先度の高いタスクを実行させるプリエンプション方式を組み合わせた方式です。

それでは，実際の動きを問題で確認してみましょう。

問題

二つのタスクの優先度と各タスクを単独で実行した場合のCPUと入出力装置（I/O）の動作順序と処理時間は，表のとおりである。二つのタスクが同時に実行可能状態になってから，全てのタスクの実行が終了するまでの経過時間は何ミリ秒か。ここで，CPUは1個であり，I/Oの同時動作はできないものとし，OSのオーバヘッドは考慮しないものとする。また，表の（ ）内の数字は処理時間を示すものとする。

過去問題をチェック

タスク管理に関する問題は，応用情報技術者試験の午前の定番です。
【タスクの状態遷移】
・平成21年秋 午前 問19
・平成29年秋 午前 問16
・平成30年秋 午前 問17
・令和3年春 午前 問17
・令和6年春 午前 問16
【タスクスケジューリング】
・平成23年特別 午前 問19
・平成24年春 午前 問22
・平成25年秋 午前 問19
・平成26年春 午前 問17
・平成27年秋 午前 問16
・平成28年春 午前 問19
・平成28年春 午前 問19
・平成30年春 午前 問17
・平成30年秋 午前 問17
・平成31年春 午前 問16
・令和5年秋 午前 問17
【ラウンドロビン】
・平成29年秋 午前 問18

優先度	単独実行時の動作順序と処理時間（ミリ秒）
高	CPU (2) → I/O (7)→ CPU (3)→ I/O (4)→ CPU (3)
低	CPU (2) → I/O (3)→ CPU (2)→ I/O (2)→ CPU (3)

ア　19　　　　イ　20　　　　ウ　21　　　　エ　22

（平成24年春 応用情報技術者試験 午前 問20）

解 説

　二つのタスクが同時に実行可能状態になったときは，優先度の高いタスクが実行状態になります。I/Oとやり取りをしているときには待ち状態となるため，その間に優先度の低いタスクは実行状態となり処理を実行できます。また，I/Oの同時操作はできないため，先にI/Oを実施しているタスクの実行が終わるまでは，もう一方のタスクのI/Oは実行できません。そのため，表の処理時間で処理を実行すると，次の図のような実行順序になります。

```
            0    2              9   12         16    19         [ミリ秒]
                                                                22
高   CPU(2) I/O(7)         CPU(3) I/O(4)    CPU(3)

低        CPU(2)              I/O(3) CPU(2)    I/O(2) CPU(3)
```

　全体の経過時間は22ミリ秒となるので，エが正解です。

≪解答≫エ

■ リアルタイムOS

　リアルタイムOSは，リアルタイム処理を行うOSです。リアルタイム処理では，ジョブの実行が決められた時間までに終了するという**時間制約を守ること**が**最優先**されます。

　それでは，問題でリアルタイムOSを確認してみましょう。

参考

リアルタイムOSは，RTOSともいいます。時間制約を守ることを優先させるため，イベントドリブンプリエンプション方式を用いて，高優先度のタスクを確実に実行させます。

問題

リアルタイムOSのマルチタスク管理機能において，タスクA
が実行状態から実行可能状態へ遷移するのはどの場合か。

　ア　タスクAが入出力要求のシステムコールを発行した。
　イ　タスクAが優先度の低いタスクBに対して，メッセージ送信
　　　を行った。
　ウ　タスクAより優先度の高いタスクBが実行状態となった。
　エ　タスクAより優先度の高いタスクBが待ち状態となった。

（平成21年秋 応用情報技術者試験 午前 問19）

解説

　リアルタイムOSでは高優先度のタスクを優先するため，プリエ
ンプションを発生させて優先度の低いタスクを実行可能状態に移
します。タスクAよりタスクBの優先度が高く，タスクBが実行
可能状態になった場合には，プリエンプションが発生し，タスク
Aが実行状態→実行可能状態に，タスクBが実行可能状態→実行
状態に入れ替わります。したがって，ウが正解です。
　アは待ち状態に遷移します。イのようにタスクBの方が優先度
が低い場合には状態は変わりません。エではタスクBは待ち状態
なので，状態は変わりません。

≪解答≫ウ

■ 記憶管理

　主記憶装置の領域には限りがあるため，必要なプログラム以
外は補助記憶装置に置いてアクセスします。補助記憶装置との
やり取りは，次の方法で行います。

①オーバレイ

　あらかじめプログラムを分けて補助記憶装置に格納しておき，
必要な部分だけ主記憶装置に置く方法です。仮想記憶をサポー
トする以前のOSで使われており，プログラマが考えて指定します。

参考
記憶領域の管理方法には，
プログラムの大きさに応じ
て可変の区画を割り当てる
可変区画方式と，主記憶と
プログラムを固定長の単位
に分割して管理する**固定区
画方式**の2種類があります。
固定区画方式の固定長の1
単位のことをページと呼び
ます。

2

オーバレイで記憶領域を割り当てる方式には，最初の空き領域を割り当てるファーストフィット方式や，割り当てたときの残り領域が最も小さくなるベストフィット方式などがあります。

②スワッピング

メモリの内容を補助記憶装置のスワップファイルに書き出して，ほかのタスクがメモリを使えるように解放することです。メモリからスワップに取り出すことを**スワップアウト**，スワップからメモリに戻すことを**スワップイン**といいます。

③ページング

プログラムを固定長のページに分けて，ページごとに補助記憶装置の仮想記憶領域に取り出します。メモリから仮想記憶に取り出すことをページアウト，仮想記憶からメモリに戻すことをページインといいます。

また，メモリ上に必要なページがないことをページフォールトといいます。ページフォールトが頻繁に起こってページインとページアウトが繰り返されることを**スラッシング**といい，システムの応答速度が急激に低下します。

ページの読込み方法は，ページの内容が必要となった時点で仮想記憶の内容を主記憶にロードする**デマンドページング**方式が基本です。これに対し，将来必要とされそうな仮想記憶の内容をあらかじめ主記憶にロードしておく**プリページング**方式があります。

それでは，問題を解いて確認していきましょう。

過去問題をチェック

仮想記憶管理については，応用情報技術者試験では最近は次のような出題があり，定番となっています。
【仮想記憶管理】
・平成27年秋 午前 問10，問17
・平成28年春 午前 問17，問18
・平成28年秋 午前 問18
・平成29年秋 午前 問17
・平成30年春 午前 問19
・平成30年秋 午前 問18
・平成31年春 午前 問19
・令和元年秋 午前 問18
・令和2年10月 午前 問18
・令和3年秋 午前 問16
・令和3年秋 午前 問16
・令和4年秋 午前 問17
・令和5年春 午前 問18
・令和5年秋 午前 問16

問題

ページング方式の仮想記憶において，ページ置換えの発生頻度が高くなり，システムの処理能力が急激に低下することがある。このような現象を何と呼ぶか。

ア　スラッシング　　　　　イ　スワップアウト
ウ　フラグメンテーション　　エ　ページフォールト

（令和3年秋 応用情報技術者試験 午前 問16）

解 説

　ページング方式の仮想記憶において，主記憶の容量が不足すると，CPUで計算をするたびにその計算に必要なページを読み込む必要があるため，ページイン，ページアウトが頻発します。この現象はスラッシングと呼ばれるので，アが正解です。

イ　スワップアウトは，主記憶から仮想記憶にデータの退避を行う動作です。

ウ　フラグメンテーションは，記憶の確保や解放を繰り返し，未使用領域が断片的になる現象です。

エ　ページフォールトは，主記憶上に必要なページがないことです。

≪解答≫ア

■ 仮想記憶管理

　仮想記憶とは，コンピュータに実装される主記憶装置（メモリ）よりも大きな領域をメモリ空間として利用できるようにする技術です。補助記憶上に仮想記憶領域を用意し，そこにOSが自動的にデータを出し入れします。

　仮想記憶の方式には，固定長のページ単位で管理を行うページング方式と，可変長の区画で管理を行うセグメント方式の2種類があります。ページング方式におけるページの置換えのアルゴリズムには，以下のようなものがあります。

①FIFO（First In First Out）方式

　最初にページインしたページを最初にページアウトさせる方式です。

②LRU（Least Recently Used）方式

　最後に使用されてからの経過時間が最も長いページを最初にページアウトさせる方式です。

③LFU（Least Frequently Used）方式

　使用頻度が最も低いページを最初にページアウトさせる方式です。

発展

セグメント方式では，メモリから仮想記憶にデータを追い出すことを**ロールアウト**，仮想記憶からメモリにデータを戻すことを**ロールイン**といいます。最近のOSはほとんど，ページング方式を使って実装されています。

それでは，実際の問題を例に考えてみましょう。

問題

仮想記憶方式のコンピュータにおいて，実記憶に割り当てられるページ数は3とし，追い出すページを選ぶアルゴリズムは，FIFOとLRUの二つを考える。あるタスクのページのアクセス順序が

1, 3, 2, 1, 4, 5, 2, 3, 4, 5

のとき，ページを置き換える回数の組合せとして適切なものはどれか。

	FIFO	LRU
ア	3	2
イ	3	6
ウ	4	3
エ	5	4

（平成23年特別 応用情報技術者試験 午前 問21）

解説

FIFO方式では，最初にページインしたページをページアウトさせるので，問題文のタスクでページアクセスを実行すると次のようになります。

参照→	1	3	2	1	4	5	2	3	4	5
ページ枠1	1	1	1	1	4	4	4	4	4	4
ページ枠2		3	3	3	3	5	5	5	5	5
ページ枠3			2	2	2	2	2	3	3	3

色の文字が，ページアウトしてページを置き換えた部分なので，FIFOでは3回になります。

LRU方式では，最後に使用されてからの期間が最も長いページを置き換えると，次のようになります。

参照→	1	3	2	1	4	5	2	3	4	5
ページ枠1	①1	1	1	①1	1	1	②2	2	2	⑤5
ページ枠2		③3	3	3	④4	4	4	③3	3	3
ページ枠3			②2	2	2	⑤5	5	5	④4	4

　色の文字が置換え部分なので，LRUでは6回です。

　したがって，組合せが正しいイが正解です。

≪解答≫イ

▶▶ 覚えよう！

□　プリエンプションが起こると，実行状態→実行可能状態へ

□　FIFOは先入れ先出し，LRUは使用されていないものを置き換え

2-3-2 ■ ミドルウェア

頻出度
★★★

　ミドルウェアは，OSとアプリケーションソフトウェアの中間に位置するソフトウェアです。ミドルウェアの代表的なものには，DBMSや運用管理ツールなどがあります。

■ API

　API（Application Programming Interface）は，アプリケーションから利用できる，OSなどのシステムの機能を利用する関数などのインタフェースです。例えば，OSの画面を表示するAPIを呼び出して文字を表示させることなどが可能です。また，Webサイトで利用するAPIのことをWebAPIといいます。

■ シェル

　シェルは，利用者からの指示をコマンドで受け付けて解釈し，プログラムを起動，制御します。また，カーネルの機能を呼び出す役割をもっています。

■ デーモン

　デーモンとは，UNIXなどのマルチタスクOSにおいてバックグラウンドで動作するプログラムです。プログラム名の末尾にd

発展

WebAPIを使うと，他のWebシステムが提供しているサービスを利用できるようになります。例えば，Google Maps APIでは，GoogleのサービスであるGoogle Mapsの情報を取り込んで表示したり，地図上に印を付けたりすることが可能です。

用語

カーネルとは，OSの中核となる部分です。システムのリソースを管理し，ハードウェアとソフトウェアとのやり取りを制御します。

が付きます。インターネットサービスを管理するinetdや，Webサーバを管理するhttpd，プリンタを管理するlpdなどがあります。

開発フレームワーク

　開発フレームワークとは，システム開発を標準化して効率的に進めるための全体的な枠組みです。ソフトウェアをどのように開発すべきかを，再利用可能なクラスなどによって示し，特定の用途に使えるようにしています。例えば，Webアプリケーションを開発するためのWebアプリケーションフレームワークがあります。

分散処理技術

　分散処理技術とは，大規模なデータを複数のサーバ上に分散して処理する技術のことです。分散処理技術を実現するためのソフトウェアフレームワークがあり，その代表的なものにHadoopがあります。

　それでは，次の問題を考えてみましょう。

参考
Webアプリケーションフレームワークの代表的なものに，Javaで利用するApache Struts や Spring，Rubyで利用するRuby on Rails，Pythonで利用するDjangoなどがあります。

問　題

Hadoopの説明はどれか。

　ア　Java EE仕様に準拠したアプリケーションサーバ
　イ　LinuxやWindowsなどの様々なプラットフォーム上で動作するWebサーバ
　ウ　機能の豊富さが特徴のRDBMS
　エ　大規模なデータを分散処理するためのソフトウェアライブラリ

（令和3年春 応用情報技術者試験 午前 問20）

> **解説**

　Hadoopは，大規模データの分散処理を支えるオープンソースのソフトウェアフレームワークで，Javaで書かれたライブラリです。したがって，エが正解です。

　アはTomcatなどのアプリケーションサーバ，イはApacheなどのWebサーバ，ウはPostgreSQLなどのRDBMSの説明となります。

《解答》エ

> ▶▶ 覚えよう！

☐　APIは，OSなどのシステムが提供するインタフェース

2-3-3 ファイルシステム

頻出度
★★★

　ファイルは，階層化されたディレクトリで管理されます。また，ファイルシステムにはいろいろな種類があります。

■ディレクトリ管理とファイル管理

　ディレクトリとは，コンピュータ上でファイルを整理して管理するための，階層構造をもつグループです。最上位のディレクトリを**ルートディレクトリ**と呼び，そこからツリー状にディレクトリを構成します。

　ファイルはルートディレクトリからのパス名で識別されます。ルートディレクトリからのパスを**絶対パス**，あるディレクトリからの相対の位置を示すパスを**相対パス**といいます。

　それでは，次の問題で確認してみましょう。

用語

パスとは，記憶装置内でファイルやディレクトリの所在を示す文字列のことです。UNIX系のOSでは「/（スラッシュ）」で，Windows系のOSでは「\（バックスラッシュ）」（日本語のOSでは「¥」で表されます）。

相対パスでは，起点となるディレクトリを「.」で，一つ上のディレクトリを「..」で表します。

絶対パスで/etc/passwdというファイルを，/usr/test/というディレクトリを起点として相対パスで呼び出すには，「../../etc/passwd」と表現します。

2

問題

UNIXではファイルを，通常ファイル，ディレクトリファイル及び特殊ファイルの3種類に分類している。ディレクトリファイルの説明として，適切なものはどれか。

ア 磁気ディスクなどの入出力装置にアクセスするためのファイル

イ テキスト，オブジェクトコード，画像データなどを格納するためのファイル

ウ ファイル名とファイルの実体を対応付けるためのファイル

エ 複数のパスから一つのファイルを参照できるようにするためのファイル

(平成21年秋 応用情報技術者試験 午前 問20)

解説

ディレクトリファイルは，ディレクトリを表すためのファイルです。ディレクトリ内にどのようなファイルやディレクトリがあるのかと，その実体が格納してある記憶装置の番地を対応付けて格納しています。したがって，ウが正解です。

アはデバイスファイル（デバイスドライバ）の説明なので，分類では特殊ファイルに当たります。イは通常ファイルの説明です。エはリンクを参照できるようにするリンクファイルの説明なので，分類では特殊ファイルに当たります。

≪解答≫ウ

▶▶▶ 覚えよう！

□ 絶対パスはルートから，相対パスは../で上に

2-3-4 ■ 開発ツール

　開発ツールには，設計やプログラミングなど，ソフトウェア開発の各工程を助けるためのツールがあります。また，各工程の効率化や自動化を目的にするCASEツールや，開発作業全体を一貫して支援するIDE（Integrated Development Environment：統合開発環境）があります。

■ プログラミングツール

　プログラミングを支援するのがプログラミングツールです。プログラミングツールには，次のような機能があります。

①トレーサ

　デバッグ時に実行経路を表示するツールです。

②インスペクタ

　デバッグ時にデータ内容を表示するためのツールです。

③エディタ

　プログラムのソースコードを編集するツールです。

④リポジトリ

　成果物を**一元管理するデータベース**です。プログラム以外にもその説明や，データ定義などを管理します。バージョン管理を行い，最新のデータ以外に，古いデータとその差分を残します。リポジトリからデータを取り出すことを**チェックアウト**，データを登録することを**チェックイン**といいます。

⑤アサーションチェッカ

　プログラムの途中にアサーション（論理的に成立すべき条件）を登録して，満たしているかチェックするツールです。

⑥エミュレータ

　コンピュータや機械の動作を再現するツールです。携帯電話やゲーム機などのエミュレータが有名です。

用語

CASE（Computer Aided Software Engineering）ツールとは，設計情報からソフトウェア製品の一部を自動生成するツールや，E-R図からデータベースを生成するツールなど，ソフトウェア開発を効率化するツールのことです。

参考

IDEの代表的なものには，マイクロソフトのVisual StudioやアップルのXcode，オープンソースのEclipseなどがあります。

参考

リポジトリの代表的なものには，マイクロソフトのVSS（Visual SourceSafe），オープンソースのGitやSubversionなどがあります。

2

⑦シミュレータ

実世界や仮想的な状況をモデル化して実験するシミュレーションを行うツールです。

⑧スナップショット

ある一時点のストレージの状態（ファイルとディレクトリの集合など）をそのまま記録するツールです。

⑨プロファイラ

プログラムの性能を改善するに当たって，関数，文などの実行回数や実行時間を計測して統計を取るために用いるツールです。

⑩ローコードツール，ノーコードツール

ローコードツールは，最小限のコーディングでアプリケーションを開発できるツールです。ソースコードを少し記述することで，カスタマイズが可能となります。

ノーコードツールは，コーディングなしでアプリケーションを開発できるツールです。画面を利用した直感的な操作で，簡単にアプリケーションを作成できます。

それでは，次の問題を考えてみましょう。

問題

プログラムを構成するモジュールや関数の実行回数，実行時間など，性能改善のための分析に役立つ情報を収集するツールはどれか。

ア　エミュレーター　　イ　シミュレーター
ウ　デバッガ　　　　　エ　プロファイラ

(令和6年春 応用情報技術者試験 午前 問19)

解説

プログラムを構成するモジュールや関数の実行回数，実行時間など，性能改善のための分析に役立つ情報を収集するツールには，

過去問題をチェック

開発ツールについては，用語の意味を問われる問題が多く見られます。応用情報技術者試験では次の出題があります。
【インスペクタ】
・平成22年春 午前 問21
【クロスコンパイラ】
・平成23年特別 午前 問22
・平成27年春 午前 問19
・令和5年秋 午前 問18
【コンパイラ】
・平成25年秋 午前 問20
【プロファイラ】
・平成30年秋 午前 問19
・令和6年春 午前 問19
【バージョン管理ツール】
・令和3年秋 午前 問18

プロファイラがあります。プロファイラは，プログラムの実行性能を計測し，最適化のための詳細な情報を提供します。したがって，エが正解です。

ア エミュレーターは，あるシステムを別のシステム上で動作させるためのツールです。

イ シミュレーターは，特定の条件下でのシステムの動作を模倣するツールです。

ウ デバッガは，プログラムのバグを見つけて修正するためのツールです。

≪解答≫エ

■ 言語処理ツール

プログラム言語を処理するツールが，言語処理ツールです。言語処理ツールには主に次のものがあります。

①コンパイラ

プログラム言語で書かれたプログラム（**ソースコード**）を，コンピュータが実行可能な機械語に変換するツールです。プログラムを解析し，最適化してから機械語翻訳を行います。

②インタプリタ

ソースコードを順番に解釈しながら実行するツールです。

③クロスコンパイラ

コンパイラが動作している環境以外に向けて実行ファイルを作成するツールです。組込みシステムでは，通常のコンピュータでクロスコンパイルを行い，実行ファイルを組み込みます。

④アセンブラ

アセンブリ言語を機械語に翻訳するツールです。

⑤プログラムジェネレータ

あるパラメタを設定し，そのパラメタからプログラム言語のソースコードを自動生成するツールです。

参考

主にインタプリタを用いてプログラムを実行するプログラム言語をインタプリタ言語と呼びます。代表的なものにはBASICやPerl，Ruby，PHPなどがあります。
また，バイトコード（中間コード）を生成して，コンパイラ言語との中間に位置する言語にJavaやC#などがあります。

2

■ コンパイラ最適化

　コンパイルを行う際，実行ファイルを効率化して，実行時間やメモリ使用量，消費電力などを最小化するよう調整する処理です。最適化の技法には，以下のようなものがあります。

①ループ最適化

　ループ内で変化がない**ループ不変式**をループ外に移動させるなど，ループ内の処理量を減らします。

②局所最適化

　局所参照性（メモリ内の近い位置を参照すること）を増大させることで，アクセス効率を高めます。

③プロシージャ間最適化

　ソースコード全体を解析して最適化します。関数をインライン展開する（関数そのもののコードを展開し，関数を呼び出さないようにすること）などの方法があります。

▶▶ 覚えよう！

☐　リポジトリからデータを取り出すのはチェックアウト，データを登録するのがチェックイン

☐　コンパイラは一度に解析，インタプリタは少しずつ解析

2-3-5 オープンソース
ソフトウェア

頻出度
★★★

　OSS（Open Source Software：オープンソースソフトウェア）とはソースコードを公開するソフトウェアという意味ですが，オープンソースと名乗るには，ソースコードの公開以外にもいくつかの条件が必要です。

OSSの定義

　オープンソースの推進団体OSI（Open Source Initiative）では，オープンソースライセンスの条件として，以下のような10の定義を挙げています。

1. 自由に再頒布できること（有料で販売する場合も含む）
2. **ソースコードを公開**すること
3. **派生物の作成**と，それを同じライセンスで頒布することを許可すること
4. 基本ソースとパッチ（差分情報）というかたちで頒布することを義務づけてもかまわない。
5. 個人やグループに対する**差別をしない**こと
6. 利用する分野に対する差別をしないこと
7. ライセンス分配に追加ライセンスを必要としないこと
8. 特定製品でのみ有効なライセンスにしないこと
9. 他のソフトウェアを制限するライセンスにしないこと
10. ライセンスは技術的な中立を保つこと

関連

オープンソースの定義については，原文が下記のWebサイトで公開されています。
https://opensource.org/osd

用途に応じたOSS

　OSSには，用途に応じて様々なものがあります。代表的なOSSは以下のとおりです。

① Unix系OS（Operating System）

　UNIX系OSには，OSSのものが多くあります。**Linux**は代表的なOSで，Linuxの中核となる部分のソフトウェアのことをLinuxカーネルといいます。Linuxは，様々なアプリケーションを加えて，各種の配布パッケージ（ディストリビューション）で提供され

発展

OSにLinux，WebサーバにApache，データベースにMySQL，言語にPerl，PHP，Pythonという組合せをまとめたLAMP（ランプ）があります。LAMPは，Webサイトを構築するときに便利なものを集めたソフトウェア群で，パッケージでまとめて配布されています。

ています。

NetBSD, reeBSD（Free Berkley Software Distribution），OpenBSDなど，他のUnix系OSにもOSSのものがあります。

②サーバ用アプリケーション

サーバを構築するときのアプリケーションには，OSSのものが多くあります。代表的なものがWebサーバを構築する**Apache HTTP Server**で，単にApacheとも呼ばれます。メールサーバを構築する**Postfix**や，DNSサーバを構築する**BIND**などもOSSです。データベースサーバを構築する**MySQL**や**PostgreSQL**もあります。

③仮想化・クラウド

仮想環境・クラウドの構築，管理などに用いられる代表的なOSSに，コンテナ型仮想化の環境を構築するための**Docker**があります。**Kubernetes**は，複数のコンテナを統合的に管理するためのオーケストレーションツールです。

④AI（機械学習・ディープラーニング）

AIの開発で用いられる代表的なOSSのうち，**TensorFlow**，**PyTorch**は，ディープラーニングモデルを構築・トレーニングするためのフレームワークです。また，ディープラーニングでの実装を容易にするためのラッパーライブラリ（TensorFlowなどに重ねて用いるライブラリ）に，**Keras**があります。**Deeplearning4j**は，Javaで動作するディープラーニングフレームワークで，大規模データや分散処理に対応しています。

OpenCVは，画像処理やコンピュータビジョンに特化したライブラリです。

⑤システム開発・運用支援

システム開発・運用の支援などに用いられる代表的なOSSには，統合開発環境（IDE）の**Eclipse**や，バージョン管理システムの**Subversion**，**Git**があります。

継続的インテグレーション（CI/CD）を行う**Jenkins**，プロジェクト管理を行う**Redmine**，Webアプリの自動テストを行う**Selenium**などを用いることで，開発を効率化することもできます。

Ansibleはインフラ自動化ツールで，構成管理を効率化します。
Zabbixは，システム監視のためのツールです。

それでは，次の問題を考えてみましょう。

問 題

Linuxカーネルの説明として，適切なものはどれか。

ア　CUIによるコマンド入力のためのシェルと呼ばれるソフト
ウェアが組み込まれていて，文字での操作が可能である。

イ　GUIを利用できるデスクトップ環境が組み込まれていて，マ
ウスを使った直感的な操作が可能である。

ウ　Webブラウザ，ワープロソフト，表計算ソフトなどが含まれ
ており，Linuxカーネルだけで多くの業務が行える。

エ　プロセス管理やメモリ管理などの，アプリケーションソフト
ウェアが動作するための基本機能を提供する。

(令和5年秋 応用情報技術者試験 午前 問19)

解 説

　Linuxカーネルは，OSであるLinuxの中核となる部分のソフト
ウェアです。OSが提供するプロセス管理やメモリ管理などの，ア
プリケーションが動作するための基本機能を提供します。したがっ
て，エが正解です。

　Linuxでは，WindowsやmacOSなどと異なり，カーネルとX
Window System（または単にX）などのGUIやOpenOfficeなどの
アプリケーションが独立しており，それぞれ独自に導入して構築
することができます。

ア　sh，bash，tcshなどのシェルが該当します。

イ　X Window Systemが該当します。

ウ　OpenOfficeやLibreOfficeなどのオフィスソフトが該当します。

≪解答≫エ

■ オープンソースライブラリ

オープンソースは，プログラミングを行う場合にも利用可能です。オープンソースライブラリは，プログラミングで利用できる部品（クラスや関数など）をまとめたものです。部品のソースコードも，オープンソースで公開されています。

■ OSSの信頼性

OSSを利用する場合には，その機能だけでなく，長期間運用するための信頼性も確認する必要があります。具体的には，次のような軸で，OSSの信頼性を評価します。

- ソフトウェア自体の信頼性
- メンテナンスの容易さ
- 法的問題の有無
- 開発コミュニティのサポート体制

OSSでは，開発を行うコミッタや，整備を行うメンテナなど，様々な人が関わっています。このようなOSSプロジェクトに貢献する人全体を**コントリビュータ**といいます。コントリビュータの存在は，OSSの信頼性に大きく影響します。

また，OSSにおいて，複数のOSSやアプリケーションを組み合わせて，利用者がインストールしやすいようにパッケージにまとめたものをディストリビューションといいます。ディストリビューションを配布して提供する**ディストリビュータ**が選ぶソフトウェアは，比較的信頼性が高いといえます。

IPA（独立行政法人情報処理推進機構）では，OSSの信頼性評価ツールを整備し，OSSプロジェクトを評価するための基準を提供しています。

参考

オープンソースライブラリの代表例に，Perl向けのライブラリであるCPAN（Comprehensive Perl Archive Network）などがあります。また，PHPでは，用途別に様々なPHPライブラリが公開されています。

2

■ OSSのライセンス

　OSSのライセンスには次のように多様な形態があり，どの形態のライセンスを採用するかは，OSSの原作者が自由に決めることができます。

①コピーレフト

　著作権を保持したまま，二次的著作物も含めて，すべての人が著作物を利用・改変・再頒布できなければならないという考え方です。

②デュアルライセンス

　一つのソフトウェアを異なる2種類以上のライセンスで配布する形態です。利用者は，そのうちの一つのライセンスを選びます。

③GPL（General Public License）

　OSSのライセンス体系の一つで，コピーレフトの考え方に基づきます。GPLのソフトを再配布する場合にはGPLのライセンスを踏襲する必要があります。

④BSD（Berkeley Software Distribution）ライセンス

　OSSのライセンス体系の一つで，GPLに比べて制限の少ないライセンスです。無保証であることの明記と，著作権及びライセンス条文を表示する以外は自由です。

参考

デュアルライセンスでは，フリーライセンス／商用ライセンスなどのように，複数のライセンスから条件に応じてライセンスを選びます。例えば，元のソースコードを改変して公開したくない場合には商用ライセンス，公開する場合にはフリーライセンス，というように使い分けます。

▶▶ 覚 え よ う ！

☐　OSSは有料配布も，ソフトの改変もOK

☐　ApacheはWebサーバ，Postfixはメールサーバ，BINDはDNSサーバ

2-4 ハードウェア

ハードウェアでは，コンピュータの構成部品である電子・電気回路や，半導体素子，LSIなどについて学びます。

2-4-1 ハードウェア

第2位 頻出度 ★★★

コンピュータのハードウェアとは，物理的な構成部品である電子・電気回路，CPUなどと，それらの集合であるハードディスクやPC本体などを指します。

■電子・電気回路

コンピュータの基本的な論理回路には，AND回路，OR回路，NOT回路があります。さらに，排他的論理和を表すXOR回路や，否定を組み合わせたNAND回路，NOR回路があります。以下に，それぞれの回路記号を表します。

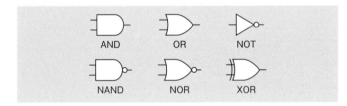

回路記号

NAND回路は，ほかの回路に比べて回路構成が簡単なので作りやすいという特徴があります。また，ほかの五つの論理回路をNANDだけで表現することが可能なので，NAND回路のみを組み合わせてほかの論理回路を作るということも多くあります。

それでは，実際の問題で確認してみましょう。

勉強のコツ

電気回路の問題は定番です。実際に0や1を入れてみて回路図をトレースすることが大切です。
また，新しい用語が多く出てくる分野なので，用語に慣れることも肝心です。
午後で組込みシステム開発（問7）を選択する場合は，この節と第1章をしっかり学習して問題演習を行っていきましょう。

過去問題をチェック

電気回路の問題は，応用情報技術者試験に変更されてから午前の定番となっています。
【フリップフロップ】
・平成21年秋 午前 問23
・平成23年秋 午前 問24
・平成25年秋 午前 問24
・平成27年秋 午前 問22
・令和5年秋 午前 問22
【等価な回路】
・平成22年秋 午前 問24
・平成30年春 午前 問21
・令和2年10月 午前 問23
【NAND回路によるOR】
・平成23年特別 午前 問24
・平成26年春 午前 問20
【3入力多数決回路】
・平成24年秋 午前 問22
・平成27年春 午前 問22
・令和5年秋 午前 問23
【XORとANDによる加算回路】
・平成25年春 午前 問24
・平成30年春 午前 問23
・令和3年秋 午前 問22
【偶数パリティビット】
・令和元年秋 午前 問23

問題

図の論理回路と等価な回路はどれか。

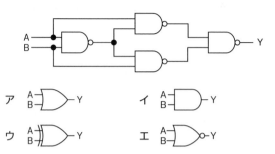

（平成30年春 応用情報技術者試験 午前 問21）

解説

入力A，Bに0，1それぞれの値を入れてみて，出力Yがどうなるか確認していきます。まず，A，Bに0を入れ，図を使って順番にトレースしていくと，以下のようになります。

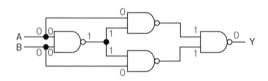

A，Bが0ならYが0になることが分かります。

同様に，A，Bのすべての組合せをトレースすると，下の表のようになります。

A	B	Y
0	0	0
0	1	1
1	0	1
1	1	0

これは，排他的論理和（XOR）の結果と同じなので，XOR回路であるウが正解です。

──────────────────────

≪解答≫ウ

■ フリップフロップ回路

　フリップフロップとは，1ビットの情報を記憶することができる論理回路です。SRAMでよく利用されます。フリップフロップ回路には，NAND回路を二つ組み合わせたSR（Set Reset）型フリップフロップや，四つのNAND回路を使うJK型フリップフロップがあります。

　実際の動作を問題で確認してみましょう。

頻出ポイント

ハードウェアの分野では，フリップフロップ回路などの論理回路問題が多く出題されています。

問題

　図の論理回路において，S＝1，R＝1，X＝0，Y＝1のとき，Sを一旦0にした後，再び1に戻した。この操作を行った後のX，Yの値はどれか。

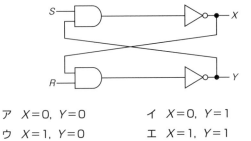

```
ア  X＝0，Y＝0        イ  X＝0，Y＝1
ウ  X＝1，Y＝0        エ  X＝1，Y＝1
```

（令和5年秋 応用情報技術者試験 午前 問22）

解説

　まず，初期状態として，図の論理回路において，S＝1，R＝1，X＝0，Y＝1が下図のように入力されています。

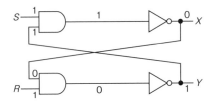

　この状態でSをいったん0にすると，次のように値が変化します。X＝1，Y＝0となり，XとYが反転します（赤字が変わった部分です）。

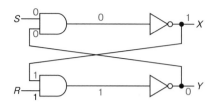

さらに，この状態からSを1に戻すと下図のようになります。Sを1に戻しても，X，Yの値はそのままです。

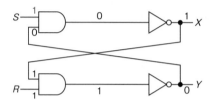

したがって，$X = 1$，$Y = 0$となり，ウが正解です。

ちなみに，この回路がSR型フリップフロップ回路で，SとRがともに1の場合には，以前に入力した値をそのまま保持します。

≪解答≫ウ

■ 構成部品および要素と実装

コンピュータは，電子部品を中心とした，様々な構成部品で成り立っています。代表的な構成部品の要素とその実装方法には，以下のものがあります。

① 半導体素子

半導体による電子部品です。代表的な半導体素子には，電流の一方向への流れを制御する**ダイオード**や，発光を伴う**LED**（Light Emitting Diode），さらにその進化形である**OLED**（Organic LED）があります。

また，スイッチングや増幅に使用される**トランジスタ**，光を利用して動作する**フォトトランジスタ**や**フォトカプラ**なども重要な要素です。

2

②カスタムIC

特定の用途や利用者の要求に応じた回路をICとして実現するための技術です。代表的なカスタムICには，**ASIC**（Application Specific IC）があり，これは製造時に特定の機能をもつように設計されます。

FPGA（Field Programmable Gate Array）は，製造後でも回路構成を変更可能なICで，柔軟な用途に対応します。**CORDIC**（COordinate Rotation DIgital Computer）などの特定の計算をハードウェアで効率的に実現するICも存在します。これらは，**HDL**（Hardware Description Language）と呼ばれるハードウェア記述言語を用いて設計・実装されます。

③システムLSI

組込みシステムや他の複雑な電子システムにおいて，複数の半導体素子を一つのチップに統合する技術です。これにより，システム全体の占有面積が縮小され，小型化や高速化，低コスト化が実現されます。

SoC（System on a Chip）は，必要な機能を一つのチップ上に集約する設計手法で，効率的なシステム設計が可能となります。

④組込みシステムの構成部品

組込みシステムは，**マイクロプロセッサ**を中心にさまざまな構成部品から成り立っています。これには，信号処理を担当する**DSP**（Digital Signal Processor）や，環境情報を取得するための**センサー**，機械的動作を実現する**アクチュエータ**が含まれます。**MEMS**（Micro Electro Mechanical Systems）は，センサー，アクチュエータなどや電子回路を一つのシリコン基板などに集積化したデバイスです。

また，システム内のデータ保存に使われるメモリや，信号変換を行う**D/Aコンバータ**，**A/Dコンバータ**なども重要な要素です。さらに，回路素子（抵抗，コンデンサ，コイル，トランスなど）やシステムの動作を監視・制御する診断プログラム，電源回路や電池も，組込みシステムに欠かせない部品です。

それでは，問題で確認していきましょう。

問 題

FPGAなどに実装するデジタル回路を記述して，直接論理合成するために使用されるものはどれか。

ア DDL　　イ HDL　　ウ UML　　エ XML

(令和2年10月 応用情報技術者試験 午前 問21改)

解 説

　FPGA（Field Programmable Gate Array）は，製造後に設計や構成を変更できるデジタル回路の集まりです。デジタル回路の設計，構成を記述するハードウェア記述言語には，HDL（Hardware Description Language）があります。HDLを使用することで直接，FPGAのデジタル回路の実装設計（論理合成）を行うことができます。したがって，イが正解です。

ア　DDL（Data Definition Language：データ定義言語）は，データベースで使用される，テーブルやビュー，インデックスを作成するときなどに使用される言語です。

ウ　UML（Unified Modeling Language：統一モデリング言語）は，オブジェクト指向分析や設計で使用される図の集まりです。

エ　XML（eXtensible Markup Language）は，用途に合わせて拡張することができる，タグを用いたマークアップ言語です。

≪解答≫イ

■ 半導体の故障メカニズム

　半導体素子では，大規模に集積するため特有の故障が起こります。半導体が故障する主なメカニズムには，次のようなものがあります。

①ESD破壊

　静電気放電（ElectroStatic Discharge：ESD）により，デバイスが劣化・故障することです。人体や装置，デバイスが帯電し，酸化膜や配線などが破壊されます。

②ラッチアップ

半導体素子では，構造上，期待していない位置にトランジスタやサイリスタなどができてしまうことがあります。これを寄生トランジスタ，寄生サイリスタなどと呼びますが，これらが原因で回路に不具合が起こることをラッチアップといいます。

③ストレスマイグレーション

機械的な力によって配線が切断されるなど，半導体素子が不良になる現象です。

④エレクトロマイグレーション

電流が過度に流れることによって配線が切断されるなど，半導体素子が不良になる現象のことです。

■ タイマー

あらかじめ設定された時間を計測する装置のことを**タイマー**といいます。タイマーは，カウンタを用いて，一定時間ごとに起こる割込みをカウントして時間を計測します。組込みシステムで使われるタイマーには，次のようなものがあります。

①インターバルタイマー

一定間隔でCPUに対して割込みを発生させるタイマーです。コンピュータは，時刻を刻み続けるリアルタイムクロックから時刻を取得した後は，インターバルタイマーの割込みを使って時刻をアップデートしていきます。

②ウォッチドッグタイマー

コンピュータの正常動作を確認するためのタイマーです。OSがウォッチドッグタイマーに対して一定間隔でクリアを行います。規定時間内にクリアが行われなかったときには，システムに障害が起こったと判断し，システムをリセットします。

③RTC

RTC（Real-Time Clock）は，コンピュータが内部に保持している時計です。単なるカウンタだけでなく，日付や時刻などを示す

📖**用語**

サイリスタとは，P型半導体とN型半導体が交互にPNPNと4層に接合した素子です。電圧や電流で制御するスイッチングに用いられます。

2

📑**過去問題をチェック**

タイマーに関しては，応用情報技術者試験では次の出題があります。
【ウォッチドッグタイマー】
・平成25年春 午前 問23
・平成26年秋 午前 問22
・平成29年秋 午前 問22
・令和元年秋 午前 問21
・令和3年秋 午前 問21
【RTC】
・平成25年秋 午前 問23
【ハードウェアタイマー】
・平成29年春 午前 問22
【LiDAR】
・令和5年春 午前 問23

カレンダ情報をもっており，システムの時刻の管理に使われます。

■ センサー

センサーとは，物理的または化学的な変化を検出し，それを電気信号に変換するハードウェアです。主なセンサーの種類には，次のようなものがあります。

①温度センサー（温度計）

物体または環境の温度を測定します。

②加速度センサー

動きや振動を測定します。

③光センサー

光の強度を測定します。

④超音波センサー

超音波を発射し，反射した波を検出して距離を測定します。

⑤LiDAR（Light Detection and Ranging）

レーザー光を使って距離や物体の形状を測定します。

■ 論理設計

ハードウェアの論理設計では，性能，設計効率，コストなどを考慮して，どの構成が最適であるのかを検討し，設計を行います。

■ 診断プログラム

コンピュータなどに問題が発生した場合，メーカのサポートに問い合わせる前の対処として問題を特定するプログラムを診断プログラムといいます。PCのハードウェアの故障時に使用するハードウェア診断プログラムや，アプリケーションに不具合が発生したときに使用するソフトウェア診断プログラムがあります。

■オープンソースハードウェア

オープンソースハードウェアとは，ハードウェアの設計や回路図，ソフトウェアなどの情報を無償で公開することで，ハードウェアを誰でも作成可能にすることです。

■エネルギーハーベスティング

身の周りにある位置エネルギーなどを集めて電気に変換し，機器を動作させる一連の流れのことをエネルギーハーベスティングといいます。自然にある小さなエネルギーを活用することによって，センサーなど，小さな電力で動く機器を動作させることができます。

参考

オープンソースハードウェアでは，3Dプリンタを利用することで様々なものが遠隔地で作成可能になります。具体的には，公開されている部品を3Dプリンタで作成し，それを組み合わせます。
有名なものでは，自動車や住居，ロボットなどをオープンソースで作成するプロジェクトがあります。

▶▶覚えよう！

□　1チップでシステムを実現するシステムLSI，SoC

□　ウォッチドッグタイマーはタイマーで障害を検出する

2-5 演習問題

問1　マルチプロセッサの性能の上限　　　　　　　　CHECK ▶ □□□

1台のCPUの性能を1とするとき，そのCPUをn台用いたマルチプロセッサの性能Pが，

$$P = \frac{n}{1+(n-1)a}$$

で表されるとする。ここで，aはオーバーヘッドを表す定数である。例えば，a = 0.1，n = 4とすると，P ≒ 3なので，4台のCPUから成るマルチプロセッサの性能は約3になる。この式で表されるマルチプロセッサの性能には上限があり，nを幾ら大きくしてもPはある値以上には大きくならない。a = 0.1の場合，Pの上限は幾らか。

ア　5　　　　　　　　イ　10　　　　　　　　ウ　15　　　　　　　　エ　20

問2　キャッシュメモリ　　　　　　　　　　　　　　CHECK ▶ □□□

容量が *a* Mバイトでアクセス時間が *x* ナノ秒の命令キャッシュと，容量が *b* Mバイトでアクセス時間が *y* ナノ秒の主記憶をもつシステムにおいて，CPUからみた，主記憶と命令キャッシュとを合わせた平均アクセス時間を表す式はどれか。ここで，読み込みたい命令コードがキャッシュに**存在しない確率**を *r* とし，キャッシュ管理に関するオーバヘッドは無視できるものとする。

ア　$\dfrac{(1-r) \cdot a}{a+b} \cdot x + \dfrac{r \cdot b}{a+b} \cdot y$　　　　　　イ　$(1-r) \cdot x + r \cdot y$

ウ　$\dfrac{r \cdot a}{a+b} \cdot x + \dfrac{(1-r) \cdot b}{a+b} \cdot y$　　　　　　エ　$r \cdot x + (1-r) \cdot y$

2

有機ELディスプレイの説明として，適切なものはどれか。

ア　電圧をかけて発光素子を発光させて表示する。
イ　電子ビームが発光体に衝突して生じる発光で表示する。
ウ　透過する光の量を制御することで表示する。
エ　放電によって発生した紫外線で，蛍光体を発光させて表示する。

フェールセーフの考え方として，適切なものはどれか。

ア　システムに障害が発生したときでも，常に安全側にシステムを制御する。
イ　システムの機能に異常が発生したときに，すぐにシステムを停止しないで機能
　を縮退させて運用を継続する。
ウ　システムを構成する要素のうち，信頼性に大きく影響するものを複数備えるこ
　とによって，システムの信頼性を高める。
エ　不特定多数の人が操作しても，誤動作が起こりにくいように設計する。

　ジョブの多重度が1で，到着順にジョブが実行されるシステムにおいて，表に示す
状態のジョブA～Cを処理するとき，ジョブCが到着してから実行が終了するまでの
ターンアラウンドタイムは何秒か。ここで，OSのオーバヘッドは考慮しない。

単位　秒

ジョブ	到着時刻	処理時間（単独実行時）
A	0	5
B	2	6
C	3	3

問6　LRU方式でのページイン　　　　　　　　　　CHECK▶ ☐☐☐

　仮想記憶管理におけるページ置換えアルゴリズムとしてLRU方式を採用する。主記憶のページ枠が，4000，5000，6000，7000番地（いずれも16進数）の4ページ分で，プログラムが参照するページ番号の順が，1→2→3→4→2→5→3→1→6→5→4のとき，最後の参照ページ4は何番地にページインされているか。ここで，最初の1→2→3→4の参照で，それぞれのページは4000，5000，6000，7000番地にページインされるものとする。

　　ア　4000　　　　　　イ　5000　　　　　　ウ　6000　　　　　　エ　7000

問7　タスク管理　　　　　　　　　　　　　　　CHECK▶ ☐☐☐

　五つのタスクA〜Eの優先度と，各タスクを単独で実行した場合のCPUと入出力装置（I/O）の動作順序と処理時間は，表のとおりである。優先度"高"のタスクAとB〜Eのどのタスクを組み合わせれば，組み合わせたタスクが同時に実行を開始してから，両方のタスクの実行が終了するまでの間のCPUの遊休時間を最も短くできるか。ここで，I/Oは競合せず，OSのオーバヘッドは無視できるものとする。また，表の（　）内の数字は処理時間を表すものとする。

タスク	優先度	単独実行時の動作順序と処理時間（ミリ秒）
A	高	CPU(3) → I/O(3) → CPU(3) → I/O(3) → CPU(2)
B	低	CPU(2) → I/O(5) → CPU(2) → I/O(2) → CPU(3)
C	低	CPU(3) → I/O(3) → CPU(2) → I/O(3) → CPU(2)
D	低	CPU(3) → I/O(2) → CPU(3) → I/O(1) → CPU(4)
E	低	CPU(3) → I/O(4) → CPU(2) → I/O(5) → CPU(2)

問8　システム全体の稼働率　　　　　　　　　　CHECK▶ ☐☐☐

　稼働率が等しい装置を直列や並列に組み合わせたとき，システム全体の稼働率を高い順に並べたものはどれか。ここで，各装置の稼働率は0よりも大きく1未満である。

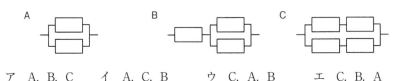

　　ア　A，B，C　　　イ　A，C，B　　　ウ　C，A，B　　　エ　C，B，A

2

問9　ウォッチドッグタイマ　　　　　　　　　　CHECK ▶ □□□

組込みシステムにおける，ウォッチドッグタイマの機能はどれか。

ア　あらかじめ設定された一定時間内にタイマがクリアされなかった場合，システ
　　ム異常とみなしてシステムをリセット又は終了する。

イ　システム異常を検出した場合，タイマで設定された時間だけ待ってシステムに
　　通知する。

ウ　システム異常を検出した場合，マスカブル割込みでシステムに通知する。

エ　システムが一定時間異常であった場合，上位の管理プログラムを呼び出す。

問10　論理回路図　　　　　　　　　　　　　　CHECK ▶ □□□

入力XとYの値が同じときにだけ，出力Zに1を出力する回路はどれか。

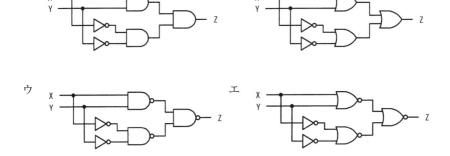

問11　メモリのアドレスの先頭番地　　　　　　　　　　　　CHECK ▶ ☐☐☐

　次の方式で画素にメモリを割り当てる640×480のグラフィックLCDモジュールがある。始点(5, 4)から終点(9, 8)まで直線を描画するとき，直線上のx＝7の画素に割り当てられたメモリのアドレスの先頭は何番地か。ここで，画素の座標は(x, y)で表すものとする。

〔方式〕
・メモリは0番地から昇順に使用する。
・1画素は16ビットとする。
・座標(0, 0)から座標(639, 479)までメモリを連続して割り当てる。
・各画素は，x＝0からx軸の方向にメモリを割り当てていく。
・x＝639の次はx＝0とし，yを1増やす。

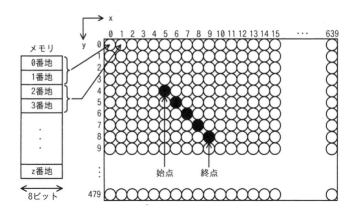

　　ア　3847　　　　　イ　7680　　　　　ウ　7694　　　　　エ　8978

2

■ 演習問題の解答

《解答》イ

$a = 0.1$ のとき，マルチプロセッサの性能Pの式は，次のように変形できます。

$$P = \frac{n}{1+(n-1)\times 0.1} = \frac{n}{0.9+0.1n} = \frac{1}{\frac{0.9}{n}+0.1}$$

ここで，nを大きくして，$n \to \infty$とすると，次のようになります。

$$\frac{0.9}{n} \to 0 \quad P \to \frac{1}{0+0.1} = 10$$

つまり，nをいくら大きくしても，Pの最大値は10以上にはなりません。したがって，**イ**が正解です。

《解答》イ

データのアクセスは，読み込みたいデータがキャッシュに存在する場合にはキャッシュメモリに，存在しない場合には主記憶にアクセスします。アクセス時間には容量は関係しないので，キャッシュに存在する確率が$(1-r)$で，そのときのアクセス時間がx［ナノ秒］，存在しない確率がrで，その時のアクセス時間がy［ナノ秒］として平均アクセス時間を求めると，

平均アクセス時間$= (1-r)\cdot x + r \cdot y$

となります。したがって，**イ**が正解です。

《解答》ア

有機ELディスプレイとは，電圧をかけると発光する有機EL現象を利用したディスプレイです。電圧をかけて発光素子を発光させて表示するので，**ア**が正解です。

イ　ブラウン管ディスプレイの説明です。

ウ　液晶ディスプレイの説明です。

エ　プラズマディスプレイの説明です。

《解答》ア

　フェールセーフとは，システムに障害が発生したとき，安全側に制御する方法です。したがって，**ア**が正解です。イはフェールソフト，ウはフォールトトレランス，エはフールプルーフの説明です。

《解答》11 [秒]

　ジョブは到着順に処理されるので，到着時刻からA, B, Cの順に実行されます。このとき，到着と処理の順番を図示すると，以下のようになります。

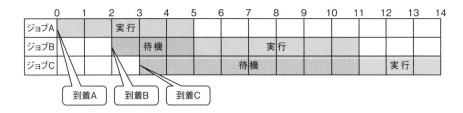

　ジョブCは3秒後に到着しますが，他のジョブが終わるまでの3秒後から11秒後までの8秒間待機します。さらに，ジョブCの実行に3秒かかるので，ターンアラウンドタイムは8＋3＝**11秒**になります。

（平成31年春 応用情報技術者試験 午前 問19）

問6

《解答》ウ

　最初の1→2→3→4の参照で，それぞれのページは4000，5000，6000，7000番地にページインされます。

以降のページ番号を順に見ていきます。

2　すでにページインされているので，変わりません。

5　存在しないのでページインしますが，ページ置換えアルゴリズムとしてLRU（Least Recently Used）方式を用いるので，参照されてからの期間が最も長い4000番地の1をページアウトして置き換えます。

3　すでにページインされているので，変わりません。

1　先ほどページアウトしたので，参照されてからの期間が最も長い7000番地の4をページアウトして置き換えます。

6　初出なので，参照されてからの期間が最も長い5000番地の2をページアウトして置き換えます。

5　すでにページインされているので，変わりません。

4　ページアウトしたので，参照されてからの期間が最も長い6000番地の3をページアウトして置き換えます。

まとめると，次のような順になります（ページインしたものが太字）。

```
ページ枠    1 2 3 4 2 5 3 1 6 5 4
    4000    1 1 1 1 1 5 5 5 5 5 5
    5000    - 2 2 2 2 2 2 2 6 6 6
    6000    - - 3 3 3 3 3 3 3 3 4
    7000    - - - 4 4 4 4 1 1 1 1
```

したがって，最後の参照ページ4は6000番地にページインされることとなり，ウが正解です。

問7　　　　　　　　　　　　　　（平成28年秋 応用情報技術者試験 午前 問17改）

《解答》**D**

　CPUの遊休時間を最も短くするには，優先度の高いタスクAがI/Oを行っている間にはまるようにCPUを動作させ，タスクAがCPUを使用している時間内にI/Oを終わらせるのが一番です。タスクAの単独実行時の動作順序と処理時間から，必要なタスクの条件を図にすると以下になります。

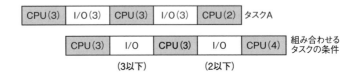

　タスクBは最初のCPU(2)で引っかかります。次のI/Oは3以下でないとCPUの空きが発生するので，タスクEは誤りです。次のCPU(3)で遊休時間がゼロとなっているのは**タスク D**のみで，これが最も遊休時間が短くなります。

問8　　　　　　　　　　　　　　（平成31年春 応用情報技術者試験 午前 問13）

《解答》**イ**

　各装置の稼働率をXとします。このとき，稼働率は0より大きく1より小さいので，$0 < X < 1$となります。ここで，A，B，Cそれぞれのシステム全体の稼働率A，B，Cは，次の式で表されます。

　　$A = 1 - (1 - X)^2$

　　$B = X \{1 - (1 - X)^2\}$

　　$C = 1 - (1 - X^2)^2$

　ここで，AとBの式では，単純に$B = X \times A$となっており，稼働率Xは$0 < X < 1$なので，$B < A$となります。また，AとCの式では，$0 < X < 1$のときには$X > X^2$となるので，$(1 - X)^2 < (1 - X^2)^2$となり，この値を1から引くと，$1 - (1 - X)^2 > 1 - (1 - X^2)^2$，つまり$A > C$となります。

　BとCに関しては，Bを展開すると$B = X(1 - 1 + 2X - X^2) = 2X^2 - X^3$，Cを展開すると$C = 1 - 1 + 2X^2 - X^4 = 2X^2 - X^4$となります。$C - B = X^3 - X^4 = X^3(1 - X)$で，Xが$0 < X < 1$のとき，この値は必ず正の値になります。つまり，$C > B$が成り立ちます。

　まとめると，システム全体の稼働率は$A > C > B$の順となります。したがって，**イ**が正解です。

問9　(令和3年秋 応用情報技術者試験 午前 問21)
《解答》ア

　ウォッチドッグタイマとは，番犬のように吠えるタイマです。あらかじめ設定された一定時間内にタイマがクリアされなければ，アラームなどでシステムに通知します。したがって，アが正解です。

　イ，エ　システム異常を検出した場合は，通常，すぐにシステムに通知します。

　ウ　システム異常は通常，発生を抑えることができないノンマスカブル割込みで通知されます。

問10　(令和4年秋 応用情報技術者試験 午前 問23)
《解答》ウ

　入力XとYの値が同じときにだけ，出力Zに1を出力する回路は，XとYの等価と呼ばれる回路です。次のような結果が予想されます。

X	Y	Z
0	0	1
0	1	0
1	0	0
1	1	1

　選択肢では，アが論理積素子(AND)，イが論理和素子(OR)，ウが否定論理積素子(NAND)，エが否定論理和素子(NOR)をそれぞれ三つ使用し，論理否定素子(NOT)と組み合わせることで回路を構成しています(論理回路の図記号は，問題文冒頭の「問題文中で共通に使用される表記ルール」(本書では付録の冒頭)で確認できます)。

　それぞれの選択肢の回路で，入力XとYに4種類の値を入れ，出力Zがどうなるかを確認すると，次のようになります。

ア

X	Y	Z
0	0	0
0	1	0
1	0	0
1	1	0

イ

X	Y	Z
0	0	1
0	1	1
1	0	1
1	1	1

ウ

X	Y	Z
0	0	1
0	1	0
1	0	0
1	1	1

エ

X	Y	Z
0	0	0
0	1	1
1	0	1
1	1	0

　したがって，結果が一致する**ウ**が正解です。

問11　　　　　　　　　　　　　（令和6年春 応用情報技術者試験 午前 問22）

《解答》**ウ**

　640×480のグラフィックLCDモジュールについて，直線を描画するときのメモリのアドレスを考えます。

　〔方式〕に，「1画素は16ビットとする」とあり，図のメモリの番地には，「8ビット」の記載があります。そのため，1画素当たりでは，16［ビット］／8［ビット／番地］＝2［番地］を使用します。さらに〔方式〕に，「各画素は，x＝0からx軸の方向にメモリを割り当てていく」とあるので，1画素当たりでx軸方向に2番地進むことになります。

　また，y軸方向では，〔方式〕に，「x＝639の次はx＝0とし，yを1増やす」とあり，xの値は0〜639で640画素です。そのため，1行につき640［画素］×2［番地／画素］＝1,280［番地］が必要となります。

　まとめると，ある画素(x, y)の番地は2×x＋1280×y で計算することができます。

　x＝7のときの直線の部分は，図の黒丸があるy＝6です。この画素(7, 6)の番地は，2×7＋1280×6＝7694［番地］となります。したがって，**ウ**が正解です。

第 **3** 章

技術要素

いろいろな情報技術について，実際の応用例での知識が問われるのが技術要素です。幅広い分野を学ぶことで，ITの全体像が見えてきます。分野は五つ。「ユーザーインタフェース」「情報メディア」「データベース」「ネットワーク」「セキュリティ」です。ユーザーインタフェースと情報メディアでは，近年の新しい技術について学びます。そして，データベース，ネットワーク，セキュリティでは，現在のITの基幹となっている三つの応用技術について学びます。応用情報技術者試験の午後ではそれぞれ1問ずつ出題される重要なポイントで，ボリュームがあって学習に時間がかかりますが，理解すると確実な得点源になります。

3-1 ユーザーインタフェース

ユーザーインタフェースとは，ユーザーとコンピュータとの間で情報をやり取りする際の考え方です。人間の特性を応用し，より直感的に認識できるような工夫をします。

3-1-1 ユーザーインタフェース技術

頻出度 ★★★

ユーザーインタフェースでは，一つ一つの操作画面などを使いやすくするだけでなく，インフォメーションアーキテクチャやアクセシビリティの考え方が重要になってきます。

■ 情報アーキテクチャ

情報アーキテクチャとは，情報を分かりやすく伝えたり，情報を探しやすくしたりするための表現技術です。Webサイト設計などでは次の3種類の要素が用いられます。

①サイト構造

Webサイトを分類し，階層構造で表現します。サイト構造を表現したページが，サイトマップです。

②ナビゲーション

Webサイト上で，ユーザーが求める情報を探し出し，適切に利用できるようにします。トップページからの道筋を示すことで今の位置が分かるパンくずリストなどがあります。

③ラベル

メニューやボタンに付けられた，ユーザーにとって分かりやすい名前です。

■ アクセシビリティ

アクセシビリティとは，高齢者や障害者などを含む様々な人が誰でも，サービスや製品などを利用できる度合いのことです。文字の判読が難しい人のために音声で画面情報を読み上げるス

勉強のコツ

基本的に午前で出題されるのみなので，問題を中心に用語を押さえておきます。また，ユーザビリティやインタフェース設計の考え方は，しっかり理解しておく必要があります。普段から画面やブラウザなどを意識して，どのようなインタフェースが使いやすいかを感じてみましょう。

技術要素の分野についての動画を以下で公開しています。
http://s//www.wakuwaku academy.net/itcommon/3

本書では記載しきれなかった基本的な内容や，正規化の手法などの手順について詳しく解説しています。
本書の補足として，よろしければご利用ください。

クリーンリーダーという技術がありますが，それを利用できるように画像などに文字情報を加えるといったことが，アクセシビリティを向上させる例です。

それでは，次の問題を考えてみましょう。

問題

　Webページの設計の例のうち，アクセシビリティを高める観点から最も適切なものはどれか。

　ア　音声を利用者に確実に聞かせるために，Webページの表示時に音声を自動的に再生する。
　イ　体裁の良いレイアウトにするために，表組みを用いる。
　ウ　入力が必須な項目は，色で強調するだけでなく，項目名の隣に"（必須）"などと明記する。
　エ　ハイパリンク先の内容が推測できるように，ハイパリンク画像のalt属性にリンク先のURLを付記する。

（平成30年春 応用情報技術者試験 午前 問24）

解説

　アクセシビリティを高めるためには，様々な利用者を想定し，どのような人でも分かるようにすることが大切です。色での強調は色が分からないと判別できないので，ウのように，"（必須）"などと明記することでより多くの人に対応できます。
ア　音声を強制的に聞かせることは迷惑になることもあり，また，音が聞こえないと効果はありません。
イ　レイアウトに表組みを用いると，人や機器（PC，携帯電話，スマートフォンなど）に合わせて柔軟にレイアウトを変更できないので，アクセシビリティを低下させます。
エ　alt属性は，画像が見えない場合の代替として画像の説明を加える，といった使い方をします。

≪解答≫ウ

過去問題をチェック

Webサイトのユーザーインタフェースに関する問題は，応用情報技術者試験の午前の定番です。
【Webサイトのユーザーインタフェース】
・平成21年春 午前 問25
・平成21年秋 午前 問25
・平成22年秋 午前 問26
・平成23年特別 午前 問26
・平成24年秋 午前 問23
・平成25年春 午前 問25
・平成27年春 午前 問24
・平成27年秋 午前 問71
・平成28年秋 午前 問24
・平成29年秋 午前 問24
・平成30年春 午前 問24
・令和3年春 午前 問26
・令和5年秋 午前 問24

発展

アクセシビリティを向上させるための方法には，ほかにもハイパリンク画像のalt属性に画像の説明を文章で加える，表示を状況に応じて変更できるよう**スタイルシート**（CSSなど）を用いるなどがあります。

■ ユーザーインタフェース（UI）

　UI（User Interface：ユーザーインタフェース）は，利用者（ユーザー）と製品・サービスを結び付ける接点です。UIのためのインタフェースには様々な種類があります。代表的なものは次のとおりです。

- **自然言語インタフェース**
    通常の言葉である自然言語で機械とやり取りするインタフェース
- **感性インタフェース**
    感性や心理情報をもとに機器が応答するインタフェース
- **ノンバーバルインタフェース**
    言葉やテキストを使わずに，アイコンなどで情報を伝えるインタフェース
- **VUI（Voice User Interface）**
    ユーザーがキーボードではなく音声で入力できるようにするインタフェース
- **マルチモーダルインタフェース**
    視覚と聴覚など，複数の方法を使用して，機器とやり取りできるインタフェース

　ユーザーインタフェースを考える際の設計方針として，ヒューリスティックスがあります。この分野の第一人者であるヤコブ・ニールセンが提唱する，ユーザーインタフェースに関する10か条のヒューリスティックスを以下に示します。

1.　システム状態の視認性
2.　システムと現実世界の一致
3.　ユーザーの主導権と自由
4.　一貫性と標準
5.　エラー防止
6.　想起より認識
7.　使用の柔軟性と効率性
8.　美的で最小限の設計
9.　ユーザーに対するエラー認識，判断，回復の援助
10.　ヘルプとドキュメント化

 用語

ヒューリスティックスとは「経験則」の意味で，今までの経験に基づいて共通する原則を生み出し，それを利用しようとするものです。この原則を用いてユーザビリティの評価を行う方法に，ヒューリスティック評価があります。

 発展

ヤコブ・ニールセンのユーザーインタフェースに関する10か条のヒューリスティックス は，「10 Usability Heuristics for User Interface Design」として，以下に原文が掲載されています。
https://www.nngroup.com/articles/ten-usability-heuristics/

■ GUI

GUI (Graphical User Interface) は,利用者がマウスなどを用いてコンピュータへの命令を行うためのインタフェースです。代表的なGUIの部品には,次のものがあります。

- **ラジオボタン**
  互いに排他的な幾つかの選択項目から一つを選択
- **チェックボックス**
  複数の選択肢の中から,任意の数を選択
- **リストボックス**
  複数の選択肢がリスト形式で表示され,一つまたは複数を選択可能
- **プルダウンメニュー**
  選択肢が隠れており,メニューを開くことで選択肢を表示し,一つを選択
- **ポップアップメニュー**
  あるアクション(クリックなど)に応じて表示される,選択肢のリスト
- **テキストボックス**
  ユーザーがテキストを入力・編集する領域
- **アイコン**
  ユーザーがシステムを認識する図柄

GUIの部品は,ユーザーが直感的に利用できるようにすることが大切です。他の部品と容易に区別できる**判別性**や,いったん理解した後にどれだけ容易に思い出すことができるのかという**習得性**などに注意を払う必要があります。

▶▶ 覚えよう !

☐ 情報の構造表現には**サイトマップ**,サイト内での位置を確認するには**パンくずリスト**

3-1-2 ◻ UI/UXデザイン

頻出度
★★★

UX/UIデザインでは，情報デザインの考え方を理解し，使いやすいユーザーインタフェースを作成することが大切です。

◻ UXデザイン

UXデザインは，顧客が製品やサービスを通じて得られる体験であるUX（User eXperience）を考慮したデザインです。利用者に理想的な体験をしてもらえるようなシステムやサービスを開発するために必要なUXデザインの考え方に，**UXデザインの5段階モデル**があります。ユーザー体験を構成する要素は次の五つです。

UXデザインの5段階モデル

要素	例
表層	ビジュアルデザイン
骨格	レイアウト・ナビゲーションデザイン
構造	モデリング
要件	要件定義
戦略	目的・目標設定

それぞれの要素が段階的かつ密接につながっています。

◻ 情報デザイン

情報デザインは，情報を可視化して構造化し，構成要素間の関係を分かりやすく整理するための手法です。デザインの原則は四つあり，次のことを意識する必要があります。

- **近接**：関連する要素を近づけてグループにする
- **整列**：要素にルールをもたせてレイアウトする
- **反復**：要素ごとに同じルールを繰り返す
- **対比**：要素の優先度を明快にデザインで示す

■ ユニバーサルデザインとアクセシビリティ

　ユニバーサルデザインとは，文化・言語・国籍・年齢・性別・障害・能力といった差異を問わずに利用できるデザインです。

　アクセシビリティとは，アクセスのしやすさや使いやすさのことです。WAI（Web Accessibility Initiative）では，ユニバーサルデザインを実現するために，Webアクセシビリティにおけるガイドラインを作成しています。また，Webアクセシビリティを向上させるための規格にJIS X 8341があります。

　スマートフォンやタブレットなどのスマート端末でのアクセシビリティを向上させる手法に，**モバイルファースト**があります。モバイルファーストを実現するための技術としては，端末の大きさに応じてWebデザインを変更する**レスポンシブWebデザイン**があります。

■ 画面設計

　画面設計においては，画面を標準化，及び共通化する必要があります。

　次の問題で画面設計のポイントを確認してみましょう。

問題

　ある業務用に開発した入力画面で，多くの利用者が誤操作していることが分かった。初めに実施する対策として適切なものはどれか。

　　ア　誤操作した利用者の操作記録をとり，インタビューして問題点を解析する。
　　イ　誤操作は慣れていないために起きることなので，利用者の習熟度を調べる。
　　ウ　入力画面を設計した人にインタビューして，問題点を明らかにする。
　　エ　プログラム設計書を調査して，設計に操作上の無理がないか分析する。

（平成21年秋 応用情報技術者試験 午前 問26）

過去問題をチェック

画面設計，帳票設計などのインタフェース設計の問題も，応用情報技術者試験の午前でよく出題されます。
【インタフェース設計】
・平成21年春 午前 問26
・平成22年春 午前 問26
・平成27年秋 午前 問24
・平成29年春 午前 問24

解 説

　画面設計で大切なのは，ユーザーを中心に考えることです。ア
クセシビリティを意識し，すべてのユーザーにとって使いやすい
画面を設計する必要があります。そのためには，誤操作したユー
ザーの操作履歴をとり，インタビューするなどして問題点を解析
することが大切になります。したがって，アが正解です。

　イについては，慣れた人でも誤操作は起こります。ウ，エのよう
に設計した人を中心に考えるとユーザーから離れた設計になってし
まうので，先にユーザーの意見を聞く必要があります。

《解答》ア

■ コード設計

　データを扱う上で，適切なコード体系を設計し，長期にわたっ
て利用できるようにすることは大切です。コードの種類には以下
のものがあります。

①順番コード（シーケンスコード）

　連続した番号を順番に付与します。

②桁別コード

　桁ごとに意味をもたせるコードです。先頭から，大分類，中分類，
小分類などの階層をもたせます。

③区分コード

　グループごとにコードの範囲を決め，値を割り当てます。区分
コードのうち，グループを連想できるようなコードのことをニモ
ニックコード（連想コード）といいます。

■ ユーザビリティ評価

　ユーザビリティとは，ユーザーにとっての使いやすさの度合い
です。「有効さ」「効率」「満足度」の三つの概念で表されます。

　ユーザビリティを評価するための方法には，次のようなものが
あります。

発展

桁別コードの主な例として
は，図書館の分類コードや，
学年＋組＋出席番号での学
籍番号などがあります。
区分コードは，ゼッケン番
号を付けるときに，男性は
1000番から，女性は6000
番から順番にコードを割り
振る場合などに用います。
桁別コードと比べて桁数を
短くできます。

①ユーザビリティテスト

実際にユーザーに使ってもらいながら問題点を洗い出します。

②ヒューリスティック評価

ユーザビリティの専門家が，これまでの経験に基づいて評価を行います。

③チェックリスト評価

ユーザビリティ基準表を使用し，基準を満たしているかどうかをチェックしていきます。

▶▶▶ 覚えよう！

☐ 端末の大きさに応じてデザインが変わるレスポンシブWebデザイン

☐ ヒューリスティック評価は，専門家が経験に基づいて判断

3-2 情報メディア

情報メディアとは，複数の種類の情報をまとめて扱うメディアです。文字，映像，動画，音声などは従来はそれぞれ別のものとして扱っていましたが，これらをデジタルデータにすることで同じように処理を行うことが可能になりました。

3-2-1 マルチメディア技術

マルチメディア技術には，音声処理，静止画・動画処理の技術があり，それらを統合する技術もあります。

音声処理

音声はアナログデータなので，これをデジタルデータにするにはA/D変換が必要になります。A/D変換を行って符号化したデータの形式が，PCM(Pulse Code Modulation)です。PCMではデータの容量が大きくなるため，多くの場合，MP3（MPEG Audio Layer-3）などの圧縮技術を使用して圧縮されます。

静止画処理

静止画のデータには，ラスターデータとベクターデータの2種類があります。ラスターデータは，画素（ピクセル）で構成された画像情報です。ベクターデータは，点や線，図形などの幾何学的形状を用いて表す画像情報です。テキストのフォントを表すときに，ラスターデータで表すフォントをビットマップフォント，ベクターデータで表すフォントをアウトラインフォントといいます。

静止画処理の形式には次のようなものがあります。

- **BMP**（Microsoft Windows Bitmap Image）
  単純にX軸，Y軸の座標と色を設定する画像形式
- **GIF**（Graphics Interchange Format）
  可逆（元に戻せる）圧縮の画像形式
- **JPEG**（Joint Photographic Experts Group）
  非可逆圧縮にすることで容量を小さくした画像形式

勉強のコツ

音声処理，画像処理，3D処理などについては頻繁に出題されます。それらの原理は第1章の基礎理論と深く関わっていますので，合わせて勉強していきましょう。

関連

「1-1-5 計測・制御に関する理論」でA/D変換，PCMについて説明しています。詳しい原理はそちらを参照してください。

発展

画像を表現するとき，ディスプレイ上では光を用いて表示するので，光の3原色が用いられます。赤，緑，青の3原色の組合せで様々な色を表現できます。例えば，3原色をそれぞれ8ビット（256段階）で表した場合には，24ビットで$2^{24}=$**16,777,216色**を表現することができます。

・PNG（Portable Network Graphics）

GIFの機能を拡張した形式。GIFは256色までしか扱えず，ライセンスに制約があるなどの問題がありますが，これらはPNGでは解消されており，利用が広がっています。

■ 動画処理

動画は画像や音声の集合体なので，ほかのデータと比べてサイズが大きいという特徴があります。そのため，基本的に圧縮されることになります。その形式は様々ですが，代表的な動画の保存形式はMPEG（Moving Picture Experts Group）です。動画処理の代表的な規格には主に次のようなものがあります。

・**MPEG-1**

1.5Mビット／秒程度の圧縮方式で，主にCD-ROMなどを対象とする

・**MPEG-2（H.262）**

数M〜数十Mビット／秒程度の圧縮方式で，主にDVDやBlu-rayなどを対象とする

・**MPEG-4**

数十kビット〜数百kビット／秒程度の低ビットレートの圧縮方式で，主にモバイル機器を対象とする。H.263をベースに拡張が図られている

・**H.264**

MPEG4規格のパート10として標準化され，Blu-rayなどで使用されている。**AVC**（Advanced Video Coding）またはMPEG-4 AVCとも呼ばれる

・**H.265**

4K/8K放送などで用いられる動画圧縮方式で，従来のH.264に比べて約2倍の圧縮性能を実現している。**HEVC**（High Efficiency Video Coding）とも呼ばれる。H.265の技術を活用している画像のフォーマットに，HEIF（High Efficiency Image File Format）があり，一つのファイルに複数の画像やアニメーションなど様々な情報を内包することが可能

過去問題をチェック

動画処理について，応用情報技術者試験では次の出題があります。
【MPEG-1】
・平成21年春 午前 問28
【H.264/MPEG-4 AVC】
・平成27年秋 午前 問25
・令和元年秋 午前 問25
・令和4年秋 午前 問25
【配信に必要な帯域幅】
・令和2年10月 午前 問25

■マルチメディアとXML

　マルチメディアコンテンツは，静止画，動画，音声，テキストなどの様々なメディアを統合します。XML（eXtensible Markup Language）は複数のデータを構造化して統合することに向いているので，XMLフォーマットでマルチメディアを表現する方法が普及しています。

　MPEGではMPEG-7がマルチメディア用のメタデータ表記方法の国際規格となり，XMLで記述されます。また，SMIL（Synchronized Multimedia Integration Language）は，同期させるレイアウトや再生のタイミングをXMLフォーマットで記述するマークアップ言語です。画像をベクターイメージで表現するSVG（Scalable Vector Graphics）も，XMLによって記述されています。

　それでは，次の問題を考えてみましょう。

問題

　W3Cで仕様が定義され，矩形や円，直線，文字列などの図形オブジェクトをXML形式で記述し，Webページでの図形描画にも使うことができる画像フォーマットはどれか。

　ア　OpenGL　イ　PNG　　　ウ　SVG　　　エ　TIFF

（令和3年春 応用情報技術者試験 午前 問27）

解説

　W3Cで仕様が定義された，図形オブジェクトをXML形式で記述する画像フォーマットは，SVG（Scalable Vector Graphics）です。したがって，ウが正解です。

　ア　2D／3Dのコンピュータグラフィックライブラリです。

　イ，エ　コンピュータでビットマップ画像を扱うファイルフォーマットです。

≪解答≫ウ

過去問題をチェック

マルチメディアの表現方法について，応用情報技術者試験では以下の出題があります。
【SMIL】
・平成23年特別 午前 問27
・平成25年秋 午前 問26
・平成28年秋 午前 問25
【PDF】
・平成26年春 午前 問24
【SVG】
・平成24年秋 午前 問34
・平成29年秋 午前 問25
・令和3年春 午前 問27

■ 電子書籍の規格

電子書籍は，テキストや静止画を中心としたマルチメディアのコンテンツを，電子的なファイルとしてネットワーク上で配布できるようにしたものです。

電子書籍をはじめとする文書ファイルを配布する規格には，文書ファイルの中に文字のフォントなどの印刷情報を埋め込むことができ，作成時と同じ形式で表示できる**PDF**（Portable Document Format）があります。また，電子書籍の代表的な規格として，**EPUB**（Electronic PUBlication）があります。EPUBには，各ページを画像で格納し，作成時と同じレイアウトで表示する**フィックス型**と，CSSを利用して，表示する環境に合わせてレイアウトを変更することができる**リフロー型**があります。

> ▶▶ 覚 え よ う !
>
> □　可逆圧縮がGIF，PNG。非可逆圧縮がJPEG
> □　MPEGの容量の大きさは，MPEG-4＜MPEG-1＜MPEG-2

3-2-2 ● マルチメディア応用

頻出度 ★★★

マルチメディアの応用に欠かせない技術としては，まずコンピュータグラフィックスが挙げられます。これらを応用して，テレビゲームやAR（Augmented Reality：拡張現実）などが開発されました。

■ グラフィックス処理

グラフィックス処理では，コンピュータ内で色を表現し画質を向上させます。グラフィックスソフトウェアで処理を行います。

①色の表現

コンピュータでの色の表現には，光の3原色（Red，Green，Blue）や色の3原色（Cyan，Magenta，Yellow）が使われます。これらの色では，加法混色や減法混色によって組み合わせを行い，さまざまな色が生成されます。コントラストやYUVフォーマットなどの技術を用いて，色の明度や彩度を調整し，リアルな画像を生成します。

②画像の品質

　画像の品質は，画素（ピクセル）と解像度によって決まります。画素は画像を構成する最小単位で，解像度は画像の細かさや精細さを表します。**dpi**（dot per inch）や **ppi**（pixels per inch）といった単位で表され，これらの値が高いほど画像は高品質となります。

③グラフィックスソフトウェア

　グラフィックスソフトウェアには，ペイント系（ラスター形式）とドロー系（ベクター形式）の2種類があります。ラスター形式において，周辺の要素との平均化演算などを行うことで斜線や曲線のギザギザを目立たないようにする技術を**アンチエイリアシング**と呼びます。さらに，一つ一つの画素では表現できる色数が少ない環境でも，いくつかの画素を使って見掛け上，表示できる色数を増やし，滑らかで豊かな階調を表現する手法を**ディザリング**といいます。

■ 3DCGのモデル

　3DCGでは，いろいろなモデルを考えて表現します。代表的なモデルを次に示します。

- ワイヤフレームモデル …… 物体をすべて線で表現する手法
- サーフェスモデル ………… 物体を面の集合として表現する手法
- ソリッドモデル …………… 物体を中身の詰まった固形物として扱う手法

　それでは，問題を解いて確認してみましょう。

問 題

　3次元の物体を表すコンピュータグラフィックスの手法に関する記述のうち，サーフェスモデルの説明として，最も適切なものはどれか。

ア 物体を，頂点と頂点をつなぐ線で結び，針金で構成されているように表現する。

イ 物体を，中身の詰まった固形物として表現する。

ウ 物体を，ポリゴンや曲面パッチを用いて表現する。

エ 物体を，メタボールと呼ぶ構造を使い，球体を変形させることによって得られる曲面で表現する。

（平成30年春 応用情報技術者試験 午前 問25）

解説

サーフェスモデルは，物体を面の集合として表現する手法なので，物体をポリゴンや曲面パッチで表現するウが正解です。ポリゴンとは，立体の形状を表現するときに使用する多角形のことで，曲面パッチは，曲面の表現形式とその表示のことです。

アはワイヤフレームモデル，イはソリッドモデル，エはメタボールの説明です。

《解答》ウ

■ 3DCGの制作技法

3DCGでは，コンピュータの演算によって3次元空間を2次元（平面上）の画面に変換します。次のような様々な技法があります。

①テクスチャマッピング

形状が決められた物体の表面に，別に用意された画像ファイル（**テクスチャ**）を貼り付ける方法です。

②メタボール

物体を**球や楕円体の集合**としてモデル化する方法です。

③レイトレーシング

光源からの**光線の経路**を計算することで光の反射や透過などを表現する方法です。光線が届かない場所が真っ黒になるという特性があります。

発展

3Dの制作技法は，実際に例を見てみるのが一番です。残念ながら紙面では表現に限界がありますので，ぜひ3DCGのWebページや3DCGソフトなどで体験してみてください。

④ラジオシティ

光の相互反射を利用して物体表面の光のエネルギーを算出することで，表面の明るさを決定する方法です。

⑤レンダリング

データとして与えられた情報を計算によって画像化することです。このとき，反射・透過方向への視線追跡を行わず，与えられた空間データのみから輝度を計算する方法を**ボリュームレンダリング**と呼びます。

⑥モーションキャプチャ

現実の人物や物体の動きをデジタルで記録し，解析する技術です。アニメーションやゲームなどのキャラクタに人間らしい動きをさせたりするために利用されます。

それでは，問題を解いて確認してみましょう。

問題

バーチャルリアリティに関する記述のうち，レンダリングの説明はどれか。

ア　ウェアラブルカメラ，慣性センサーなどを用いて非言語情報を認識する処理

イ　仮想世界の情報をディスプレイに描画可能な形式の画像に変換する処理

ウ　視覚的に現実世界と仮想世界を融合させるために，それぞれの世界の中に定義された3次元座標を一致させる処理

エ　時間経過とともに生じる物の移動などの変化について，モデル化したものを物理法則などに当てはめて変化させる処理

(令和5年秋 応用情報技術者試験 午前 問25)

過去問題をチェック

コンピュータグラフィックスについて，応用情報技術者試験では次の出題があります。
【コンピュータグラフィックス】
・平成21年秋 午前 問28, 問29
・平成22年春 午前 問28
・平成22年秋 午前 問27
・平成24年春 午前 問25
・平成24年秋 午前 問24
・平成26年秋 午前 問24
・平成28年春 午前 問26
・平成29年春 午前 問25
・平成30年秋 午前 問25
・平成31年春 午前 問25
・令和3年秋 午前 問25
・令和4年春 午前 問25
・令和5年春 午前 問25
・令和5年秋 午前 問25

解説

　レンダリングとは，データとして与えられた情報を計算によっ
て画像化することです。バーチャルリアリティの場合には，仮想
世界の情報をディスプレイに描画可能な画像に変換します。した
がって，イが正解です。
ア　ポジショントラッキングやモーショントラッキングの説明です。
ウ　幾何学的レジストレーションの説明です。
エ　シミュレーションの説明です。

≪解答≫イ

■マルチメディアテクノロジー

　近年発達しているマルチメディアのテクノロジーには，次のよ
うなものがあります。

①拡張現実（AR）

　拡張現実（AR：Augmented Reality）とは，人間が知覚する現
実の環境をコンピュータにより拡張する技術です。利用例として
は，レンズ越しに動画やナビを表示させたりするウェアラブルデ
バイスなどがあります。

②仮想現実（VR）

　仮想現実（VR：Virtual Reality，バーチャルリアリティ）とは，
実際の形はないか形が異なる物を，ユーザーの感覚を刺激する
ことによって理工学的に作り出す技術のことです。利用例として
は，振動や匂いなどで臨場感を出す映画やゲーム，遊園地のア
トラクションなどが挙げられます。

　それでは，次の問題を考えてみましょう。

問 題

拡張現実（AR：Augmented Reality）の例として，最も適切なものはどれか。

　ア　SF映画で都市空間を乗り物が走り回るアニメーションを，3次元空間上に設定した経路に沿って視点を動かして得られる視覚情報を基に作成する。

　イ　アバタの操作によって，インターネット上で現実世界を模した空間を動きまわったり，会話したりする。

　ウ　実際には存在しない衣料品を仮想的に試着したり，過去の建築物を3次元CGで実際の画像上に再現したりする。

　エ　臨場感を高めるために大画面を用いて，振動装置が備わった乗り物に見立てた機器に人間が搭乗し，インタラクティブ性が高いアトラクションを体感できる。

（平成27年春 応用情報技術者試験 午前 問25）

解 説

　拡張現実（AR）とは，人間が知覚する現実の環境をコンピュータにより拡張する技術です。現実の環境との合成で，実際には存在しない衣料品を試着したように見せることや，何もない草原に3DCGで作成した過去の建築物を合成して画像上に再現したりすることが可能です。したがって，ウが正解です。

　アはウォークスルーアニメーション，イは仮想世界（Metaverse），エは仮想現実（VR：Virtual Reality）の例です。

≪解答≫ウ

▶▶ 覚えよう！

- □　ワイヤフレームモデルは線，サーフェスモデルは面，ソリッドモデルは固体
- □　レイトレーシングは光源の経路，ラジオシティは相互反射

3-3 データベース

　データベースとは，もともとは「データの基地」という意味で，データを1か所に集め
て管理しやすくしたものです。データベースを運用・管理するためのシステムがデータ
ベース管理システム（DBMS：DataBase Management System）です。データベースを
理解する上では，DBMSの中に入るデータとDBMSの管理を分けて考えるところがポ
イントです。

3-3-1 データベース方式

　データベースの方式には様々なものがありますが，現在は関
係データベースが中心です。また，3層スキーマ（3層データモ
デル）にすることでデータの独立性を高めます。

■ データベースの種類と特徴

　データベースには，大きく分けて以下の4種類があります。

①階層型データベース

　データを階層型の親子関係で表現します。最も古くからある
手法であり，データ同士の関係はポインタで表します。

②ネットワーク型データベース

　階層型で表現できない，子が複数の親をもつ状態を表現します。

③関係データベース（リレーショナルデータベース：RDB）

　テーブル間の関連でデータを表現するデータベースです。数
学の理論を基にしているので，上記の2種類とは考え方がまった
く異なります。現在のデータベースの主流です。

④オブジェクト指向データベース（OODB）

　オブジェクト指向に対応したデータベースです。データと操作
を一体化して扱います。

📝 勉強のコツ

データベースについては，
午前では全体的にまんべん
なく出題されます。基本的
な用語や正規化の考え方，
トランザクション管理を中
心に押さえておきましょう。
午後で選択する場合には，
正規化，E-R図，SQLの三
つについては考え方をしっ
かり理解しておく必要があ
ります。特にSQLはよく出
てくるので，手書きで一か
ら書けるレベルまで練習し
ておきましょう。

 発展

データベースの種類は増
えており，キーバリュー型
データベース，ドキュメン
ト型データベース，グラフ
指向データベースなど様々
なものがあります。これら
はNoSQLと呼ばれており，
「3-5-5 データベース応用」
で取り上げています。

■データベースのモデル

　データベースを作成する際にモデリング（要件定義）が終わった段階でできるものは，全体のE-R図です。これが概念データモデルに該当します。これを，外部（システムの利用者やほかのプログラム）に向けたものが**論理データモデル**（外部モデル），内部（コンピュータやハードウェア）に向けたものが**物理データモデル**（内部モデル）です。また，データを具体的に表現したものが**スキーマ**であり，**概念スキーマ**，**外部スキーマ**（副スキーマ），**内部スキーマ**（記憶スキーマ）があります。まとめると，次のようなイメージです（ただし，データモデルとスキーマが1対1に完全に対応しているわけではありません）。

関連

E-R図についてはP.247で説明していますので，そちらを参照してください。

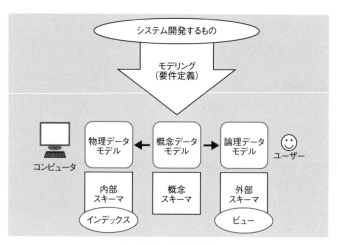

データベースのモデル

　このように3層に分ける理由は，**データの独立性**を高めるためです。ユーザーからの要求は日々変化しますが，そのたびにデータベースを変更していたら大変です。そのため，データベース構造の概念スキーマと外部スキーマを分け，ユーザーからの変更要求は**外部スキーマ**で吸収します。外部スキーマではビューを定義し，見せるための表を作ります。

　また，データベースの性能改善を行うときにデータベースそのものに影響を与えないよう，概念スキーマと内部スキーマを分け，変更は**内部スキーマ**で行います。そのため，内部スキーマではインデックスを定義し，検索を高速化します。

用語

概念データモデル（概念スキーマ）と論理データモデル（外部スキーマ）との間の独立性のことを**論理データ独立**，概念データモデル（概念スキーマ）と物理データモデル（内部スキーマ）の間の独立性のことを**物理データ独立**といいます。

■ DBMS（データベース管理システム）

DBMSの目的は，データを一つにまとめて管理することでデータの整合性を保ち，データを安全に保管することです。そのために，DBMSは次の三つの機能を備えています。

①メタデータ管理

データとその特性（**メタデータ**）を管理します。

②質問（クエリ）処理

クエリ（SQL）を処理します。

③トランザクション管理

複数のトランザクションの同時実行を管理します。そのために排他制御や障害回復などを行います。

また，DBMSにはセキュリティの機能もあります。前述したように，DBMSは階層型，ネットワーク型，関係型などに分けられ，現在は関係型のRDBMS（リレーショナルDBMS）が主流です。RDBMSにはセキュリティ機能を備えるものも多くなっています。

> **用語**
>
> **メタデータ**とは，データについてのデータです。本の情報を例にすると，「応用情報技術者教科書」がデータであり，それが「書籍名」であるということがメタデータです。
> DBMSでは，テーブル構造としてメタデータを管理します。

▶▶ 覚えよう！

- ☐ 3層に分けるのは，データの独立性を高めるため
- ☐ 外部スキーマはビュー，内部スキーマはインデックス

3-3-2 ● データベース設計　頻出度 ★★☆

データベース設計（モデリング）の手法には，大きく分けてトップダウンアプローチとボトムアップアプローチの2種類があります。

■ トップダウンアプローチ

全体から部分に落とし込むアプローチです。新しい要件や機能を追加する場合に使用します。流れは次のとおりです。

1. エンティティを洗い出し，リレーションシップを考えて **E-R図を作成**する
2. エンティティの**属性を洗い出し**，主キーを決定する
3. **正規化**を行い，多対多のリレーションシップを排除する

■ ボトムアップアプローチ

　部分から全体にまとめていくアプローチです。元の帳票やシステムが存在する場合に使用します。流れは以下のとおりです。

1. 帳票や仕様から**属性の洗い出し**を行う
2. 主キーを見つけ，テーブルの**正規化**を行う
3. テーブル構造から **E-R図を作成**する

■ 正規化

　トップダウンアプローチでもボトムアップアプローチでも，洗い出した属性に対して正規化を行います。正規化とは，正しい規則に従ってテーブルを分割することです。

　正規化の目的は，**更新時異状の排除**です。テーブルを分けてデータの重複を排除し，一つのデータを1か所に保管すること（1 fact in 1 place）により，データの**整合性**を保ちます。

　それでは，問題を解いて確認してみましょう。

発展

正規化の目的は「更新時異状の排除」なので，逆に言うと，更新しないのなら正規化は行わなくてもかまいません。
正規化を行うことで速度は遅くなることの方が多いので，性能のためにあえて正規化しないということもよくあります。

問題

　データの正規化に関する記述のうち，適切なものはどれか。

　ア　正規化は，データベースへのアクセス効率を向上させるために行う。

　イ　正規化を行うと，複数の項目で構成される属性は，単一の項目をもつ属性に分解される。

　ウ　正規化を完全に行うと，同一の属性を複数の表で重複してもつことはなくなる。

　エ　非正規形の表に対しては，選択，射影などの関係演算は実行不可能である。

（平成22年春 応用情報技術者試験 午前 問31）

解説

　正規化を行う際，非正規形から第一正規形にすると，すべての属性がシンプル（単一の項目をもつ属性）になります。したがって，イが正解です。

ア　アクセス効率は，正規化することによって低下することもあります。

ウ　同一の属性については，表同士の関係を表すために複数の表でもちます。

エ　関係演算は正規化の有無とは関係ありません。

≪解答≫イ

■主キー・候補キー

　正規化を行うにあたり，候補キーと主キーの概念はとても大切です。まず，候補キーとは，「**すべての属性を**一意に特定する**属性または属性の組で**最小のもの」です。

　例えば，次のような表（社員表）を考えてみます。

　社員（社員番号，氏名，メールアドレス）

　社員を一意に特定できるものとしては，まず社員番号が挙げられます。氏名は同姓同名の人がいるかもしれないので省きます。メールアドレスは，もっていない人もいますが，もっている人については一意です。こうした場合には，候補キーは{社員番号}，{メールアドレス} の二つになります。また，どの候補キーにも含まれない属性のことを非キー属性といいます。社員表の非キー属性は，候補キーではない{氏名}となります。

　次に，主キーを求めます。主キーはデータベースに実装するときに設定するキーなので，各テーブルの行を一意に特定するために，主キーには候補キーのうちの一つを選びます。そのため主キーの条件には，候補キーであることに加えて，「**NULLを含まないこと**」があります。NULLとは**空値**のことで，値がないときに設定するものです。したがって，主キーは{社員番号}になります。

発展

主キーの選び方を間違えると，整合性のあるデータベースができません。
そうすると，動くことは動くのですが，更新が大変だったりデータベースに矛盾が発生したりします。
主キー・候補キーは数学の概念で，人間の感覚とはちょっと違うので，注意が必要です。

それでは，問題で確認してみましょう。

問 題

関係データベースの候補キーとなる列又は列の組に関する記述として，適切なものはどれか。

ア　値を空値（null）にすることはできない。
イ　検索の高速化のために，属性の値と対応するデータの格納位置を記録する。
ウ　異なる表の列と関連付けられている。
エ　表の行を唯一に識別できる。

（平成22年秋 応用情報技術者試験 午前 問29）

解 説

候補キーは，表の行を唯一に識別できる列又は列の組なので，エが正解です。アの条件が加わると主キーになります。イはインデックスの説明，ウは外部キーの説明です。

≪解答≫エ

■ 関数従属性

関数従属性とは，ある属性Aの値が決まったら別の属性Bの値も一意に決定できることです。A→Bと表記します。例えば，商品番号→商品名という関数従属性があるときには，商品番号"1001"が決まれば商品名"冷やし中華"も決まります。

次の問題で，関数従属性について考えてみましょう。

問 題

六つのタプルから成る関係Rの単一の属性間において成立する全ての関数従属性を挙げたものはどれか。ここで，$X \rightarrow Y$は，XがYを関数的に決定することを表す。

用語

外部キーとは，異なる表と関連付けるためのキーです。次に説明する正規化などで，テーブルが分割されたとき，分割されたテーブルの主キーを元のテーブルに残すことで関連させることができます。この元のテーブルに残った属性が外部キーとなります。

発展

関数従属性や主キー，候補キーを考えるときのコツは，**常識で考えず，純粋にデータだけから導き出す**ことです。
常識では成り立つはず，ではなく，実際にデータの一つ一つをチェックして，本当に成り立っているかどうかを確認することが大切です。

3

R

A	B	C
300	阿部商店	3
300	阿部商店	3
400	鈴木商店	2
400	鈴木商店	2
500	鈴木商店	1
500	鈴木商店	1

ア　A→B

イ　A→C, C→A

ウ　A→B, A→C, C→A, C→B

エ　A→B, A→C, B→C, C→A, C→B

（平成24年秋 応用情報技術者試験 午前 問26）

解 説

　関係（表）Rを見ると，Aが300のときにはBは必ず阿部商店，Aが400，500のときにはBは必ず鈴木商店です。したがって，Aが決まればBは一意に決まるので，A→Bの関数従属性は成り立ちます。

　同様に，Aが300のときにはCは必ず3，Aが400のときにはCは必ず2，Aが500のときにはCは必ず1です。したがって，A→Cの関数従属性は成り立ちます。

　またAとCの場合は，逆から考えても，Cが3のときにはAは必ず300など，1対1に対応しているので，C→Aの関数従属性も成り立ちます。

　BとCの場合には，Cが3のときにはBは阿部商店，Cが2と1のときにはBは鈴木商店と，Cが決まればBは一意に決定できます。つまり，C→Bは成り立ちます。

　したがって，これらの四つの関数従属性を挙げているウが正解です。

≪解答≫ウ

■ 正規化の手順

正規化の実際の流れは、次のとおりです。

非正規形 → 第1正規形 → 第2正規形 → 第3正規形 → 高次の正規形

正規化の流れ

非正規形のテーブルを第1正規形にし、続いて第2正規形、第3正規形とテーブルを分割していきます。それぞれの正規形の条件は以下のとおりです。

①第1正規形

ドメインが**シンプル**であることです。シンプルとは、データベースの1マスにデータが一つだけ入っている状態です。そのために、繰返し属性を排除して単純な表にします。

②第2正規形

第1正規形で、すべての非キー属性が候補キーに**完全関数従属**していることです。完全関数従属とは、すべての属性が候補キーの全部に関数従属しているということです。そのために、候補キーの一部だけに関数従属している属性（部分関数従属性）を排除して、別の表にします。

③第3正規形

第2正規形で、すべての非キー属性がいかなる候補キーにも**推移的に関数従属**していないことです。推移的に関数従属するとは、A→B→Cのような形で、Aが決まればBが決まるが、Bが決まればAに関係なくCが決まるという関係です。このとき、Aは候補キー、Bは候補キー以外、Cは非キー属性である必要があります。そのため、候補キー以外の属性に関数従属している属性を排除し、別の表にします。

それでは、午後問題を例に、正規化を学習していきましょう。

発展

高次の正規形には、ボイスコッド正規形、第4正規形、第5正規形の三つがあります。ボイスコッド正規形は、正規化を行うことで情報が失われることもあるので、注意が必要です。
通常は、第3正規形までの正規化を行います。

用語

ドメインとは、データベースの1マス、つまり1まとまりのデータが入るスペースのことを指します。

3

旅行業務用データベースの設計に関する次の記述を読んで，設問1，2に答えよ。

旅行会社であるZ社では，四半期ごとにパッケージツアー（以下，ツアーという）の計画を作成し，発売開始後，申込みを受け付ける。Z社には，本社のほかに，地域ごとに支店があり，ツアーの申込みは，インターネットと支店店頭の両方で行える。また，ツアーの申込みに関するデータは，本社のデータベースで一括して管理する。

〔ツアー〕
・ツアーにはツアーコードが付されている。ツアーの内容が同じであれば，出発日が異なってもツアーコードは同じであるが，日数が異なればツアーコードは異なる。
・ツアーは，ツアーコードが同じでも，出発日によって価格が異なることがある。

〔ツアーに関する業務〕
・ツアーの申込みを受け付けたときには，申込番号，申込者の顧客番号，申込日，申し込んだツアーのツアーコード，そのツアーの出発日，参加人数を登録する。新規の顧客の場合には顧客番号を新たに設定し，顧客の氏名，住所，郵便番号，電話番号，電子メールアドレスを登録する。
・ツアーを申し込んだ顧客には，店頭での申込みかインターネットからの申込みかにかかわらず，それ以降，支店から四半期ごとにツアーなどに関する情報をダイレクトメールで送付する。顧客を担当する支店は，顧客の郵便番号によって決めている。発送は，その時点で担当となっている支店が行う。なお，支店間の業務量の均等化のために，担当範囲を随時見直すことにしている。

〔データベースの設計〕
・E-R図を作成してテーブル設計を行った結果，ツアーテーブル，申込みテーブル，顧客テーブル，支店テーブルの四つのテーブルから成るデータベースを作成することにした。

・E-R図を図1に，設計したテーブルを表1に示す。なお，表1に
おいて，下線の引かれた列名は，主キーである。

図1　E-R図

表1　テーブル設計

テーブル名	列名
ツアー	<u>ツアーコード</u>，<u>出発日</u>，日数，ツアー名称，価格
申込み	<u>申込番号</u>，顧客番号，申込日，ツアーコード，出発日，参加人数
顧客	<u>顧客番号</u>，氏名，住所，郵便番号，電話番号，電子メールアドレス，担当支店コード
支店	<u>支店コード</u>，支店名

〔データベースの運用〕

・ツアーテーブルには，四半期ごとにその期のツアー商品を追加す
る。当該四半期の間にツアーテーブルの内容が変更されることは
ない。

・ツアーの申込みを受け付けるごとに，申込みテーブルに行を1件
追加する。申込番号は，ツアーの申込み1件ごとに設定する。

〔正規化に関する検討〕

　ツアーテーブルの非キー属性の中には，候補キーに完全関数従
属していない属性が存在するので，ツアーテーブルは第2正規形
ではない。すなわち，非キー属性である　　a　　と　　b　　
が，候補キーの一部である　　c　　だけに関数従属している。

　顧客テーブルの非キー属性の中には，ほかの非キー属性を介し
て候補キーに関数従属（推移関数従属）している属性があるので，
顧客テーブルは第3正規形ではない。具体的には，非キー属性で
ある　　d　　は，やはり非キー属性である　　e　　に関数従
属している。ただし，Z社では，入力間違いなどの可能性を考慮し，
顧客テーブルの郵便番号は住所に関数従属しないものと考えている。

設問1　本文中の　a　～　e　に入れる適切な字句を
　　　　解答群の中から選び，記号で答えよ。

解答群
　ア　価格　　　　　イ　顧客番号　　ウ　氏名
　エ　住所　　　　　オ　出発日　　　カ　担当支店コード
　キ　ツアーコード　ク　ツアー名称　ケ　電子メールアドレス
　コ　電話番号　　　サ　日数　　　　シ　郵便番号

設問2　正規化に関する検討について，(1) ～ (3)に答えよ。
　(1)　テーブルが第2正規形ではない場合，一般的には様々な問
　　　　題が発生する可能性がある。しかし，ツアーテーブルの場合
　　　　にはそのような問題は発生しないと考えられる。その理由を，
　　　　本文の記述に照らし合わせて35字以内で述べよ。
　(2)　顧客テーブルが第3正規形でないために発生する問題を，
　　　　本文の記述に照らし合わせて60字以内で述べよ。
　(3)　顧客テーブルを第3正規形になるように分解せよ。新規に
　　　　追加するテーブルには適切なテーブル名を付け，表1に倣っ
　　　　て列名を記述し，主キーを示す下線を引くこと。

（平成21年秋 応用情報技術者試験 午後 問6抜粋）

解 説

設問1

・ツアーテーブル（空欄a，b，c）

　ツアーテーブル（ツアーコード, 出発日, 日数, ツアー名称, 価格）
では，ツアーコードと出発日が主キー（候補キー）です。日数，ツ
アー名称，価格が非キー属性ですが，問題文〔ツアー〕に，「ツアー
の内容が同じであれば，出発日が異なってもツアーコードは同じ
であるが，日数が異なればツアーコードは異なる」とあります。日
数とツアー名称は，出発日が異なっても同じなので，この二つの
属性はツアーコードのみに関数従属します。したがって，「非キー
属性である　空欄a：日数（サ）と　空欄b：ツアー名称（ク）が，候補
キーの一部である　空欄c：ツアーコード（キ）だけに関数従属して
いる」ので，ツアーテーブルは第2正規形ではありません。

　用語

このように，〔候補キーの
一部〕→〔非キー属性〕とい
うかたちで，候補キーの一
部分のみの属性に関数従属
が存在することを**部分関数
従属性**といいます。

・顧客テーブル（空欄d，e）

　顧客テーブル（顧客番号，氏名，住所，郵便番号，電話番号，電子メールアドレス，担当支店コード）では，顧客番号が主キー（候補キー）です。氏名，住所，郵便番号，電話番号，電子メールアドレス，担当支店コードが非キー属性ですが，問題文〔ツアーに関する業務〕に，「顧客を担当する支店は，顧客の郵便番号によって決めている」とあります。つまり，主キーである顧客番号から，｛顧客番号｝→｛郵便番号｝→｛担当支店コード｝という推移的な関数従属があることが分かります。したがって，「非キー属性である　空欄d：担当支店コード（カ）　は，やはり非キー属性である　空欄e：郵便番号（シ）　に関数従属している」ので，ツアーテーブルは第3正規形ではありません。

📖 **用語**

推移的関数従属性とは，このように，｛候補キー｝→｛候補キー以外｝→｛非キー属性｝というかたちで，推移的な関数従属が存在することです。このとき，候補キーに関係なく，｛候補キー以外｝→｛非キー属性｝の関係が成立します。

設問2

(1)

　テーブルが第2正規形でない場合には，一般に更新時異状の問題が発生します。例えばツアーテーブルでは，日数やツアー名称が変更されたときに，変更前のデータと変更後のデータで値が矛盾して不整合が起こります。しかし，問題文〔データベースの運用〕に，「当該四半期の間にツアーテーブルの内容が変更されることはない」とあり，変更が起こらないので，この問題は発生しません。したがって，**ツアーテーブルに追加された行がその後変更されることはないから**が理由となります。

(2)

　顧客テーブルが第3正規形でないため，同じ｛郵便番号｝→｛担当支店コード｝の関係が複数の列に記述されることになります。このとき，郵便番号に対する担当支店コードが変更されたら，同じ郵便番号のすべての行の担当支店コードを修正する必要があります。したがって，**支店の担当範囲が変更されると，顧客テーブルの該当するすべての行の担当支店コードを修正しなければならない**ことが問題となります。

　なお，(1)のように変更されないのなら問題はありませんが，問題文〔ツアーに関する業務〕に，「支店間の業務量の均等化のために，担当範囲を随時見直すことにしている」とあるので，変更されることが分かります。

(3)

　顧客テーブルを第3正規形になるように分割します。第3正規形にするときには，推移関数従属の｛顧客番号｝→｛郵便番号｝→｛担当支店コード｝の右の二つを取り出して別テーブルとし，真ん中の郵便番号を主キーとします。

　つまり，担当支店（郵便番号，担当支店コード）というテーブルができます。このとき，担当支店コードは顧客テーブルから削除されますが，郵便番号は，テーブル間の関連を示すため，外部キーとして顧客テーブルに残しておきます。

≪解答≫

設問1　a：サ，b：ク，c：キ，d：カ，e：シ　（aとbは順不同）

設問2

(1)

| ツ | ア | ー | テ | ー | ブ | ル | に | 追 | 加 | さ | れ | た | 行 | が | そ | の | 後 |
| 変 | 更 | さ | れ | る | こ | と | は | な | い | か | ら | | | | | （30字） | | |

(2)

支	店	の	担	当	範	囲	が	変	更	さ	れ	る	と	，	顧	客	テ
ー	ブ	ル	の	該	当	す	る	す	べ	て	の	行	の	担	当	支	店
コ	ー	ド	を	修	正	し	な	け	れ	ば	な	ら	な	い	。		

(52字)

(3)

テーブル名	列名
顧客	顧客番号，氏名，住所，郵便番号，電話番号，電子メールアドレス
担当支店	郵便番号，担当支店コード

※テーブル名：担当支店は，同じ意味であればほかの文言でも可

■ E-R図

　E-R図（Entity-Relationship Diagram）は，その名のとおり，エンティティ（実体）とリレーションシップ（関連）を表す図です。リレーションシップでは，対応関係（カーディナリティ）を記述しますが，対応関係には次の4種類があります。

①1対1のリレーションシップ

| 先生 | 生徒 |

　一つのデータに一つのデータが対応します。先生と生徒なら，

参考

対応関係（カーディナリティ）では，1，多のほかに，ゼロを含むかどうかで区別することもあります。ゼロを含むとは，対応するデータがないこともあるということです。1だと，必ず対応するデータがあるということになります。このような記述では，多くの場合UMLが使用されます。

家庭教師のようなマンツーマンの関係です。

②1対多のリレーションシップ

　一つのデータに複数のデータが対応します。先生と生徒なら，学校の担任のように先生1人で複数の生徒を教える関係です。

③多対1のリレーションシップ

　複数のデータに一つのデータが対応します。先生と生徒なら，複数の先生が1人の生徒に質問する面接のような関係です。

④多対多のリレーションシップ

　複数のデータに複数のデータが対応します。先生と生徒なら，学校のように複数の先生が複数の生徒を教える関係です。

　ボトムアップアプローチの場合，正規化したテーブルはそのままE-R図に変換できます。例えば，前掲の問題における顧客テーブルと担当支店テーブルは，次のようなE-R図になります。

　一つのテーブルが，一つのエンティティに対応します。リレーションシップは，**共通の属性"郵便番号"があるので**，それが二つの間の関連を表しています。郵便番号が一つに決まれば担当支店は一つに決まるので，**担当支店側のカーディナリティは1**，郵便番号が決まっても顧客は1人とは限らないので，**顧客側のカーディナリティは多**です。

参考

共通の属性といってもまったく同じ言葉である必要はなく，例えば，"社員番号"と"担当社員番号"のように，**同じ意味だと分かればOK**です。

また，1対多のリレーションシップの場合，1の方の主キー（または候補キー）が多の方の外部キーになります。したがって，担当支店テーブルの主キー"郵便番号"が顧客テーブルの外部キーになっています。

■ E-R図のUML表記

E-R図を，UMLのクラス図を用いて表記することもあります。この場合には，多は「*」と表現されます。また，UMLでの多重度では，ゼロを含むかどうかについても表記されます。「*」はゼロを含むので，UMLの多重度表記ルールで表現すると次のようになります。

多重度	意味
*	ゼロ以上の数字すべて
1..*	1以上
0..1	ゼロまたは1
1	1
a..b (a, bは任意の数字)	aからbまで

それでは，次の問題でUML表記を考えてみましょう。

問題

その月に受注した商品を，顧客ごとにまとめて月末に出荷する場合，受注クラスと出荷クラスとの間の関連のa，bに入る多重度の組合せはどれか。ここで，出荷のデータは実績に基づいて登録される。また，モデルの表記にはUMLを用いる。

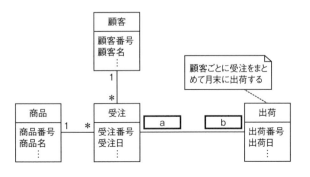

過去問題をチェック

応用情報技術者試験の午後に登場するE-R図の穴埋めでは，このリレーションシップ間の共通属性を問う問題が多く出題されます。

【リレーションシップ間の共通属性】
・平成21年春 午後 問6 設問1
・平成22年秋 午後 問6 設問1
・平成25年春 午後 問6 設問1
・平成25年秋 午後 問5 設問1
・平成27年春 午後 問6 設問1
・平成28年春 午後 問6 設問1
・平成28年秋 午後 問6 設問1
・平成29年春 午後 問6 設問1
・平成29年秋 午後 問6 設問1
・平成30年春 午後 問6 設問1
・平成30年秋 午後 問6 設問1
・平成31年春 午後 問6 設問1
・令和元年秋 午後 問6 設問1
・令和2年10月 午後 問6 設問1
・令和3年春 午後 問6 設問2
・令和3年秋 午後 問6 設問1
・令和4年春 午後 問6 設問1
・令和4年秋 午後 問6 設問1
・令和5年春 午後 問6 設問1

	a	b
ア	1	1..*
イ	1	0..1
ウ	1..*	0..1
エ	1..*	1..*

（平成26年秋 応用情報技術者試験 午前 問27）

解説

　空欄aについて，出荷に対する受注は，注釈に「顧客ごとに受注をまとめて月末に出荷する」とあるので，複数の受注に対して出荷が一つになることが分かります。受注した商品を出荷するため受注は必ずあることになるので，多重度は1..*です。

　空欄bについて，受注に対する出荷は，問題文に「その月に受注した商品を，顧客ごとにまとめて月末に出荷」とあり，月の途中では，受注に対する出荷は存在しないことになります。したがって，受注に対する出荷はないこともあると考えられ，多重度は0..1となります。

　これらを組み合わせると，ウが正解になります。

≪解答≫ウ

■ 制約

　関係データベースでは，正規化によって複数のテーブルにデータを分けますが，それぞれのテーブルにはリレーションシップ（関連）があります。そのリレーションシップを維持するため，テーブル間に制約をかけます。

　最も重要な制約は，参照制約です。二つのテーブル間のリレーションシップでの参照整合性を満たすため，外部キーを設定し，データの追加・削除に制限をかけます。

　前述の顧客と担当支店の例で考えてみましょう。

　参照制約では，多の方の（顧客）テーブルを作るときに，1の方の（担当支店）テーブルを参照して制約をかけます。このとき，

参考

参照制約のことを**外部キー制約**とも呼びます。これは，実装するときに外部キーを使って制約を書くからです。具体的には，顧客テーブルを作成するときに，SQLで次のように記述します。

FOREIGN KEY 郵便番号
REFERENCES 担当支店

顧客テーブルには**担当支店テーブルにない郵便番号の行は追加できません**。また，担当支店テーブルは，**顧客テーブルに残っている郵便番号の行は削除できません**。このようにして，二つのテーブル間の参照整合性を保ちます。

　その他の制約としては，一つの列に同じ値を入れることができない**一意性制約**，データに空値（NULL値）を許さない**非ナル制約**があります。**主キー制約**は，一意性制約と非ナル制約を合わせたものです。また，データの値一つ一つに制約をかけることを**ドメイン制約**と呼び，そのうち，データの範囲などの形式を制限するものを**検査制約**（CHECK制約，形式制約）といいます。

　それでは，問題を解いて確認してみましょう。

発展

実は，担当支店テーブルの郵便番号は，顧客テーブルに残っていても削除可能な場合があります。**CASCADE（カスケード）**という方法がその一つで，テーブル作成時にこのオプションを指定しておくと，担当支店テーブルの郵便番号が消えた場合には，対応する顧客テーブルのデータも一緒に削除します。

3

問題

　次の表定義において，"在庫"表の製品番号に定義された参照制約によって拒否される可能性のある操作はどれか。ここで，実線は主キーを，破線は外部キーを表す。

在庫（<u>在庫管理番号</u>，<u>製品番号</u>，在庫量）
製品（<u>製品番号</u>，製品名，型，単価）

ア　"在庫"表の行削除　　　イ　"在庫"表の表削除
ウ　"在庫"表への行追加　　エ　"製品"表への行追加

（平成22年秋　応用情報技術者試験　午前　問32）

解説

　在庫と製品の関連をE-R図に表すと，次のようになります。

　このとき，"在庫"表に行を追加する場合と，"製品"表から行を削除する場合に参照制約がかかります。"製品"表にないものを"在庫"表に追加する，まだ在庫があるのに"製品"表の製品を削除する，などが起こると参照整合性に異状が発生するので，これを阻

止します。したがって，ウが正解です。

≪解答≫ウ

■ パフォーマンス設計

データベースのパフォーマンスを向上させる方法は次の3種類です。

①データベース設計を変更する

データベース設計を変更し，テーブル構造やリレーションシップを変えることによってパフォーマンスを向上させます。代表的な方法に，正規化をあえて崩す**非正規化**があります。

②SQLのパフォーマンスチューニングを行う

SQLを効率良く処理できるように変更して，パフォーマンスを向上させます。テーブルの結合順序を変更したり，EXISTS句などを用いて判断を簡略化したりします。

③DBMSの機能を使う

DBMSを使って処理を高速化させます。インデックスを設定したり，データベースを再編成してアクセス効率を上げたりします。また，DBMSのデータをすべてメモリ上に展開する**インメモリデータベース**を用いると，ディスクとの入出力が必要なくなり，高速化が実現できます。

用語
EXISTS句は，「ある」か「ない」かを判定する演算子です。次のように用いられます。
WHERE EXISTS
(SELECT * FROM A)
( )の中のSQL文の答えが1行でもあればTRUE，1行もなければFALSEを返します。

■ 物理設計

データベースの物理設計では，アクセス効率，記憶効率を考えてデータベースの最適化を図ります。データの保存にハードディスクだけでなくRAIDやSSDを用いるなど，システム構成を変更することも物理設計の対象です。

■ 関係データベース以外のデータベース

オブジェクト指向でシステム開発を行う際は，オブジェクトを永続化させるためにデータベースが必要です。このために，オブジェクト指向用に**オブジェクト指向データベース**が開発されました。従来の関係データベースを利用してオブジェクト指向の

発展
近年，クラウドコンピューティングが普及しています。そこでデータベースも，仮想化技術を使って柔軟に伸縮させたり，複数サイトで冗長化させたりといったことに対応する必要が出てきました。こうしたことから，関係データベース以外の新しいデータベースもどんどん普及してくるでしょう。

データを連携する**O-Rマッピング**（オブジェクトリレーショナル
マッピング）という手法も一般的です。

　また，XMLのツリー構造をそのままデータベースで格納する
ための**XMLデータベース**も登場し，発展してきています。

||▶▶ 覚えよう **!**

□　主キーは行を一意に特定する最小の属性の組，NULLもダメ

□　第2正規形では部分関数従属，第3正規形では推移関数従属を排除

3-3-3 ● データ操作

頻出度 ★★☆

　データ操作を行う言語はいろいろありますが，関係データベー
スの操作を行うのはSQLです。SQLは演算を行うので，集合演
算や関係演算についての理解も必要です。

■ 集合演算

　データベースでは，次の集合演算と関係演算を用いることに
よってデータの集合を表現します。

集合演算（和，差，積，直積）
関係演算（選択，射影，結合，商）

　直積は，二つのリレーションのすべての組合せです。例えば，
集合Rと集合Sの直積R×Sは，次のようになります。

関連

和，差，積は，「1-1-1　離
散数学」で学んだ集合と同
じです。和がA＋B，差が
A－B，積がA・Bに対応
します。

R			S			R×S			
X	Y		X	Z		R.X	R.Y	S.X	S.Z
1	あ	×	1	か	=	1	あ	1	か
2	い		2	き		1	あ	2	き
3	う		3	く		1	あ	3	く
						2	い	1	か
						2	い	2	き
						2	い	3	く
						3	う	1	か
						3	う	2	き
						3	う	3	く

直積

関係演算の**選択**は**行**を取り出す操作，**射影**は**列**を取り出す操作です。そして，**結合**は，**直積**，**選択**，**射影**を組み合わせた操作です。RとSの**自然結合**の場合，次のようになります。

結合には，両方に共通する行を選択する**自然結合（内部結合）**のほかに，片方のテーブルだけに存在する行も選択する**外部結合**があります。

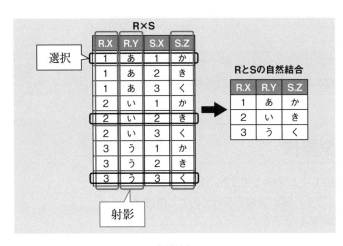

商演算は，リレーションの割り算です。R÷Sは，表Sのすべての属性の値を同時に満たす表Rの行を選び出し，Sの属性を取り除いた列を取り出す演算です。すべての商品を買ってくれている人などを抽出するときなどに使います。

自然結合

■ SQL

SQLは，関係データベースを記述するための言語です。SQLは，次の2種類に大別できます。

・**データ定義言語**（SQL-DDL：SQL Data Definition Language）
・**データ操作言語**（SQL-DML：SQL Data Manipulation Language）

またSQLには，単独で一つ一つ使用する方法以外にも，プログラム言語から呼び出したり，あらかじめ登録しておいた**カーソル**や**ストアドプロシージャ**を呼び出したりする方法もあります。

SQLには，ほかに，**データ制御言語**（SQL-DCL：SQL Data Control Language）があります。こちらは，アクセス権限を付与するGRANT文や，トランザクションを管理するCOMMIT，ROLLBACKなどの構文が含まれます。

■ データ定義言語（SQL-DDL）

データ定義言語では，**CREATE文**で新しくデータベースやテーブル，ビュー，インデックス，ストアドプロシージャなどを作成します。そこで作ったものを削除するのがDROP，変更するのがALTERです。例えば，前掲の正規化した顧客テーブルを作成すると次のようになります。

関係データベースの制約については，色文字で示します。

3

```
CREATE TABLE 顧客 (
顧客番号  INTEGER  PRIMARY KEY,    主キー制約
氏名    CHAR(20)    NOT NULL,    非ナル制約
住所    CHAR(100),              参照制約
郵便番号 CHAR(8) REFERENCES 担当支店 (担当支店コード),
電話番号  CHAR(12),
電子メールアドレス CHAR(30)  UNIQUE )  一意性制約
```

テーブルの作成

関連
CREATE TABLE文は、このようにテーブル名を定義したあとに列名を列挙します。その他の制約としては、形式制約にはCHECK句を用います。
また、制約についてはP.250を参照してください。

　また、ビューを作成するときには、以下の構文で元のテーブルを指定します。

　　　CREATE VIEW ビュー名 **AS** SELECT ～

　それでは、午後問題で軽く演習をしてみましょう。

参考
E-R図は、エンティティのみを書く場合と、この問題のような形式で書く場合があります。

エンティティ名
属性名1
属性名2
…

このとき、実線は主キー、点線は外部キーを示します。

問　題

販売管理システムに関する次の図を見て設問に答えよ。

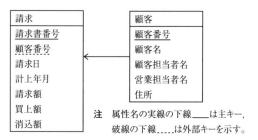

請求
請求書番号
顧客番号
請求日
計上年月
請求額
買上額
消込額

顧客
顧客番号
顧客名
顧客担当者名
営業担当者名
住所

注　属性名の実線の下線＿＿は主キー、
　　破線の下線……は外部キーを示す。

図1　販売管理システムのE-R図（抜粋）

```
CREATE TABLE 請求
(   a    CHAR(5),
顧客番号 CHAR(5), 請求日 CHAR(8), 計上年月 CHAR(6), 請求額 NUMERIC(10),
買上額 NUMERIC(10), 消込額 NUMERIC(10),
   b   (   a   ),
FOREIGN KEY ( 顧客番号 ) REFERENCES 顧客 (   c   ))
```

図2　請求テーブルのCREATE文

設問　図2中の　　a　　〜　　c　　に入れる適切な字句を答え，CREATE文を完成させよ。

（平成22年秋 応用情報技術者試験 午後 問6 設問2を再構成）

解　説

　図1を見ると，エンティティ"請求"には七つの属性があります。図2を見ると，請求書番号以外の六つの属性はすでに記述されているので，空欄aが**請求書番号**だと分かります。空欄aはもう1か所ありますが，図1を見ると請求書番号となっているので，この属性が主キーだということが分かります。したがって，空欄bは主キーを示す**PRIMARY KEY**となります。PRIMARY KEYはこのように，列の後にまとめて書く場合もあります。主キーが複数の列で構成される場合には，こちらが使われます。

　顧客番号は外部キーです。外部キーの表記方法では，主キーなどは省略できますが，すべて書くと構文は次のようになります。

　　FOREIGN KEY（外部キー名）REFERENCES 表名（主キー名）

　したがって，空欄cには顧客テーブルの主キーである**顧客番号**が入ります。

≪**解答**≫a：**請求書番号**, b：**PRIMARY KEY**, c：**顧客番号**

間違えやすい

PRIMARY KEY, FOREIGN KEYなどのスペルは間違えやすいので，正確に覚えておく必要があります。特に午後問題の空欄穴埋めで記述するときに，スペルミスがあるともったいないので注意しましょう。

■ データ操作言語（SQL-DML：SELECT）

　データ操作言語のうち最もよく使われるのは，検索して表示するためのSELECT文です。SELECT文の構文は次のとおりです。

```
SELECT * | [ALL | DISTINCT] <列名1> [, <列名2>, …. ]
    FROM <表名1> [, <表名2>, …, ]
          [JOIN <表名2> ON <結合条件>]
    [WHERE <検索条件> (AND <検索条件2> …)]
    [GROUP BY グループ化する列の位置（または列名）]
    [HAVING グループ化した後の行を抽出する条件]
    [ORDER BY 整列の元となる列 [ ASC | DESC ] ]
```

・[ ]内はオプション
・|はORを示し，いずれか一つを選択する

SELECT文の構文

 発展

テーブルの結合にJOIN句を用いる場合，内部結合（自然結合）の場合には，INNER JOINと記述します。外部結合の場合には，LEFT (OUTER) JOINまたは，**RIGHT (OUTER) JOIN**として，列を残す方のテーブルを左か右か指定して記述します。

　SELECT文に，射影して表示する列名を記述します。このとき，重複を許さない場合にはDISTINCTを用います。

　テーブルの結合は，使用する表名を**FROM**句で列挙して，結合に使う列名をWHERE句で指定する場合と，FROM句内で**JOIN**句を用いる場合の2通りがあります。

　WHERE句では，行を選択する条件を記述します。

　GROUP BY句は，グループ化，つまり指定された列の値が同じ複数の行を一つにまとめるものです。グループ化すると複数の行が一つになるので，元の行のデータは取り出せなくなります。グループ化後の選択条件は，**HAVING**句に記述します。

　ORDER BY句は，指定された列を使って整列します。

　それでは，問題を解いて確認してみましょう。

表Aから実行結果Bを得るためのSQL文はどれか。

A

社員コード	名前	部署コード	給料
10010	伊藤幸子	101	200,000
10020	斉藤栄一	201	300,000
10030	鈴木裕一	101	250,000
10040	本田一弘	102	350,000
10050	山田五郎	102	300,000
10060	若山まり	201	250,000

実行結果B

部署コード	社員コード	名前
101	10010	伊藤幸子
101	10030	鈴木裕一
102	10040	本田一弘
102	10050	山田五郎
201	10020	斉藤栄一
201	10060	若山まり

ア SELECT 部署コード, 社員コード, 名前 FROM A
　　　GROUP BY 社員コード

イ SELECT 部署コード, 社員コード, 名前 FROM A
　　　GROUP BY 部署コード

ウ SELECT 部署コード, 社員コード, 名前 FROM A
　　　ORDER BY 社員コード, 部署コード

エ SELECT 部署コード, 社員コード, 名前 FROM A
　　　ORDER BY 部署コード, 社員コード

(平成22年春 応用情報技術者試験 午前 問33)

解 説

　表Aと実行結果Bでは,行数が変わっていないことと,特にグルー
プでまとめられていないことから,GROUP BY句は使われていな
いことが分かります。また,実行結果Bを見ると,データは部署
コード順に整列されていて,さらに同じ部署コードなら社員コー

ド順に並んでいることが読み取れるので，**ORDER BY 部署コード，社員コード**というかたちで整列していることが分かります。したがって，エが正解です。

_____

≪解答≫エ

■ その他のデータ操作言語
（SQL-DML：INSERT, UPDATE, DELETE）

SELECT文以外のSQL-DMLは更新系SQLとも呼ばれ，INSERT文，UPDATE文，DELETE文の三つがあります。構文は，次のとおり簡単です。

```
INSERT INTO <表名> (<列名1>, <列名2>, …)
   VALUES(<値1>, <値2>, …)
   または
INSERT INTO <表名> (<列名1>, <列名2>, …)
   SELECT ～ （以降，通常のSELECT文）
```

```
UPDATE <表名> SET <列名1> = <値1>
[,<列名2> = <値2> …] WHERE <検索条件>
```

```
DELETE FROM  <表名> WHERE <検索条件>
```

上から，INSERT文，UPDATE文，DELETE文の構文

■ 副問合せ

SQL文の中でカッコを使用し，別のSQL文を呼び出すことができます。このとき，カッコ内のSQL文を**副問合せ**といいます。また，カッコ内とカッコ外で共通のテーブルを用い，外と中のSQL文を結び付けた問合せを**相関副問合せ**といいます。

問題を例に，副問合せを体感してみましょう。

勉強のコツ

INSERT は **INTO**，DELETE は**FROM**，UPDATEは何もなし。
細かいところですが，SQLではこういう細かい文法が問われます。
スペルミス，前置詞のミスが多いのがSQLの特徴なので，手書きをして確実に覚えましょう。

問 題

"商品"表に対して，次のSQL文を実行して得られる仕入先コード数は幾つか。

〔SQL文〕

```
SELECT DISTINCT 仕入先コード FROM 商品
  WHERE (販売単価 - 仕入単価) >
      (SELECT AVG (販売単価 - 仕入単価) FROM 商品)
```

商品

商品コード	商品名	販売単価	仕入先コード	仕入単価
A001	A	1,000	S1	800
B002	B	2,500	S2	2,300
C003	C	1,500	S2	1,400
D004	D	2,500	S1	1,600
E005	E	2,000	S1	1,600
F006	F	3,000	S3	2,800
G007	G	2,500	S3	2,200
H008	H	2,500	S4	2,000
I009	I	2,500	S5	2,000
J010	J	1,300	S6	1,000

ア 1   イ 2   ウ 3   エ 4

（令和4年秋 応用情報技術者試験 午前 問28）

発展

副問合せを接続するための方法にはまず，この問題の"＞"をはじめとした，"＜"，"＝"，"＞＝"，"＜＝"，"＜＞"といった演算子があります。それ以外にもIN，EXISTSなど，接続詞を用いて副問合せをつなげる場合もあります。

解 説

　"商品"表に対して，SQL文を実行した結果を考えます。〔SQL文〕のカッコ内にある副問合せ（SELECT AVG（販売単価 - 仕入単価）FROM 商品）は，表全体での販売単価と仕入単価の差の平均です。特に主問合せと相関しているわけではないので，先に計算が可能です。"商品"表からそれぞれの行に対する販売単価と仕入単価の差を求め，合計を計算すると，次のようになります。

商品コード	販売単価	仕入単価	販売単価－仕入単価
A001	1,000	800	200
B002	2,500	2,300	200
C003	1,500	1,400	100
D004	2,500	1,600	900
E005	2,000	1,600	400
F006	3,000	2,800	200
G007	2,500	2,200	300
H008	2,500	2,000	500
I009	2,500	2,000	500
J010	1,300	1,000	300
合計			3,600

平均（AVG）は，3,600 ÷ 10 = 360 となります。平均と比較し，主問合せのWHERE句で，（販売単価 − 仕入単価）> 360 を実行すると，得られる行は次のようになります。

商品コード	仕入先コード	販売単価－仕入単価	>360
A001	S1	200	
B002	S2	200	
C003	S2	100	
D004	S1	900	○
E005	S1	400	○
F006	S3	200	
G007	S3	300	
H008	S4	500	○
I009	S5	500	○
J010	S6	300	

条件に当てはまるものは，○が付いた4行です。

さらに，SELECT句で表示するのは，「DISTINCT 仕入先コード」となっているので，仕入先コードの重複は削除されます。S1が2行あるのでまとめられ，仕入先コードはS1，S4，S5の三つが表示されることになります。

したがって，ウが正解です。

《解答》ウ

■ その他のSQLの構文

そのほかに押さえておきたいSQLの構文としては，以下のものがあります。

①集計関数

SUM［合計］，AVG［平均］，MAX［最大］，MIN［最小］と，行をカウントするCOUNT (*) または**COUNT (列名)**があります。

発展

COUNT（列名）は，NULLでない行をカウントします。したがって，NULL値が含まれる場合には，COUNT (*) とすると結果が変わってきます。

②比較演算子

1行ずつ比較する演算子には，<，>，<=，>=，<> があります。複数行を比較するIN（含まれる）も比較演算子です。また，次の構文で，値1から値2までの範囲を指定することができます。

```
BETWEEN 値1 AND 値2
```

③評価を行う演算子

結果をTRUE（真）かFALSE（偽）で返します。EXISTS（1行でも存在する），NOT EXISTS（1行もない）がよく使われます。

④あいまいな条件を比較する演算子

あいまいな条件の比較にはLIKEを用います。例えば，氏名LIKE '吉井%' の場合は，「吉井」で始まる氏名を検索します。

参考

LIKEを使用するときに，0文字以上の任意の文字列を示すのに「%」（パーセント）を用います。
また，任意の1文字を示すのに「_」（アンダースコア）を用います。
これらのあいまいな文字を示す記号のことを，ワイルドカードといいます。

⑤SELECT文を合わせるUNION句

二つのSELECT文の結果を合わせる集合演算（**和演算**）を行う句にUNION句があります。二つのSELECT文の結果に同じ行があったとき，両方とも出力する場合にはUNION ALL，合わせて一つにまとめる場合には単にUNIONを使用します。

■ データ分析系SQL

データ分析では，データベースのデータを分析に適したかたちで前処理する必要があります。具体的には，欠損値や誤りのあるデータを削除する，NULL値を0に変換する，複数のテーブルをまとめて統合するなどの処理になります。

データ処理や加工でよく用いられるSQL文には，次のようなものがあります。

①CASE関数

　条件分岐処理を行う場合に使用するものです。SELECT文や UPDATE文で特定の条件のリストを評価し，_いくつかの取り得る値のうちから一つを選択します。

　一般的なCASE文では，次のようなかたちで条件式の結果による分岐を行います。

【構文】CASE文

```
CASE WHEN <条件式>
    THEN <条件式>に当てはまったときの結果
    [ELSE <条件式>に当てはまらなかったときの結果]
END
```

②COALESCE関数

　データの欠損値をデフォルト値に置き換える関数です。例えば，COALESCE(A, 0) のかたちで，A列の値がNULLでない場合はその値を，NULLの場合はデフォルト値(ここでは0)を設定します。

③CONCAT関数

　文字列を連結する関数です。CONCAT(A, B) で，A列とB列の値を連結します。

④ウィンドウ関数

　ウィンドウ関数(Window Function)は，OVER句を用いて表される，順序や範囲に応じた集計を簡単に行うための関数群です。ここでは，ウィンドウ関数の一つである平均を求めるAVG 関数を例として挙げます。

【構文】ウィンドウ関数(AVG)

```
AVG( <列名> ) OVER (
    [ PARTITION BY ウィンドウを分割する列名リスト]
    [ ORDER BY 整列列名リスト]
    [ フレーム句 ]
)
```

OVER句以下がウィンドウを指定する部分です。

PARTITION BY句で，ウィンドウの範囲を指定します。GROUP BY句の列名と同様，列名の値が同じ行をウィンドウとしてまとめます。

ORDER BY句で，順序を指定します。通常のSQL文のORDER BY句とほぼ同様ですが，整列される範囲はウィンドウの範囲内に限られます。

フレーム句では，フレームの範囲を指定します。フレームとは，ウィンドウ内で作成する枠です。

それでは，次の問題を考えてみましょう。

問題

"部品"表及び"在庫"表に対し，SQL文を実行して結果を得た。SQL文のaに入れる字句はどれか。

部品

部品 ID	発注点
P01	100
P02	150
P03	100

在庫

部品 ID	倉庫 ID	在庫数
P01	W01	90
P01	W02	90
P02	W01	150

〔結果〕

部品 ID	発注要否
P01	不要
P02	不要
P03	必要

〔SQL 文〕

```
SELECT 部品.部品ID AS 部品ID,
    CASE WHEN 部品.発注点 > [    a    ]
        THEN N'必要' ELSE N'不要' END AS 発注要否
FROM 部品 LEFT OUTER JOIN 在庫
    ON 部品.部品ID = 在庫.部品ID
GROUP BY 部品.部品ID, 部品.発注点
```

ア COALESCE(MIN(在庫.在庫数), 0)

イ COALESCE(MIN(在庫.在庫数), NULL)

ウ COALESCE(SUM(在庫.在庫数), 0)

エ COALESCE(SUM(在庫.在庫数), NULL)

(令和6年春 応用情報技術者試験 午前 問26)

解説

"部品"表と"在庫"表から〔結果〕の情報を取得する〔SQL文〕に関する空欄穴埋め問題です。

〔結果〕では，部品IDごとに発注要否を表示しています。〔SQL文〕ではCASE句を使用しており，

```
CASE WHEN 部品.発注点 > [    a    ]
    THEN N'必要' ELSE N'不要' END AS 発注要否
```

となっています。そのため，空欄aでは"部品"表の"発注点"列と比較する内容が必要です。

選択肢ア～エのすべてにあるCOALESCE関数は，引数の中で最初のNULLでない値を返す関数です。MIN(在庫.在庫数)では，"在庫"表の在庫数の最小値を取得します。SUM(在庫.在庫数)では，すべての在庫数の合計を取得します。

〔結果〕を順に見ると，部品IDがP01の部品は発注要否が不要となっています。〔SQL文〕のFROM句では，結合の条件が「ON 部品.部品ID = 在庫.部品ID」となっているため，"在庫"表では部品IDがP01である行が2行あり，それぞれの在庫数は90です。"部品"表での部品IDがP01である行の発注点は100で，どちらの行でも「部品.発注点 > 在庫.発注点」となります。そのため，MIN(在庫.在庫数)

では，100＞90となり，CASE句より，発注要否は'必要'となります。
〔結果〕では'不要'となっているので，SUM(在庫.在庫数)を計算し，
90＋90＝180とした値を比較対象として，不要と判断していると
考えられます。

　部品IDがP02の行は1行で，150＞150という比較となるので，
CASE句の条件に当てはまらず，'不要'となります。

　商品IDがP03の行は，"在庫"表には存在しません。〔SQL文〕
のFROM句では，「部品 LEFT OUTER JOIN 在庫」となっており，左
外部結合を使用しています。商品IDがP03の行では，対応する値
がないので，在庫.在庫数はNULLとなります。NULLのままで値
を比較すると，発注要否もNULLになってしまいます。そのため，
COALESCE(SUM(在庫.在庫数), 0)とすることで，SUM(在庫.在庫数)
がNULLの場合には0が返されます。そのため，100＞0という比
較となり，発注要否が'必要'となります。

　したがって空欄aは，COALESCE(SUM(在庫.在庫数), 0)を入れる
必要があり，ウが正解です。

≪解答≫ウ

■ カーソル

　カーソルは，一連のデータに順にアクセスするための仕組み
です。プログラムとともに用いられることが多く，1行ずつ読み
出して処理を行うのに向いています。

　　　DECLARE カーソル名 CURSOR FOR SELECT ～

　上記の構文でカーソル文を定義し，**OPEN**でカーソルをオー
プン，FETCHで1行ずつ取り込み，**CLOSE**でカーソルを閉じます。

■ ビュー

　ビューは，**見せるための表**です。導出表ともいいます。元の
表から必要なデータを選択し，表示します。見せるだけなので，
更新された場合は元の表に変更が加わります。すべてのビュー
が更新可能ではなく，元の行が特定できる必要があります。条
件は次のとおりです。

- **集計関数，DISTINCT，GROUP BY句**などで複数の行を一つにまとめていないこと
- **複数の表を結合していないこと**（ただし，元の行を特定できれば変更可能）

それでは，次の問題を考えてみましょう。

問 題

更新可能なビューを作成するSQL文はどれか。ここで，SQL文中に現れる基底表は全て更新可能とする。

ア CREATE VIEW 高額商品(商品番号, 商品名, 商品単価)
  AS SELECT 商品番号, 商品名, 商品単価
  FROM 商品 WHERE 商品単価>1000

イ CREATE VIEW 受注商品(商品番号)
  AS SELECT DISTINCT 商品番号 FROM 受注

ウ CREATE VIEW 商品受注(商品番号, 受注数量)
  AS SELECT 商品番号, SUM (受注数量)
  FROM 受注 GROUP BY 商品番号

エ CREATE VIEW 商品平均受注数量(平均受注数量)
  AS SELECT AVG (受注数量) FROM 受注

(令和5年秋 応用情報技術者試験 午前 問28)

解 説

選択肢のCREATE VIEW 〜 ASに続くSELECT文を確認し，更新可能なビューかどうかを判断します。更新可能なビューは，更新する行が1行に特定できるSELECT文で構成されます。

ア 単純な一つのテーブル"商品"にWHERE句の条件を付加しただけのビューです。そのため，元の表での行も特定でき，更新で問題は起こりません。正解です。

イ DISTINCTを使用し，複数の同一の値の行をまとめているので，更新できません。

ウ GROUP BY句を使用し，複数の行をまとめてグループ化して

いるので，更新できません。

エ AVG句を使用しています。GROUP BY句を使わずにAVG句を使うと，すべての行が1行に集約されるので，元の行が参照できなくなります。

≪解答≫ア

■ ストアドプロシージャ

ストアドプロシージャとは，データベースへの問合せを一連の処理としてまとめ，DBMSに保存したものです。使用するときには，プロシージャ名で呼び出すと，一連の処理を実行してくれます。

次の問題を解きながら，確認してみましょう。

問題

クライアントサーバシステムにおけるストアドプロシージャに関する記述のうち，適切でないものはどれか。

ア 機密性の高いデータに対する処理を特定のプロシージャ呼出しに限定することによって，セキュリティを向上させることができる。

イ システム全体に共通な処理をプロシージャとして格納しておくことによって，処理の標準化を行うことができる。

ウ データベースへのアクセスを細かい単位でプロシージャ化することによって，処理性能（スループット）を向上させることができる。

エ 複数のSQL文から成る手続を1回の呼出しで実行することによって，クライアントとサーバの間の通信回数を減らすことができる。

(平成27年秋 応用情報技術者試験 午前 問26)

解説

ストアドプロシージャは一つのプロシージャ呼出しで複数の処理を行うことができるので，処理性能（スループット）が向上します。データベースのアクセスを細かい単位でプロシージャ化する

過去問題をチェック

ストアドプロシージャについては，この問題のほかにも，応用情報技術者試験では次の出題があります。
【ストアドプロシージャ】
・平成21年春 午前 問31
・平成24年秋 午前 問25
・平成25年春 午前 問27
・平成25年秋 午前 問27
・平成29年秋 午前 問26
・令和5年春 午前 問27
・令和6年春 午前 問25

と，スループットは逆に低下します。したがって，ウが誤りです。

ア　機密性の高いデータは，プロシージャ呼出しに限定して，そこにアクセス制限をかけることによってセキュリティを向上させることができます。

イ　共通な処理をプロシージャ化しておくことで，標準化が図れます。

エ　ストアドプロシージャには，通信回数を削減する効果もあります。

≪解答≫ウ

3

▶▶ 覚 え よ う！

☐　PRIMARY KEY，FOREIGN KEY，EXISTSのスペルを正確に覚える！

☐　グループ化すると，元の行のデータは取り出せなくなる

3-3-4 ◉ トランザクション処理

　トランザクション処理を考えるときのポイントは，信頼性と性能の二つです。信頼性という点では，データベースの中のデータが失われたり改ざんされたりしないように適切に管理する必要があります。そのために，DBMSにはトランザクション管理機能があります。また，性能を向上させ，短い時間で応答するための工夫も大切です。

◉ トランザクション管理

　トランザクションとは，分けることのできない一連の処理単位です。例えば銀行の処理なら，Aさんの口座からBさんの口座に振り込む場合，次のような一連の処理が発生します。

Aさんの口座の残高を減らす→Bさんの口座の残高を増やす

　これらを途中で終わらせるわけにはいかないので，二つの処理をまとめてトランザクションとします。そのため，トランザクションには，技術的に満たすべき四つの性質があり，それをACID特性といいます。ACID特性は，次の四つです。

①原子性 (ATOMICITY)

　トランザクションは，完全に終わる（コミット），もしくは元に戻す（ロールバック）のどちらかでなければなりません。

②一貫性 (CONSISTENCY)

　トランザクションで処理されるデータは，実行前と後で整合性をもち，一貫したデータを確保しなければなりません。

③独立性 (ISOLATION)

　トランザクションAで変更中のデータを，トランザクションBで処理してはなりません。

④耐久性 (DURABILITY)

　いったんコミットしたら，そのデータは障害時にも回復できなければなりません。

それでは，次の問題でACID特性を確認していきましょう。

問題

トランザクションのACID特性のうち，耐久性（durability）に関する記述として，適切なものはどれか。

ア　正常に終了したトランザクションの更新結果は，障害が発生してもデータベースから消失しないこと

イ　データベースの内容が矛盾のない状態であること

ウ　トランザクションの処理が全て実行されるか，全く実行されないかのいずれかで終了すること

エ　複数のトランザクションを同時に実行した場合と，順番に実行した場合の処理結果が一致すること

（令和2年10月 応用情報技術者試験 午前 問30）

解説

耐久性（durability）とは，障害時の耐久があるかどうかの指標です。耐久性があると，障害が発生しても，障害までにコミットしたデータについては，データベースから消失しないことが補償されます。したがって，アが正解です。

イ　一貫性（consistency）に関する記述です。

ウ　原子性（Atomicity）に関する記述です。

エ　独立性（Isolation）に関する記述です。

≪解答≫ア

過去問題をチェック

トランザクション処理について，応用情報技術者試験では，ACID特性の内容を問う問題のほかに，それぞれの特性に対応する技術に関する出題もあります。
【ACID特性】
・平成23年特別 午前 問32
・平成24年春 午前 問30
・平成26年春 午前 問30
・平成27年春 午前 問30
・平成31年春 午前 問30
・令和4年秋 午前 問30
【障害回復】
・平成27年秋 午前 問30
・平成28年春 午前 問30
・平成28年秋 午前 問30
・令和元年秋 午前 問29
・令和5年秋 午前 問30
・令和6年春 午前 問27
【インデックス】
・平成27年春 午前 問29
・平成28年秋 午前 問27
・平成29年春 午前 問28
・平成30年秋 午前 問29
・令和5年秋 午前 問26

トランザクション管理では，これらの性質を満たすために排他制御を行い，障害回復機能をもちます。

■ 排他制御

二つのトランザクションを同時に実行し，同じデータを更新してしまいデータに矛盾が発生することがあります。それを防ぐためには，**排他制御**を行い，一度に一つのトランザクションしかデー

タの更新が行えないようにする必要があります。そのための方法にロックや**セマフォ**があります。

　また，排他制御ではなく，同時に複数のトランザクションを実行する方法として，**MVCC**（MultiVersion Concurrency Control：多版同時実行制御）があります。複数のユーザーの処理要求を同時並行性を失わずに処理し，可用性を向上させる制御技術です。具体的には，同時実行される二つのトランザクションがある場合，先発のトランザクションがデータを更新しコミットする前に，後発のトランザクションが同じデータを参照すると，更新前の値（書込み直前のスナップショット）を返すことで同時実行を可能にします。

■ ロック

　ロックとは，データへの参照や更新を一時的に制限する仕組みです。参照・更新するデータにロックをかけ，使用が終わったときにロックを解除します。ロックの種類には以下のものがあります。

①共有ロック／専有ロック

　データを参照するだけの場合には，複数のトランザクションで同時に実行しても問題ありません。そのために**共有ロック**をかけて，データの参照は自由に行えるようにします。データを更新する場合には，ほかのトランザクションに見えないように**専有ロック**（排他ロック）をかけ，参照もできないようにします。

②デッドロック

　二つのトランザクションで複数のデータを参照するとき，ロックのために互いのデータが使用可能になるのを待ち続けて，互いに動けない状態になることがデッドロックです。

 発展

デッドロックについては，データベース分野以外でもときどき出題されます。タスクの状態遷移での資源待ち状態や，オブジェクト指向でのデータアクセスなど，他分野でもデータを扱うときにデッドロックが起こる場合があるのです。

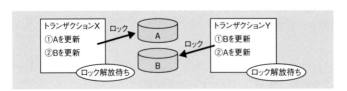

デッドロック

　デッドロックが起こらないようにするためには，複数のトランザクションにおいて**データの呼出し順序を同じにする**方法が効果的です。

③2相ロック

　複数のテーブルにロックをかける際，かけたり外したりするのではなく，ロックするときにはずっとかけ続け（**単調増加**），解除するときはずっと外した状態にしておく（**単調減少**）という考え方です。これにより，データベースの矛盾は起こりにくくなります。

■ トランザクションの隔離性水準

　トランザクションの独立性を完全に満たそうとすると一度に少数のトランザクションしか実行できなくなり，処理速度が大きく低下します。そのため，トランザクションの同時実行制御では，独立性のレベルである隔離性水準をいくつか設定しています。速度とデータの信頼性を天秤にかけ，業務に最適な隔離性水準（ISOLATION LEVEL。隔離性レベル，分離レベルとも訳す）を設定します。

　トランザクションの隔離性水準には，低い順に次の四つがあります。

①READ UNCOMMITTED（未コミット読取り）

　他のトランザクションで処理されている，コミットされていないデータを読み取ります。変更途中のデータを読み取ること（**ダーティリード**）ができるので，データの整合性が損なわれる可能性があります。その分，データベースの性能は四つの分離レベルのうち最も高くなります。

②READ COMMITTED（コミット読取り）

　他のトランザクションによりコミットされたデータのみを読み取ります。コミット前には古いデータ，コミット後には新しいデータを読み取るため，他のトランザクションのコミット前とコミット後の両方でデータの読取りを行うと値が変わってしまうこと（**ノンリピータブルリード**）があります。

③REPEATABLE READ（反復読出し可能）

　一つのトランザクションの実行中には，読取り対象のデータは何度呼び出しても変更されることがないことを保証します。しかし，呼び出したデータ以外はコミット後に新しくなるため，他のトランザクションが新たに追加したデータが途中で見えるようになる（**ファントムリード**）可能性があります。

④SERIALIZABLE（直列化可能）

　必ず直列化可能性が満たされるよう，トランザクションを同時実行制御します。トランザクションを複数並列で実行しても，順番に一つずつ実行したのと同じ結果になります。データの整合性が最も高い分，並行処理ができず，性能は低くなります。

■ セマフォ

　セマフォとは，複数のプロセスが共有するメモリなどの資源にアクセスするのを制御するための排他制御の仕組みです。同時に使用可能な共有資源の数を管理します。

　例えば，利用可能な共有資源が三つあり，どのプロセスも利用していない場合には，セマフォの値は3になります。ここで，一つのプロセスが利用するときに，利用を始める操作（P操作）を実行すると，セマフォの値は2となります。その後，利用を終えるときに，利用を終える操作（V操作）を実行すると，セマフォの値は3に戻ります。このように，セマフォを利用することで共有資源の管理が可能となります。

■ 障害回復処理

　データベースの障害には，大きく分けて次の三つがあります。

- トランザクション障害
- ソフトウェア（電源）障害
- ハードウェア（媒体）障害

　トランザクション障害とは，デッドロックのような，トランザクションに不具合が起こる障害です。トランザクション障害ではDBMSは正常に動いており，データの不具合はないため，DBMS

でロールバック命令などを実行することでのみ対処できます。

　ソフトウェア障害とは，ソフトウェアの実行中止などで，DBMSのデータに不具合が起こる障害です。ハードウェア障害とは，ハードディスクの故障などでデータが損傷するような障害で，バックアップデータを用いて復元する必要があります。ただし，バックアップ後に更新されたデータやソフトウェア障害時のデータの復元には，次に挙げるログファイルが使われます。

■ログファイルによる障害回復処理

　データベース障害に備えるために，データベース用のハードディスクとは別のディスクにログファイルを用意します。用意するログファイルは，更新前ログと更新後ログの二つです。データベースを更新したらその都度，更新する前のデータを更新前ログに，更新した後のデータを更新後ログに記述します。トランザクションがコミットしたら，その情報もログファイルに書き込みます。これは，データベースの内容は実際にはメモリ上でのみ更新されており，ハードディスク上のデータは不定期にしか更新されないためです。

　メモリからハードディスク上のデータベースに書込みを行うポイントが，チェックポイントです。チェックポイント後に更新されたデータは，障害が発生してメモリ上のデータが消えると失われてしまいます。そのためにログファイルを用意しておき，障害発生に備えます。

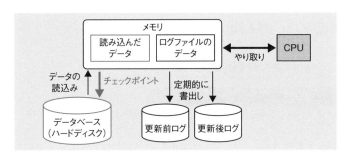

障害回復処理

　データベースに障害が発生したときにトランザクションのコミットが完了していた場合には，更新後ログを使って，チェック

用語

更新前ログと更新後ログで障害回復を行う方式を，undo/redo方式といいます。undo/redo方式とは，undo（一度実行したことを元に戻す）ことと，redo（以前の更新をもう一度行う）ことの両方を行う方式です。元に戻すためには更新前ログを利用したロールバックが必要で，更新をもう一度反映するには，更新後ログを利用して行うロールフォワードが必要です。

発展

更新前ログ，更新後ログに書き出されるのは，実際に行った操作ではなく実行結果のデータです。例えば，Aの値が100だったときにA＋100のトランザクションが実行された場合は，更新前ログには「A:100」，更新後ログには「A:200」という情報が格納されます。

ポイント後のデータを復元させます。この動作をロールフォワード（Redo，前進復帰）と呼びます。また，コミットが完了しないうちに障害が発生したときには，ハードディスクに書き込まれていた実行途中のデータをトランザクションの実行前の状態に戻す必要があります。そのためには，更新前ログを用いて復元させます。この動作をロールバック（Undo，後退復帰）といいます。ロールバック，ロールフォワードを用いて障害回復を行う方式をundo/redo方式といい，更新前ログと更新後ログの両方が必要です。

それでは，次の問題を解いてみましょう。

問題

チェックポイントを取得するDBMSにおいて，図のような時間経過でシステム障害が発生した。前進復帰（ロールフォワード）によって障害回復できるトランザクションだけを全て挙げたものはどれか。

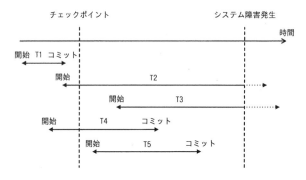

ア　T1　　　イ　T2とT3　　ウ　T4とT5　　エ　T5

（令和4年秋 応用情報技術者試験 午前 問29）

解説

図のトランザクションのT1～T5について，障害回復の方法を検討すると，次のようになります。

・T1　チェックポイント以前にコミットが終了しているので，すでにDBMSにコミット結果が反映されています。障害回復の必要はありません。

3

・T2 チェックポイントでトランザクションの途中で更新データ
が反映されており，コミット完了前にシステム障害が発生
しています。後退復帰（ロールバック）によってトランザク
ション開始前に戻し，障害回復する必要があります。

・T3 コミット前にシステム障害が発生しており，最初の状態に
戻す必要があります。チェックポイントを通過していない
ので，トランザクションの実行結果は保存されていないと
考えられ，何もする必要はないと考えられます（反映状況に
よっては，後退復帰（ロールバック）によって障害回復する
必要があります）。

・T4 チェックポイントでトランザクションの途中で更新データ
が反映されており，コミット完了後にシステム障害が発生
しています。前進復帰（ロールフォワード）によって，チェッ
クポイント以降の更新を反映させることで，コミット後の
DBMSの状態を回復できます。

・T5 チェックポイント後にトランザクションが開始され，コミッ
ト後にシステム障害が発生しています。前進復帰（ロール
フォワード）によって更新を反映させることで，コミット時
の状態を回復できます。

したがって，前進復帰（ロールフォワード）で障害回復できるト
ランザクションはT4とT5で，ウが正解となります。

≪解答≫ウ

■ データベースの性能向上

データベースの性能を向上させる方法として一般的なものが
インデックスです。インデックスとは，検索速度を上げるために
設定する索引であり，元のテーブルとは別に，キーとデータの場
所（ポインタ）の組を一緒に格納します。

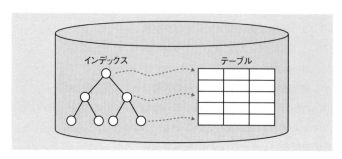

インデックス

　インデックスを使用することで，データの検索時には高速に
テーブルにアクセスできるようになります。しかし，インデック
スはテーブルを更新するたびに更新する必要があるので，イン
デックスを設定すると，かえって時間がかかることがあります。
　インデックスのデータ構造の代表的なものには，次のものがあ
ります。

①B木（B⁺木）

　B木は最も一般的で高速なインデックスで，完全多分木（バラ
ンス木）のデータ構造を用います。一つの根から二つ以上の分岐
を行い，2分探索木と同様の検索を行います。B木の応用として，
データをすべて葉に格納し，葉を順に探索することで順次での
検索も行える**B⁺木**があります。
　木構造での検索なので，検索条件は一つしか指定できず，複
数のインデックスを同時に使用することができません。

②ビットマップ

　ビットマップインデックスは，取り得る値の数が少なく，複
数の条件で検索される場合に利用されるインデックスです。取
り得る値のパターンをビットマップとして用意するので，AND，
OR条件などを組み合わせて検索することが可能です。

③ハッシュ

　ハッシュインデックスは，ハッシュ関数を用いた値を使用する
インデックスです。キーからハッシュ値を求め，その値からデー

タの格納位置を決めます。ハッシュ関数を利用するため，データが増えても検索を高速に行うことができます。

それでは，次の問題を考えてみましょう。

問題

"売上"表への次の検索処理のうち，B$^+$木インデックスよりもハッシュインデックスを設定した方が適切なものはどれか。ここで，インデックスを設定する列を＜＞内に示す。

売上（伝票番号，売上年月日，商品名，利用者ID，店舗番号，売上金額）

ア　売上金額が1万円以上の売上を検索する。＜売上金額＞
イ　売上年月日が今月の売上を検索する。＜売上年月日＞
ウ　商品名が 'DB' で始まる売上を検索する。＜商品名＞
エ　利用者IDが '1001' の売上を検索する。＜利用者ID＞

（令和5年秋 応用情報技術者試験 午前 問26）

解説

インデックスは，検索速度を上げるために設定する索引で，特定の列に対して設定します。ハッシュインデックスは，ハッシュ関数を利用して格納場所を計算するインデックスです。利用者IDをキーに，ハッシュ関数を用いて計算することで，利用者IDが '1001' の売上を検索するなど，特定の値の行を求めることを高速化できます。したがって，エが正解です。

ア，イ，ウ　1万円以上の売上金額，今月の売上年月日，DBで始まる商品名はいずれも，1行ではなく複数行の範囲です。このような場合は，大小関係で作成した木構造を用いるB$^+$木インデックスを設定するのが適しています。

≪解答≫エ

▶▶▶覚えよう！

☐　ACIDは原子性，一貫性，独立性，耐久性
☐　更新前ログでロールバック，更新後ログでロールフォワード

3-3-5 ● データベース応用

これまで扱ってきたトランザクションを中心とした処理のことをOLTP（Online Transaction Processing）といいます。日々の業務を行うのには適しているのですが，データを分析するのには向いていません。そこで，OLAP（Online Analytical Processing）という，複雑で分析的な問合せに素早く回答する処理方法が考えられました。

■ OLAP

OLAPでは，従来のOLTPのデータ，つまり関係データベースなどのデータのスナップショット（ある時点のデータベースの内容）を取り，別のデータベースに移します。そのとき，多次元データとして再構成することで，いろいろな次元（分析軸）での分析を可能にします。この，多次元データの集まりがデータウェアハウスです。

データウェアハウス

抽出したデータはファクトテーブルに格納されます。複数の関係データベースを統合する場合には，データクレンジングを行い，データの形式やコード体系を統一します。また，分析軸のデータはディメンション（次元）テーブルに格納されています。E-R図で示すと次のようなイメージです。

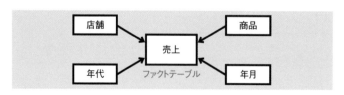

ファクトテーブルとディメンションテーブルの関係

 発展

ディメンションテーブルを階層化して，さらに細かく分析できるようにした構造もあります。こちらは，雪の結晶のように見えることから，スノーフレークスキーマと呼ばれます。

図の売上テーブルがファクトテーブルで，その他がディメンションテーブルです。それぞれの分析軸を基にデータの分析を繰り返します。このE-R図の構造は，星形に見えることからスタースキーマと呼ばれます。

データウェアハウスの基本操作を以下に挙げます。

①スライシング

多次元のデータを2次元の表に切り取る操作です。

②ダイシング

データの分析軸を変更し，視点を変える操作です。

③ドリリング

分析の深さを詳細にしたり，また，集計したりして変更する操作です。例えば，年月での分析を年単位にすることをドリルアップ，日単位にすることをドリルダウンといいます。ロールアップ，ロールダウンともいいます。

データウェアハウスなどに，統計学，パターン認識，人工知能などのデータ解析手法を適用することで新しい知見を取り出す技術のことをデータマイニングといいます。

それでは，次の問題を考えてみましょう。

過去問題をチェック
データウェアハウスやデータマイニングについて，応用情報技術者試験では次の出題があります。
【データマイニング】
・平成26年秋 午前 問29
・平成29年春 午前 問30
・平成29年秋 午前 問30
・令和4年春 午前 問30
【スタースキーマ】
・平成28年春 午前 問31
・令和3年春 午後 問6
　設問2
・令和6年春 午前 問28

3

問題

データウェアハウスのテーブル構成をスタースキーマとする場合，分析対象のトランザクションデータを格納するテーブルはどれか。

ア　サマリテーブル　　　イ　ディメンジョンテーブル
ウ　ファクトテーブル　　エ　ルックアップテーブル

（令和6年春 応用情報技術者試験 午前 問28）

解説

データウェアハウスのテーブル構成において，スタースキーマとは，中心に一つのファクトテーブルを配置し，その周囲に複数のディメンジョンテーブルを配置する形式のことを指します。分析対象となるトランザクションデータは，ファクトテーブルに格納されます。したがって，ウが正解です。

ア　サマリテーブルは，データの集計結果を保存するテーブルです。

イ　ディメンジョンテーブルは，ファクトテーブルのデータを解析する際の基準となる属性(時間，地域，商品など)を保存するテーブルです。

エ　ルックアップテーブルは，複雑な計算を簡単に行うために，入力値と出力値の対応を割り当てておくテーブルです。

≪解答≫ウ

■ 分散データベース

データベース中のデータを複数のデータベースに分散配置したデータベースが，**分散データベース**です。

分散データベースでは，複数のDBMSが並行して稼働します。そのため，一貫性(Consistency)・可用性(Availability)・分断耐性(Partition-tolerance)の三つの特性のうち，同時に保証できるのは最大二つまでで，三つ同時に満たすことができません。この理論を**CAP定理**といいます。

分散データベースは，ユーザーにデータの分散を意識させないようにするために透過的である必要があります。例えば，物理的に複数の場所に置かれたシステムであっても，全体で一つのシステムとして動く必要があります。そのために必要な仕組みが，2相コミットです。

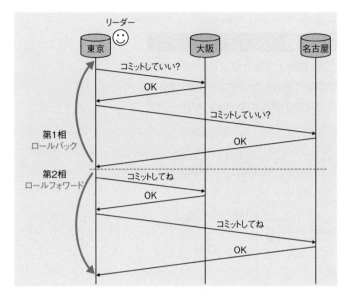

2相コミット

2相コミットでは、コミットを2段階に分けて考えます。ユーザーからの要求はリーダー（調停者）が受け、リーダーがほかのすべてのデータベースに「コミットしていい？」と問い合わせます。これが第1相で、この段階で一つでもNGが返ってきたら、全体をロールバックします。

全員からOKが返ってきたら、第2相に移ります。この段階では、「コミットしてね」と、すべてのシステムにコミットを強制します。この段階で失敗した場合は、ログファイルなどを使ってロールフォワードさせるなどして、すべてのシステムをコミットさせます。

リーダー以外のシステムでは、第1相の問合せに返答してから第2相の要求が来るまでの間は、コミットもロールバックもできない状態（セキュア状態）になります。

それでは、次の問題を解いて確認してみましょう。

　分散データベースにおいて図のようなコマンドシーケンスが
あった。調停者がシーケンスaで発行したコマンドはどれか。こ
こで，コマンドシーケンスの記述にUMLのシーケンス図の記法を
用いる。

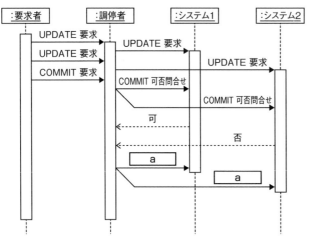

　ア　COMMITの実行要求
　イ　ROLLBACKの実行要求
　ウ　判定レコードの書出し要求
　エ　ログ書出しの実行要求

（平成26年春 応用情報技術者試験 午前 問29）

　問題の図はUMLのシーケンス図ですが，要求者のUPDATE
要求に対して，調停者がすべてのシステムにUPDATE要求を指
示しています。その後，2相コミットの第1相でCOMMIT可否問
合せが行われ，システム1からは“可”，システム2からは“否”の
応答が返ってきています。この状態ではコミットはできないので，
すべてのシステムをロールバックさせる必要があります。したがっ
て，「ROLLBACKの実行要求」を出すイが正解です。

《解答》イ

■ ビッグデータ

ビッグデータとは，通常のDBMS（関係データベースなど）で取り扱うことが困難な大きさのデータの集まりのことです。単にデータ量が多いだけでなく，様々な種類があり，非構造化データ（構造化できないデータ）や定型的でないデータなども含まれます。

扱うデータはすべて**データレイク**に保存します。分析などで加工する前のデータをデータレイクに保存しておくことで，様々な視点での分析や利用が可能になります。

ビッグデータを扱うための技術には，**グリッド・コンピューティング**，**データマイニング**，超並列コンピュータなどがあります。また，ビッグデータを集めるための情報として，インターネット上のWebサイトから自動的に情報を収集する**Webスクレイピング**などがあります。

■ NoSQL

ビッグデータは，通常の関係データベースでSQLを使用する処理に向いていません。そのため，様々な新しいデータベースが考案されており，それらのDBMSを総称して**NoSQL**と呼びます。

NoSQLに分類される主なデータベースには，次のものがあります。

● キーバリュー型（KVS：Key-Value Store）データベース

様々な形式のデータを一つのキーに対応付けて管理するデータベースです。値の型は定義されていないので，様々な型の値を格納することができます。

● ドキュメント型データベース（ドキュメントデータベース）

データ項目の値として，階層構造のデータをドキュメントという単位で管理することができるデータベースです。JSON形式のデータなどが格納されます。

● グラフ指向データベース（グラフデータベース）

グラフ構造をデータベースで実現するデータベースです。具体的には，グラフの一つ一つのデータをノードとして，ノードとノードの関係をリレーションとして定義します。ノードやリレー

> **用語**
>
> **グリッド・コンピューティング**とは，インターネットなどの広域ネットワークにある計算資源を結びつけ，一つの複合的なシステムとして使用する仕組みです。

ションは，情報としてプロパティをもつことができます。

それでは，次の問題を考えてみましょう。

問題

　ビッグデータの基盤技術として利用されるNoSQLに分類されるデータベースはどれか。

　ア　関係データモデルをオブジェクト指向データモデルに拡張し，操作の定義や型の継承関係の定義を可能としたデータベース

　イ　経営者の意思決定を支援するために，ある主題に基づくデータを現在の情報とともに過去の情報も蓄積したデータベース

　ウ　様々な形式のデータを一つのキーに対応付けて管理するキーバリュー型データベース

　エ　データ項目の名称，形式など，データそのものの特性を表すメタ情報を管理するデータベース

（令和6年春 応用情報技術者試験 午前 問29）

▶▶ 過去問題をチェック

ビッグデータやNoSQLについて，応用情報技術者試験では次の出題があります。最近出題が増えてきています。
【NoSQL】
・平成30年春 午前 問30
・令和3年春 午前 問28
・令和6年春 午前 問29
【ドキュメントデータベース】
・令和5年春 午前 問26
【データレイク】
・平成31年春 午前 問29
・令和3年春 午前 問31

解説

　NoSQLとは，関係データベース以外のデータベースで，大量のデータを高速に処理する場合などに使用されます。NoSQLに分類されるデータベースの代表的なものに，データをキーという単位で管理するキーバリュー型（KVS：Key-Value Store）データベースがあります。したがって，ウが正解です。

　アはオブジェクト指向型データベース，イはデータウェアハウス，エはデータディクショナリの説明です。

≪解答≫ウ

‖▶▶ 覚えよう！

□　視点を変えるのがダイシング，掘り下げるのがドリリング

□　分散データベースは，透過的であることが大事

3

3-4 ネットワーク

ネットワークはもともと，同じメーカーのコンピュータ同士を専用のケーブルでつないで通信するためのものでした。そのため，かつては様々な規格が存在し，メーカーの異なる機種同士を接続するのが困難でした。インターネットが普及した現在ではネットワークの接続にインターネットの技術を使うことが多く，電気通信事業者が提供するネットワークでも採用されています。

3-4-1 ネットワーク方式

頻出度 ★★☆

ネットワークの種類には，大きく分けてLAN（Local Area Network）とWAN（Wide Area Network）があります。また，ネットワークの方式には，回線交換とパケット交換があります。

■ LANとWAN

LANは，一つの施設内で用いられるネットワークです。WANは，広い範囲を結ぶネットワークです。といっても二つの違いは広さではなく，管理する人によって区別されます。ユーザーが主体となって運営・管理するのがLAN，電気通信事業者が関わる必要があるのがWANです。

■ 回線交換とパケット交換

初期のネットワークは，二つのコンピュータを直接結ぶ専用線によるものでした。接続する端末が増えるにつれ，多くの人が使える仕組みが必要になりましたが，その仕組みは回線交換とパケット交換の2種類に大別されます。

固定電話の回線などで使用されているのが，回線交換です。帯域（ネットワーク回線）を使用する端末を交換機で切り替えます。切り替えた帯域は占有できます。

一方，ネットワークを流れるデータをパケットという一つのかたまりにして，それに宛先を付けて送ることで回線を共有する方法がパケット交換です。インターネットやフレームリレー，ATM（Asynchronous Transfer Mode）などが代表例です。帯域を共有するので，通信速度は状況によって変わります。

✍ 勉強のコツ

午前は用語問題や計算問題が中心です。TCP/IP技術を中心に押さえておきましょう。
午後では，TCP/IP技術，LAN技術に関する出題がほとんどなので，それらをしっかり理解しておく必要があります。また，セキュリティ技術との関連が深いので，セキュリティについてもしっかり学習しておきましょう。

💻 間違えやすい

LANはユーザー自身が管理するので，技術や仕組みについての問題がよく出されます。WANは自分では設定できないので，技術よりもサービスの種類や通信量（通信料金）の計算が主な出題ポイントとなっています。

用語

電気通信事業者とは，NTTやKDDIなど，公共の場所にネットワークを構築することを許可された事業者です。

近年は，インターネットの普及によりパケット交換が主流になりました。それに伴い，従来は回線交換で行っていた通信もパケット交換のネットワークで行うことが増えています。その典型例がIP電話（VoIP：Voice over Internet Protocol）で，アナログ電話の音声をパケットにしてインターネットに流します。

■ 回線計算

通信回線は100％の性能を出せるとは限らないので，回線速度以外に伝送効率や**実効速度**を考えることが大切です。転送時間とデータ量，速度の関係は以下のようになります。

参考

通常，データ量はバイト単位，回線速度はビット単位で表されることが多いので，ビット／バイト換算（1バイト＝8ビットで変換）を忘れないようにしましょう。

$$転送時間 = \frac{データ量［バイト］\times 8}{回線速度［ビット／秒］\times 伝送効率}$$

それでは，実際の問題で練習してみましょう。

問 題

100Mビット／秒のLANに接続されているブロードバンドルータ経由でインターネットを利用している。FTTHの実効速度が90Mビット／秒で，LANの伝送効率が80％のときに，LANに接続されたPCでインターネット上の540Mバイトのファイルをダウンロードするのに掛かる時間は，およそ何秒か。ここで，制御情報やブロードバンドルータの遅延時間などは考えず，また，インターネットは十分に高速であるものとする。

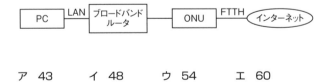

ア　43　　　イ　48　　　ウ　54　　　エ　60

（平成28年春 応用情報技術者試験 午前 問32）

過去問題をチェック

ネットワークの計算問題は，地味ですが応用情報技術者試験の定番です。
【回線のビット誤り率】
・平成21年秋 午前 問35
・平成25年秋 午前 問33
・平成30年春 午前 問33
・令和6年春 午前 問33
【転送時間】
・平成23年特別 午前 問35
・平成27年春 午前 問32
・平成27年秋 午前 問31
・平成29年秋 午前 問32
・平成30年春 午前 問31
・平成30年秋 午前 問31
・令和2年10月 午前 問32
・令和5年秋 午前 問31
【LANの利用率】
・平成23年秋 午前 問34
【パケット送出数】
・令和5年春 午前 問32

解説

PCからブロードバンドルータまでのLANでは，100Mビット／秒の回線速度で，伝送効率80％で通信するので，ダウンロードにかかる時間（転送時間）は，次のように計算できます。

$$転送時間 = \frac{540 \,[M バイト] \times 8}{100 \,[M ビット／秒] \times 0.8} = 54 \,[秒]$$

また，FTTHでは実効速度が90Mビット／秒なので，以下のようになります。

$$転送時間 = \frac{540 \,[M バイト] \times 8}{90 \,[M ビット／秒]} = 48 \,[秒]$$

回線速度を考える場合，全体でデータをやり取りするので，速度が最も低いところに合わせます。この場合はLANの方が遅いので54秒となり，ウが正解となります。

《解答》ウ

関連

ネットワークの計算問題では，単純な計算以外に，待ち行列モデルを考慮した計算も出てきます。また，PCMの変換に関する計算はネットワーク分野でも出題されます。
「1-1-2　応用数学」や「1-1-4　通信に関する理論」で確認しておきましょう。

▶▶ 覚えよう！

☐　**LANは施設内で自分で設置。WANは電気通信事業者が用意**

☐　**回線速度［ビット／秒］とデータ量［バイト］は×8が必要**

3-4-2 ● データ通信と制御

頻出度
★☆☆

データ通信を理解する上でポイントとなるのは，通信プロトコルと階層化の考え方です。データ通信を行う際は，機器の間でデータをやり取りする方法を約束事として決めておく必要があります。それが通信プロトコルです。

また，一つの通信プロトコルに役割を詰め込みすぎると，処理が変わったときに変更するのが大変なので，プロトコルを階層化させて役割を分けておきます。

発展

通信プロトコルは，実際にはコンピュータのプログラムとして実装されます。階層化は，機能を分割して独立させるという，プログラムを開発するときのモジュール分割と同じ考え方です。

● OSI基本参照モデル

ネットワーク階層化の考え方として最も有名なものが，OSI（Open Systems Interconnection）基本参照モデルです。コンピュータのもつべき通信機能を，次の七つの階層に分けて定義しています。

関連

通信プロトコルについては，「3-4-3　通信プロトコル」で詳しく解説します。

OSI基本参照モデル

発展

通信が行われるとき，OSI基本参照モデルでの上位層だけがつながることはありません。逆に，下位層だけつながることはあります。そのため，ネットワークのトラブルシューティングでは，下位層から順に接続を確認していき，どの層で障害が発生しているかを特定します。

　ユーザーが作成したデータは，通信に使用するアプリケーションに送られます。それがアプリケーション層です。その後，順にプレゼンテーション層，セション層……と送られ，最終的に物理層に到達し，電気信号として通信回線に流します。

　それぞれの層の機能や役割は，以下のとおりです。

第7層　アプリケーション層

通信に使う**アプリケーション**（サービス）そのものです。

第6層　プレゼンテーション層

データの**表現方法**を変換します。例えば，画像ファイルをテキスト形式に変換したり，データを圧縮したりします。

第5層　セション層

通信するプログラム間で**会話**を行います。セションの開始や終了を管理したり，同期をとったりします。

第4層　トランスポート層

コンピュータ内でどの通信プログラム（サービス）と通信するのかを管理します。また，通信の**信頼性**を確保します。

第3層　ネットワーク層

ネットワーク上でデータが始点から終点まで配送されるように管理します。ルーティングを行い，データを転送します。

第2層　データリンク層

ネットワーク上でデータが隣の**通信機器**まで配送されるように管理します。通信機器間で信号の受渡しを行います。

第1層　物理層

物理的な接続を管理します。電気信号の変換を行います。

それでは，次の問題で確認してみましょう。

問題

OSI基本参照モデルにおいて，アプリケーションプロセス間での会話を構成し，同期をとり，データ交換を管理するために必要な手段を提供する層はどれか。

ア　アプリケーション層　　イ　セション層
ウ　トランスポート層　　　エ　プレゼンテーション層

（平成22年春 応用情報技術者試験 午前 問36）

解説

アプリケーションプロセス間での「会話」を構成するのはセション層です。したがって，イが正解です。
トランスポート層では「信頼」，プレゼンテーション層では「表現」がポイントとなります。

《解答》イ

■LAN間接続装置

OSI基本参照モデルでは階層ごとに機能や役割が違うので，ネットワークに接続するときに必要となる装置も異なります。それぞれの階層で必要な機器は以下のとおりです。

①リピータ（第1層　物理層）

電気信号を増幅して整形する装置です。リピータの機能で複数の回線に中継するリピータハブが一般的です。すべてのパケットを中継するので，接続数が多くなってくるとパケットの衝突が発生し，ネットワークが遅くなります。

リピータ

②ブリッジ（第2層　データリンク層）

　データリンク層の情報（MACアドレス）に基づき，通信を中継するかどうかを決める装置です。ブリッジの機能で複数の回線に中継する**スイッチングハブ（レイヤ2スイッチ）**が一般的です。リピータに加えて，**アドレス学習機能**と**フィルタリング機能**を備えています。送信元のMACアドレスを**アドレステーブル**に学習し，宛先のMACアドレスがアドレステーブルにある場合に，そのポートのみにデータを送信します。

③ルータ（第3層　ネットワーク層）

　ネットワーク層の情報（IPアドレス）に基づき，通信の中継先を決める装置です。ルーティングテーブルによって中継先を決める動作を**ルーティング**といいます。スイッチングハブの機能にルーティングの機能を加えたレイヤ3スイッチもあります。

④ゲートウェイ（第4〜7層　トランスポート層以上）

　トランスポート層以上でデータを中継する必要がある場合に用います。例えば，PCの代理でインターネットにパケットを中継する**プロキシサーバ**や，電話の音声をデジタルデータに変換して送出する**VoIPゲートウェイ**などは，ゲートウェイの一種です。

　それでは，次の問題を解いてみましょう。

発展

スイッチングハブは，アドレス学習を行ってアドレステーブルに記憶するため，ハブ内にCPUとメモリを備えて演算します。そのため，リピータハブよりも壊れやすいという特徴があり，スイッチングハブは冗長化することが推奨されます。

問題

　スイッチングハブ（レイヤ2スイッチ）の機能として，適切なものはどれか。

　　ア　IPアドレスを解析することによって，データを中継するか破棄するかを判断する。

　　イ　MACアドレスを解析することによって，必要なLANポートにデータを流す。

　　ウ　OSI基本参照モデルの物理層において，ネットワークを延長する。

　　エ　互いに直接，通信ができないトランスポート層以上の二つの

過去問題をチェック

LAN間接続装置に関する問題は，応用情報技術者試験のネットワーク分野における定番です。
【ルータの機能】
・平成22年春 午前 問37
・平成23年秋 午前 問35
・平成28年秋 午前 問31
【スイッチングハブ】
・平成23年特別 午前 問36
・平成26年春 午前 問31
・平成30年秋 午前 問32
・令和2年10月 午前 問33
【ブリッジ】
・平成24年春 午前 問32

異なるプロトコルの翻訳作業を行い,通信ができるようにする。

(令和2年10月 応用情報技術者試験 午前 問33)

解説

スイッチングハブ(レイヤ2スイッチ)は,その名のとおり,レイヤ2,つまりOSI基本参照モデルの下から2番目のデータリンク層でパケットの転送を制御します。データリンク層のアドレスはMACアドレスで,スイッチングハブはMACアドレスに基づいて必要なLANポートにデータを中継するので,イが正解です。

ア ルータ(レイヤ3スイッチ)の機能です。
ウ リピータ(リピータハブ,レイヤ1スイッチ)の機能です。
エ ゲートウェイの機能です。

≪解答≫イ

■LANの方式

複数台のコンピュータでネットワークを共有するときは,競合しないように通信を管理することが重要です。そこで,トークンという送信権を設定し,トークンをもったもののみが通信できるトークンリングや,それを光ファイバで二重化したFDDI(Fiber-Distributed Data Interface)という方式が考えられました。

しかし,送信権の管理は複雑なので機器が高価になります。そこで,LANの標準規格であるイーサネットではもっと単純に,衝突したらそれを検出して再送するという仕組みが考えられました。これが,CSMA/CD(Carrier Sense Multiple Access with Collision Detection)方式です。CSMA/CD方式では次の手順で通信を管理します。

1. Carrier Sense ……………… 誰も使っていなければ使用可
2. Multiple Access ………… 全員向けに送る
3. Collision Detection …… 衝突が起こったら検出

衝突を検出したら,ランダムな時間待機をしてから再送を試みます。

 過去問題をチェック
CSMA/CD方式について,応用情報技術者試験では次の出題があります。
【CSMA/CD方式】
・平成24年秋 午前 問30
・平成25年春 午前 問32
・平成27年春 午前 問33
・平成28年春 午前 問33
・平成29年春 午前 問31
・平成29年秋 午前 問33
・令和元年秋 午前 問32
・令和6年春 午前 問30

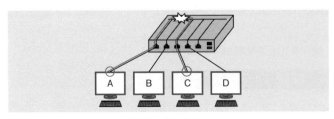

CSMA/CD方式

無線LAN

　無線LANは有線LANと違って電波を使用するので，衝突は検出できません。そのため，衝突を避けるための仕組みCSMA/CA（Carrier Sense Multiple Access with Collision **Avoidance**）方式が用いられます。CSMA/CA方式では，衝突を回避するために，送信の前に毎回待ち時間を挿入します。

　無線LANにはいくつか規格があります。代表的なものを次表に示します。

無線LANの規格

規格名	最大速度	周波数帯	世代
IEEE 802.11a	54Mbps	5GHz	
IEEE 802.11b	11Mbps	2.4GHz	
IEEE 802.11g	54Mbps	2.4GHz	
IEEE 802.11n	600Mbps	2.4GHz/5GHz	Wi-Fi 4
IEEE 802.11ac	6.9Gbps	5GHz	Wi-Fi 5
IEEE 802.11ax	9.6Gbps	2.4GHz/5GHz	Wi-Fi 6
		2.4GHz/5GHz/6GHz	Wi-Fi 6E
IEEE 802.11be	46Gbps	2.4GHz/5GHz/6GHz	Wi-Fi 7

　IEEE 802.11nやIEEE 802.11acでは，複数のアンテナで送受信を行うMIMO（Multiple Input Multiple Output）という技術と，複数の周波数帯を結合する**チャネルボンディング**という技術を使用することで高速化を実現しています。

　無線LANの代表的な機能には以下のものがあります。

①SSID（**Service Set Identifier**）

　無線LANでネットワークを識別するIDです。複数のアクセスポイントに同じSSIDを設定することができるので，**ローミング**

発展

無線LANでは，電波の届かない端末同士が同時にデータを送出してフレームが衝突する**隠れ端末問題**や，逆に他の端末の送信を確認しすぎてデータを送れなくなる**さらし端末問題**があります。

過去問題をチェック

有線LAN，無線LANやLAN間接続装置について，応用情報技術者試験では次のような出題があります。ネットワークには流行があり，同じ分野から連続して出題されることもあるので，直近の過去問題を押さえておくとよいでしょう。
【**無線LAN**】
・平成22年春 午後 問5
・平成22年秋 午後 問5
【**スイッチ**】
・平成28年春 午後 問5
・平成29年春 午後 問5
【**SSID**】
・平成29年秋 午前 問31

（アクセスポイントが変わっても接続が維持されること）が可能です。通常，アクセスポイントはビーコン信号を発信してSSIDを周囲に知らせるのですが，知らせないようにするステルス機能があります。

　また，どのアクセスポイントにも接続できる「ANY」という特殊なSSIDがあり，ここからの接続を受け付けないANY接続拒否の設定も可能です。

②暗号化

　無線LANの暗号化の規格としては，WEP（Wired Equivalent Privacy）があります。しかし，アルゴリズムに脆弱性があるため，より強度なWPA（Wi-Fi Protected Access）が規定されています。現在の最新バージョンはWPA3で，**WPA2**か**WPA3**の使用が推奨されます。

③認証

　無線LANでは，通信相手を認証し，制限を行います。最も単純なものにMACアドレス認証があり，MACアドレスを基にアクセスを制御します。また，認証規格であるIEEE 802.1Xを使い，複数の認証方式の中から選択して認証を行うことも多くあります。

■ スイッチの機能

　スイッチ（レイヤ2スイッチ，レイヤ3スイッチ）には，有線／無線にかかわらず次のような機能をもっているものがあり，信頼性やセキュリティを向上させています。

①スパニングツリー

　ネットワークの**冗長性**を確保するためのプロトコルです。スイッチをループ状に接続すると，パケットが永遠に巡回し続けるという問題があります。それを避けるために，優先するスイッチとそうでないスイッチを決め，論理的に接続を切断してループを止めます。

②VLAN（Virtual LAN：仮想LAN）

　一つのスイッチに接続されているPCを，論理的に複数のネッ

参考
IEEE 802.1Xは，有線LAN，無線LANの両方で使う認証規格です。IEEE 802.1Xでは，認証のために認証サーバを別途用意します。無線アクセスポイントなどの機器と認証サーバの間では，**RADIUS**（Remote Authentication Dial In User Service）というプロトコルを使って認証データをやり取りします。

トワークに分ける仕組みです。部署ごとに接続するVLANを分ける，または，ウイルス対策は専用のVLAN（**検疫VLAN**）に隔離して行うなどの使い方があります。

　VLANには，スイッチのポートごとにVLANを割り当てるポートベースVLANと，フレームにタグを付けることで同じポートで複数のVLANを利用することができる**タグVLAN**があります。タグVLANの規格にIEEE 802.1Qがあり，フレームにVLAN IDを付けて，接続するネットワークを制御します。

③認証スイッチ

　スイッチのポート一つ一つで認証を行い，アクセス制御を行うスイッチです。よく用いられる規格は，**IEEE 802.1X**です。VLANごとに認証を行うことで，認証VLANを実現できます。

■ ルータの機能

　ルータは，OSI基本参照モデルのネットワーク層までの接続を行う機器です。ルータの機能には，次のものがあります。

①異なるネットワークの接続

　ルータでは，異なるネットワーク間の中継を行います。例えば，家庭用のブロードバンドルータでは，家庭内のイーサネットと通信業者のWANサービスを中継します。

②IPパケットの転送

　宛先IPアドレスを基に，ルーティングテーブルを参照して，適切なネットワークにIPパケットを転送します。ルーティングテーブルを自動的に作成するため，RIP（Routing Information Protocol）などのダイナミックルーティングプロトコルを使用します。

③IPパケットの選別

　受け取ったIPパケットに対して，パケットフィルタリング機能を用いて不適切なパケットを破棄したり，QoS機能を用いて，優先して転送するパケットを区別したりします。

用語

パケットの呼び方のうち，データリンク層のヘッダーまで付いたパケット全体を**フレーム**と呼びます。ヘッダーがネットワーク層までの場合はIPデータグラム，トランスポート層までの場合はセグメントです。

④ルータの冗長化

障害に備えて，複数のルータを用意し，切り替えられるように
します。VRRP（Virtual Router Redundancy Protocol：仮想
ルータ冗長プロトコル）は，仮想ルータを設定し，ルータの冗長
化を行うためのプロトコルです。コンピュータには，他のネット
ワークに接続するときに使用するルータとして，**デフォルトゲー
トウェイ**を設定します。VRRPを使用することで，デフォルトゲー
トウェイを冗長化することができます。

それでは，次の問題を考えてみましょう。

問 題

ルータを冗長化するために用いられるプロトコルはどれか。

ア PPP　　イ RARP　　ウ SNMP　　エ VRRP

(令和6年春 応用情報技術者試験 午前 問32)

解 説

ルータを冗長化するために用いられるプロトコルには，仮想ルー
タを設定して仮想的にルータを冗長化するVRRP（Virtual Router
Redundancy Protocol）があります。したがって，エが正解です。

ア PPP（Point-to-Point Protocol）はデータリンク層での認証に用
いられるプロトコルです。

イ RARP（Reverse Address Resolution Protocol）は，MACア
ドレスからIPアドレスの解決に用いられるプロトコルです。

ウ SNMP（Simple Network Management Protocol）は，ネット
ワーク管理に用いられるプロトコルです。

≪解答≫エ

■LANの速度

LANは高速化し続けています。LANの種類を通信速度別に
分けると次のようになります。

①10メガビット・イーサネット

転送速度が10Mビット／秒であるイーサネットです。同軸ケーブルの10BASE2や10BASE5と，**カテゴリ3以上のUTP**(Unshielded Twisted Pair)ケーブルを使用する**10BASE-T**があります。

②100メガビット・イーサネット

転送速度が100Mビット／秒のイーサネットです。カテゴリ5以上のUTPケーブルを使用する**100BASE-TX**があります。

③ギガビット・イーサネット

転送速度が1Gビット／秒のイーサネットです。カテゴリ5e以上のUTPケーブルを使用する1000BASE-Tや，光ファイバケーブルを使用する1000BASE-SX，LXなどがあります。

④10ギガビット・イーサネット

転送速度が10Gビット／秒のイーサネットです。カテゴリ6以上のUTPケーブルを使用する**10GBASE-T**や，光ファイバケーブルを使用する10GBASE-SR，LRなどがあります。

■ 様々なネットワーク

ネットワークはイーサネットだけでなく，様々な機器や媒体を使ったものがあります。

①センサーネットワーク

複数のセンサー付きの無線端末が，互いに協調して環境や物理的状況のデータを採取する無線ネットワークです。

②PLC（Power Line Communication：電力線通信）

電力線を通信回線として利用する技術です。機器を既存のコンセントに差すだけでネットワークを構築できます。

用語

カテゴリとは，ツイストペアケーブルの規格です。主な利用目的は以下のとおりです。
カテゴリ1：電話線
カテゴリ2：ISDN
カテゴリ3：10BASE-T
カテゴリ4：トークンリング
カテゴリ5：100BASE-TX
エンハンストカテゴリ5（カテゴリ5e）：1000BASE-T
カテゴリ6：1000BASE-T（55m以下なら10GBASE-Tにも対応）
カテゴリ6a：10GBASE-T
カテゴリ7：10GBASE-T

▶▶ 覚えよう！

- □ プレゼンテーション層は表現，セション層は会話，トランスポート層は信頼
- □ 無線LANはWEP，WPAで暗号化，IEEE 802.1Xで認証

3-4-3 通信プロトコル

OSI基本参照モデルは7階層から成りますが，これは理論上のモデルです。実際の通信は，以降で説明するTCP/IPプロトコルスイートのように，4階層に分けて行われています。

TCP/IPプロトコルスイート

インターネットや多くの商用ネットワークで使われるプロトコルをまとめたインターネットプロトコルスイートです。最初に定義された最も重要な二つのプロトコルであるTCP（Transmission Control Protocol）とIP（Internet Protocol）にちなんで，**TCP/IPプロトコルスイート**と呼ばれます。次の4階層にまとめられますが，OSI基本参照モデルの7階層と切り口は同じです。

TCP/IPプロトコル	OSI基本参照モデル
アプリケーション層	アプリケーション層
	プレゼンテーション層
	セション層
トランスポート層	トランスポート層
インターネット層	ネットワーク層
ネットワークインタフェース層	データリンク層
	物理層

TCP/IPプロトコルとOSI基本参照モデル

ネットワークを流れるフレームの様子

ネットワークを流れるフレームでは，データ部分がアプリケーション層で生成されます。その後，トランスポート層（TCPなど）のヘッダーを付加し，さらにネットワーク層（IPなど）のヘッダーを加えます。最後に，ネットワークインタフェース層（イーサネットなど）でヘッダーやトレーラ（FCS：フレームチェックシーケンス）を付加して完成です。そのため，ネットワーク上を流れるフレームは，次図のような構成になります。

発展

実際のコンピュータでは，通常，トランスポート層とインターネット層は，TCP/IPプロトコルとしてOSに内蔵されています。そして，アプリケーション層のプログラムをサービスとしてインストールします。ネットワークインタフェース層に該当するのは，ドライバなどの，ハードウェアとのインタフェースです。

参考

HTTP，SMTPについてはこの節の「アプリケーション層のプロトコル」で，TLSについては「3-5-1 情報セキュリティ」で取り上げています。

イーサネットヘッダー			IPヘッダー			TCPヘッダー			
宛先MACアドレス	送信元MACアドレス	上位層プロトコル(IP)	送信元IPアドレス	宛先IPアドレス	上位層プロトコル(TCP)	送信元ポート番号	宛先ポート番号	アプリケーションデータ	FCS

フレーム

　この例では，イーサネットヘッダーの上位層プロトコルがIPで，IPヘッダーが続きます。IPヘッダーの上位層プロトコルはTCPで，TCPヘッダーが続きます。アプリケーションデータの種類は，ポート番号で区別します。

　ポート番号はアプリケーションプロトコルごとに決まっており，**ウェルノウンポート番号**と呼ばれます。例えば，HTTPでは80番，SMTPでは25番などです。トランスポート層より暗号化するTLSを利用するとポート番号が変わり，HTTPS（HTTP over TLS）では443番となります。

■ ネットワークインタフェース層のプロトコル

　ネットワークインタフェース層（物理層，データリンク層）の代表的な規格に，WANで使用される**PPP**（Point-to-Point Protocol）や**ATM**（Asynchronous Transfer Mode），主にLANで使用されるイーサネットがあります。

　PPPは，2点間を接続してデータ通信を行うためのプロトコルで，ダイヤルアップネットワークで使用されてきました。通信相手の認証や，IPアドレスの取得などを行います。

　ATMは，**53**バイトの固定長のデータであるセルを単位としてデータを送る通信プロトコルで，通信会社のバックボーン回線でよく用いられています。

　イーサネットは，プロトコルとして**CSMA/CD**方式を用い，MACアドレス（Media Access Control address）によって通信相手を決定します。**MACアドレス**は，各通信機器に固定で設定されているハードウェアアドレスで，同じネットワーク内で通信相手を識別するために使用されます。

　MACアドレスに関するプロトコルには，次のものがあります。

参考

HTTP，SMTPについてはこの節の「アプリケーション層のプロトコル」で，TLSについては「3-5-1 情報セキュリティ」で取り上げています。

用語

ADSLやFTTHで利用されるPPPは，イーサネット上でパケットを送る必要があります。そこで，**PPPoE**（PPP over Ethernet）という，イーサネットの上でPPPを使用するプロトコルを使用しています。

近年では，PPPoEに代わって，IPv6接続でのFTTHの通信を高速化するための規格である**IPoE**（Internet Protocol over Ethernet）も使われています。

発展

自分のPCのMACアドレスは，Windowsの場合はコマンドプロンプトで，
> ipconfig /all
と入力すると見ることができます。MACアドレスは物理アドレスともいわれます。MACアドレスは，一つのネットワークインタフェースにつき一つ割り当てられるので，無線LANと有線LANの両方に接続する場合は，1台の装置に二つのMACアドレスが割り当てられます。

① ARP（Address Resolution Protocol）

IPアドレスからMACアドレスを得るためのプロトコルです。通常，ネットワーク上で通信を開始するときには，IPアドレスは知っていてもMACアドレスは分かりません。そこで，「このIPアドレスに該当する人は，MACアドレスを教えてください」というARP要求パケットをブロードキャスト（全員向けのパケット）で送出します。IPアドレスが該当する場合は，ARP応答パケットをユニキャスト（相手だけに向けたパケット）で送出します。

② RARP（Reverse Address Resolution Protocol）

MACアドレスからIPアドレスを得るためのプロトコルです。ハードディスクがなく，自分のIPアドレスを保持しておけないPCなどが利用します。

それでは，問題を解いて確認していきましょう。

問題

TCP/IPに関連するプロトコルであるRARPの説明として，適切なものはどれか。

ア　IPアドレスを基にMACアドレスを問い合わせるプロトコル
イ　IPプロトコルのエラー通知及び情報通知のために使用されるプロトコル
ウ　MACアドレスを基にIPアドレスを問い合わせるプロトコル
エ　ルーティング情報を交換しながら，ルーティングテーブルを動的に作成するプロトコル

（平成22年秋 応用情報技術者試験 午前 問36）

解説

RARPは，MACアドレスを基にIPアドレスを問い合わせるプロトコルです。したがって，ウが正解です。

アはARP，イはICMP，エはダイナミックルーティングのプロトコル（RIP，OSPFなど）の説明です。

≪解答≫ウ

 過去問題をチェック

インターネットのプロトコルについては，応用情報技術者試験で全般的に出題されています。
【RARP】
・平成25年春 午前 問33
・平成30年春 午前 問34
【UDP】
・平成21年秋 午前 問36
・平成23年秋 午前 問37
・平成25年秋 午前 問35
・平成26年秋 午前 問33
・令和3年秋 午前 問34
・令和5年春 午前 問34
【ICMP】
・平成27年春 午前 問35
・平成29年春 午前 問32
・令和5年春 午前 問33
【IP】
・平成27年春 午前 問35
・平成28年春 午前 問35
・平成28年秋 午前 問34
・平成30年春 午前 問35
・平成30年春 午前 問34
・令和3年春 午前 問34
・令和3年秋 午前 問35
・令和4年春 午前 問34
・令和4年秋 午前 問33
・令和5年秋 午前 問34
・令和6年春 午前 問31
【ARP】
・平成23年特別 午前 問37
・平成24年春 午前 問33
・平成28年秋 午前 問32
・平成29年秋 午前 問34
・令和元年秋 午前 問33
・令和3年秋 午前 問32

■ インターネット層のプロトコル

　インターネット層のプロトコルの中心は，IP（Internet Protocol）です。IPアドレスによって，世界中のインターネットに接続されている機器の中から相手を見つけ，パケットを送ります。また，エラー通知や情報通知を行うICMP（Internet Control Message Protocol）がIPをサポートします。

　IPアドレスは，ネットワークアドレス＋ホストアドレスで構成されます。IPv4（IP version 4）アドレスの場合は合計で32ビットです。同じネットワークであれば同じネットワークアドレスが割り当てられ，そのネットワーク内で一意のホストアドレスが割り当てられます。

　ネットワークアドレスの長さはクラスを基準に定められます。クラスは，次の表のようにIPアドレスの範囲から設定されます。

クラスとIPアドレス

クラス	IPアドレスの範囲	ネットワークアドレス	ホストアドレス
クラスA	0.0.0.0 ～ 127.255.255.255	8ビット	24ビット
クラスB	128.0.0.0 ～ 191.255.255.255	16ビット	16ビット
クラスC	192.0.0.0 ～ 223.255.255.255	24ビット	8ビット
クラスD	224.0.0.0 ～ 239.255.255.255	IPマルチキャスト用	

　ただ，近年では，クラスを固定してネットワークアドレスを割り当てるとIPアドレスが足りなくなるため，クラスに依存せずにネットワークアドレスを割り当てるCIDR（Classless Inter-Domain Routing）という技術が用いられるようになってきました。IPアドレスをCIDRで表記する場合は，ネットワークアドレスが占める範囲のビット数を"/"（スラッシュ）の後に付記します。例えば，200.200.200.1/28なら，先頭から28ビットがネットワークアドレス，残りの4ビットがホストアドレスであることを示します。

　また，これと同じことをサブネットマスクを用いて表現することもあります。サブネットマスクは，ネットワークアドレスの部分を1，ホストアドレスの部分を0で示したアドレス表記なので，CIDRでの/28は255.255.255.240となります。以下の図で確認してください。

発展

ICMPを使う仕組みとして代表的なプロトコルにpingがあります。特定のIPアドレスに向けてpingを実行することで，相手のホストが動いているかどうかを確認します。

参考

アドレスクラスは，2進数に換算したときの先頭ビットで区別することもできます。例えば，IPアドレスの最初の区切り（0～255）を8桁の2進数にしたとき，0で始まればクラスA，10で始まればクラスB，110で始まればクラスC，1110で始まればクラスDであることが分かります。

IPアドレス	200	.200	.200	.1
2進数	11001000	11001000	11001000	00000001
サブネットマスク	255	.255	.255	.240
2進数	11111111	11111111	11111111	11110000

←―――――――――――――ネットワークアドレス――――――――――→ ←―ホストアドレス―→

サブネットマスク

なお，ホストアドレスの**すべてのビットが0**のIPアドレス（**ネットワークアドレス**）と，**すべてのビットが1**のIPアドレス（**ブロードキャストアドレス**）は，普通のIPアドレスとしては使用できません。

それでは，次の問題でIPアドレスについて確認しましょう。

問 題

IPネットワークにおいて，二つのLANセグメントを，ルータを経由して接続する。ルータの各ポート及び各端末のIPアドレスを図のとおりに設定し，サブネットマスクを全ネットワーク共通で255.255.255.128とする。
ルータの各ポートのアドレス設定は正しいとした場合，IPアドレスの設定を正しく行っている端末の組合せはどれか。

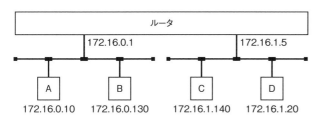

　ア　AとB　　イ　AとD　　ウ　BとC　　エ　CとD

（平成21年春 応用情報技術者試験 午前 問36）

参考

IPアドレスが172.16.0.130でサブネットマスクが255.255.255.128のとき，最後の1バイトのアドレスを2進数にすると以下のようになります。

IP	130	1|0000010
マスク	128	1|0000000

―― AND演算 ――

| NW | 128 | 1\|0000000 |

このように，IPアドレス（上図「IP」）とサブネットマスク（同「マスク」）をAND演算すると，ネットワークアドレス（同「NW」）が求められます。

解説

　ルータの各ポートの設定は正しいので，ルータの左ポートのIPアドレス172.16.0.1と同じネットワークに端末AとBは所属するはずです。サブネットマスクが255.255.255.128なので，最後の$(128)_{10}$＝$(10000000)_2$により，先頭から25ビット目までがネットワークアドレスです。ルータと端末A,Bのネットワークアドレスを求めると，以下のようになります。

基数変換の方法については「1-1-1　離散数学」で解説していますので，分からない場合はそちらを参照して考えてみてください。

ルータ左	172.16.0.1/25	→	172.16.0.0	
端末A	172.16.0.10/25	→	172.16.0.0	○
端末B	172.16.0.130/25	→	172.16.0.128	×

　同様に，ルータの右ポートは172.16.1.5なので，端末C，Dのネットワークアドレスを求めます。

ルータ右	172.16.1.5/25	→	172.16.1.0	
端末C	172.16.1.140/25	→	172.16.1.128	×
端末D	172.16.1.20/25	→	172.16.1.0	○

　したがって，設定が正しいのは端末AとDです。

≪解答≫イ

■ トランスポート層のプロトコル

　トランスポート層の主なプロトコルは，**TCP**（Transmission Control Protocol）と**UDP**（User Datagram Protocol）の二つです。どちらも**ポート番号**を使って，同じIPアドレスのコンピュータ内で**サービス**（プログラム）を区別します。

　TCPでは，**信頼性**を確保するために，必ず**1対1**で通信し，3段階で**コネクションを確立**します。また，シーケンス（処理の流れ）をチェックして，パケットの再送管理やフロー制御などを行います。機能が多い分，速度が下がるので，信頼性よりリアルタイム性が要求される場合には**UDP**を使います。

TCPでは，信頼性を確保するために，3段階でコネクションを確立します。最初に，クライアントから**SYN**（コネクション確立要求）を送り，その返答に，サーバから**SYN＋ACK**（コネクション確立応答）を返します。さらにクライアントが**ACK**を返して，コネクションが確立されます。これを**3ウェイ・ハンドシェイク方式**と呼びます。

■ アプリケーション層のプロトコル

　アプリケーション層は通信を行うアプリケーションなので，通信の用途によっていろいろなプロトコルが用意されています。以下に代表的なものを挙げます。

①HTTP（**HyperText Transfer Protocol**）

　WebブラウザとWebサーバとの間で，HTML（HyperText Markup Language）などの**コンテンツの送受信**を行うプロトコルです。HTTP/1.1では，一つのTCPコネクションに対して一つの通信しか行えませんでしたが，**HTTP/2**では，複数の通信を並行して行うことができるようになりました。さらに，HTTP/3では，トランスポート層にTCPの代わりにQUICを使用し，高速化を実現しています。

②SMTP（**Simple Mail Transfer Protocol**）

　インターネットで**メールを転送**するプロトコルです。

③POP（**Post Office Protocol**）

　ユーザーがメールサーバから自分のメールを取り出すときに使います。メールを**クライアントにダウンロード**します。

④IMAP（**Internet Message Access Protocol**）

　メールサーバ上のメールにアクセスして操作するためのプロトコルです。**メールをサーバ上に保存**したまま管理します。

⑤DNS（**Domain Name System**）

　インターネット上の**ホスト名・ドメイン名**と**IPアドレス**を対応付けて管理します。分散データベースシステムで，ルートサーバから階層的にデータを管理しています。ゾーン情報（元となるDNSレコード）をもつ**プライマリサーバ**と，その完全なコピーとなる**セカンダリサーバ**との間で**ゾーン転送**を行い，データの同期を実行します。

⑥FTP（**File Transfer Protocol**）

　ネットワーク上で**ファイルの転送**を行うプロトコルです。

⑦DHCP（**Dynamic Host Configuration Protocol**）

　コンピュータがネットワークに接続するときに必要な**IPアドレス**などの情報を**自動的に割り当てる**プロトコルです。割り当てられるコンピュータが，探索パケットをブロードキャストし，それを受け取ったDHCPサーバがIPアドレスを提供することでIPアドレスを取得します。

発展

HTTPプロトコルはインターネット通信の基本ですが，パケットの通信量が多くなります。
通信を軽量化するため，HTTPに似たプロトコルがいくつか存在します。代表的なものに，産業用のアプリケーションで用いられるMQTT（Message Queuing Telemetry Transport）や，IoTネットワークで用いられるCoAP（Constrained Application Protocol）などがあります。

用語

DHCPでは，IPアドレスだけでなく，サブネットマスクやデフォルトゲートウェイ，DNSサーバについても設定を行います。
デフォルトゲートウェイは，外部に接続する場合に最初にデータを転送するルータのことです。

⑧NTP（Network Time Protocol）

ネットワーク上の機器を**正しい時刻に同期**させるためのプロトコルです。

■IPアドレスとMACアドレス

IPアドレスとMACアドレスはそれぞれ，OSI基本参照モデルのネットワーク層とデータリンク層のアドレスです。そのため，IPアドレスはエンドツーエンド，つまり通信の最初から最後までを管理するので，送信元IPアドレスと宛先IPアドレスは，基本的には変わりません。

一方，MACアドレスは，リンクバイリンク，つまり，一つのリンク（ネットワーク）ごとに宛先が変わります。端末から最初のルータまで，ルータから次のルータまで，最後のルータからサーバまで，というように，送信元MACアドレスと宛先MACアドレスの値は毎回変わります。

次の問題で，アドレスの動きを確認してみましょう。

問題

図のようなIPネットワークのLAN環境で，ホストAからホストBにパケットを送信する。LAN1において，パケット内のイーサネットフレームの宛先とIPデータグラムの宛先の組合せとして，適切なものはどれか。ここで，図中のMAC*n*/IP*m*はホスト又はルータがもつインタフェースのMACアドレスとIPアドレスを示す。

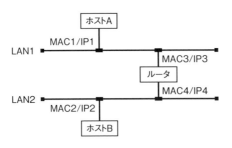

過去問題をチェック

IPアドレス，MACアドレスなど，アドレスに関する問題は応用情報技術者試験の定番です。
【IPアドレス,MACアドレス】
・平成21年春 午前 問36
・平成22年春 午前 問38
・平成22年秋 午前 問34，問35
・平成25年秋 午前 問36
・平成26年秋 午前 問31

	イーサネットフレームの宛先	IPデータグラムの宛先
ア	MAC2	IP2
イ	MAC2	IP3
ウ	MAC3	IP2
エ	MAC3	IP3

(平成31年春 応用情報技術者試験 午前 問33)

3

解 説

　ホストAからホストBにパケットを送るとき，イーサネットフレームのMACアドレスは，リンクバイリンクで付け変わります。つまり，LAN1の場合は，ホストAからルータまでなので，送信元MACアドレスがMAC1，宛先MACアドレスが**MAC3**になります。

　一方，IPデータグラムのIPアドレスは，エンドツーエンドで同じです。つまり，LAN1でもLAN2でも，送信元IPアドレスはホストAのIP1，宛先IPアドレスはホストBのIP2です。したがって，組合せはウが正解です。

≪解答≫ウ

■アドレス変換

　IPアドレスは，基本的にはエンドツーエンドで変わらないものですが，近年はIPv4アドレスの枯渇問題により，IPアドレスを節約するためにアドレスを変換することが一般的になりました。具体的には，社内LANなど，内部でしか使用できないアドレスとしてはプライベートIPアドレスを使用し，外部と接続するときにはグローバルIPアドレスを使用します。プライベートIPアドレスの範囲は，以下のように決まっています。

　　　クラスA　　10.0.0.0 ～ 10.255.255.255
　　　クラスB　　172.16.0.0 ～ 172.31.255.255
　　　クラスC　　192.168.0.0 ～ 192.168.255.255

　また，プライベートアドレスをグローバルアドレスに変換するために，次のような仕組みを利用します。

用語
アドレス変換のほかに，外部へのアクセスを1台のプロキシサーバで代行する方法があります。クライアントの代理で外部に接続する通常のプロキシサーバのほかに，サーバへのアクセスを代行して受け付けるリバースプロキシサーバがあります。

①NAT（Network Address Translation）

　プライベートIPアドレスをグローバルIPアドレスに**1対1**で対応させます。あらかじめ決められたIPアドレス同士を対応させる**静的NAT**のほかに，接続ごとに動的に対応させる**動的NAT**も可能です。同時接続できるのは，IPアドレスの数分の端末のみです。

②NAPT（Network Address Port Translation）

　IPアドレスだけでなく**ポート番号**も合わせて変換する方法です。一つのIPアドレスに対して異なるポート番号を用いることで，**1対多**の通信が可能になります。IPマスカレードと呼ばれることもあります。

　それでは，次の問題で確認してみましょう。

問 題

　PCが，NAPT（IPマスカレード）機能を有効にしているルータを経由してインターネットに接続されているとき，PCからインターネットに送出されるパケットのTCPとIPのヘッダのうち，ルータを経由する際に書き換えられるものはどれか。

　　ア　宛先のIPアドレスと宛先のポート番号
　　イ　宛先のIPアドレスと送信元のIPアドレス
　　ウ　送信元のポート番号と宛先のポート番号
　　エ　送信元のポート番号と送信元のIPアドレス

（令和3年秋 応用情報技術者試験 午前 問33）

解 説

　ルータに設定するNAPT（Network Address Port Translation：IPマスカレード）機能は，IPアドレスだけでなくポート番号も置き換えるアドレス変換機能です。ルータを経由してインターネットに接続するときには，送信元のPCのIPアドレスをインターネットに接続できるグローバルIPアドレスに変換します。同時に，送信元ポート番号を変換することで，一つのルータで複数のPCからのアクセスを可能にします。したがって，エが正解です。

　NAPTは，内部のIPアドレスを隠蔽して外部に知らせないこと
と，一つのIPアドレスで複数のPCが接続できることを目的として
いるため，ア，イ，ウのように，宛先のIPアドレスやポート番号の
変換は行いません。

《解答》エ

■ IPv6（Internet Protocol version 6）

　現在のIPv4アドレスの枯渇を根本的に解決するための対策に，
IPv6があります。IPv6ではIPアドレスを**128ビット**とし，十分
なアドレス空間が用意されています。IPv6アドレスを表記する
場合は16進数を使用し，4桁ごとにコロン（:）で区切ります。さ
らに，0が続く場合には1か所に限り，0を省略してコロン2つ（::）
で表すことができます。

　IPv6の特徴としては，以下のものがあります。

①IPアドレスの自動設定

　DHCPサーバがなくても，IPアドレスを自動設定できます。

②ルータの負荷軽減

　固定長ヘッダーとなり，ルータはエラー検出を行う必要がなく
なったので，負荷を軽減できます。

③セキュリティの強化

　IPsecのサポートが可能（推奨）であるため，セキュリティが確
保され，ユーザー認証やパケット暗号化を行うことができます。

④3種類のアドレス

　一つのインタフェースに割り当てられる**ユニキャストアドレス**
のほかに，複数のノードに割り当てられる**マルチキャストアドレ**
スや，複数のノードのうち，ネットワーク上で最も近い一つだけ
と通信する**エニーキャストアドレス**の三つのタイプのアドレスを
設定できます。

　それでは，次の問題で確認してみましょう。

参考
IPアドレスは，IPv4では最
大で2^{32}（約42億）個でし
たが，IPv6では最大で2^{128}
（約340澗）個まで対応でき
ます。澗（かん）とは，10^{36}
のことで，1兆倍の1兆倍
の1兆倍にあたり，事実上
無限大と考えていいほど大
きい数字です。

参考
IPv6でのセキュリティ機
能（IPsec）は以前のRFC
4294では必須でしたが，
RFC6434では「推奨」と上
書きされています。そのた
め，IPv6でIPsecを利用し
ないことも可能です。

問 題

IPv6において，拡張ヘッダを利用することによって実現できるセキュリティ機能はどれか

ア　URLフィルタリング機能

イ　暗号化通信機能

ウ　情報漏えい検知機能

エ　マルウェア検知機能

(令和3年秋 応用情報技術者試験 午前 問36)

過去問題をチェック

IPv6については，出題が増加しています。応用情報技術者試験では，次の出題があります。
【IPv6】
・平成25年秋 午前 問37
・平成28年秋 午前 問36
・令和元年秋 午前 問34
・令和元年秋 午前 問36
・令和2年10月 午前 問37
・令和3年秋 午前 問36
・令和4年春 午前 問31

解 説

　IPv6では，拡張ヘッダのうちのESP（Encapsulating Security Payload）ヘッダを用いることで，暗号化通信機能を実現できます。したがって，イが正解です。

ア　URLはDNSやHTTPなどを用いて，セション層以上の上位層の機能で名前解決されるものなので，ネットワーク層のIPv6では実現できません。

ウ，エ　情報漏えいやマルウェアの検知はデータそのものをチェックする必要があるので，通信パケットのヘッダでは実現できません。

≪解答≫イ

▶▶ 覚 え よ う ！

☐　ARPはIPアドレス → MACアドレス，RARPはその逆

☐　メール送信はSMTP，受信はPOP，IMAP

3-4-4 ● ネットワーク管理

ネットワークは，導入した後も障害が発生したり，PCの台数が増えて性能が落ちたりするなどいろいろな変化があるので，適切な管理が重要になります。

■ ネットワーク運用管理

ネットワークの運用においては，以下のような管理が行われます。

①構成管理

ネットワークの構成情報を維持し，変更を記録します。ネットワーク構成図を作成し，そのバージョンを管理します。

②障害管理

障害の検出，切り分け，障害原因の特定などを管理します。障害時の記録をとり，対応を管理して次に役立てます。

③性能管理

ネットワークのトラフィック量や転送時間を管理します。トラフィックを監視して不具合がないかチェックするほか，構成変更による負荷分散なども管理します。

■ ネットワーク管理ツール

ネットワーク管理に用いる一般的なツールには以下のものがあります。

①ping

相手先のホストにパケットが到達したかどうかを確かめるツールです。IPアドレス，ホスト名のいずれでも実行できます。

②ipconfig

Windowsのネットワーク設定を確認します。IPアドレスやデフォルトゲートウェイ，サブネットマスクなどを見ることができます。UNIXでの同様のツールは**ifconfig**です。

3

関連

ネットワークの運用管理は，以前は独立した分野でしたが，最近ではITILの管理アプローチなどが一般化したこともあり，ITサービスマネジメントの一環として行われることも多くなっています。
ITILについては，「6-1　サービスマネジメント」を参照してください。

関連

その他のツールとしては，ルーティングの経路を調べる**traceroute**や，ARPテーブルを調べる**arp**などがあります。

③netstat

ネットワーク接続やルーティングテーブル，ネットワークインタフェースの統計情報などを確認できます。

④パケットアナライザー

ネットワークを流れているパケットをキャプチャして，それをデジタルデータとして解析します。代表的なソフトウェアに，tcpdumpやWiresharkなどがあります。

■ネットワーク機器の監視・制御

IPネットワーク上でネットワーク機器を監視，制御するためのプロトコルにSNMP（Simple Network Management Protocol）があります。SNMPは，TCP/IPプロトコルスイートではアプリケーション層に該当し，トランスポート層にはUDPを使用します。集中的にモニタリングして監視を行うためのサーバやPCをマネージャといい，管理情報を取得します。ルータやスイッチ，サーバなどの監視されるネットワーク機器はエージェントと呼ばれます。SNMPでやり取りされる情報はMIB（Management Information Base：管理情報ベース）という階層型のデータベースに集約されます。

それでは，次の問題で確認してみましょう。

問題

図で示したネットワーク構成において，アプリケーションサーバA上のDBMSのデーモンが異常終了したという事象とその理由を，監視用サーバXで検知するのに有効な手段はどれか。

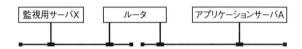

ア　アプリケーションサーバAから監視用サーバXへのICMP宛先到達不能（Destination Unreachable）メッセージ

イ　アプリケーションサーバAから監視用サーバXへのSNMPトラップ

ウ　監視用サーバXからアプリケーションサーバAへのfinger

エ　監視用サーバXからアプリケーションサーバAへのping

（平成24年春 応用情報技術者試験 午前 問35）

解説

　アプリケーションサーバA上のDBMSのデーモンが異常終了したといったアプリケーションでの障害管理は，アプリケーション層での管理が可能なSNMPで行う必要があります。SNMPトラップは，エージェントがサーバに出す緊急信号で，異常終了などを知らせるのに役立ちます。したがって，イが正解です。

　アのICMPはpingで使用されているプロトコルで，エのpingと同様，ネットワークへの到達性のみを確認できます。ウのfingerは，ユーザー情報など人間に関わるステータスを確認するためのツールです。

≪解答≫イ

過去問題をチェック

仮想ネットワークに関する問題は，近年出題が増えている傾向があります。
午前では次の出題があります。
【OpenFlowを使ったSDN】
・平成29年春 午前 問34
・平成29年秋 午前 問35
・平成30年秋 午前 問35
・令和3年春 午前 問35
・令和4年春 午前 問35
【NFV】
・平成30年春 午前 問32

午後でもSDNについて出題されています。
【SDNを利用したネットワーク設計】
・平成29年秋 午後 問5

■仮想ネットワーク

　物理的なサーバやネットワーク機器により構成されるネットワーク管理では，需要の変化に柔軟に対応することが難しく，また変更の記録も手作業となるため作業負荷が大きくなります。そこで，仮想化技術を利用し，サーバやネットワーク機器などをソフトウェアで管理することで，より効率的なネットワーク管理が可能となります。このようなネットワークを仮想ネットワークといいます。仮想ネットワークを実現する方法には，次のようなものがあります。

①SDN（Software Defined Network）

　ネットワークの構成や機能，性能などをソフトウェアだけで動的に設定できるネットワークです。SDNで利用する代表的な方式に，OpenFlowがあります。

　OpenFlowは，ONF（Open Networking Foundation）が標準化を進めているSDNの規格です。各フレームがもつMACアドレスやVLANタグ，IPアドレス，ポート番号などのような特徴をフローとして扱い，そのフローをベースにスイッチングを行い，経路を柔軟に制御できるようにします。

　OpenFlowの代表的な特徴に，制御用のネットワークとパケッ

ト処理用のネットワークが分離されている点があります。制御用のネットワークはコントロールプレーン，パケット処理用のネットワークはデータプレーンと呼ばれます。

　コントロールプレーンでは，OpenFlowコントローラと呼ばれる機器を用意し，経路制御などの管理機能を実行します。データプレーンでは，OpenFlowスイッチと呼ばれる機器がパケットのデータ転送を行います。コントロールプレーンとデータプレーンは分離させて別々に用意する必要がありますが，物理的に分離させる必要はなく，仮想ネットワークを構築することで対応可能です。

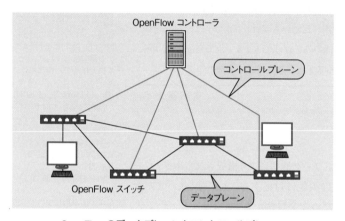

OpenFlowのデータプレーンとコントロールプレーン

　また，WAN回線でSDNを使用する技術に**SD-WAN**（Software Defined Wide Area Network）があります。SD-WANを使用することで，様々な種類のネットワーク接続を効率的に管理することが可能になります。

②NFV（Network Functions Virtualization）

　ETSI（欧州電気通信標準化機構）によって提案された，ソフトウェアによってネットワーク機器を実現する技術です。仮想化技術を利用し，ネットワーク機能を汎用サーバ上にソフトウェアとして実現したコンポーネントを用いることによって，柔軟なネットワーク基盤を構築します。SDNを補完する技術で，専用の機器を使用せず，汎用サーバでネットワーク機器を使用することが可能となります。

それでは，次の問題を考えてみましょう。

問題

OpenFlowを使ったSDN（Software-Defined Networking）の説明として，適切なものはどれか。

ア 単一の物理サーバ内の仮想サーバ同士が，外部のネットワーク機器を経由せずに物理サーバ内部のソフトウェアで実現された仮想スイッチを経由して，通信する方式

イ データを転送するネットワーク機器とは分離したソフトウェアによって，ネットワーク機器を集中的に制御，管理するアーキテクチャ

ウ プロトコルの文法を形式言語を使って厳密に定義する，ISOで標準化された通信プロトコルの規格

エ ルータやスイッチの機器内部で動作するソフトウェアを，オープンソースソフトウェア（OSS）で実現する方式

（令和6年春 応用情報技術者試験 午前 問34）

解説

OpenFlowを使ったSDN（Software-Defined Networking）では，ネットワーク機器ではなくソフトウェアによって，ネットワーク機器を集中的に制御，管理します。したがって，イが正解です。

ア 仮想スイッチを利用した通信の説明です。

ウ ASN.1（Abstract Syntax Notation One）の説明です。

エ オープンソースのソフトウェアを利用したルータやスイッチ用のソフトウェアに該当します。

≪解答≫イ

▶▶ 覚 え よ う ！

☐ ネットワーク層はping，アプリケーション層はSNMPで管理

☐ OpenFlowを用いて，ネットワークを仮想化したSDNを実現

3-4-5 ◯ ネットワーク応用

ネットワークは日々進化しており，新しい通信サービスもどんどん増えてきています。

■ネットワーク上でのデータ交換

ネットワーク上でデータをやり取りするための応用的なプロトコルには，以下のようなものがあります。

①SOAP

ソフトウェア同士がオブジェクトを交換するためのプロトコルです。XMLに基づいており，HTTPやSMTPなど様々なコンピュータネットワークの通信プロトコルで利用できます。

②CORBA (Common Object Request Broker Architecture)

ソフトウェアのオブジェクトを，ネットワークを通じてやり取りするための規格です。データはCDR（Common Data Representation）形式で送ります。

③WebDAV (Web Distributed Authoring and Versioning)

HTTPを拡張したプロトコルで，Webサーバ上のファイルをリモートで管理するために使用されます。ファイルの作成，編集，削除，移動などの操作をインターネット経由で行えるようにします。

④QUIC

UDPを基盤に，高速でセキュアなインターネット通信を実現するトランスポート層のプロトコルです。従来のTCPの代替として設計され，HTTP/3と合わせて利用されます。

⑤MQTT（Message Queuing Telemetry Transport）

IoT（Internet of Things）デバイス間での通信に特化した軽量なプロトコルです。低帯域幅や不安定なネットワーク環境でも効率的に動作し，デバイスからサーバにデータを送信する「パブリッシュ／サブスクライブ」モデルを採用しています。

■ 通信サービス

電気通信事業者が提供する公衆通信サービスは，主に以下のようなものです。

①フレームリレー

昔のパケット交換サービス（X.25）を簡素化して高速化したネットワークです。64kbps 〜 1.5Mbps 程度の通信速度です。

②ATM（Asynchronous Transfer Mode）

パケットを**53バイト**の固定長のセルに分割して通信する仕組みです。バックボーンネットワークで使われています。

③IP-VPN

通信事業者が提供する専用の**IPネットワーク**で，**VPN**（Virtual Private Network）を構築します。**MPLS**（Multi-Protocol Label Switching）という，パケットの前にラベルを付けて通信を識別する技術を用います。

④広域イーサネット

通信事業者が提供する専用のイーサネット接続サービスです。VLAN を用い，ほかの顧客との通信を分離します。

⑤電話回線

通常の固定のアナログ電話回線のほかに，デジタルな電話サービスである**ISDN**（Integrated Services Digital Network）があります。また，携帯電話やPHSを利用してデータを送信することもできます。

⑥FTTH（Fiber To The Home）

高速の光ファイバを建物内に直接引き込みます。回線の終端には **ONU**（Optical Network Unit）が設置され，これによって光と電気信号を変換します。

⑦ADSL（Asymmetric Digital Subscriber Line）

既存のアナログ回線を拡張利用して，高速なデータ通信を実

発展

IP-VPNはネットワーク層までのサービスなので，IPを用いた通信に限定されます。広域イーサネットはデータリンク層までのサービスなので，IP以外にもホスト間の通信など，別のプロトコルも使用可能です。

参考

IP-VPNや広域イーサネットなどの通信サービスでは，通信速度だけでなくQoS（Quality of Service：サービス品質）が大切になってきます。
QoSは，サービスがどれだけニーズに合っているか，ユーザーを満足させられるかという尺度です。
QoSを上げるために，優先制御を行い，より重要な通信を優先するといった処理が行われます。

現します。**スプリッタ**という装置によって音声とデータを分離及び混合します。

◼ モバイルシステム

　無線アクセスによる，モバイル通信サービスを用いたモバイルシステムが普及しています。代表的なシステムは次のとおりです。

①WiMAX，（WiMAX2，WiMAX2+）
（Worldwide Interoperability for Microwave Access）

　広帯域をカバーする無線アクセス技術の一つで，IEEE 802.16-2004として規格化されています。また，拡張規格としてさらに高速化させたWiMAX2やWiMAX2+なども考案されています。

②仮想移動体通信事業者
（MVNO：Mobile Virtual Network Operator）

　電気通信事業者のうち，モバイル通信サービスを提供する事業者が**移動体通信事業者**です。そのうち**仮想移動体通信事業者**(**MVNO**)は，無線通信回線設備を設置・運用せずに，自社ブランドで通信サービスを提供する事業者のことです。移動体通信事業者では，通信サービスを利用できるようにするために**SIMカード**を提供します。同じ通信事業者間で，通信を維持したまま経由する基地局を変更するときには，ハンドオーバー（ハンドオフ）を利用します。異なる通信事業者で基地局を切り替えるときには，ローミングサービスを利用します。

③LPWA（LowPower，WideArea）

　バッテリ消費量が少なく，一つの基地局で広範囲をカバーできる無線通信技術です。IoTでの活用が行われており，複数のセンサが同時につながるネットワークに適しています。

　それでは，次の問題を考えてみましょう。

問題

モバイル通信サービスにおいて，移動中のモバイル端末が通信相手との接続を維持したまま，ある基地局経由から別の基地局経由の通信へ切り替えることを何と呼ぶか。

ア　テザリング　　　　イ　ハンドオーバー
ウ　フォールバック　　エ　ローミング

（令和5年春 応用情報技術者試験 午前 問35）

解説

モバイル通信サービスにおいて，移動中のモバイル端末が通信相手との接続を続けながら別の基地局経由の通信へ切り替えることをハンドオーバー（ハンドオフ）といいます。同じ通信事業者での基地局の切替えはハンドオーバーといい，異なる通信事業者を利用する場合には，ローミングといいます。したがって，イが正解です。

ア　スマートフォンなどの通信機器が，自身を経由してほかのコンピュータなどをインターネットに接続させる機能のことです。
ウ　システムに障害が発生したとき，機能を限定的にして稼働を続ける操作です。縮退運転ともいいます。
エ　ある通信事業者の通信サービスを利用している利用者が，移動先で異なる通信事業者を利用して接続することです。

≪解答≫イ

■負荷分散とロードバランサ

負荷分散とは，処理の負荷を複数のコンピュータやプロセスに分散させることです。負荷分散を行うと，コンピュータの台数を増やすことで処理性能を向上させることができ，スケーラビリティ（拡張性）が向上します。また，故障が起きた場合でも他のコンピュータで処理を代替することができるため，アベイラビリティ（可用性）も向上します。

負荷分散を行うための専用の装置として，ロードバランサ

（Load Balancer：負荷分散装置）があります。クライアントからの要求をロードバランサが一手に引き受け，それを複数のサーバに分散して転送します。外部のクライアントからは，ロードバランサがサーバに見えます。

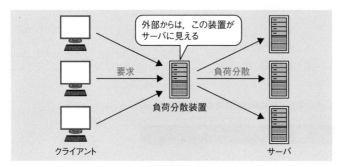

負荷分散装置の利用

　ロードバランサでは，クライアントからの1回目の通信と2回目以降の通信を**同じサーバに振り分ける必要**があります。ロードバランサの負荷分散アルゴリズムの代表的な方法には，次のものがあります。

①ラウンドロビン

　要求ごとに順番にサーバにセッションを振り分けていく方式です。優先的に分散先を指定する**重み付けラウンドロビン**という方式もあります。

②リーストコネクション

　接続コネクション数を基に，接続が少ないサーバに振り分ける方式です。優先的に分散先を指定する重み付けリーストコネクションという方式もあります。

③ファーストアンサ

　サーバに応答を確認し，最も応答が早かったサーバに接続する方式です。

|▶▶ 覚 え よ う！

☐ IP-VPNではMPLS，広域イーサネットではVLANを使用

☐ 負荷分散で，順番に割り当てるラウンドロビン，コネクション数最小がリーストコネクション

3-5 セキュリティ

セキュリティはもともと，ネットワークの一部として考えられていました。そのため，ネットワーク技術と密接な関係があります。また，セキュリティは会社の経営や組織の運営などと深く関わるため，セキュリティマネジメントの考え方も重要になります。

3

3-5-1 ● 情報セキュリティ

第1位
頻出度
★★★

情報セキュリティというと，「暗号化する」「ファイアウォールを設置する」などといった技術的なことを思い浮かべがちですが，実は，情報セキュリティには経営寄りの考え方が不可欠です。

■ 情報セキュリティの目的と考え方

情報セキュリティに関する要求事項を定めた JIS Q 27001 (ISO/IEC 27001) では，情報セキュリティを確保するためのシステムである情報セキュリティマネジメントシステム (ISMS) について次のように説明しています。

「ISMSの採用は，組織の戦略的決定である。組織のISMSの確立及び実施は，その組織のニーズ及び目的，セキュリティ要求事項，組織が用いているプロセス，並びに組織の規模及び構造によって影響を受ける。」

つまり，「組織の戦略によって決定され，組織の状況によって変わる」というのが情報セキュリティの考え方です。

また，情報セキュリティについては，情報の機密性，完全性及び可用性を維持することと定義されています。これら三つの要素は次のような意味をもち，それぞれの英字の頭文字をとってCIAと呼ばれることもあります。

①機密性 (Confidentiality)
　認可されていない個人，エンティティ又はプロセスに対して，情報を**使用させず**，また，**開示しない**特性
②完全性 (Integrity：インテグリティ)
　正確さ及び完全さの特性

✎ 勉強のコツ

午前では，用語問題だけでなく仕組みや考え方を問う問題が多く出題されます。暗号技術を中心に仕組みを理解しておきましょう。

午後では近年のセキュリティ攻撃について問われることが多いので，最近の動向も押さえておく必要があります。また，ネットワーク技術との関連が深いので，ネットワークについてもしっかり学習しておきましょう。なお，平成26年から，情報セキュリティ分野の午後問題は必須となりました。避けて通れない内容ですので，しっかり力を入れて学習していきましょう。

☆ 参考

企業の目的は，事業を継続して利益を出すことです。損失がもたらされると困るものを保護し，利益を確保して事業を継続させなければなりません。そのために情報セキュリティが必要になります。

その際の視点として，情報を隠す機密性だけでなく，完全性や可用性を見落とさないようにしようというのが，情報セキュリティの3要素 (CIA) の考え方です。

🔍 用語

ここでのエンティティとは，独立体，認証される1単位を指します。具体的には，認証される単位であるユーザーや機器，グループなどのことです。

③可用性（Availability）

認可されたエンティティが要求したときに，**アクセス及び使用が可能である特性**

さらに，次の四つの特性を含めることがあります。

④真正性（Authenticity）

エンティティは，それが主張どおりであることを確実にする特性

⑤責任追跡性（Accountability）

あるエンティティの動作が，その動作から動作主のエンティティまで一意に追跡できることを確実にする特性

⑥否認防止（Non-Repudiation）

主張された事象又は処置の発生，及びそれを引き起こしたエンティティを証明する能力

⑦信頼性（Reliability）

意図する行動と結果とが一貫しているという特性

それでは，次の問題で確認してみましょう。

参考

機密性，完全性，可用性など，情報セキュリティマネジメントに関する用語については，「JIS Q 27000:2019（情報セキュリティマネジメントシステム─用語）」で明確に定義されています。問題にはそのまま出てくるので，区別できるように理解して押さえておきましょう。

参考

機密性，可用性と異なり，完全性は「**インテグリティ**」と英語で表現されることも多いので，覚えておきましょう。

問題

JIS Q 27000:2019（情報セキュリティマネジメントシステム─用語）において，認可されていない個人，エンティティ又はプロセスに対して，情報を使用させず，また，開示しない特性として定義されているものはどれか。

ア　機密性　　イ　真正性　　ウ　認証　　エ　否認防止

（令和5年秋 応用情報技術者試験 午前 問40）

解説

JIS Q 27000:2019（情報セキュリティマネジメントシステム─用語）では，"3.10 機密性（confidentiality）"に，「認可されていない個人，エンティティ又はプロセスに対して，情報を使用させず，また，開示しない特性」と記載されています。したがって，アが正

解です。

イ　"3.6 真正性（authenticity）"に，「エンティティは，それが主張
　するとおりのものであるという特性」と記載されています。

ウ　"3.5 認証（authentication）"に，「エンティティの主張する特性
　が正しいという保証の提供」と記載されています。

エ　"3.48 否認防止（non-repudiation）"に，「主張された事象又は
　処置の発生，及びそれらを引き起こしたエンティティを証明
　する能力」と記載されています。

《解答》ア

情報セキュリティの重要性

　企業の資産には，商品や不動産など形のあるものだけでなく，
顧客情報や技術情報など形のないものもあります。業務に必要
なこうした価値のある情報を情報資産といいます。ISMSでは，
組織がもつ情報資産にとっての脅威を洗い出し，脆弱性を考慮
することによって，最適なセキュリティ対策を考えます。

　ここでの脅威とは，システムや組織に損害を与える可能性が
あるインシデントの潜在的な原因です。脆弱性とは，脅威がつ
け込むことができる，資産がもつ弱点です。

　それでは，次の問題を解いてみましょう。

問題

JIS Q 27002における情報資産に対する脅威の説明はどれか。

ア　情報資産に害をもたらすおそれのある事象の原因

イ　情報資産に内在して，リスクを顕在化させる弱点

ウ　リスク対策に費用をかけないでリスクを許容する選択

エ　リスク対策を適用しても解消しきれずに残存するリスク

（平成22年春 応用情報技術者試験 午前 問41）

解　説

　情報資産に対する脅威とは，情報資産に害をもたらすおそれの
ある事象（インシデント）の原因なので，アが正解です。

　イは脆弱性，ウはリスク受容，エは残存リスクの説明です。

≪解答≫ア

用語

インシデントとは，望まないセキュリティ事象のことで，事業継続を危うくする確率の高いものです。具体的には，セキュリティ事故や攻撃などを指します。インシデントを起こす潜在的な原因が脅威であり，ISMSではこれに対応します。

■ 不正のメカニズム

　米国の犯罪学者であるD.R.クレッシーが提唱している**不正の
トライアングル理論**では，人が不正行為を実行するに至るまで
には，次の不正リスクの3要素が揃う必要があると考えられてい
ます。

- **機会** ……… 不正行為の実行が可能，または容易となる環境
- **動機** ……… 不正行為を実行するための事情
- **正当化** …… 不正行為を実行するための良心の呵責を乗り越
　　　　　　　える理由

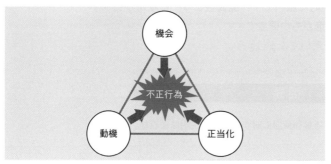

不正のトライアングル

発展

不正などの犯罪が起こらないようにするためには，以前は犯罪原因論という，犯罪の原因をなくすことに重点を置く考え方が主流でした。現在では，犯罪機会論という，犯罪を起こしにくくする環境を整備することも考えられています。

　不正のトライアングルを考慮して犯罪を予防する考え方の一
つに，英国で提唱された**状況的犯罪予防論**があります。状況的
犯罪予防では，次の五つの観点で犯罪予防の手法を整理してい
ます。

1. 物理的にやりにくい状況を作る
2. やると見つかる状況を作る
3. やっても割に合わない状況を作る
4. その気にさせない状況を作る
5. 言い訳を許さない状況を作る

■ 攻撃者の種類と動機・目的

情報セキュリティに関する攻撃者と一口にいっても，次のように様々な種類の人がいます。

- スクリプトキディ ……… インターネット上で公開されている簡単なクラッキングツールを利用して不正アクセスを試みる攻撃者
- ボットハーダー ……… ボットを利用することでサイバー攻撃などを実行する攻撃者
- 内部関係者 ……… 従業員や業務委託先の社員など，組織の内部情報にアクセスできる権限を悪用する攻撃者
- その他（愉快犯，詐欺犯，故意犯など）

情報セキュリティ攻撃の動機や目的も様々です。

- **金銭奪取** ……… 金銭的に不当な利益を得ることを目的とした攻撃
- ハクティビズム ……… 政治的・社会的な思想を基に積極的に行われるハッキング活動
- サイバーテロリズム …… ネットワークを対象に行われるテロリズム。組織や社会機能に大きな打撃を与える

■ サイバーキルチェーン

サイバーキルチェーンとは，サイバー攻撃について分析した代表的なモデルで，サイバー攻撃の段階を説明しています。サイバー攻撃を次の7段階に区分し，攻撃者の意図や行動を理解することを目的としています。

サイバーキルチェーンのモデル

攻撃の段階	概要
1 偵察	・インターネットなどから組織や人物を調査し，対象組織に関する情報を取得する
2 武器化	・エクスプロイトやマルウェアを作成する
3 配送（デリバリ）	・なりすましメール（マルウェアを添付）を送付する ・なりすましメール（マルウェア設置サイトに誘導）を送付し，ユーザーにクリックさせるように誘導する
4 攻撃（エクスプロイト）	・ユーザーにマルウェア添付ファイルを実行させる ・ユーザーをマルウェア設置サイトに誘導し，脆弱性を使用したエクスプロイトコードを実行させる
5 インストール	・エクスプロイトの成功により，標的（PC）がマルウェアに感染する
6 遠隔操作（C&C）	・マルウェアとC&Cサーバと通信させて感染PCを遠隔操作し，追加のマルウェアやツールなどをダウンロードさせることで，感染を拡大する，あるいは内部情報を探索する
7 目的の実行	・探し出した内部情報を加工（圧縮や暗号化等）した後，情報を持ち出す

※「高度サイバー攻撃への対処におけるログの活用と分析方法」(JPCERT/CC) を基に作成

　サイバーキルチェーンのいずれかの段階でチェーンを断ち切ることができれば，被害の発生を防ぐことができます。

　それでは，次の問題を考えてみましょう。

問題

　サイバーキルチェーンの偵察段階に関する記述として，適切なものはどれか。

　　ア　攻撃対象企業の公開Webサイトの脆弱性を悪用してネットワークに侵入を試みる。

　　イ　攻撃対象企業の社員に標的型攻撃メールを送ってPCをマルウェアに感染させ，PC内の個人情報を入手する。

　　ウ　攻撃対象企業の社員のSNS上の経歴，肩書などを足がかりに，関連する組織や人物の情報を洗い出す。

　　エ　サイバーキルチェーンの2番目の段階をいい，攻撃対象に特化したPDFやドキュメントファイルにマルウェアを仕込む。

（令和4年春 応用情報技術者試験 午前 問37）

解説

　サイバーキルチェーンとは，標的型攻撃を行う攻撃者の行動を7つのステップに分解したものです。①偵察，②武器化，③配送（デリバリ），④攻撃（エクスプロイト），⑤インストール，⑥遠隔操作（C&C），⑦目的の実行，の7段階となります。偵察段階は1番目で，攻撃対象の調査を行います。攻撃対象企業の社員のSNS上の経歴，肩書などを足がかりに，関連する組織や人物の情報を洗い出すことは，攻撃対象の調査に該当し，①偵察段階で行います。したがって，ウが正解です。

ア　③配送（デリバリ）段階に関する記述です。
イ　⑤インストール段階に関する記述です。
エ　②武器化段階に関する記述です。

《解答》ウ

暗号化技術

　セキュリティ攻撃を防ぐために，様々な暗号化技術が開発され，使われています。暗号化技術とは，普通の文章（平文）を読めない文章（暗号文）に変換することです。読めないようにすることを**暗号化**，元に戻すことを**復号**といいます。

　暗号化及び復号の際に必要となるのは，その方法である**暗号アルゴリズム**と，暗号化及び復号するための鍵です。暗号化するときに使う鍵が**暗号化鍵**，復号するときに使う鍵が**復号鍵**です。

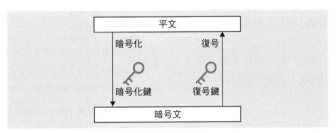

暗号化鍵と復号鍵

　暗号化の方式は，次の二つに分けられます。

①共通鍵暗号方式

暗号化鍵と復号鍵が**共通である**暗号方式です。その共通で使用する鍵を共通鍵といい，通信相手だけとの秘密にしておきます。

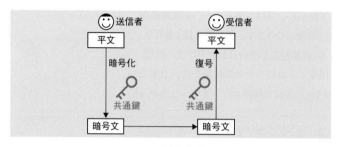

共通鍵暗号方式

共通鍵暗号方式では，暗号化する経路の数だけ鍵が必要になります。また，鍵を秘密にして共有しなければならないので，**鍵を受け渡す方法**が重要です。アルゴリズムが単純で**高速**なため，よく利用される方法です。

②公開鍵暗号方式

暗号化鍵と復号鍵が**異なる**方式です。使用する**人ごとに**公開鍵と秘密鍵のペア（**キーペア**）を作ります。そして，公開鍵は相手に渡し，秘密鍵は自分で保管しておきます。

暗号化と復号は，次の二つの方法で行うことが可能です。

1. **公開鍵で暗号化**すると，同じ人の**秘密鍵で復号**できる
2. **秘密鍵で暗号化**すると，同じ人の**公開鍵で復号**できる

通常の暗号化では，受信者が自分の秘密鍵で復号できるように，1の方法を使って受信者の公開鍵で暗号化しておきます。

発展

暗号化のアルゴリズムとしては公開鍵暗号方式の方が優れているのですが，計算が複雑で遅いという欠点があります。一方，共通鍵暗号方式は，鍵の受渡しが大変です。そのため，共通鍵暗号方式で使う共通鍵を公開鍵暗号方式で暗号化して送るというハイブリッド方式など，**二つの方式を組み合わせる**手法がよく用いられます。

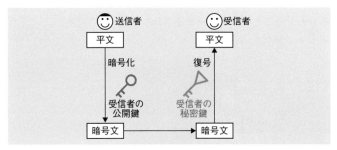

公開鍵暗号方式

■ハッシュ

　ハッシュ関数は一方向性の関数で，平文を変換してハッシュ値（ハッシュ）を求めます。送りたいデータと合わせてハッシュ値を送ることで，**改ざんを検出**するのに役立ちます。

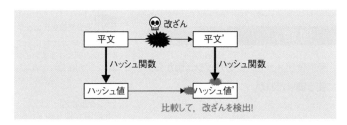

ハッシュ

　ハッシュ関数において，ハッシュ値が一致する二つのメッセージを発見することの困難さを**衝突発見困難性**といいます。また，メッセージと，そのハッシュ値が与えられたときに，同一のハッシュ値になる別のメッセージを計算することの困難さを**原像計算困難性**（一方向性）といいます。どちらも，ハッシュ関数の強度を示す指標となります。

■デジタル署名

　公開鍵暗号方式は，暗号化以外にも使われます。本人の秘密鍵をもっていることが当の本人であるという真正性の証明になるのです。送信者の秘密鍵で署名し，それを受け取った受信者が送信者の公開鍵で検証することによって，本人であるという真正性を確認できます。前述の公開鍵暗号方式の2番目の使い方

発展

情報セキュリティ対策では，改ざん検出以外にも様々なかたちでハッシュが使われています。ランダムな値（チャレンジ）にパスワードを付加したものをハッシュ化して送ることによってユーザー認証を行うチャレンジレスポンス方式などがその一例です。

です。

さらに，ハッシュを組み合わせることで，データの改ざんも検出できます。この方法をデジタル署名といいます。

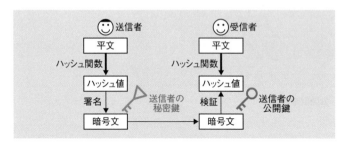

デジタル署名

それでは，次の問題で確認してみましょう。

問 題

デジタル署名において，発信者がメッセージのハッシュ値からデジタル署名を生成するのに使う鍵はどれか。

　ア　受信者の公開鍵　　　イ　受信者の秘密鍵

　ウ　発信者の公開鍵　　　エ　発信者の秘密鍵

(平成25年秋 応用情報技術者試験 午前 問39改)

解 説

デジタル署名を生成するときには，発信者が本人だという証明のために，発信者しかもっていない発信者の秘密鍵を使用します。したがって，エが正解です。

―――――――――――――――――――――――――

≪解答≫エ

■暗号アルゴリズム

暗号化にはいくつかのアルゴリズムがあります。公開鍵暗号方式はアルゴリズムの難易度が高いので種類は多くはありませ

過去問題をチェック

公開鍵暗号方式を用いた暗号化とデジタル署名の問題は，応用情報技術者試験のセキュリティ分野の定番です。
【デジタル署名】
・平成21年秋 午前 問38
・平成23年秋 午前 問38
・平成24年春 午前 問40
・平成26年秋 午前 問36
・平成27年秋 午前 問37
・令和2年10月 午前 問40
・令和4年春 午前 問39
・令和5年春 午前 問38
【必要な鍵の数】
・平成22年秋 午前 問41
・平成25年春 午前 問39
・令和6年春 午前 問38
【TLSによるサーバ証明書の確認】
・平成23年特別 午前 問38
・平成24年秋 午前 問33
・平成26年春 午前 問37
・平成29年春 午前 問37

頻出ポイント

情報セキュリティの分野では，公開鍵暗号方式などの暗号アルゴリズムの問題が最もよく出題されています。

んが，共通鍵暗号方式には様々なものがあります。また，ハッシュにもいくつかのアルゴリズムがあります。代表的なものは以下のとおりです。

1. 公開鍵暗号方式

①RSA（Rivest Shamir Adleman）

大きい数での**素因数分解**の**困難さ**を安全性の根拠とした方式です。公開鍵暗号方式で最もよく利用されています。

②楕円曲線暗号（Elliptic Curve Cryptography: ECC）

楕円曲線上の**離散対数問題**を安全性の根拠とした方式です。RSA暗号の後継として注目されています。

2. 共通鍵暗号方式

①DES（Data Encryption Standard）

ブロックごとに暗号化する**ブロック暗号**の一種です。米国の旧国家暗号規格で，**56ビット**の鍵を使います。しかし，鍵長が短すぎるため，近年は安全ではないと見なされています。

②AES（Advanced Encryption Standard）

米国立標準技術研究所（**NIST**）が規格化した新世代標準の方式で，DESの後継です。**ブロック暗号**で，鍵長は**128ビット**，**192ビット**，**256ビット**の三つが利用できます。

③RC4（Rivest's Cipher 4）

ビット単位で随時暗号化を行う**ストリーム暗号**の一種です。高速であり，無線LANのWEPなどで使用されています。

3. ハッシュ

①MD5（Message Digest Algorithm 5）

与えられた入力に対して**128ビット**のハッシュ値を出力するハッシュ関数です。理論的な弱点が見つかっています。

②SHA-1（Secure Hash Algorithm 1）

NISTが規格化したハッシュ関数です。与えられた入力に対して**160ビット**のハッシュ値を出力します。脆弱性があり，すでに攻撃手法が見つかっています。

③SHA-2（Secure Hash Algorithm 2）

SHA-1の後継で，NISTが規格化したハッシュ関数です。それ

参考

CRYPTREC（Cryptography Research and Evaluation Committees）は，電子政府推奨暗号の安全性を評価・監視し，暗号技術の適切な実装法や運用法を調査・検討するプロジェクトです。CRYPTRECでは，電子政府における調達のために参照すべき暗号のリスト（CRYPTREC暗号リスト）を公開しています。CRYPTRECの具体的な内容については，CRYPTRECのWebページ（https://www.cryptrec.go.jp/index.html）に詳しい記述があります。CRYPTREC暗号リストなどは，こちらを参考にしてください。

発展

共通鍵暗号方式のアルゴリズムでは，排他的論理和の演算を中心に行います。そのため，2度同じ演算をすると元に戻って復号でき，また，コンピュータでの演算を高速に実行することも可能です。

参考

暗号アルゴリズムは古くなると，コンピュータの計算能力の向上や解読手法の進歩などによって破られやすくなります。このことを暗号アルゴリズムの危殆化といい，古いアルゴリズムの使用は推奨されません。具体的には，DESやMD5，SHA-1などは現在推奨されていない暗号アルゴリズムであり，代わりにAESやSHA-2の使用が推奨されています。RSAも，鍵長が短いと破られやすいため，2,048ビット以上の鍵を使用することが推奨されています。

ぞれ224ビット，256ビット，384ビット，512ビットのハッシュ
値を出力するSHA-224，**SHA-256**，**SHA-384**，**SHA-512**の総称
です。現在のところ，SHA-256以上は安全なハッシュ関数と見
なされており，米国の新世代標準です。

それでは，次の問題を解いてみましょう。

問 題

暗号方式に関する記述のうち，適切なものはどれか。

ア　AESは公開鍵暗号方式，RSAは共通鍵暗号方式の一種である。
イ　共通鍵暗号方式では，暗号化及び復号に同一の鍵を使用する。
ウ　公開鍵暗号方式を通信内容の秘匿に使用する場合は，暗号化
　　に使用する鍵を秘密にして，復号に使用する鍵を公開する。
エ　デジタル署名に公開鍵暗号方式が使用されることはなく，共
　　通鍵暗号方式が使用される。

(令和2年10月 応用情報技術者試験 午前 問42改)

解 説

　共通鍵暗号方式は，暗号化する鍵と復号する鍵が共通(同一)な
暗号方式です。したがって，イが正解です。
ア　AESは共通鍵暗号方式，RSAは公開鍵暗号方式になります。
ウ　公開鍵暗号方式で通信内容を秘匿にする場合には，暗号化に
　　使用する鍵を公開して，復号に使用する鍵を秘密にします。
エ　デジタル署名では，公開鍵暗号方式が使用されます。

≪解答≫イ

■ PKI (Public Key Infrastructure)

　PKI (公開鍵基盤)は，公開鍵暗号方式を利用した社会基盤
です。政府や信頼できる第三者機関の**認証局**(**CA**：Certificate
Authority)に証明書を発行してもらい，身分を証明してもらう
ことで，個人や会社の信頼を確保します。

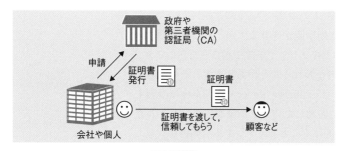

PKIの概要

政府が運営するPKIは一般とは区別され，政府認証基盤（**GPKI**：Government Public Key Infrastructure）と呼ばれます。

PKIのために，CAではデジタル証明書を発行します。デジタル証明書ではCAがデジタル署名を行うことによって，申請した人や会社の公開鍵などの証明書の内容が正しいことを証明します。

デジタル証明書を受け取った人は，CAの公開鍵を用いてデジタル署名がCAの秘密鍵を用いて行われたことを検証することでデジタル証明書の正当性を確認することができます。一般にデジタル証明書は，Webサーバなどのサーバで使用されるサーバ証明書と，クライアントが使用するクライアント証明書に区別されます。

発展

デジタル証明書は，ブラウザで簡単に見ることができます。httpsで始まるWebサイトなどでブラウザの鍵マークをダブルクリックすると，Webサーバの証明書が表示されます。一度確認してみましょう。

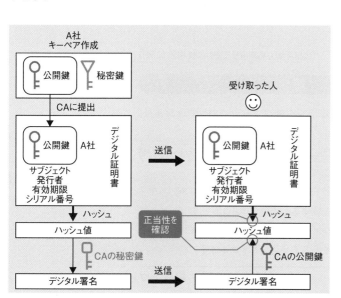

デジタル証明書の役割

■ CRLとOCSP

デジタル証明書には有効期限がありますが，その有効期限内に秘密鍵が漏えいしたりセキュリティ事故が起こったりしてデジタル証明書の信頼性が損なわれることがあります。その場合には，CAに申請し，CRL（Certificate Revocation List）に登録してもらいます。CRLは，失効したデジタル証明書のシリアル番号のリストで，これを参照することで，デジタル証明書が失効しているかどうかを確認できます。

また，デジタル証明書の失効情報を取得するためのプロトコルにOCSP（Online Certificate Status Protocol）があります。CRLの代替として提案されており，失効情報を問い合わせる際に使用します。OCSPのやり取りを行うサーバをOCSPレスポンダといいます。

それでは，次の問題で確認してみましょう。

問 題

デジタル証明書が失効しているかどうかをオンラインで確認するためのプロトコルはどれか。

　ア　CHAP　　イ　LDAP　　ウ　OCSP　　エ　SNMP

（令和4年秋 応用情報技術者試験 午前 問38）

解 説

デジタル証明書の失効情報を確認するためのプロトコルは，OCSPです。したがって，ウが正解です。

ア　CHAPはChallenge-Handshake Authentication Protocolの略で，ユーザーの認証プロトコルです。

イ　LDAPはLightweight Directory Access Protocolの略で，ディレクトリサービスに接続するためのプロトコルです。

エ　SNMPはSimple Network Management Protocolの略で，ネットワーク機器の管理を行うためのプロトコルです。

≪解答≫ウ

■ 暗号化技術の応用

　これまでに解説した公開鍵暗号方式, 共通鍵暗号方式及びハッシュの三つを組み合わせて応用することができます。代表例に以下のものがあります。

① SSL/TLS

　SSL (Secure Sockets Layer) は, セキュリティを要求される通信のためのプロトコルです。SSL3.0を基に, TLS (Transport Layer Security) 1.0が考案されました。

　提供する機能は, **認証, 暗号化, 改ざん検出**の三つです。最初に, 通信相手を確認するために認証を行います。このとき, サーバがサーバ証明書をクライアントに送り, クライアントがその**正当性を確認**します。クライアントがクライアント証明書を送ってサーバが確認することもあります。

　さらに, サーバ証明書の公開鍵を用いて, クライアントはデータの暗号化に使う**共通鍵の種を, サーバの公開鍵で暗号化**して送ります。その種を基にクライアントとサーバで共通鍵を生成し, その共通鍵を用いて暗号化通信を行います。また, **データレコードにハッシュ値を付加**して送り, データの改ざんを検出します。

② IPsec (Security Architecture for Internet Protocol)

　IPパケット単位でのデータの改ざん防止や秘匿機能を提供するプロトコルです。**AH** (Authentication Header) では完全性確保と認証を, **ESP** (Encapsulated Security Payload) ではAHの機能に加えて暗号化をサポートします。また, **IKE** (Internet Key Exchange protocol) により, 共通鍵の鍵交換を行います。

③ S/MIME (Secure MIME)

　MIME形式の電子メールを暗号化し, デジタル署名を行う標準規格です。**認証局 (CA)** で正当性が確認できた公開鍵を用います。まず共通鍵を生成し, その**共通鍵でメール本文を暗号化**します。そして, その共通鍵を**受信者の公開鍵で暗号化**し, メールに添付します。このような暗号化方式のことを**ハイブリッド暗号**といいます。組み合わせることで, 共通鍵で高速に暗号化でき, 公開鍵で安全に鍵を配送できるようになります。また, デジタル署

発展

SSLが発展してTLSになっており, 正確なバージョンとしては, SSL1.0, SSL2.0, SSL3.0, TLS1.0, TLS1.1, TLS1.2, TLS1.3というかたちで順に進化しています。現在のブラウザなどではTLSが使われていることが多いのですが, SSLという名称が広く普及したので, あまり区別せず, TLSをSSLと呼ぶこともあります。

関連

SSL/TLSは様々なアプリケーションプロトコルと組み合わせて使用します。最も代表的なものが, HTTPと組み合わせるHTTPS(HTTP over SSL/TLS) です。
HTTPSを用いる方がより安全に接続できるため, Webサイトでは, HTTPSでの通信をクライアントに強制するために, **HSTS** (HTTP Strict Transport Security) という仕組みを設定することがあります。

用語

MIME (Multipurpose Internet Mail Extension)とは, テキストしか使用できなかったインターネットの電子メール規格を拡張したものです。画像や音声, バイナリデータなど, 様々なデータを利用することができます。

名を添付することで，データの真正性と完全性も確認できます。

④ PGP (Pretty Good Privacy)

S/MIMEと同様の，電子メールの暗号方式です。違いは，認証局を利用するのではなく，「信頼の輪」の理念に基づき，自分の友人が信頼している人の公開鍵を信頼するという形式をとります。小規模なコミュニティ向きです。

⑤ SSH (Secure Shell)

ネットワークを通じて別のコンピュータにログインしたり，ファイルを移動させたりするプロトコルです。公開鍵暗号方式によって共通鍵の交換を行うハイブリッド暗号を使用します。

> **発展**
> SSHを利用したプログラムには，リモートホストでのファイルコピー用コマンドのrcpを暗号化するscpや，FTPを暗号化するsftpなどがあります。

■ 認証技術

認証技術には様々な手法があります。デジタル署名や生体認証などの技術を活用し，利用者や機器，データ内容などを認証します。代表的な認証技術には，次のものがあります。

① 利用者認証

利用者認証の最も一般的なものは，パスワードによる認証です。**パスワードレス認証**は，パスワードを使わずに公開鍵認証や生体認証を使用する方法です。**FIDO**（ファイド）（Fast IDentity Online：素早いオンライン認証）は，パスワードレス認証の技術で，FIDO Allianceによって規格が策定されています。

② シングルサインオン (SSO)

シングルサインオン（Single Sign-On：SSO）とは，一度の認証で複数のサーバやアプリケーションを利用できる仕組みです。シングルサインオンの手法には，サーバにエージェントと呼ばれるソフトをインストールするエージェント型（チケット型）や，ユーザーからの要求をいったんすべて受けるリバースプロキシサーバを利用して中継するリバースプロキシ型などがあります。

クラウドサービス利用時など，複数のサイトを利用する場合によく利用されるSSOの仕組みに，アイデンティティ連携型があります。**SAML**（Security Assertion Markup Language）や

OAuth，OpenID Connectといったプロトコルを利用し，複数サイト間で認証や認可の情報を連携します。

③ メッセージ認証（HMAC）

　送信する内容（データ）が正しいことを確認する技術です。代表的なメッセージ認証の方式に，HMAC（Hash-based Message Authentication Code）があります。HMACでは，送信するメッセージにパスワード（秘密鍵，パスフレーズ）を加えたものに対してハッシュ値（HMAC）を求めます。この求めた値を相手に送り，通信相手もハッシュ値を計算することで，メッセージの内容が正しいことを確認できます。オンラインバンキングでの送金内容が正しいことを確認する送金内容認証などで用いられます。

④ コードサイニング認証

　インターネット上でソフトウェアを配布する場合に，ソフトウェアの開発者とソフトウェアの内容がどちらも正しいことを確認する技術をコードサイニング認証といい，そのために発行される証明書をコードサイニング証明書といいます。具体的には，信頼されたコードサイニング認証局が，ソフトウェアの開発者を証明する公開鍵証明書を発行します。ソフトウェアの開発者は，証明書に対応する秘密鍵を用いて，ソフトウェアのプログラムや実行可能ファイルなどにデジタル署名を行います。

⑤リスクベース認証

　リスクベース認証とは，通常と異なる環境からログインをしようとする場合などに，通常の認証に加えて，合言葉などによる追加認証を行う認証方式です。ユーザーの利便性をそれほど損わずに，第三者による不正利用が防止しやすくなります。

⑥3Dセキュア

　インターネット上でクレジットカードを利用するときに使用される本人認証サービスのことです。通常のカード番号や有効期限での照会のほかに，クレジットカード発行会社のWebサイトでパスワード認証などの追加の認証を行います。3Dセキュア2.0（EMV 3-D セキュア）ではリスクベース認証も行われ，利用者の

過去の取引履歴や決済に用いているデバイスの情報から不正利用や高リスクと判断される場合に，カード会社が追加の本人認証を行います。

▶▶▶ 覚えよう！

- [ ] PKIのデジタル証明書は，CAの秘密鍵でデジタル署名
- [ ] RSAは公開鍵暗号方式，AESなど，その他はほとんど共通鍵暗号方式

3-5-2 ● 情報セキュリティ管理

情報セキュリティは，技術を導入するだけでは確保できません。万全にするには，どのように計画し，実践及び改善していくかといった情報セキュリティマネジメントが重要です。

■ 情報セキュリティマネジメントシステム

情報セキュリティマネジメントシステム（ISMS：Information Security Management System）は，組織において情報セキュリティを管理するための仕組みです。ISMSの構築方法や**要求事項**などは**JIS Q 27001**（ISO/IEC 27001）に示されています。また，どのようにISMSを実践するかという**実践規範**は**JIS Q 27002**（ISO/IEC 27002）に示されています。ISMSでは，**情報セキュリティ基本方針**を基に，次のような**PDCA**サイクルを繰り返します。

✏ 勉強のコツ

JIS規格やISO規格は，すべての番号を覚えている必要はありませんが，代表的なものを知っておくと役に立ちます。情報セキュリティ関連では，ここに登場する**ISO 27001（要求事項）**と**ISO 27002（実践規範）**が最もよく出てくるので，押さえておきましょう。

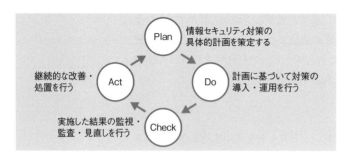

情報セキュリティのPDCAサイクル

PDCAサイクルのPlanフェーズでは，具体的な計画を立て，情報セキュリティポリシなどを策定します。

　Doフェーズでは，組織全員が情報セキュリティを確保できるように，責任者が適切にリーダシップをとり，法的及び契約において情報セキュリティを順守させるようにします。そのため，定期的に**情報セキュリティ教育**や訓練を行う必要があります。

　Checkフェーズでは，内部監査やマネジメントレビューなどの**パフォーマンス評価**を行います。また，コーポレートガバナンスと，それを支える内部統制の仕組みを情報セキュリティの観点から運用する**情報セキュリティガバナンス**も意識する必要があります。

　Actフェーズでは，継続的な改善を行います。

■ 情報セキュリティ継続

　組織は，危機または災害発生による非常事態に備えて，継続した情報セキュリティの運用を確実にするためのプロセスである**情報セキュリティ継続**を策定しておく必要があります。具体的には，コンティンジェンシープラン（緊急時対応計画）や復旧計画，バックアップ対策などを事前に考案しておきます。

■ リスクマネジメント

　リスクとは，もしそれが発生すれば情報資産に影響を与える不確実な事象や状態のことです。**リスクマネジメント**では，リスクに関して組織を指揮し，管理します。最初に**リスク特定**で情報資産を洗い出し，**リスク分析**によって情報資産に対する脅威と脆弱性を考え，リスクの大きさを算出します。リスクの大きさは，そのリスクの**発生確率**と，事象が起こったときの**影響の大きさ**とを組み合わせたもので，金額などで算出されます。

　そして，リスクの大きさに基づき，それぞれのリスクに対して**リスク評価**を行います。

　リスク評価には，**定性的評価**と**定量的評価**の2種類があります。定性的評価はリスクの大きさを金額以外で評価する手法で，定量的評価はリスクの大きさを金額で表す手法です。

　リスク特定とリスク分析を行い，リスク評価を行うまでの一連の流れを**リスクアセスメント**といいます。リスクマネジメントでは，リスクアセスメントにリスク対応も含めた一連のリスクに対するプロセスを，繰返し行って改善していきます。

関連

リスクマネジメントはマネジメント全体に通じる大切な考え方なので，情報セキュリティだけでなく他の分野でも登場します。「5-1-8　プロジェクトリスクマネジメント」も参考にしてください。

用語

リスク分析の手法として代表的なものに，日本情報処理開発協会（JIPDEC）が開発した**JRAM**（JIPDEC Risk Analysis Method）があります。その後，JIPDECでは2010年に，新たなリスクマネジメントシステムである**JRMS2010**を公表しました。

それでは，次の問題を考えてみましょう。

問題

JIS Q 31000:2019（リスクマネジメント−指針）における
リスクアセスメントを構成するプロセスの組合せはどれか。

　ア　リスク特定，リスク評価，リスク受容
　イ　リスク特定，リスク分析，リスク評価
　ウ　リスク分析，リスク対応，リスク受容
　エ　リスク分析，リスク評価，リスク対応

（令和4年秋 応用情報技術者試験 午前 問41）

解説

　JIS Q 31000:2019（リスクマネジメント−指針）におけるリスク
アセスメントは，リスク特定，リスク分析，リスク評価の三つの
プロセスで構成されています。したがって，組合せの正しいイが
正解です。

　ウ，エのリスク対応は，リスクアセスメントの結果を基に決め
ていく，リスクの対応です。

　ア，ウのリスク受容は，リスク対応の方法の一つで，リスクを
保有することを受け入れます。

≪解答≫イ

■リスク対応

　リスクを評価した後で，それぞれのリスクに対してどのように
対応するかを決めるのが**リスク対応**です。その方法は次の四つ
に分けることができます。

①リスク最適化（低減）

　損失の発生確率や被害額を減少させるような対策を行うこと
です。一般的なセキュリティ対策はこれにあたります。

発展

リスク対応は，実際には予
算との兼ね合いで行われま
す。リスク評価で金額が多
いものは優先してリスクを
最適化しますが，被害額が
小さいもの，または発生し
ても許容できる範囲であれ
ば，リスクを保有し，対応
を行わないケースも多く見
られます。

②リスク回避

リスクの根本原因を排除することでリスクを処理します。リスクの高いサーバの運用をやめるなどがその一例です。

③リスク移転

リスクを第三者へ移転します。保険をかけるなどしてリスク発生時の費用負担を外部に転嫁するといった方法があります。

④リスク保有（受容）

特にリスクに対応せず，そのことを受容します。

リスク対応の後に残ってしまったリスクのことを**残留リスク**といいます。

用語

リスク対応の考え方には，**リスクコントロール**と**リスクファイナンス**があります。**リスクコントロール**は，技術的な対策など，何らかの行動で対策をすることですが，**リスクファイナンス**は**資金面で対応**することです。

■ 情報セキュリティポリシ

情報セキュリティポリシとは，組織の情報資産を守るための方針や基準を明文化したもので，基本構成は次の二つです。

①情報セキュリティ基本方針

情報セキュリティに対する組織の基本的な考え方や方針を示すもので，**経営陣によって承認**されます。目的や対象範囲，管理体制や罰則などについて記述されており，全従業員及び関係者に通知して公表されます。

②情報セキュリティ対策基準

情報セキュリティ基本方針と，**リスクアセスメントの結果**に基づいて対策基準を決めます。適切な情報セキュリティレベルを維持・確保するための具体的な遵守事項や基準を定めます。

それでは，次の問題で確認していきましょう。

参考

情報セキュリティポリシはあくまで方針と基準なので，実際の細かい内容は定められていません。そのため，情報セキュリティマネジメントを行う際には，情報セキュリティ対策実施手順や規程類を用意し，詳細な手続きや手順を記述するようにします。

問題

ISMSにおいて定義することが求められている情報セキュリティ基本方針に関する記述のうち，適切なものはどれか。

ア 重要な基本方針を定めた機密文書であり，社内の関係者以外の目に触れないようにする。

イ 情報セキュリティの基本方針を述べたものであり，ビジネス環境や技術が変化しても変更してはならない。

ウ 情報セキュリティのための経営陣の方向性及び支持を規定する。

エ 特定のシステムについてリスク分析を行い，そのセキュリティ対策とシステム運用の詳細を記述する。

(平成25年秋 応用情報技術者試験 午前 問40)

解説

情報セキュリティ基本方針は，経営陣によって承認されるもので，情報セキュリティのための経営陣の方向性及び支持を規定します。したがって，ウが正解です。

ア 機密文書とするのではなく，全社員に公開し，必要なら外部関係者にも通知します。

イ 「変更してはならない」は誤りです。ISMSの一環として整備されるものなので，PDCAサイクルに則って定期的に改善する必要があります。

エ 基本方針ではなく，情報セキュリティ対策実施手順，規程類のことです。

≪解答≫ウ

■ 認証の3要素

ユーザー認証の方法には大きく次の3種類があり，それを認証の3要素といいます。

・記憶 …… ある**情報**をもっていることによる認証
例：パスワード，暗証番号など

・所持 …… ある**もの**をもっていることによる認証
例：ICカード，電話番号，秘密鍵など

・生体 …… 身体的な**特徴**による認証
例：指紋，虹彩，静脈など

📖用語

ICカードは，通常の磁気カードと異なり，情報の記録や演算をするためにICが組み込まれています。そして，内部の情報を読み出そうとすると壊れるなどして情報を守ります。このような，物理的あるいは論理的に内部の情報を読み取られることに対する耐性のことを**耐タンパ性**といいます。

3

　それぞれの認証には一長一短があるため，このうちの2種類以上を組み合わせて**多要素認証**（または**2要素認証**）とすることが重要です。

■ 情報セキュリティ組織・機関

　進化する情報セキュリティ攻撃から組織を守るためには，組織の中に情報セキュリティを確保する仕組みを作り，組織同士で連携する必要があります。そのための仕組みとしては次のようなものがあります。

①情報セキュリティ委員会

　組織の中における，情報セキュリティ管理責任者（CISO：Chief Information Security Officer）をはじめとした経営層の意思決定組織が**情報セキュリティ委員会**です。

②SOC（セキュリティオペレーションセンター）

　SOC（Security Operation Center）は，セキュリティ監視の拠点です。セキュリティ管理サービスを提供するIT企業が複数の顧客への対応を集中して行うためにSOCを用意し，顧客のセキュリティ機器を監視し，サイバー攻撃の検出やその対策を行います。

③CSIRT

　CSIRT（Computer Security Incident Response Team）とは，主にセキュリティ対策のためにコンピュータやネットワークを監視し，問題が発生した際にはその原因の解析や調査を行う組織です。CSIRTでは，インシデントが発生したときに適切に対処する**インシデントハンドリング**を行います。

　日本には，他のCSIRTとの情報連携や調整を行う**JPCERTコーディネーションセンター**（Japan Computer Emergency Response Team Coordination Center）があります。JPCERTコーディネーションセンターでは，**CSIRTマテリアル**を作成し，組織的なインシデント対応体制の構築を支援しています。

発展

2段階認証とは，認証を2段階で行う認証方式です。2要素認証とは少し異なる概念ですが，重なる部分も多くあります。
例えば，Googleの2段階認証プロセスでは，パスワードでの認証の成功後に，携帯電話などに送られるコードの入力やスマートフォン上のアプリに回答することで認証します。これは，"記憶"であるパスワードと，携帯電話などを"所持"していることによる2要素認証に該当します。
ここで安全性を高めるために必要なのは"2要素認証"の条件を満たすことで，認証の段階自体は1段階でも2段階でもかまいません。2段階認証では1段階目の認証の可否で攻撃者に手がかりを与えてしまうので，理想は"1段階・2要素認証"だとされています。

関連

JPCERTコーディネーションセンターでは，インシデントハンドリングマニュアルやCSIRTガイドなどを含むCSIRTマテリアルを公開しています。
https://www.jpcert.or.jp/csirt_material/

④IPAセキュリティセンター

IPAセキュリティセンターは，IPA（情報処理推進機構）内に設置されているセキュリティセンターです。ここでは情報セキュリティ早期警戒パートナーシップという制度を運用しており，コンピュータウイルス，不正アクセス，脆弱性などの届出を受け付けています。経済産業省と共同で，**サイバーセキュリティ経営ガイドライン**を公開しています。

⑤JVN

JVN（Japan Vulnerability Notes）は，日本で使用されているソフトウェアなどの脆弱性関連情報とその対策情報を提供する脆弱性対策情報ポータルサイトです。JPCERT/CCとIPAが共同で運営しています。

⑥内閣サイバーセキュリティセンター

内閣サイバーセキュリティセンター（NISC：National center of Incident readiness and Strategy for Cybersecurity）は，内閣官房に設置された組織です。サイバーセキュリティ基本法に基づき，内閣にサイバーセキュリティ戦略本部が設置され，同時に内閣官房にNISCが設置されました。サイバーセキュリティ戦略の立案と実施の推進などを行っています。

⑦ホワイトハッカー

コンピュータやネットワークに関する高い技術をもつハッカーと呼ばれる人のうち，その技術を善良な目的に生かす人をホワイトハッカーといいます。サイバー犯罪に対処するためにも，ホワイトハッカーの育成は急務といわれています。

⑧J-CRAT（サイバーレスキュー隊）

J-CRAT（Cyber Rescue and Advice Team against targeted attack of Japan）は，IPAが経済産業省の支援のもとに設立した，相談を受けた組織の被害の低減と攻撃の連鎖の遮断を支援する活動を行う団体です。「標的型サイバー攻撃特別相談窓口」で，広く一般からの相談や情報提供を受け付けており，調査結果を用いた助言を実施します。基本的にはメールや電話などでのや

📖用語

サイバーセキュリティ経営ガイドラインなどIPAが関連した標準については，「9-2-2 セキュリティ関連法規」で取り上げています。

り取りですが，場合によっては，現場組織に赴いて支援を行うこともあります。

⑨ PSIRT（Product Security Incident Response Team）

製品のセキュリティに関するインシデントに対応し，その脆弱性を管理するためのチームです。製造会社などで，自社製品の脆弱性に起因するリスクに対応するための社内機能として運用します。

それでは，次の問題を考えてみましょう。

問 題

JPCERTコーディネーションセンター "CSIRTガイド（2021年11月30日）" では，CSIRTを機能とサービス対象によって六つに分類しており，その一つにコーディネーションセンターがある。コーディネーションセンターの機能とサービス対象の組合せとして，適切なものはどれか。

	機能	サービス対象
ア	インシデント対応の中で，CSIRT間の情報連携，調整を行う。	他のCSIRT
イ	インシデントの傾向分析やマルウェアの解析，攻撃の痕跡の分析を行い，必要に応じて注意を喚起する。	関係組織，国又は地域
ウ	自社製品の脆弱性に対応し，パッチ作成や注意喚起を行う。	自社製品の利用者
エ	組織内CSIRTの機能の一部又は全部をサービスプロバイダとして，有償で請け負う。	顧客

（令和5年秋 応用情報技術者試験 午前 問39）

解説

　JPCERTコーディネーションセンター"CSIRTガイド（2021年11月30日）"によると，CSIRTの機能は，サービス対象によって六つに分類されます。そのうちのコーディネーションセンターでは，サービス対象は協力関係にある他のCSIRTで，インシデント対応においてCSIRT間の情報連携，調整を行ないます。したがって，アが正解です。

イ　分析センターが該当します。

ウ　ベンダーチームが該当します。

エ　インシデントレスポンスプロバイダが該当します。

≪解答≫ア

▶▶▶ 覚えよう！

- [ ] リスク対応には，最適化，回避，移転，保有の4種類がある
- [ ] 認証の3要素は，記憶，所持，生体で，組み合わせて多要素認証とすることが大事

3-5-3 ◯ セキュリティ技術評価 　頻出度 ★★★

　情報セキュリティに"完璧な対策"はありません。資金面での限界もありますし，日々新しい攻撃が考案されている現状からも，「すべてのことに対応する」のは現実的ではありません。しかし，最低限の対策は，会社の信用を高めたり，リスクを減少させたりするために必要です。完璧ではなくても，「同業他社や世間一般と同じぐらいのレベル」で守らなければなりません。そこで，「いったいどこまで対策をすればよいのか」を示すために，情報セキュリティに関する様々な規格や制度が制定されています。

◼ ISO/IEC 15408

　情報セキュリティマネジメントではなくセキュリティ技術を評価する規格にISO/IEC 15408（JIS規格ではJIS X 5070）があります。これは，IT関連製品や情報システムのセキュリティレベルを評価するための国際規格です。CC（Common Criteria：コモ

🔍 用語

情報セキュリティマネジメント（ISMS）の場合は，ISO/IEC27001や27002が基準にされています。そして，そうした規格で定義されている活動を実際に行っているかどうかをISMS適合性評価制度で判断し，それに合致した組織がISMS認証を取得します。つまり，認証を受けるということは，セキュリティ対策が完璧であるということではなく，規格で定義されている対策をひととおり行っているということが認定されるものです。

ンクライテリア）とも呼ばれ，主に次のような概念を掲げています。

① ST（Security Target：セキュリティターゲット）

セキュリティ基本設計書のことです。製品やシステムの開発に際して，STを作成することは最も重要であると規定されています。利用者が自分の要求仕様を文書化したものです。

② EAL（Evaluation Assurance Level：評価保証レベル）

製品の保証要件を示したもので，製品やシステムのセキュリティレベルを客観的に評価するための指標です。EAL1（機能テストの保証）からEAL7（形式的な設計の検証及びテストの保証）まであり，数値が高いほど保証の程度が厳密です。

■ ISO/IEC 18045

CCに基づいた評価は，異なる制度や評価機関で実施されても，その評価結果が同じである必要があります。そのため，評価に使用される手法（どのような対象を評価し，どのような判断を要するかなど）を明確にした **CEM**（Common Evaluation Methodology for Information Technology Security Evaluation：共通評価方法）がCCとともに開発されました。CEMは **ISO/IEC 18045** として標準化されています。

■ JISEC（ITセキュリティ評価及び認証制度）

JISEC（Japan Information Technology Security Evaluation and Certification Scheme）とは，IT関連製品のセキュリティ機能の適切性・確実性をISO/IEC 15408に基づいて評価し，認証する制度です。評価は第三者機関（評価機関）が行い，認証はIPA（情報処理推進機構）が行います。

■ JCMVP（暗号モジュール試験及び認証制度）

JCMVP（Japan Cryptographic Module Validation Program）は，暗号モジュールの認証制度です。暗号化機能，ハッシュ機能，署名機能などのセキュリティ機能を実装したハードウェアやソフトウェアなどから構成される暗号モジュールが，セキュリティ機能や内部の重要情報を適切に保護していることについて，評価，

用語
共通の評価基準であるCCに加え，評価結果を理解し，比較するための評価方法『Common Methodology for Information Technology Security Evaluation』が開発されました。共通評価方法（Common Evaluation Methodology）と略され，その頭文字をとって **CEM** と呼ばれます。ここには，評価機関がCCによる評価を行うための手法が記されています。

認証します。この制度は，製品認証制度の一つとして，IPAによっ
て運用されています。

■ PCI DSS

PCI DSS（Payment Card Industry Data Security Standard：
PCIデータセキュリティスタンダード）とは，**クレジットカード情報
の安全な取扱い**のために，JCB，American Express，Discover，
マスターカード，VISAの5社が共同で策定した，クレジットカード
業界におけるグローバルセキュリティ基準です。

PCI DSSは，カード会員情報を格納及び処理するすべての組織
を対象としており，安全なネットワークの構築や維持，カード会員
データの保護などに関する要件を具体的に定めています。

🔗関連
PCI DSS の 最 新 版 は 現
在，v4.0.1です。内容は，
PCI Security Standards
Councilのホームページで
公開されています。
https://www.pcisecurity
standards.org/lang/ja-ja/
使用許諾契約書に同意する
ことで全文を確認できます
ので，興味のある方は読ん
でみてください。

■ SCAP

NIST（National Institute of Standards and Technology）が開
発した，情報セキュリティ対策の自動化と標準化を目指した技術
仕様を**SCAP**（Security Content Automation Protocol：セキュ
リティ設定共通化手順）といいます。

現在，SCAPは次の六つの標準仕様から構成されています。

🔗関連
SCAPについては，IPAセ
キュリティセンターのWeb
サイトに詳しい説明があり
ます。
https://www.ipa.go.jp/
security/vuln/SCAP.html
それぞれの詳しい内容は，こ
ちらを参考にしてください。

①脆弱性を識別するためのCVE

（Common Vulnerabilities and Exposures：共通脆弱性識別子）

個別製品中の脆弱性を対象として，米国政府の支援を受けた非
営利団体のMITRE社が採番している識別子です。脆弱性検査
ツールやJVNなどの脆弱性対策情報提供サービスの多くがCVE
を利用しています。

②セキュリティ設定を識別するためのCCE

（Common Configuration Enumeration:共通セキュリティ設定一覧）

システム設定情報に対して共通の識別番号「CCE識別番号
（CCE-ID）」を付与し，セキュリティに関するシステム設定項目を
識別します。識別番号を用いることで，脆弱性対策情報源やセキュ
リティツール間のデータ連携を実現します。

③製品を識別するためのCPE
（Common Platform Enumeration：共通プラットフォーム一覧）

ハードウェア，ソフトウェアなど，情報システムを構成するものを識別するための共通の名称基準です。

④脆弱性の深刻度を評価するためのCVSS
（Common Vulnerability Scoring System：共通脆弱性評価システム）

情報システムの脆弱性に対するオープンで包括的，汎用的な評価手法です。CVSSを用いると，脆弱性の深刻度を同一の基準の下で定量的に比較できるようになります。また，ベンダー，セキュリティ専門家，管理者，ユーザー等の間で，脆弱性に関して共通の言葉で議論できるようになります。

CVSSでは，次の三つの視点から評価を行います。

・**基本評価基準**（Base Metrics）
　脆弱性そのものの特性を評価する視点
・**現状評価基準**（Temporal Metrics）
　脆弱性の現在の深刻度を評価する視点
・**環境評価基準**（Environmental Metrics）
　製品利用者の利用環境も含め，最終的な脆弱性の深刻度を評価する視点

⑤チェックリストを記述するためのXCCDF
（eXtensible Configuration Checklist Description Format： セキュリティ設定チェックリスト記述形式）

セキュリティチェックリストやベンチマークなどを記述するための仕様言語です。

⑥脆弱性やセキュリティ設定をチェックするためのOVAL
（Open Vulnerability and Assessment Language：セキュリティ検査言語）

コンピュータのセキュリティ設定状況を検査するための仕様です。

■ CWE

CWE（Common Weakness Enumeration：共通脆弱性タイプ一覧）は，ソフトウェアにおけるセキュリティ上の弱点（脆弱性）の種類を識別するための共通の基準です。CWEでは多種多様な**脆弱性の種類**を脆弱性タイプとして分類し，それぞれにCWE識別子（CWE-ID）を付与して階層構造で体系化しています。脆弱性タイプは，下記の4種類に分類されます。

- ビュー（View）
- カテゴリ（Category）
- 脆弱性（Weakness）
- 複合要因（Compound Element）

■ ISMAP

ISMAP（Information system Security Management and Assessment Program）は，政府情報システムのためのセキュリティ評価制度です。ISMAP管理基準を制定し，クラウドサービス事業者が実施すべきセキュリティ対策などが記載されています。政府が求めるセキュリティ要求を満たしているクラウドサービスをあらかじめ評価・登録することにより，政府のクラウドサービス調達におけるセキュリティ水準を確保します。

■ 脆弱性検査

システムを評価するために脆弱性を発見する検査のことを**脆弱性検査**といいます。脆弱性検査として，システムに実際に攻撃して侵入を試みる手法をペネトレーションテストといいます。

また，ソフトウェアに対して問題を起こしそうな様々な種類のデータ（Fuzz）を入力し，その動作を確認することで脆弱性を検出するファジングという手法も用いられます。

■ 耐タンパ性

耐タンパ性とは，ソフトウェアやハードウェアが備える，内部構造や記憶しているデータなどの解析の困難さのことです。解析をしようとすると，それを検知してシステム自体を破壊するなどの方法で，耐タンパ性を確保します。

　具体例としては，信号の読出し用プローブの取付けを検出すると IC チップ内の保存情報を消去するような回路を設けて，IC チップ内の情報を容易に解析できないようにするなどの手法があります。

3

3-5-4 ◯ 情報セキュリティ対策

　情報セキュリティ対策というと，技術面での対策を思い浮かべがちですが，それだけでは十分ではありません。人的セキュリティ，物理セキュリティの対策を行い，総合的に情報資産を守っていく必要があります。また，実際のセキュリティ攻撃を知ることで，守る方法が見えてきます。

◼ 情報セキュリティ対策の種類

　情報セキュリティ対策には，大きく次の3種類があります。

①技術的セキュリティ対策

　暗号化，認証，アクセス制御など，技術によるセキュリティ対策です。技術的な対策には，攻撃を防いで内部に侵入させないための**入口対策**と，侵入された後にその被害を外部に広げないための**出口対策**があります。また，一つの対策だけでなく複数の対策を組み合わせる**多層防御**も大切です。

②人的セキュリティ対策

　教育，訓練や契約などにより，人に対して行うセキュリティ対策です。管理的セキュリティと呼ばれることもあります。組織における不正行為は，**内部関係者**によって行われることが多いため，それを防ぐ対策が必要です。IPA では『組織における内部不正防止ガイドライン』を公表し，内部不正を防止するための証拠確保などの具体的な方法を示しています。

⭐参考
セキュリティ問題は，最終的には「人」が原因で発生することがほとんどです。どんなに強固なファイアウォールを設置しても，内部の人間が会社に不満をもち，セキュリティ犯罪を犯す場合もあります。人的セキュリティを軽視せず，現実的に対処していくことが大切です。

③物理的セキュリティ対策

建物や設備などを対象とした，物理的なセキュリティ対策です。入退室管理やバックアップセンタ設置などを行います。離席時にはPCの画面を見えないようにする**クリアスクリーン**や，帰宅時に机の上のものをPCなども含めてすべてロッカーにしまって施錠する**クリアデスク**などの対策を行う必要があります。

■ 個人情報保護対策

個人情報とは，氏名，住所，メールアドレスなど，それ単体もしくは組み合わせることによって個人を特定できる情報のことです。個人情報保護の基本的な考え方は，個人情報は本人の財産なので，それが勝手に別の人の手に渡ったり，間違った方法で使われたり，内容を勝手に変えられたりしないように適切に管理する必要があるということです。そのために，**個人情報の保護に関する法律**（個人情報保護法）では，個人情報の利用目的の特定と公表などについて定められています。個人情報に関しても，法律や標準に従って，適正な管理を行う必要があります。

■ 典型的なサイバー攻撃

サイバー攻撃（セキュリティ攻撃）には様々なものがあり，日々進化しています。近年の代表的な攻撃には以下のようなものがあります。

①バッファオーバフロー攻撃（BOF）

バッファの長さを超えるデータを送り込むことによって，バッファの後ろにある領域を破壊して動作不能にし，プログラムを上書きする攻撃です。対策としては，入力文字列長をチェックする方法が一般的ですが，それを言語としてチェックしないC言語やC++言語などは使わないという方法もあります。

②SQLインジェクション

不正なSQLを投入することで，通常はアクセスできないデータにアクセスしたり更新したりする攻撃です。

参考

個人情報保護に関しての標準は，JIS Q 15001「個人情報保護マネジメントシステム」で示されています。基本的な考え方はISMSと同じであり，個人情報保護のためのISMSと考えても差し支えありません。

関連

個人情報保護法については，「9-2-2　セキュリティ関連法規」で詳しく取り上げています。

発展

セキュリティ攻撃の手法は日々進化しているので，最新の情報を確認することがとても大切です。IPAセキュリティセンターのWebサイト（https://www.ipa.go.jp/security/）を参考に，流行している攻撃手法は理解しておきましょう。

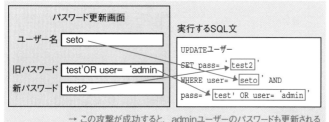

SQLインジェクションの例

→ この攻撃が成功すると，adminユーザーのパスワードも更新される

このように，SQLインジェクションでは，「'」(シングルクォーテーション)などの制御文字をうまく組み入れることによって，意図しない操作を実行できます。対策としては，制御文字を置き換える**エスケープ処理**や，プレースホルダを利用するバインド機構が有効です。

③クロスサイトスクリプティング攻撃 (XSS)

悪意のあるスクリプトを，標的サイトに埋め込む攻撃です。

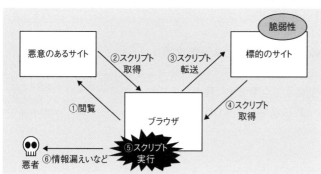

クロスサイトスクリプティング攻撃

対処方法としては，スクリプトを実行できないようにする，制御文字をエスケープ処理するなどがあります。

④クロスサイトリクエストフォージェリ攻撃 (CSRF)

Webサイトにログイン中のユーザーのスクリプトを操ることで，Webサイトに被害を与える攻撃です。

📖 **用語**

バインド機構とは，入力データの部分を埋め込んで文字列を組み立てる際に，文字列の連結ではなく**プリペアドステートメント**という各プログラム言語に用意された関数を利用して，SQL文を事前に組み立てておく方法です。具体的には，preparedStatement("SELECT name FROM table WHERE code=?");
といったかたちであらかじめSQL文をコンパイルしておき，「?」の部分に文字列を挿入します。この「?」をプレースホルダと呼びます。

⭐ **参考**

クロスサイトスクリプティング(XSS)とクロスサイトリクエストフォージェリ(CSRF)の違いは，攻撃がブラウザ上で行われるかサーバに向けて行われるかです。クライアントでスクリプトを実行して被害を起こすのがXSSで，スクリプトによってサーバ上に被害を起こすのがCSRFです。

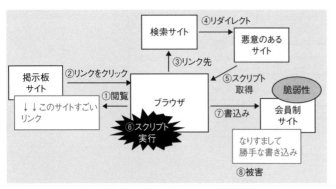

クロスサイトリクエストフォージェリ攻撃

⑤セッションハイジャック

　セッションIDやクッキーを盗むことで，別のユーザーになり
すましてアクセスするという不正アクセスの手口です。

⑥DNSキャッシュポイズニング攻撃

　DNSのキャッシュに不正な情報を注入することで，不正なサ
イトへのアクセスを誘導する攻撃です。

⑦DoS（Denial of Service）攻撃（サービス不能攻撃）

　サーバなどのネットワーク機器に大量のパケットを送るなど
してサービスの提供を不能にする攻撃です。踏み台と呼ばれる
複数のコンピュータから一斉に攻撃を行うDDoS（Distributed
DoS）攻撃もあります。

⑧フィッシング

　信頼できる機関を装い，偽のWebサイトに誘導する攻撃です。
例えば，銀行のメールを装って「本人情報の再確認が必要なので
入力してください」などと詐称し，個人情報を入力させるといっ
た手口があります。

⑨パスワードクラック

　パスワードを不正に取得する攻撃です。辞書に出てくる用語
を使用する辞書攻撃，適当な文字列を組み合わせて力任せに攻
撃を繰り返すブルートフォース攻撃などがあります。また，ネッ

3

トワークを盗聴する手法には，認証情報の入ったパケットを取
得し，それを送信するリプレイ攻撃や，パスワードを盗聴するス
ニッフィングなどの手法があります。パスワードとハッシュ値の
組合せをまとめたレインボーテーブルを作成し，ハッシュ値からパ
スワードを推測する**レインボーテーブル攻撃**もあります。

　さらに近年では，他のサイトで取得したパスワードのリストを
利用して攻撃を行う**パスワードリスト攻撃**がさかんです。

　それでは，次の問題を解いてみましょう。

問 題

パスワードリスト攻撃に該当するものはどれか。

ア　一般的な単語や人名からパスワードのリストを作成し，イン
　　ターネットバンキングへのログインを試行する。
イ　想定され得るパスワードとそのハッシュ値との対のリストを
　　用いて，入手したハッシュ値からパスワードを効率的に解析
　　する。
ウ　どこかのWebサイトから流出した利用者IDとパスワードのリ
　　ストを用いて，他のWebサイトに対してログインを試行する。
エ　ピクチャパスワードの入力を録画してリスト化しておき，そ
　　れを利用することでタブレット端末へのログインを試行する。

(平成27年春 応用情報技術者試験 午前 問39)

解 説

　パスワードリスト攻撃とは，パスワードのリストを使ってログイ
ンを試行する攻撃で，そのリストにはどこかのWebサイトから流
出した利用者IDとパスワードなどが使用されます。したがって，
ウが正解です。

　アは辞書攻撃，イはレインボー攻撃の説明です。エのピクチャ
パスワードとは，画像を用意し，その画像の特定の部分をクリッ
クするなどの動作を登録しておき，その動作をログインに使う認
証方法です。

≪解答≫ウ

⑩ランサムウェア

　コンピュータをロックしたり重要なファイルを暗号化したりしてシステムへのアクセスを制限し，その制限を解除するための**身代金を要求するマルウェア**です。

　身代金を支払ってもデータが復元されるとは限らないため，事前の**バックアップ**などの対策が重要です。近年では，バックアップがあっても，重要なファイルを外部に公開することを脅す**二重脅迫**などの手法もあります。

⑪ディレクトリトラバーサル

　Webサイトのパス名（Webサーバ内のディレクトリやファイル名）に上位のディレクトリを示す記号（../ や ..¥）を入れることで，公開が予定されていないファイルを指定する攻撃です。サーバ内の機密ファイルの情報の漏えいや，設定ファイルの改ざんなどに利用されるおそれがあります。対策としては，パス名などを直接指定させない，アクセス権を必要最小限にするなどがあります。

⑫ポリモーフィック型マルウェア

　自己を複製するときにプログラムのコードを変化させ，検知されないようにするマルウェアです。感染ごとにマルウェアのコードを異なる鍵で暗号化することによって，同一のパターンでは検知されないようにします。

⑬ドライブバイダウンロード

　Webサイトにアクセスしただけで，ソフトウェアをダウンロードさせる攻撃です。利用者がWebサイトを閲覧したとき，利用者に気付かれないように，利用者のPCに不正プログラムを転送させます。

⑭SEOポイズニング

　Web検索サイトの順位付けアルゴリズムを悪用して，検索結果の上位に，悪意のあるWebサイトを意図的に表示させる攻撃です。ドライブバイダウンロードと合わせて，マルウェアに感染させることもあります。

📖 **用語**

マルウェアは，「malicious（悪意のある）」と「Software」の合成語です。

📑 **過去問題をチェック**

様々なサイバー攻撃に関する問題は，近年出題が増えている傾向があります。以下のような出題があります。
【クロスサイトスクリプティング】
・平成25年秋 午前 問42
・平成27年秋 午前 問36
・平成30年春 午前 問37
・平成30年秋 午前 問41
【パスワードクラック】
・平成24年春 午前 問60
・平成25年秋 午前 問44
・平成27年春 午前 問39
・平成29年春 午前 問60
・令和4年春 午前 問42
・令和5年秋 午前 問36
【ランサムウェア】
・令和5年秋 午前 問43
【ディレクトリトラバーサル】
・平成21年春 午前 問42
・平成27年春 午前 問46
・平成30年春 午前 問38
【ポリモーフィック型マルウェア】
・平成30年春 午前 問39
【SEOポイズニング】
・平成29年秋 午前 問37
・令和2年10月 午前 問39
【ドライブバイダウンロード】
・平成29年秋 午前 問40
【クリプトジャッキング】
・令和2年10月 午前 問41
【クリックジャッキング】
・令和3年春 午前 問37
【サイドチャネル攻撃】
・令和4年秋 午前 問37
・令和5年秋 午前 問41

⑮ビジネスメール詐欺

　海外の取引先や自社の経営者層等になりすまし，偽の電子メールを送って送金を行わせる詐欺のことです。BEC（Business Email Compromise）とも呼ばれます。

⑯クリプトジャッキング

　暗号資産（仮想通貨）を得ることを目的に行われる攻撃です。他人のコンピュータを許可なく使用し，リソースを消費することで暗号資産のマイニングをさせ，暗号資産を自分のものとします。

⑰クリックジャッキング

　罠ページの上に別のWebサイトをiFrameを使用して表示させ，透明なページを重ね合わせることで不正なクリックを誘導する攻撃です。HTTPレスポンスヘッダーに，X-Frame-Optionsヘッダーフィールドを出力してフレームの使用を制限することで，重ね合わせを防ぐことができます。

⑱エクスプロイトコード（Exploit Code）

　新たな脆弱性が発見されたときにその再現性を確認し，攻撃が可能であることを検証するためのプログラム群です。エクスプロイトキット（Exploit Kit）ともいわれます。ソフトウェアやハードウェアの脆弱性を利用するために作成されたプログラムなので，悪意のある用途にも使用でき，改変することで容易にマルウェアが作成できます。そのため，脆弱性の検証用であっても，エクスプロイトキットの公開には注意が必要となります。

⑲サイドチャネル攻撃

　暗号を処理している装置の動作などを観察・測定することによって機密情報を取得しようとする攻撃です。サイドチャネル攻撃の手法には，処理時間を計測して推測する**タイミング攻撃**や，漏えいした電磁波を解読する**テンペスト攻撃**などがあります。

■ 標的型攻撃

　特定の企業や組織を狙った攻撃です。標的とした企業の社員に向けて，関係者を装ってウイルスメールを送付するなどして感

染させます。また，その感染させたPCからさらに攻撃の手を広げて，最終的に企業の機密情報を盗み出します。APT（Advanced Persistent Threat：先進的で執拗な脅威）と呼ばれることもあります。

標的型攻撃の手口には，標的の組織や個人がよく利用するWebサイトを改ざんし，そこでマルウェアなどの導入を仕込む**水飲み場型攻撃**や，複数回のメールのやり取りで担当者を信頼させる**やり取り型攻撃**などがあります。感染したマルウェアが遠隔操作型ウイルスとなり，**C＆Cサーバ**（Command and Control Server）と通信することで，情報を外部に流出させます。

マルウェアはウイルス対策ソフトで防げないことも多いため，攻撃を防ぐ入口対策だけでなく，感染後に被害を広げないための**出口対策**を適切に行うことが大切です。

📖 用語

C＆Cサーバとは，不正プログラムに対して指示を出し，情報を受け取るためのサーバです。

■ AIに対する攻撃

AI（Artificial Intelligence）は，画像認識など様々な分野で利用されています。AIを利用した画像認識では，アルゴリズムとしてディープラーニングがよく用いられます。ディープラーニングで作成した画像認識モデルは，精度は高いのですが処理が複雑なため，人間が正しく学習できているかどうかを判別することが困難です。そのため，認識させる画像の中に人間には知覚できないノイズや微小な変化を含めることによって誤った判定を行わせることが可能となります。この攻撃のことを**Adversarial Examples**（敵対的サンプル）攻撃といいます。

■ セキュリティ対策

様々な攻撃から情報資産を守るためには，多くのセキュリティ対策が必要です。代表的な対策を以下に挙げます。

①アカウント管理

ユーザーとアカウントを1対1で対応させ，ユーザーに必要最小限のアクセス権を与えます。

②ログ管理

ログを収集し，その完全性を管理します。デジタルフォレンジックスを意識し，証拠となるようにログを残すことが大切です。また，複数のサーバのログを一元管理することで，不審なアクセスを見つけやすくなります。複数のサーバやネットワーク機器のログを収集分析し，不審なアクセスを検知する仕組みとして，SIEM（Security Information and Event Management）があります。

③入退室管理

ICカードなどを用いて，入退室を管理・記録します。

④アクセス制御

ファイアウォールなどを用いてアクセスを制御します。

⑤マルウェア対策

ウイルス対策ソフトを全PCに導入し，ウイルス定義ファイルを最新版にアップデートするなど，マルウェアに感染しない対策を行います。また，検疫ネットワークを用いて，ウイルス対策を行っていないPCはネットワークに接続させないという手法も有効です。

⑥不正アクセス対策

IDS／IPSなどの侵入検知／防止の対策を行い，不正アクセスに対処します。

⑦情報漏えい対策

データを暗号化したり，物理的に持ち出さないようにしたりして，情報が漏えいしないようにします。PCの内部のデータが盗まれないようにする仕組みにTPM（Trusted Platform Module）があります。TPMは，PCなどの機器に搭載され，鍵生成やハッシュ演算及び暗号処理を行うセキュリティチップです。

⑧無線LANセキュリティ

WEPやWPAで暗号化，IEEE 802.1Xで認証などを行うことで，無線LANのセキュリティを確保します。

用語: デジタルフォレンジックスとは，法科学の一分野です。不正アクセスや機密情報の漏えいなどで法的な紛争が生じた際に，原因究明や捜査に必要なデータを収集・分析し，その法的な証拠性を明らかにする手段や技術の総称です。ログを法的な証拠として成立させるためには，ログが改ざんされないような工夫をする必要があります。

関連: IDS／IPSについては，「3-5-5 セキュリティ実装技術」を参照してください。

関連: 無線LANのセキュリティ技術については，無線LANの説明と合わせて，「3-4-2 データ通信と制御」で詳しく解説しています。

⑨携帯端末のセキュリティ

スマートフォンやタブレットPCなどの携帯端末は，PCと同様の機能をもっています。そのため，ウイルス対策ソフトを導入するなど，PCと同等のセキュリティ対策を講じることが必要です。

⑩ペネトレーションテスト

ペネトレーションテストは，サーバやファイアウォールなどのシステムに対して疑似攻撃を行うテストです。実際に侵入可能かどうかを確かめることによって，システムの安全性を確認します。

⑪迷惑メール対策

迷惑メール対策には，迷惑メールと判断したメールをフィルタリングする方法が有効です。迷惑メールかどうかを学習する手法には，統計的に迷惑メールの確率を演算する**ベイジアンフィルタ**がよく用いられます。

それでは，具体的なセキュリティ対策を理解するために，午後問題を考えてみましょう。

問題

DNSのセキュリティ対策に関する次の記述を読んで，設問1〜3に答えよ。

R社は，Webサイト向けソフトウェアの開発を主業務とする，従業員約50名の企業である。R社の会社概要や事業内容などをR社のWebサイト（以下，R社サイトという）に掲示している。

R社内からインターネットへのアクセスは，R社が使用するデータセンタを経由して行われている。データセンタのDMZには，R社のWebサーバ，権威DNSサーバ，キャッシュDNSサーバなどが設置されている。DMZは，ファイアウォール（以下，FWという）を介して，インターネットとR社社内LANの両方に接続している。データセンタ内のR社のネットワーク構成の一部を図1に示す。

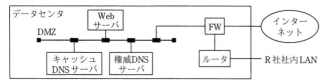

図1 データセンタ内のR社のネットワーク構成（一部）

R社サイトは，データセンタ内のWebサーバで運用され，インターネットからR社サイトへは，HTTP Over TLS（以下，HTTPSという）によるアクセスだけが許されている。

〔インシデントの発生〕

ある日，R社の顧客であるY社の担当者から，"社員のPCが，R社サイトに埋め込まれていたリンクからマルウェアに感染したと思われる"との連絡を受けた。Y社は，Y社が契約しているISPであるZ社のDNSサーバを利用していた。

R社情報システム部のS部長は，部員のTさんに，R社のネットワークのインターネット接続を一時的に切断し，マルウェア感染の状況について調査するように指示した。Tさんが調査した結果，R社の権威DNSサーバ上の，R社のWebサーバのAレコードが別のサイトのIPアドレスに改ざんされていることが分かった。R社のキャッシュDNSサーバとWebサーバには，侵入や改ざんされた形跡はなかった。

Tさんから報告を受けたS部長は，①Y社のPCがR社の偽サイトに誘導され，マルウェアに感染した可能性が高いと判断した。

〔当該インシデントの原因調査〕

S部長は，当該インシデントの原因調査のために，R社の権威DNSサーバ，キャッシュDNSサーバ及びWebサーバの脆弱性診断及びログ解析を実施するよう，Tさんに指示した。Tさんは外部のセキュリティ会社の協力を受けて，脆弱性診断とログ解析を実施した。診断結果の一部を表1に示す。

表1 R社サーバの脆弱性診断及びログ解析の結果(一部)

診断対象	脆弱性診断結果	ログ解析結果
権威 DNS サーバ	・OS は最新であったが,DNS ソフトウェアのバージョンが古く,____a____ を奪取されるおそれがあった。 ・インターネットから権威 DNS サーバへのアクセスは DNS プロトコルだけに制限されていた。	業務時間外にログインされた形跡が残っていた。
キャッシュ DNS サーバ	・OS 及び DNS ソフトウェアは最新であった。 ・インターネットからキャッシュ DNS サーバへのアクセスは DNS プロトコルだけに制限されていた。	不審なアクセスの形跡は確認されなかった。
Web サーバ	・OS 及び Web サーバのソフトウェアは最新であった。 ・インターネットから Web サーバへのアクセスは HTTPS だけに制限されていた。	Y 社の PC がマルウェア感染した時期に②R 社サイトへのアクセスがほとんどなかった。

　診断結果を確認したS部長は,R社の権威DNSサーバのDNSソフトウェアの脆弱性を悪用した攻撃によって____a____が奪取された可能性が高いと考え,早急にその脆弱性への対応を行うようにTさんに指示した。

　Tさんは,R社の権威DNSサーバのDNSソフトウェアの脆弱性は,ソフトウェアベンダが提供する最新版のソフトウェアで対応可能であることを確認し,当該ソフトウェアをアップデートしたことをS部長に報告した。S部長はTさんに,R社の権威DNSサーバ上のR社のWebサーバのAレコードを正しいIPアドレスに戻し,R社のネットワークのインターネット接続を再開させたが,Y社のPCからR社サイトに正しくアクセスできるようになるまで,③しばらく時間が掛かった。R社は,Y社に謝罪するとともに,当該インシデントについて経緯などをとりまとめて,R社サイトなどを通じて,顧客を含む関係者に周知した。

〔セキュリティ対策の検討〕

　S部長は,R社の権威DNSサーバに対する④同様なインシデントの再発防止に有効な対策と,R社のキャッシュ DNSサーバ及びWebサーバに対するセキュリティ対策の強化を検討するように,Tさんに指示した。

　Tさんは,R社のWebサーバが使用しているディジタル証明書が,ドメイン名の所有者であることが確認できるDV(Domain Validation)証明書であることが問題と考えた。そこでTさんは,EV(Extended Validation)証明書を導入することを提案した。R社のWebサーバにEV証明書を導入し,WebブラウザでR社サ

イトにHTTPSでアクセスすると，R社の　　b　　を確認できる。
またTさんは，⑤R社のキャッシュDNSサーバがインターネットから問合せ可能であることも問題だと考えた。その対策として，FWの設定を修正してR社社内LANからだけ問合せ可能とすることを提案した。また，R社のキャッシュDNSサーバに，偽のDNS応答がキャッシュされ，R社の社内LAN上のPCがインターネット上の偽サイトに誘導されてしまう，　　c　　の脅威があると考えた。DNSソフトウェアの最新版を確認したところ，ソースポートのランダム化などに対応していることから，この脅威については対応済みとして報告した。

設問1　本文中の下線①で，Y社のPCがR社の偽サイトに誘導された際に，Y社のPCに偽のIPアドレスを返した可能性のあるDNSサーバを，解答群の中から全て選び，記号で答えよ。

　　解答群
　　　ア　DNSルートサーバ
　　　イ　R社のキャッシュDNSサーバ
　　　ウ　R社の権威DNSサーバ
　　　エ　Z社のDNSサーバ

設問2　〔当該インシデントの原因調査〕について，(1)～(3)に答えよ。

　(1)　表1及び本文中の　　a　　に入れる適切な字句を，解答群の中から選び，記号で答えよ。

　　　解答群
　　　　ア　管理者権限　　　　イ　シリアル番号
　　　　ウ　ディジタル証明書　　エ　利用者パスワード

　(2)　表1中の下線②で，R社サイトへのアクセスがほとんどなかった理由を20字以内で述べよ。

　(3)　本文中の下線③で，Y社のPCが正しいR社サイトにアクセスできるようになるまで，しばらく時間が掛かった理由は，どのDNSサーバにキャッシュが残っていたからか，解答群の中から選び，記号で答えよ。

　　　解答群
　　　　ア　DNSルートサーバ
　　　　イ　R社のキャッシュDNSサーバ

　　　ウ　R社の権威DNSサーバ

　　　エ　Z社のDNSサーバ

設問3　〔セキュリティ対策の検討〕について，(1)〜(4)に答えよ。

　(1)　本文中の下線④で，同様なインシデントの再発防止に有効な対策として，R社の権威DNSサーバに実施すべきものを，解答群の中から選び，記号で答えよ。

　　　解答群

　　　　ア　逆引きDNSレコードを設定する。

　　　　イ　シリアル番号の桁数を増やす。

　　　　ウ　ゾーン転送を禁止する。

　　　　エ　定期的に脆弱性検査と対策を実施する。

　(2)　本文中の　　b　　に入れる適切な字句を，解答群の中から選び，記号で答えよ。

　　　解答群

　　　　ア　会社名

　　　　イ　担当者の電子メールアドレス

　　　　ウ　担当者の電話番号

　　　　エ　ディジタル証明書の所有者

　(3)　本文中の下線⑤で，R社のキャッシュDNSサーバがインターネットから問合せ可能な状態であることによって発生する可能性のあるサイバー攻撃を，解答群の中から選び，記号で答えよ。

　　　解答群

　　　　ア　DDoS攻撃

　　　　イ　SQLインジェクション攻撃

　　　　ウ　パスワードリスト攻撃

　　　　エ　水飲み場攻撃

　(4)　本文中の　　c　　に入れるサイバー攻撃手法の名称を，15字以内で答えよ。

（令和3年春 応用情報技術者試験 午後 問1）

解説

　DNSのセキュリティ対策に関する問題です。この問では，自社ドメインを管理する権威DNSサーバに対して行われたサイバー攻撃の事例を題材として，具体的な技術的対策に関する知識が問われています。

設問1

下線①「Y社のPCがR社の偽サイトに誘導され」について，Y社のPCがR社の偽サイトに誘導された際に，Y社のPCに偽のIPアドレスを返した可能性のあるDNSサーバを全て答えます。

まず，〔インシデントの発生〕に，「Y社は，Y社が契約しているISPであるZ社のDNSサーバを利用していた」とあるので，Y社のPCが利用しているZ社のDNSサーバで，偽のIPアドレスを返した可能性があります。また，「R社の権威DNSサーバ上の，R社のWebサーバのAレコードが別のサイトのIPアドレスに改ざんされていることが分かった」とあるので，R社の権威DNSサーバが改ざんされた偽のIPアドレスを返した可能性があります。したがって，解答は**ウ**のR社の権威DNSサーバ，及び，**エ**のZ社のDNSサーバです。

設問2

〔当該インシデントの原因調査〕に関する問題です。権威DNSサーバの情報が書き換えられた原因を調査し，その対処方法について考えていきます。

(1)

表1中及び本文中の空欄穴埋め問題です。適切な字句を，解答欄から選んで答えます。

空欄a

表1中では「DNSソフトウェアのバージョンが古く」，本文中では「DNSソフトウェアの脆弱性を悪用した攻撃によって」とあり，これらの脆弱性で奪取される可能性があるものを答えます。

サーバでは，脆弱性を悪用されて管理者権限が奪取されることがあり，管理者権限があると変更できるDNSレコードのファイルの改ざんなどが可能となります。したがって，解答は**ア**の管理者権限です。

(2)

表1中の下線②「R社サイトへのアクセスがほとんどなかった」について，その理由を答えます。

〔インシデントの発生〕にあるとおり，「R社の権威DNSサーバ

上の，R社のWebサーバのAレコードが別のサイトのIPアドレスに改ざんされている」ため，顧客がR社サイトにアクセスしようとR社の権威DNSサーバからレコードを取得すると，別の偽サイトのIPアドレスが返されることになります。つまり，顧客がR社の偽サイトに誘導されてしまい，R社サイトへのアクセスがなくなってしまうことになります。したがって，解答は，**顧客がR社の偽サイトに誘導されたから**，です。

(3)

下線③「しばらく時間が掛かった」について，Y社のPCが正しいR社サイトにアクセスできるようになるまで，しばらく時間が掛かった理由は，どのDNSサーバにキャッシュが残っていたからかを答えます。

DNSでのアクセスでは，PCからキャッシュDNSサーバにアクセスを行い，そのキャッシュDNSサーバがアクセスしようとするドメインの権威DNSサーバにアクセスし，レコード情報を得ます。そのレコード情報は，有効期限が来るまでキャッシュDNSサーバにキャッシュされます。Y社のPCでは，Y社が契約しているISPであるZ社のDNSサーバがキャッシュDNSサーバとなり，R社の権威DNSサーバにアクセスしたと考えられます。不正に書き換えられた情報はしばらくZ社のDNSサーバにキャッシュされているので，正しくアクセスできるようにキャッシュの情報が切り替わるのにしばらく時間が掛かります。したがって，解答は**エ**の**Z社のDNSサーバ**です。

設問3

〔セキュリティ対策の検討〕に関する問題です。DNSのセキュリティについて，対策や想定される攻撃について考えていきます。

(1)

下線④「同様なインシデントの再発防止に有効な対策」について，同様なインシデントの再発防止に有効な対策として，R社の権威DNSサーバに実施すべきものを答えます。

R社の権威DNSサーバのレコードが書き換えられた原因は，DNSソフトウェアの脆弱性に対応していなかったことです。今後

は，定期的に脆弱性検査を実施し，脆弱性がある場合には対策を
実施することが有効です。したがって，解答は**エ**となります。

その他の選択肢については，次のとおりです。

ア　逆引きDNSレコードを設定することで，ドメインに対するIP
　　アドレスを取得して正当なサーバかどうかを確認することは可
　　能です。しかし，DNSレコードを書き換えるようなインシデン
　　トには対応できません。

イ　シリアル番号の桁数を増やすことで，DNSキャッシュポイズ
　　ニングなどの成功確率を下げることは可能です。しかし，DNS
　　レコードを書き換えるようなインシデントには対応できません。

ウ　ゾーン転送を禁止することで，DNSの内容を不正取得するよ
　　うなインシデントには対応できますが，DNSレコードを書き換
　　えるようなインシデントには対応できません。

(2)

本文中の空欄穴埋め問題です。適切な字句を，解答欄から選ん
で答えます。

空欄b

R社のWebサーバにEV証明書を導入した場合に確認できるこ
とを考えます。

EV（Extended Validation）証明書では，証明書に記載される
会社名が法的かつ物理的に実在することを認証できます。したがっ
て，解答は**ア**の会社名です。

(3)

下線⑤「R社のキャッシュDNSサーバがインターネットから問
合せ可能である」について，R社のキャッシュDNSサーバがイン
ターネットから問合せ可能な状態であることによって発生する可
能性のあるサイバー攻撃を答えます。

R社のキャッシュDNSサーバがインターネットから問合せ可能
な状態だと，第三者が送信元のIPアドレスを偽装してDNSの問
合せを行い，DNSの応答が攻撃対象に返されるようにするDNS
リフレクタ攻撃（DNSリフレクション攻撃，DNS amp攻撃）が可
能です。DNSリフレクタ攻撃は様々なホストに分散して一斉にア
クセスするDDoS攻撃の一種となります。したがって，解答は**ア**

のDDoS攻撃です。

その他の選択肢については，次のとおりです。

イ　SQLインジェクション攻撃は，不正なSQLを投入することで，通常はアクセスできないデータにアクセスしたり更新したりする攻撃です。

ウ　パスワードリスト攻撃は，他のサイトで取得したパスワードのリストを利用して不正アクセスを行う攻撃です。

エ　水飲み場攻撃は標的型攻撃の一種で，標的の組織や個人がよく利用するWebサイトを改ざんし，そこでマルウェアなどの導入を仕込む攻撃です。

(4)

本文中の空欄穴埋め問題です。サイバー攻撃手法の名称を答えます。

空欄c

キャッシュDNSサーバに，偽のDNS応答がキャッシュされ，PCがインターネット上の偽サイトに誘導されてしまう攻撃のことを，DNSキャッシュポイズニング攻撃といいます。したがって，解答は**DNSキャッシュポイズニング**です。攻撃まで含めると15字を超えてしまうため，外して答えます。

≪解答≫

設問1　ウ，エ

設問2
- (1)　a　ア
- (2)　| 顧 | 客 | が | R | 社 | の | 偽 | サ | イ | ト | に | 誘 | 導 | さ | れ | た | か | ら |　（18字）
- (3)　エ

設問3
- (1)　エ
- (2)　b　ア
- (3)　ア
- (4)　c　| D | N | S | キ | ャ | ッ | シ | ュ | ポ | イ | ズ | ニ | ン | グ |　（14字）

▶▶ 覚えよう！

- □　**セキュリティ対策は，技術的，人的，物理的の3種類**
- □　**クライアントで動くのがXSS，サーバで動くのがCSRF**

3-5-5 ● セキュリティ実装技術

第6位
頻出度
★★★

セキュリティ実装技術には，OSのセキュリティ，ネットワークセキュリティ，データベースセキュリティ，アプリケーションセキュリティなど，様々なものがあります。

■ セキュアOS

セキュアOSとは，セキュリティを強化したOSです。UNIXやWindowsなどの通常のOSは，**DAC**（任意アクセス制御：Discretionary Access Control）と呼ばれる，ユーザーが自分自身でアクセス権限を設定できる方式を採用しています。それに対し，セキュアOSでは，MAC（強制アクセス制御：Mandatory Access Control）と呼ばれる，管理者がアクセス権限を強制する方式を使用します。また，業務に合わせてロール（役割）を定義することで，**RBAC**（ロールベースアクセス制御：Role Base Access Control）を行うことも可能です。

それによって，不要なアクセス権を与えずに安全を確保するという最小権限の原則を満たすことができます。

代表的なセキュアOSには，SELinuxやTrusted Solarisなどがあります。

■ ネットワークセキュリティ

ネットワークのセキュリティを守るための方法には，次のようなものがあります。

①ファイアウォール（FW）

ファイアウォールは，ネットワークを中継する場所に設置され，あらかじめ設定された**ACL**（アクセス制御リスト：Access Control List）に基づいてパケットを中継したり破棄したりする機能をもつものです。主な方式に，**IPアドレスとポート番号**を基にアクセス制御を行うパケットフィルタ型と，HTTP，SMTPなどのアプリケーションプログラムごとに細かく中継可否を設定できるアプリケーションゲートウェイ型があります。

インターネットから内部ネットワークへのアクセスは，ファイアウォールによって制御されます。しかし，完全に防御するだ

📖 用語

情報セキュリティ対策の基本的な考え方の一つに，**最小権限の原則**があります。必要以上に権限を与えると，それがセキュリティ犯罪を誘発する原因になるので，権限を最低限に抑えるという考え方です。具体的には，すべてのアクセス権ではなく，管理者権限を複数に分け，必要な人に必要なアクセス権のみを与えるという方法などがあります。

3

けでなく，外部に公開する必要があるWebサーバやメールサーバなどの機器もあります。そこで，インターネットと内部ネットワークの間に，中間のネットワークとしてDMZ（非武装地帯：Demilitarized Zone）を設定します。

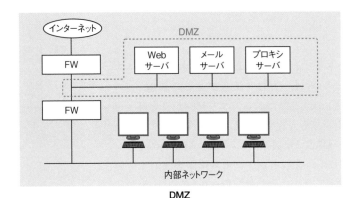

DMZ

DMZを中間に設置することで，内部ネットワークの安全性が高まります。また，DMZにプロキシサーバを置き，PCからインターネットへのWebアクセスなどを中継することもできます。

②IDS ／ IPS

IDS（侵入検知システム：Intrusion Detection System）は，ネットワークやホストをリアルタイムで監視して侵入や攻撃を検知し，管理者に通知するシステムです。ネットワークに接続されてネットワーク全般を管理する**NIDS**（ネットワーク型IDS）と，ホストにインストールされ特定のホストを監視する**HIDS**（ホスト型IDS）があります。また，IDSは侵入を検知するだけで防御はできないので，防御も行えるシステムとして，**IPS**（侵入防御システム：Intrusion Prevention System）も用意されています。

③NAT ／ NAPT（IPマスカレード）

内部ネットワークにプライベートIPアドレスを使用することで，外から内部ネットワークの存在を隠蔽することができます。**プロキシサーバ**を経由することによっても同様の効果を得られます。

 発展

ファイアウォールとIDSの違いは，ファイアウォールでは，IPヘッダーやTCPヘッダーなどの限られた情報しかチェックできないのに対して，IDSでは検知する内容を自由に設定できることです。不正なアクセスのパターンを集めた**シグネチャ**を登録しておき，それと照合することで不正アクセスを検出できます。また，正常パターンを登録しておき，それ以外を異常と見なす**アノマリ検出**も可能です。

🔍 関連

NAT関連については，「3-4-3　通信プロトコル」で説明しています。IPアドレスを有効活用する技術ですが，セキュリティ確保にも役立ちます。

④VPN（Virtual Private Network）

　VPNでは，インターネットやIP-VPN網などの共有のネットワークを利用して，仮想的な専用線を構築します。利用される技術としては，IPパケットを暗号化して通信する**IPsec**や，SSLを利用して暗号化する**SSL-VPN**などがあります。

　それでは，次の問題を解いてみましょう。

問　題

　家庭内で，PCを無線LANルータを介してインターネットに接続するとき，期待できるセキュリティ上の効果の記述のうち，適切なものはどれか。

　　ア　IPマスカレード機能による，インターネットからの侵入に対する防止効果
　　イ　PPPoE機能による，経路上の盗聴に対する防止効果
　　ウ　WPA機能による，不正なWebサイトへの接続に対する防止効果
　　エ　WPS機能による，インターネットからのマルウェア感染に対する防止効果

（令和4年秋 応用情報技術者試験 午前 問43）

解　説

　無線LANルータのもつIPマスカレード（NAPT：Network Address Port Translation）機能は，家庭内LANで使用するプライベートアドレスを，インターネットで使用するグローバルアドレスに変換する機能です。IPマスカレードを使用することにより，内部のIPアドレスを隠ぺいでき，インターネットからの侵入に対する防止効果があります。したがって，アが正解です。

　イ　PPPoE（PPP over Ethernet）機能は，無線LANルータがPPP（Point-to-Point Protocol）による認証を行うための機能です。盗聴防止には，ウのWPAが有効です。
　ウ　WPA（Wi-Fi Protected Access）は，無線LANの通信を暗号

化する機能です。不正なWebサイトへの接続防止には，ファイアウォール機能が有効です。

エ　WPS（Wi-Fi Protected Setup）は無線LANルータの設定を簡単に行えるようにするための機能です。ボタン一つで，スマートフォンやPCなどと無線LANルータの接続設定を行うことができます。マルウェア感染対策には，マルウェア対策ソフトなどの導入が有効です。

《解答》ア

■データベースセキュリティ

データベースを運用・管理するDBMSには，以下のようなセキュリティ機能があります。

①利用者認証

DBMSへのログイン用アカウントによって利用者認証を行います。しかし，Webサーバ上のプログラムからアクセスされる場合などは，複数のユーザーが同じDBMSアカウントを使うので，利用者の記録が残らないことがあります。その場合は，Webサーバ側でアクセス制御をします。

②暗号化

データベースに格納されるデータ自体を暗号化します。そのため，DBMSが格納されているストレージなどが盗難された場合でもデータを保護できます。しかし，プログラムからアクセスされた場合には復号されるので，解読可能になります。SQLインジェクションなど，アプリケーションを中継した攻撃には対応できないので，注意が必要です。

③ロール

DBMSのアカウントには，ユーザーだけでなくロール（役割）を設定し，ロールごとにアクセスを制御することが可能です。

発展

DBMSのアクセスログにDBMSのアカウント情報が残りますが，通常，WebアプリケーションではDBMSアカウントは共通なので，その場合は利用者を識別できません。ログに利用者情報を残すためには，Webサーバ側から利用者IDなどの情報を送ってもらう必要があります。

■ アプリケーションセキュリティ

　Webアプリケーションに対する攻撃を抑制する対策がアプリケーションセキュリティです。次のような手法があります。

①セキュアプログラミング

　システム開発時に脆弱性を作り込まないようにするプログラミングが**セキュアプログラミング**です。クロスサイトスクリプティングやSQLインジェクションなど，多くのサイバー攻撃は，セキュアプログラミングによって避けることができます。

　例えば，次の点に配慮してプログラムを組むことなどが大切です。

- 入力値の内容チェックを行う
- SQL文の組み立てはすべてプレースホルダで実装する
- エラーをそのままブラウザに表示しない

関連

セキュアプログラミングを含めたWebサイトのセキュリティについては，IPAセキュリティセンターのサイト「安全なウェブサイトの作り方」にまとめられています。
https://www.ipa.go.jp/security/vuln/websecurity/index.html
実務でWeb開発を行う場合には，ぜひ参考にしてみてください。

②脆弱性低減技術

　脆弱性低減技術としては，ソースコード静的検査やプログラムの動的検査に加えて，未知の脆弱性を検出する技術である**ファジング**などがあります。

③Same Origin Policy

　Same Origin Policy（同一生成元ポリシ）とは，あるオリジン（ドメインなどが同一のサイト）から読み込まれた文書やスクリプトを他のオリジンで利用できないように制限する機能です。外部からの干渉を防ぐために利用されます。

④パスワードクラック対策

　パスワードファイルを取得されるなどのパスワードクラックへの対策として，パスワードをハッシュ化するときに**ソルト**と呼ばれる文字列を付加する方法があります。また，ハッシュ値の計算を何回も繰り返す**ストレッチング**という手法もあります。

⑤WAF

　Webアプリケーションで発生する脆弱性を防ぐ対策としては，**WAF**（Web Application Firewall）があります。WAFには，脆

弱性を取り除ききれなかったWebアプリケーションに対する攻撃を防御する機能があります。

■ その他のセキュリティ

セキュリティ技術や対策には，ほかにも様々なものが用意されています。代表的なものを以下に示します。

①スパム対策／ウイルス対策

ウイルスの対処方法は，基本的に次の三つです。

- ウイルス対策ソフトをインストールする
- ウイルス定義ファイルを最新状態に更新し続ける
- OSやアプリケーションを最新版にアップデートする

これらが守られていないと，ウイルスやスパムの被害にあう可能性が高くなります。しかし，完全に対応することは難しく，脆弱性の発見にウイルス定義ファイルの更新が間に合わないとゼロデイ攻撃にあう場合があります。

②テンペスト技術

PCや周辺機器から発する微弱な電磁波（漏えい電磁波）を受信することで通信を傍受することをテンペスト（TEMPEST: Transient Electromagnetic Pulse Surveillance Technology）技術と呼びます。対抗するためには，電磁波を遮断する部屋に機器を設置するなどの対応が必要です。

③ステガノグラフィ

音声や画像などのデータに秘密のメッセージを埋め込む技術です。同様の技術である電子透かしでは，コンテンツに関係がある情報を埋め込んで著作権を守ることが主な目的であるのに対して，ステガノグラフィでは秘匿メッセージをやり取りします。

④時刻認証（タイムスタンプ）

契約書や領収書などが電子化されると，それが改ざんされる危険があります。PKIでのデジタル署名は，他人の改ざんは証明できますが，本人による改ざんには対処できません。そこで，**TSA**（時刻認証局）が提供している**時刻認証**サービスを利用して

用語

ゼロデイ攻撃とは，OSやアプリケーションの修正プログラムが提供されるよりも前に，実際にセキュリティホールを突いた攻撃が行われることです。

書類のハッシュ値に時刻を付加し，TSAのデジタル署名を行ったタイムスタンプを付与することによって，その時刻に書類が存在していたこと(**存在性**)，その時刻の後に改ざんされていないこと(**完全性**)が証明できます。

⑤ソーシャルエンジニアリング

人間の心理的，社会的な性質につけ込んで秘密情報を入手する手法のことです。上司や重要顧客などを詐称してシステム管理者に電話をかけパスワードなどを聞き出す，ゴミ箱をあさってパスワードの紙を見つけるなどの方法があります。

⑥CAPTCHA

ユーザー認証のときに合わせて行うテストで，利用者がコンピュータでないことを確認するために使われます。Completely Automated Public Turing test to tell Computers and Humans Apartの頭文字をとったものです。コンピュータには認識困難な画像で，人間は文字として認識できる情報を読み取らせることで，コンピュータで自動処理しているのではないことを確かめます。

■ 認証プロトコル

ユーザーや機器を認証するプロトコルのうち，代表的なものを以下に挙げます。

①SPF （Sender Policy Framework）

電子メールの認証技術の一つで，差出人のIPアドレスなどを基にメールのドメインの正当性を検証します。DNSサーバにSPFレコードとしてメールサーバのIPアドレスを登録しておき，送られたメールと比較します。

②DKIM （Domain Keys Identified Mail）

電子メールの認証技術の一つで，デジタル署名を用いて送信者の正当性を立証します。署名に使う公開鍵をDNSサーバに公開しておくことで，受信者は正当性を確認できます。

 過去問題をチェック

認証プロトコルについては，応用情報技術者試験では次の出題があります。
[SMTP-AUTH]
・平成26年秋 午前 問37
・平成28年春 午前 問44
・平成28年秋 午前 問37
[SPF]
・平成27年春 午前 問44
・平成28年秋 午前 問43
・令和4年秋 午前 問44
・令和6年春 午前 問43
[DNSSEC]
・平成31年春 午前 問40
・令和5年秋 午前 問45
・令和6年春 午前問37
午後では以下の出題があります。
・平成27年春 午後 問1

③ SMTP-AUTH

送信メールサーバで，ユーザー名とパスワードなどを用いてユーザーを認証する方法です。通常のSMTPのポート番号ではなく，サブミッションポートと呼ばれる特別なポートを利用する場合が多いです。

④ OP25B（Outbound Port 25 Blocking）

迷惑メールの送信に自社のネットワークを使われないようにするための対策です。外部のメールサーバと直接，25番ポートでSMTP通信を行うことを禁止します。

⑤ OAuth

あらかじめ信頼関係を構築したサービス間で，ユーザーの合意のもと，セキュリティを確保した上でユーザーの権限を受け渡しする手法です。現在のバージョンは**OAuth2.0**で，Webアプリだけでなく，モバイルアプリなど様々な用途で利用可能です。

 発展

OAuthの利用例としては，外部サービス利用時に，その外部サービスにGmailのアドレス帳へのアクセス権を与えることなどがあります。これによって，ユーザー名やパスワードを外部サービスに設定することなく，Gmailのアドレス帳を利用できます。

⑥ DNSSEC（DNS Security Extensions）

DNSの応答の正当性を保証するための仕様です。DNSのドメイン登録情報にデジタル署名を付加することで，正当な応答レコードであることと，内容が改ざんされていないことを保証します。

⑦ Diameter

Diameterは，認証・認可・課金（AAA：Authentication, Authorization, Accounting）プロトコルで，RADIUS（Remote Authentication Dial In User Service）の後継です。トランスポート層のプロトコルとしてUDPの代わりにTCPを利用し，セキュリティに関してはTLSを利用して暗号化することが可能です。

それでは，次の問題を解いてみましょう。

3

問 題

SPF（Sender Policy Framework）を利用する目的はどれか。

ア　HTTP通信の経路上での中間者攻撃を検知する。

イ　LANへのPCの不正接続を検知する。

ウ　内部ネットワークへの不正侵入を検知する。

エ　メール送信のなりすましを検知する。

（平成27年春 応用情報技術者試験 午前 問44）

解 説

　SPFは送信ドメインを認証するための技術で，該当ドメインに対するメールサーバのIPアドレスをDNSサーバに登録しておき，受信したメールサーバがそのIPアドレスを確認することで，送信元のメールサーバが正規のメールサーバであることを確認する技術です。メール送信のなりすましを検知することができるので，エが正解です。アはHTTPS通信の利用，イはパーソナルファイアウォールの導入，ウはIDSなどの導入によって対処できます。

《解答》エ

■ ブロックチェーン

　ブロックチェーンとは，取引履歴などのデータとそのハッシュ値を一組として，それをリストとしてつなげて記録した分散型台帳です。同じ台帳をネットワーク上の多数のコンピュータで同期して保有し管理することで，一部の台帳で取引データが改ざんされても，取引データの完全性と可用性が確保されます。タイムスタンプやハッシュ，メッセージ認証など，様々なセキュリティ技術を組み合わせて利用しています。

　ビットコインなどの暗号資産（仮想通貨）で利用されている技術ですが，どのようなデータでも利用できるため，商取引の記録など，ログや履歴が必要な様々な場面で応用されています。

▶▶ 覚 え よ う !

☐　FWはアクセス制御，IDSは侵入検知，防御するのはIPS

☐　内部ネットワークの隠蔽にはNAT／NAPT／プロキシ

新情報をチェックするための Web サイト

　情報セキュリティについては，攻撃手法もその対策もどんどん進化していきます。そのため，書籍などによる学習では最新技術を追い切れないことはよくあります。そんなときの情報源としてWebサイトは有効ですが，単純にキーワードで検索しているだけでは，信頼できる情報かどうかを見分けるのは難しいでしょう。

　そこで，信頼できる最新情報を提供しているWebサイトとしては，IPA（Information-technology Promotion Agency, Japan：独立法人情報処理推進機構）の情報セキュリティのページがおすすめです。

　https://www.ipa.go.jp/security/

　ここでは，「安全なウェブサイトの作り方」などのWebサイトの安全な開発に役立つ情報や，「情報セキュリティ10大脅威」など，その年のセキュリティのトレンドも発信しています。また，セキュリティを啓蒙するための活動として，「まもるくん」などのオリジナルキャラクターや，少女漫画風のパスワード啓発漫画ポスターなど，様々なものが公開されていて，楽しみながら学習ができます。

　特別に"がんばってお勉強"という感じで見る必要はないのですが，「最新の情報も少し知っておこう」というくらいの気持ちで定期的にチェックしておくと，時代の流れにも敏感になれるのでいいと思います。

　IPAは，情報処理技術者試験を実施している団体でもありますし，ここで発信される情報は試験でもよく出題されます。テキストで勉強するだけでなく，インターネットの情報もしっかりチェックしておくと，試験以外でもいろいろと役立ちます。

3-6 演習問題

問1 アイコンの習得性 CHECK ▶ □□□

JIS X 9303-1:2006（ユーザシステムインタフェース及びシンボル－アイコン及び機能－アイコン一般）で規定されているアイコンの習得性の説明はどれか。

ア　アイコンによって表現されたシステム機能が，それが理解された後に，どれだけ容易に思い出すことができるかを示す。

イ　アイコンの図柄の詳細を，どれだけ容易に区別できるかを示す。

ウ　同じ又は類似したアイコンによる以前の経験に基づいて，どれだけ容易にアイコンを識別できるかを示す。

エ　空間的，時間的又は文脈的に近くに表示された別のアイコンから，与えられたアイコンをどれだけ容易に区別できるかを示す。

問2 コンピュータグラフィックス CHECK ▶ □□□

コンピュータグラフィックスに関する記述のうち，適切なものはどれか。

ア　テクスチャマッピングは，全てのピクセルについて，視線と全ての物体との交点を計算し，その中から視点に最も近い交点を選択することによって，隠面消去を行う。

イ　メタボールは，反射・透過方向への視線追跡を行わず，与えられた空間中のデータから輝度を計算する。

ウ　ラジオシティ法は，拡散反射面間の相互反射による効果を考慮して拡散反射面の輝度を決める。

エ　レイトレーシングは，形状が定義された物体の表面に，別に定義された模様を張り付けて画像を作成する。

問3　正規化　　　　　　　　　　　　　　　　　CHECK ▶ □□□

"受注明細"表は，どのレベルまでの正規形の条件を満足しているか。ここで，実線の下線は主キーを表す。

受注明細

受注番号	明細番号	商品コード	商品名	数量
015867	1	TV20006	20型テレビ	20
015867	2	TV24005	24型テレビ	10
015867	3	TV28007	28型テレビ	5
015868	1	TV24005	24型テレビ	8

問4　SQL文での集計　　　　　　　　　　　　　CHECK ▶ □□□

"部門別売上"表から，部門コードごと，期ごとの売上を得るSQL文はどれか。

部門別売上

部門コード	第1期売上	第2期売上
D01	1,000	4,000
D02	2,000	5,000
D03	3,000	8,000

〔問合せ結果〕

部門コード	期	売上
D01	第1期	1,000
D01	第2期	4,000
D02	第1期	2,000
D02	第2期	5,000
D03	第1期	3,000
D03	第2期	8,000

ア　SELECT 部門コード, '第1期' AS 期, 第1期売上 AS 売上
　　FROM 部門別売上
　　INTERSECT
　　(SELECT 部門コード, '第2期' AS 期, 第2期売上 AS 売上
　　　FROM 部門別売上)
　　ORDER BY 部門コード, 期

3

イ　SELECT 部門コード, '第1期' AS 期, 第1期売上 AS 売上
　　　FROM 部門別売上
　　　UNION
　　　(SELECT 部門コード, '第2期' AS 期, 第2期売上 AS 売上
　　　　FROM 部門別売上)
　　　ORDER BY 部門コード, 期

ウ　SELECT A.部門コード, '第1期' AS 期, A.第1期売上 AS 売上
　　　FROM 部門別売上 A
　　　CROSS JOIN
　　　(SELECT B.部門コード, '第2期' AS 期, B.第2期売上 AS 売上
　　　　FROM 部門別売上 B) T
　　　ORDER BY 部門コード, 期

エ　SELECT A.部門コード, '第1期' AS 期, A.第1期売上 AS 売上
　　　FROM 部門別売上 A
　　　INNER JOIN
　　　(SELECT B.部門コード, '第2期' AS 期, B.第2期売上 AS 売上
　　　　FROM 部門別売上 B) T ON A.部門コード = B.部門コード
　　　ORDER BY 部門コード, 期

問5　データベースの媒体障害時の回復法　　　　CHECK ▶ ☐☐☐

データベースに媒体障害が発生したときのデータベースの回復法はどれか。

ア　障害発生時, 異常終了したトランザクションをロールバックする。
イ　障害発生時点でコミットしていたがデータベースの実更新がされていないトランザクションをロールフォワードする。
ウ　障害発生時点でまだコミットもアボートもしていなかった全てのトランザクションをロールバックする。
エ　バックアップコピーでデータベースを復元し, バックアップ取得以降にコミットした全てのトランザクションをロールフォワードする。

問6　誤りが含まれるパケットの個数の期待値　　CHECK ▶ ☐☐☐

　ビット誤り率が0.0001％の回線を使って，1,500バイトのパケットを10,000個送信するとき，誤りが含まれるパケットの個数の期待値はおよそ幾らか。

問7　IPアドレスとサブネットマスクからホストアドレスを求める式　　CHECK ▶ ☐☐☐

　IPv4ネットワークで使用されるIPアドレスaとサブネットマスクmからホストアドレスを求める式はどれか。ここで，"〜"はビット反転の演算子，"｜"はビットごとの論理和の演算子，"＆"はビットごとの論理積の演算子を表し，ビット反転の演算子の優先順位は論理和，論理積の演算子よりも高いものとする。

ア　〜a＆m　　　　　　　　　　　イ　〜a｜m
ウ　a＆〜m　　　　　　　　　　　エ　a｜〜m

問8　アドレス集約　　CHECK ▶ ☐☐☐

　二つのIPv4ネットワーク 192.168.0.0/23 と 192.168.2.0/23 を集約したネットワークはどれか。

ア　192.168.0.0/22　　　　　　　イ　192.168.1.0/22
ウ　192.168.1.0/23　　　　　　　エ　192.168.3.0/23

問9　JPCERT/CC が作成したもの　　CHECK ▶ ☐☐☐

　組織的なインシデント対応体制の構築や運用を支援する目的でJPCERTコーディネーションセンターが作成したものはどれか。

ア　CSIRTマテリアル
イ　ISMSユーザーズガイド
ウ　証拠保全ガイドライン
エ　組織における内部不正防止ガイドライン

3

問10 デジタル署名で受信者が確認できること CHECK ▶ □□□

送信者Aからの文書ファイルと，その文書ファイルのデジタル署名を受信者Bが受信したとき，受信者Bができることはどれか。ここで，受信者Bは送信者Aの署名検証鍵Xを保有しており，受信者Bと第三者は送信者Aの署名生成鍵Yを知らないものとする。

ア　デジタル署名，文書ファイル及び署名検証鍵Xを比較することによって，文書ファイルに改ざんがあった場合，その部分を判別できる。

イ　文書ファイルが改ざんされていないこと，及びデジタル署名が署名生成鍵Yによって生成されたことを確認できる。

ウ　文書ファイルがマルウェアに感染していないことを認証局に問い合わせて確認できる。

エ　文書ファイルとデジタル署名のどちらかが改ざんされた場合，どちらが改ざんされたかを判別できる。

問11 ボットネットにおけるC&Cサーバの役割 CHECK ▶ □□□

ボットネットにおけるC&Cサーバの役割として，適切なものはどれか。

ア　Webサイトのコンテンツをキャッシュし，本来のサーバに代わってコンテンツを利用者に配信することによって，ネットワークやサーバの負荷を軽減する。

イ　外部からインターネットを経由して社内ネットワークにアクセスする際に，CHAPなどのプロトコルを中継することによって，利用者認証時のパスワードの盗聴を防止する。

ウ　外部からインターネットを経由して社内ネットワークにアクセスする際に，時刻同期方式を採用したワンタイムパスワードを発行することによって，利用者認証時のパスワードの盗聴を防止する。

エ　侵入して乗っ取ったコンピュータに対して，他のコンピュータへの攻撃などの不正な操作をするよう，外部から命令を出したり応答を受け取ったりする。

問12 ランサムウェア対策　　　　　　　　　　　CHECK ▶ □□□

PCのストレージ上の重要なデータを保護する方法のうち，ランサムウェア感染による被害の低減に効果があるものはどれか。

ア　WORM（Write Once Read Many）機能を有するストレージを導入して，そこに重要なデータをバックアップする。

イ　ストレージをRAID5構成にして，1台のディスク故障時にも重要なデータを利用可能にする。

ウ　内蔵ストレージを増設して，重要なデータを常時レプリケーションする。

エ　ネットワーク上のストレージの共有フォルダをネットワークドライブに割り当てて，そこに重要なデータをバックアップする。

問13 IoTデバイスの耐タンパ性の実装技術　　　　CHECK ▶ □□□

IoTデバイスの耐タンパ性の実装技術とその効果に関する記述として，適切なものはどれか。

ア　CPU処理の負荷が小さい暗号化方式を実装することによって，IoTデバイスとサーバとの間の通信経路での情報の漏えいを防止できる。

イ　IoTデバイスにGPSを組み込むことによって，紛失時にIoTデバイスの位置を検知して捜索できる。

ウ　IoTデバイスに光を検知する回路を組み込むことによって，ケースが開けられたときに内蔵メモリに記録されている秘密情報を消去できる。

エ　IoTデバイスにメモリカードリーダを実装して，IoTデバイスの故障時にはメモリカードをIoTデバイスの予備機に差し替えることによって，IoTデバイスを復旧できる。

■ 演習問題の解答

《解答》ア

　JIS X 9303-1:2006（ユーザシステムインタフェース及びシンボル－アイコン及び機能－アイコン一般）では，"4.9 習得性（learnability）"に，「アイコンによって表現されたシステム機能が，それが理解された後に，どれだけ容易に思い出すことができるかを示す」とあります。したがって，**ア**が正解です。

イ　"4.10 判読性（legibility）"の説明です。

ウ　"4.15 認識性（recognisability）"の説明です。

エ　"4.5 識別性（discriminability）"の説明です。

3

《解答》ウ

　コンピュータグラフィックの制作技法のうち，ラジオシティ法は，光の相互反射を利用して物体表面の光のエネルギーを算出することで，表面の明るさを決定する方法です。相互反射による効果を考慮して拡散反射面の輝度を決めていきます。したがって，**ウ**が正解です。

ア　テクスチャマッピングは，形状が定義された物体の表面に，別に定義された模様を張り付けて画像を作成する方法です。選択肢アの内容は，レイトレーシングの説明です。

イ　メタボールは，物体を球や楕円体の集合としてモデル化する方法です。反射・透過方向への視線追跡を行わない輝度計算方法は，レイトレーシングなどに代表される経路追跡法についての説明です。

エ　レイトレーシングは，全てのピクセルについて，視線と全ての物体との交点を計算し，その中から視点に最も近い交点を選択することによって，隠面消去を行う方法です。選択肢エの内容は，テクスチャマッピングの説明です。

問3 (平成29年春 応用情報技術者試験 午前 問27)
《解答》 **第2正規形**

"受注明細"表より，一つのマスに一つのデータしか入っておらず，すべてのドメインがシンプルであることが分かります。したがって，少なくとも第一正規形の条件は満たしています。

次に，"受注明細"表の主キーは |受注番号, 明細番号| ですが，その一部である |受注番号| |明細番号| だけに関数従属しているものは存在しません。したがって，"受注明細"表は第2正規形であるといえます。

非キー属性である商品コードを見ると，商品コード→商品名という関数従属があることが分かります。|受注番号, 明細番号| →商品コード→商品名という推移的な関数従属があるので，第3正規形ではありません。

したがって，"受注明細"表は**第2正規形**になります。

問4 (令和3年秋 応用情報技術者試験 午前 問29)
《解答》 **イ**

"部門別売上"表には，列名"第1期売上"，"第2期売上"がありますが，〔問合せ結果〕では列が"期"と"売上"となっています。"部門別売上"表から，部門コードごと，期ごとの売上を得るSQL文では，部門コードごとの"第1期売上"，"第2期売上"を期ごとに"第1期"，"第2期"として，それぞれを売上列として取り出す必要があります。具体的には，次の二つのSQL文が必要です。

```
SELECT 部門コード, '第1期' AS 期, 第1期売上 AS 売上 FROM 部門別売上
SELECT 部門コード, '第2期' AS 期, 第2期売上 AS 売上 FROM 部門別売上
```

この二つのSQL文の結果を足し合わせるには，和演算(OR演算)を行うUNIONが適当です。UNIONで結合した後，「ORDER BY 部門コード, 期」で並べ替えを行うと，〔問合せ結果〕と同じ内容が表示されます。したがって，**イ**が正解です。

ア INTERSECTは積演算(AND演算)を行う句です。二つの部門別売上でまったく同じ行はないため，1行も表示されない結果となります。

ウ CROSS JOINは交差結合(直積演算)を行う句です。二つのSELECT文の結果について，すべての組合せを求めるため，3×3＝9行が表示されることになります。

エ INNER JOINは内部結合を行う句です。部門別売上Aの表のうち，部門別売上Bと部門コードが同じものを表示するので，部門別売上Aの第1期の売上のみ表示されます。

問5　　　　　　　　　　　　　　　（令和元年秋 応用情報技術者試験 午前 問29）
《解答》エ

　データベースシステムの障害には，トランザクション障害，ソフトウェア（電源）障害，ハードウェア（媒体）障害の3種類があります。トランザクション障害の場合は，アのように，異常終了したトランザクションをロールバックするだけで回復できます。ソフトウェア障害の場合には，障害発生時点の媒体データが残っているので，イのロールフォワードやウのロールバックを行うことで，トランザクションに応じて適切な状態に回復できます。
　ハードウェア障害の場合は媒体（ハードディスクなど）のデータがなくなっているので，バックアップコピーでデータベースを復元します。さらに，更新後ログを用いてロールフォワードすることで，障害発生以前にコミットしていたデータまで復元可能です。したがって，エが正解です。

問6　　　　　　　　　　　　　　　（令和6年春 応用情報技術者試験 午前 問33）
《解答》120［個］

　　1バイトは8ビットなので，一つのパケットは
　　　1,500［バイト］×8［ビット／バイト］= 12,000［ビット］
となります。ビット誤り率は，送信されたビットのうち誤って受信されるビットの割合を表します。ビット誤り率0.0001％を小数で表すと，0.000001となります。したがって，一つのパケットに含まれる誤りの個数の期待値は，
　　　12,000［ビット］×0.000001 = 0.012
となり，10,000個のパケットを送信するときの誤りが含まれるパケットの個数の期待値は，
　　　0.012×10,000［個］= **120**［個］
となります。

問7　　　　　　　　　　　　　　　（令和3年春 応用情報技術者試験 午前 問34）
《解答》ウ

　サブネットマスクは，2進数で表現したときに，ネットワークアドレスを1，ホストアドレスを0で示すアドレスです。ホストアドレスを取り出すためにはまず，サブネットマスク（m）を全ビット反転（〜）させてホストアドレスの方のみを1としたビット（〜m）を作成します。IPアドレス（a）からホストアドレス部分のみ取り出す演算をマスク演算といい，論理積（&）を利用することで実現できます。具体的には，a & 〜m を計算することになるので，ウが正解です。

問8	（平成30年春 応用情報技術者試験 午前 問35）
	《解答》ア

ネットワークアドレス192.168.0.0/23と192.168.2.0/23では，プレフィックス長が両方とも23ビットです。これらの二つのネットワークを集約して同じネットワークとするには，ネットワークアドレスが共通となる部分までプレフィックス長をずらす必要があります。

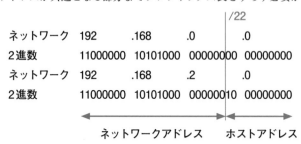

			/22	
ネットワーク	192	.168	.0	.0
2進数	11000000	10101000	00000000	00000000
ネットワーク	192	.168	.2	.0
2進数	11000000	10101000	00000010	00000000

ネットワークアドレス　　　ホストアドレス

先頭から22ビット目までは同じなので，ここまでがプレフィックス長で，/22となります。また，ネットワークアドレスではホストアドレスのすべてのビットが0なので，次のようになります。

2進数	11000000	10101000	00000000	00000000
IPアドレス	192	. 168	. 0	. 0

したがって，192.168.0.0/22となり，アが正解です。

問9 ……………………………… （令和4年秋 応用情報技術者試験 午前 問39）

《解答》ア

　情報セキュリティ問題を専門に扱うインシデント対応体制のことを，CSIRT（シーサート：Computer Security Incident Response Team）といいます。CSIRTマテリアルは，JPCERT/CC（Japan Computer Emergency Response Team Coordination Center）が公開した，CSIRTのための資料です。組織内の情報セキュリティ問題を専門に扱うインシデント対応チームである「組織内CSIRT」の運用を支援する目的で提供されています。したがって，アが正解です。

イ　JIPDEC（Japan Institute for Promotion of Digital Economy and Community：日本情報経済社会推進協会）が公開している，ISMS認証基準（JIS Q 27001:2014）の要求事項について一定の範囲でその意味するところを説明しているガイドです。

ウ　デジタル・フォレンジック研究会が公開した，電磁的証拠の保全手続きについて，様々な事案の特性を踏まえた知見やノウハウをまとめたガイドラインです。

エ　IPAセキュリティセンターが公開した，企業やその他の組織において必要な内部不正対策を効果的に実施可能とすることを目的としたガイドラインです。

問10 ……………………………… （令和2年10月 応用情報技術者試験 午前 問40改）

《解答》イ

　送信者Aが作成した文書ファイルのデジタル署名は，文書ファイルのハッシュ値に対して，送信者Aの署名生成鍵Yを用いて暗号化したものです。受信者Bでは，デジタル署名を署名検証鍵Xで復号し，文書ファイルのハッシュ値と照合することで，文書ファイルが改ざんされていないことと，デジタル署名が署名生成鍵Yによって生成されたことの両方が確認できます。したがって，イが正解です。

ア　改ざんの部位は，デジタル署名では判別できません。

ウ　マルウェアに感染していないことは，デジタル署名では判定できません。

エ　改ざんが行われた方を判別することは，デジタル署名ではできません。

問11 （令和2年10月 応用情報技術者試験 午前 問43）

《解答》**エ**

　ボットとは，人間が行うようなことを代わりに行うプログラムです。ボットネットでは，ボット同士が連携して動作を行います。C&C（Command and Control）サーバとは，ボットネットに対して指示を出し，情報を受け取るためのサーバです。ボットに感染させることで侵入して乗っ取ったコンピュータに対して，C&Cサーバが命令を出すことで，他のコンピュータへの攻撃などの不正な操作が行われます。したがって，**エ**が正解です。

ア　キャッシュサーバの役割です。

イ　CHAP（Challenge Handshake Authentication Protocol）は，ユーザー認証の際に使用されるプロトコルで，乱数とパスワードを合わせた値をハッシュ関数で演算した値を認証先に送信します。毎回異なる乱数を用いることで，パスワードを盗聴することでの不正アクセスを防ぐことができます。

ウ　ワンタイムパスワードでのパスワードの盗聴対策となります。

問12 （令和5年秋 応用情報技術者試験 午前 問43）

《解答》**ア**

　ランサムウェアは，コンピュータをロックしたり重要なファイルを暗号化したりしてシステムへのアクセスを制限し，その制限を解除するための身代金を要求するマルウェアです。ランサムウェア感染による，PCのストレージ上の重要なデータの改ざんを防ぐ方法として，WORM（Write Once Read Many）機能を有するストレージの導入があります。データを書き換えられないストレージに重要なデータをバックアップすることで，データを保護することができます。したがって，**ア**が正解です。

イ　ディスク故障時の可用性を向上させる方法です。ランサムウェア感染では，ストレージ全体が改ざんされてしまいます。

ウ　常時レプリケーションでは，暗号化されたデータがそのまま複製されてしまい，保護できません。

エ　ランサムウェアは，共有フォルダのデータも暗号化します。

問13　(令和3年秋 応用情報技術者試験 午前 問40)

《**解答**》ウ

　耐タンパ性とは，物理的あるいは論理的に内部の情報を読み取られることに対する耐性のことです。IoTデバイスでの耐タンパ性の実装技術としては，IoTデバイスに光を検知する回路を組み込むことによって，ケースが開けられたときに内蔵メモリに記録されている秘密情報を消去できる技術が有効です。したがって，**ウ**が正解です。

ア　暗号技術による機密性の確保ができる実装技術です。

イ　紛失を防止し，信頼性や経済性などを上げるための実装技術です。

エ　予備機を用意することで，可用性を上げるための実装技術です。

実際に試しながら勉強する

　技術要素のデータベースやネットワーク，セキュリティを勉強するときにおすすめなのは，実際に機器やソフトを試しながら勉強して，その感覚をつかむことです。実務ですべて経験できればベストですが，そうでない場合も多いと思われますし，自分でやってみることで新たな発見があります。そして，一度自分で実践したことは，暗記しようと思わなくても体が覚えているので，楽しく学習できます。

●データベースなら…
　データベースの場合には，一度自分でデータベースを構築してみることをおすすめします。Microsoft Officeをおもちの方なら，Accessでデータベースを作成してみるのが手軽でしょう。テーブルを作成し，主キーや外部キーを設定する，そしてSQLビューで実際にSQLを記述してみるといったことを行うと，データベースを総合的に学習できます。オープンソースなら，MySQLはフリーで入手でき，実務でもよく用いられているのでおすすめです。

●ネットワークなら…
　ネットワークの場合には，自宅の無線LANルータを自分で設定するなどの経験が役に立ちます。DHCPやNAPTなどの設定も自分でできるので，テキストを暗記するより印象に残るでしょう。また，LANアナライザでパケットを取得してみることも役に立ちます。フリーで公開されているLANアナライザとしては，Microsoft Network MonitorやWiresharkなどがあります。自分のPCにインストールして，どのようなパケットが実際に流れているのか観察してみると面白いです。

●セキュリティなら…
　セキュリティの場合には，自分で公開鍵と秘密鍵のキーペアを作ってみるという方法があります。SSHクライアントのPuTTYというフリーソフトがありますが，PuTTY用ツールの一つであるPuTTYgenを利用すると，公開鍵と秘密鍵のペアを生成できます。また，もっと気軽な方法として，「https://～」で始まるWebサイトにアクセスするたびに，そのサイトのサーバ証明書を確認してみるというのもおすすめです。

　応用情報技術者試験の出題内容には，実際の情報技術のエッセンスが集められています。ですので，実際の技術を知るというのが一番役に立ちます。テキストを読むだけの勉強に飽きてきたら，ぜひ実践による学習も試してみましょう。

第 4 章

開発技術

システム開発やその管理の手法について学ぶ分野が「開発技術」で,「システム開発技術」「ソフトウェア開発管理技術」の二つで構成されます。システム開発技術では,システム開発のそれぞれの工程で実行されることについて学びます。ソフトウェア開発管理技術では,開発プロセスなどソフトウェア開発を管理するための技術について学びます。

開発技術は,用途や種類によって様々で,特徴に応じて使い分ける必要があります。大きくは従来からの構造化設計の手法と,オブジェクト指向の手法の2種類がありますが,用語だけでなく,それぞれの開発手法の考え方を理解しておくことが大切です。

4-1 システム開発技術

システム開発には様々な手法や技術があり、正解はありません。しかし、多数のステークホルダ(利害関係者)が存在し、またいろいろな会社が協力し合って開発することが多いため、開発プロセスについて、ある程度の標準化や共通の物差しが必要になってきます。

■ ソフトウェアライフサイクルプロセス

ソフトウェアライフサイクルプロセス(**SLCP**:Software Life Cycle Process)とは、ソフトウェアの開発プロジェクトにおいて、取得者(発注者)と供給者(受注者)の間で開発作業についての誤解が生じないように、ソフトウェア開発に関連する作業内容を詳細に規定したものです。ISO/IEC 12207:2017 (JIS X 0160:2021)で定義されています。

ソフトウェアライフサイクルプロセスは、ソフトウェア開発及び取引の明確化のために、次の7つのプロセスグループに分けられています。

- ・a) 合意プロセス
- ・b) 組織のプロジェクトイネーブリングプロセス
- ・c) プロジェクトプロセス
- ・d) テクニカルプロセス
- ・e) ソフトウェア実装プロセス
- ・f) ソフトウェア支援プロセス
- ・g) ソフトウェア再利用プロセス

e) ~ g)がソフトウェア固有プロセスグループで、それ以外がシステム関連プロセスのグループです。

システム関連とソフトウェア固有のプロセスのプロセスの流れを、V字型開発(ウォーターフォール開発)の例で記述すると、次のようになります。

勉強のコツ

午前では、主に用語について出題されます。ソフトウェアライフサイクルプロセスで定義されている用語を中心に押さえておきましょう。
午後では、実際のシステムを擬似的に開発する出題が多いので、用語ではなく実際の開発手法を理解しておく必要があります。また、データベース技術との関連が深いので、データベースについてもしっかり学習しておきましょう。

参考

旧バージョンのISO/IEC 12207:2008 (JIS X 0160:2012)は、日本独自の仕様を加えて、SLCP-JCF (Software LifeCycle Process Japan Common Frame:共通フレーム)としてまとめられていました。以前は共通フレーム独自の出題が多かったのですが、今後は国際規格に基づいた内容が出題されると考えられます。

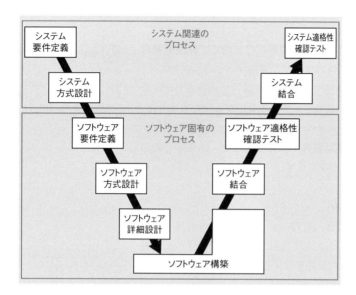

システム関連とソフトウェア関連のプロセス

ポイントは，左側のプロセスで設計したものを右側のプロセスでテストするために，要件定義や設計の段階でテストケースを作成しておくことです。以降で各プロセスの詳細を見ていきます。

4-1-1 システム要件定義・ ソフトウェア要件定義

システム要件定義プロセスでは，「システム」の要件定義を行います。ソフトウェア要件プロセスでは，システムの中の「ソフトウェア」についての要件定義を行います。

■ システム要件の定義

システム要件では，システム化の目標と対象範囲をまとめ，機能及び能力，業務・組織及び利用者の要件などを定義します。また，その他の要件として，システム構成要件，設計制約条件，適格性確認要件（開発するシステムが利用可能な品質であることを確認する基準）を定義し，開発環境を検討します。システム要

件を明らかにするために，開発するシステムの具体的な利用方法について分析します。

　また，システム要件では，**機能要件**だけでなく，**非機能要件**と呼ばれる，機能要件以外のすべてを考慮することも大切です。非機能要件とは，性能要件や信頼性，拡張性，セキュリティなどですが，ユーザーへのヒアリングではなかなか出てきません。そのため，**性能要件，データベース要件，セキュリティ要件，テスト要件，移行要件，運用要件，保守要件**など，あらかじめ項目を決めて定義する必要があります。

関連

非機能要件については，要件定義プロセスで重点的に取り上げます。「7-2-2　要件定義」も参考にしてください。

■ システム要件の評価

　システム要件の評価では，取得ニーズへの追跡可能性や一貫性，テスト計画性，システム方式設計や運用及び保守の実現可能性を考慮して，システム要件を評価します。

　評価結果は文書化します。

■ ソフトウェア要件定義

　ソフトウェア要件定義では，品質特性やセキュリティの仕様，安全性の仕様，人間工学的な仕様，**ソフトウェア品目とその周辺のインタフェース，データ定義及びデータベースに対する要件**などを確立し，文書化します。

用語

ソフトウェア品目とは，全体のソフトウェアを構成する一つ一つのコンテンツのことです。例えば，OS，データベースソフトウェア，通信ソフトウェア，アプリケーションソフトウェアなどを指します。これらは多くの場合，さらに細分化して管理されます。

■ ソフトウェア開発のアプローチ

　ソフトウェア開発では，主に次の三つのアプローチが用いられます。

①プロセス中心アプローチ（POA）

　プロセス中心アプローチ（Process Oriented Approach）とは，ソフトウェアの機能（プロセス）を中心としたアプローチです。プロセスに着目し，システムをサブシステムに，さらに段階的に詳細化していき，最終的には最小機能の単位であるモジュールに分割します。それを示す代表的な図法としては，データの流れを表現するDFD（Data Flow Diagram）やプロセスの状態遷移を表現する**状態遷移図**などが用いられます。また，言語としてはC言語などの構造化言語がよく用いられます。

参考

従来の開発が，プロセス中心アプローチに当たります。
データベースの設計にはデータ中心アプローチが用いられるため，応用情報技術者試験の午後のデータベース問題では，データ中心アプローチによる設計の問題がよく出題されます。近年はオブジェクト指向も普及してきているので，システム開発問題としてオブジェクト指向アプローチもよく出題されます。

②データ中心アプローチ (DOA)

データ中心アプローチ (Data Oriented Approach) とは，業務で扱うデータに着目したアプローチです。まず，業務で扱うデータ全体について，E-R図を用いてモデル化し，全体のE-Rモデルを作成します。個々のシステムはこのデータベースを中心に設計することによって，データの整合性や一貫性が保たれ，システム間のやり取りが容易になります。プログラミングとデータベースを分離するデータ独立という考え方です。

③オブジェクト指向アプローチ (OOA)

オブジェクト指向アプローチ (Object Oriented Approach) とは，プログラムやデータをオブジェクトとしてとらえ，それを組み合わせてシステムを構築するアプローチです。それを示す図法としては，クラス図やシーケンス図などのUML (Unified Modeling Language) が用いられます (P.402参照)。プログラム言語としてはJavaなどのオブジェクト指向言語が用いられます。

それでは，次の問題を解いてみましょう。

問 題

ソフトウェアの分析・設計技法の特徴のうち，データ中心分析・設計技法の特徴として，最も適切なものはどれか。

ア　機能を詳細化する過程で，モジュールの独立性が高くなるようにプログラムを分割していく。

イ　システムの開発後の仕様変更は，データ構造や手続の局所的な変更で対応可能なので，比較的容易に実現できる。

ウ　対象業務領域のモデル化に当たって，情報資源であるデータの構造に着目する。

エ　プログラムが最も効率よくアクセスできるようにデータ構造を設計する。

（平成31年春 応用情報技術者試験 午前 問46）

解説

　データ中心分析・設計技法（データ中心アプローチ）では，対象業務領域をデータ構造に着目してE-R図などにモデル化します。したがって，ウが正解です。エのように，データ構造をプログラム中心で考えることはしません。アはプロセス中心アプローチ，イはオブジェクト指向アプローチの説明です。

≪解答≫ウ

■ DFD（データフローダイアグラム）

　DFD（Data Flow Diagram）は，**プロセスを中心**に，**データの流れ**を記述する図です。以下の四つの要素で構成されます。

①プロセス

　入力データに対して何かの処理を施し，データを出力します。**必ず，入力と出力のデータフローが存在**します。

②データストア

　データの保管場所です。データベースに限らず，ファイルなどのデータを保管する媒体全体を指します。

③**外部実体（ターミネータ，情報源）**

　システム外に存在するものです。データを入力する作業者や，出力する媒体，外部システムなどを指します。

④データフロー

　ほかの部品間でのデータの移動経路を矢印で表したものです。移動するデータについて矢印の上に記述することもあります。

　四つの構成要素を図で表すと，次のようになります。

DFD

また，DFDは構造化設計手法の一環なので，一つ作って終わりではありません。大きく次の二つの方法を用いて，段階的に複数のDFDを作成します。

1. 段階別詳細化（トップダウンアプローチ）

　最初に，システム全体のDFDを作成し，それぞれのプロセスを別のDFDに詳細に記述します。プロセスが一つのモジュールに対応できるまで，詳細化の工程を繰り返します。

2. 新物理モデルの作成

　既存のシステムや業務を新しいシステムとして作成する場合，まず現状の業務を**現物理モデル**として洗い出します。それを一般的に抽象化して**現論理モデル**とし，さらに新しくイメージした**新論理モデル**を作成します。最終的に，具体的な業務に落とし込んだ**新物理モデル**を作成します。また，現行業務で使用されているすべてのデータ項目を抽出し，**データディクショナリ**に登録しておきます。

それでは，次の問題を解いてみましょう。

問 題

　新システムのモデル化を行う場合のDFD作成の手順として，適切なものはどれか。

- ア　現物理モデル→現論理モデル→新物理モデル→新論理モデル
- イ　現物理モデル→現論理モデル→新論理モデル→新物理モデル
- ウ　現論理モデル→現物理モデル→新物理モデル→新論理モデル
- エ　現論理モデル→現物理モデル→新論理モデル→新物理モデル

（平成21年春 応用情報技術者試験 午前 問44）

解 説

　新システムのモデル化を行う場合のDFD作成の手順としては，最初に現物理モデルを作成してからそれを現論理モデルとし，さらにそれを新論理モデルにしてから新物理モデルを完成させます。

したがって，イが正解です。

≪解答≫イ

■ UML（統一モデリング言語）

UML（Unified Modeling Language）は，オブジェクト指向で使われる表記法です。従来から用いられているフローチャートや状態遷移図なども取り込み，現行の最新バージョンであるUML 2.5では，次の**13種類**のダイアグラム（図）が定義されています。

発展

UMLは本来，様々な流派のオブジェクト指向の開発方法論を統一することを目的としていました。しかし，手法自体は統一できず，結局，図の表記法だけが統一され，現在のUMLとなっています。

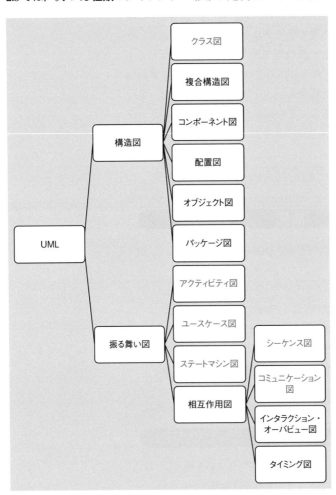

UML 2.5のダイアグラム

　UMLでは，すべての図を使い切るということではなく，必要に応じて適切な図を使い分けます。オブジェクト指向分析・設計でよく使われる図としては，次のものがあります。

①クラス図

　クラスの仕様とクラス間の関連を表現する図です。ほとんどのオブジェクト指向開発に用いられます。E-R図の発展形ですが，データのエンティティだけでなく，プロセスなどプログラムの静的な構造を表現します。

関連
クラス図のメソッドがシーケンス図のメッセージとなり，この二つの図は連動します。

4

②シーケンス図

　インスタンス間の相互作用を時系列で表現する図です。クラスではなく，クラスの具体的な表現であるオブジェクト（インスタンス）がどのように相互作用していくかを時系列に沿って上から下に表現していきます。

③コミュニケーション図

　オブジェクト間の相互作用を構造中心に表現する図です。シーケンス図と表現する内容は同じで，置換え可能です。

④ユースケース図

　システムが提供する機能と利用者の関係を表現する図です。ユーザーとの要件定義でよく利用されます。

⑤アクティビティ図

　一連の処理における制御の流れを表現する図です。フローチャートの発展形で，業務の流れなどを記述します。

⑥ステートマシン図

　オブジェクトの状態変化を表現する図です。状態遷移図の発展形です。組込み系の開発でよく利用されます。

　それでは，次の問題を解いてみましょう。

問題

UMLのユースケース図の説明はどれか

ア 外部からのトリガに応じて，オブジェクトの状態がどのように遷移するかを表現する。

イ クラスと関連から構成され，システムの静的な構造を表現する。

ウ システムとアクタの相互作用を表現する。

エ データの流れに注目してシステムの機能を表現する。

(平成28年秋 応用情報技術者試験 午前 問46)

解説

UML (Unified Modeling Language)はオブジェクト指向や設計のための記法で，様々な図があります。ユースケース図では，アクタとシステム内のユースケースを定義し，相互作用を表現します。したがって，ウが正解です。

アはステートマシン図，イはクラス図の説明です。エはUMLではありませんが，DFD（データフローダイアグラム）の説明です。

≪解答≫ウ

 過去問題をチェック

UMLに関する問題は，応用情報技術者試験の午前の定番です。この問題のほかにも以下の出題があります。
【UML】
・平成21年春 午前 問43
・平成21年秋 午前 問43
・平成22年春 午前 問44
・平成23年特別 午前 問45
・平成23年秋 午前 問43
・平成24年秋 午前 問44
・平成25年春 午前 問45
・平成26年秋 午前 問46
・平成28年春 午前 問48
・令和2年10月 午前 問46
・令和3年秋 午前 問47

午後問題でも，オブジェクト指向設計の一環として，クラス図やシーケンス図などが頻繁に使用されます。

■ SysML

SysML (Systems Modeling Language)とは，システムの設計及び検証を行うために用いられる，UML仕様の一部を流用して機能拡張したグラフィカルなモデリング言語です。UMLよりもコンパクトな仕様となっており，覚えやすく導入が容易です。

▶▶▶ 覚えよう！

☐ 要件定義では非機能要件も大切

☐ POAではDFD，DOAではE-R図，OOAではUML

4-1-2 ◉ 設計

頻出度
★★☆

　設計には，システム方式設計，ソフトウェア方式設計，ソフトウェア詳細設計があります。システム全体からソフトウェアの詳細まで，段階的に設計を行っていきます。

■ システム方式の確立

　設計では，システムの最上位のシステム方式を確立します。ハードウェアやソフトウェア，システム処理，データベースの方式設計を行います。これらのうち，システム処理方式設計では，Webシステム，クライアントサーバシステムなど，システムの処理方式を検討し，決定します。システム処理方式には，次のようなものがあります。

- ・クライアントサーバシステム

  クライアントとサーバという二つのコンピュータが役割を分担して動作するシステム

- ・Webシステム

  WebブラウザをクライアントとしてHTTP/HTTPSを利用しWebサーバからデータを取得するシステム

- ・マイクロサービスアーキテクチャ

  大規模アプリケーションを独立した小さなサービス群（マイクロサービス）に分割し，それぞれが独立して開発できる設計手法。マイクロサービス間の通信を一元的に処理するために，**サービスメッシュ**を利用する

- ・サーキットブレーカー

  サービス間の障害が他の部分に影響を及ぼさないように，障害時にサービス呼び出しを自動的に停止する保護機構

- ・サーバレスアーキテクチャ

  開発者がサーバを管理せずに，クラウド上でプログラムを実行できる環境を提供するアーキテクチャ

■ システム方式の評価及びレビュー

　システム方式の評価及びレビューでは，プロジェクトの進行状況や成果物を適宜評価するためにレビューを行います。レビューでは，まず文書を作成してからレビュー方式の決定，レビューの評価基準の決定へと進み，レビュー参加者を選出してレビューを実施します。その後，レビュー結果を文書へ反映します。

■ レビューの種類

　主なレビュー方式には，以下のものがあります。

①ウォークスルー

　開発に携わった人が集まり，相互に検討を行う場です。非公式に問題点を探し，解決策を検討します。

②インスペクション

　成果物に対して，実際に動作させず人間の目で検証します。責任者としてモデレータが任命され，インスペクション作業全体を統括します。

■ システム結合テストの設計

　システム方式設計に対し，システム結合テストを実施します。そのために，あらかじめ**暫定的なテスト要求事項や予定を定義**し，文書化しておきます。

■ ソフトウェア品質

　ソフトウェア製品の品質特性に関する規格にJIS X 25010(ISO/IEC 25010)（システム及びソフトウェア製品の品質要求及び評価(**SQuaRE**)－システム及びソフトウェア品質モデル）があります。JIS X 25010によると，要件定義やシステム設計の際には，次のような八つの品質特性と，それに対応する品質副特性を考慮する必要があります。

●システム／ソフトウェア製品品質 (JIS X 25010：2013)

・**機能適合性** ……… ニーズを満足させる機能を提供する度合い
　　　品質副特性：機能完全性，機能正確性，機能適切性

参考

レビューは，システム方式設計だけでなく，要件定義や設計の各段階で実施します。設計の段階では設計レビュー，プログラミングの段階ではコードレビュー，テスト段階ではテスト仕様レビューなど，段階によって行う内容は異なりますが，基本的な考え方は同じです。

発展

品質特性の考え方は，「すべての特性を満たすようにソフトウェアの品質を上げましょう」ではありません。品質特性は，信頼性と効率性といったトレードオフの関係になるもの，満たすとコストがかかるものなど様々です。顧客の要望を聞き，どの品質特性を優先させるかを考えてシステムを設計することが肝心です。

・**性能効率性** ……… 資源の量に関係する性能の度合い
　　　　品質副特性：時間効率性，資源効率性，容量満足性
・**互換性** ………… 他の製品やシステムなどと情報交換できる
　　　　　　　　　　度合い
　　　　品質副特性：共存性，相互運用性
・**使用性** ………… 明示された利用状況で，目標を達成するた
　　　　　　　　　　めに利用できる度合い
　　　　品質副特性：適切度認識性，習得性，運用操作性，ユー
　　　　　　　　　　ザーエラー防止性，ユーザーインタフェース
　　　　　　　　　　快美性，アクセシビリティ
・信頼性 ………… 機能が正常動作し続ける度合い
　　　　品質副特性：**成熟性**，**可用性**，**障害許容性 (耐故障性)**，
　　　　　　　　　　回復性
・**セキュリティ** …… システムやデータを保護する度合い
　　　　品質副特性：機密性，インテグリティ，否認防止性，責
　　　　　　　　　　任追跡性，真正性
・**保守性** ………… 保守作業に必要な努力の度合い
　　　　品質副特性：モジュール性，再利用性，**解析性**，修正性，
　　　　　　　　　　試験性
・**移植性** ………… 別環境へ移してもそのまま動作する度合い
　　　　品質副特性：適応性，設置性，置換性

　また，製品を利用するときの品質モデルについても，次のよう
な五つの特性と，それに対応する副特性が定義されています。

●利用時の品質モデル

・**有効性** ………… 目標を達成する上での正確さ及び完全さの
　　　　　　　　　　度合い
・**効率性** ………… 目標を達成するための正確さ及び完全さに
　　　　　　　　　　関連して，使用した資源の度合い
・**満足性** ………… 製品又はシステムが明示された利用状況に
　　　　　　　　　　おいて使用されるとき，利用者ニーズが満
　　　　　　　　　　足される度合い
　　　　品質副特性：実用性，信用性，快感性，快適性

・**リスク回避性** …… 経済状況，人間の生活又は環境に対する
　　　　　　　　　　潜在的なリスクを緩和する度合い
　　　品質副特性：経済リスク緩和性，健康・安全リスク緩和
　　　　　　　　　性，環境リスク緩和性
・**利用状況網羅性** … 有効性，効率性，リスク回避性及び満足性
　　　　　　　　　　を伴って製品又はシステムが使用できる度
　　　　　　　　　　合い
　　　品質副特性：利用状況完全性，柔軟性

それでは，次の問題を考えてみましょう。

問題

　JIS X 25010：2013で規定されたシステム及びソフトウェ
ア製品の品質副特性の説明のうち，信頼性に分類されるものはどれ
か。

　ア　製品又はシステムが，それらを運用操作しやすく，制御しや
　　　すくする属性をもっている度合い
　イ　製品若しくはシステムの一つ以上の部分への意図した変更が
　　　製品若しくはシステムに与える影響を総合評価すること，欠
　　　陥若しくは故障の原因を診断すること，又は修正しなければ
　　　ならない部分を識別することが可能であることについての有
　　　効性及び効率性の度合い
　ウ　中断時又は故障時に，製品又はシステムが直接的に影響を受
　　　けたデータを回復し，システムを希望する状態に復元するこ
　　　とができる度合い
　エ　二つ以上のシステム，製品又は構成要素が情報を交換し，既
　　　に交換された情報を使用することができる度合い

（平成27年春 応用情報技術者試験 午前 問48）

解説

　JIS X 25010 : 2013で規定された製品品質モデルには，機能適合性，信頼性，性能効率性，使用性，セキュリティ，互換性，保守性及び移植性の八つの特性があります。このうち信頼性は，成熟性，可用性，障害許容性（耐故障性），回復性の四つの副特性の集合から構成されます。中断又は故障時にデータを回復し復元することは，信頼性のうちの回復性に当たるので，ウが正解です。

　アは使用性のうちの運用操作性，イは保守性のうちの解析性，エは互換性のうちの相互運用性の説明です。

《解答》ウ

■ソフトウェア設計手法

　ソフトウェア設計手法には，プロセス中心アプローチで主に使われる**構造化設計**や，オブジェクト指向アプローチで使われる**オブジェクト指向設計**があります。

■構造化設計

　構造化設計とは，機能を中心にプログラムの構造を考える設計手法です。機能分割を行い，**段階別詳細化**をすることで階層構造を作成します。このとき，プログラムの最小単位であるモジュールにまで分割します。

　構造化設計は，**構造化プログラミング**の考え方に基づいた設計手法です。構造化プログラムでは，**構造化定理**と呼ばれる「一つの入口と一つの出口をもつプログラムは，順次・選択・反復の三つの論理構造によって記述できる」という考え方により，プログラム上の手続きをいくつかの単位に分け，モジュールに分割します。

（◎）関連
三つの論理構造は，ダイクストラの基本3構造とも呼ばれ，プログラムを考える際の基本的な考え方です。実際の構造については，「1-2-2 アルゴリズム」の流れ図で詳しく解説しています。

■モジュール分割手法

　代表的なモジュールの分割手法には，以下のものがあります。

①STS（Source Transform Sink）分割

　データの流れに着目します。データの入力処理（Source），データの変換処理（Transform），データの出力処理（Sink）の3種類

のモジュールに分割します。

②TR（Transaction）分割

トランザクションの種類ごとに一つのモジュールにします。データの種類によってトランザクションが分かれる場合などにモジュール分割する手法です。

③共通機能分割

システム全体で同じような機能を洗い出し，それを共通機能としてモジュールにする手法です。

④ジャクソン法とワーニエ法

データの構造に着目します。入力データと出力データのデータ構造からプログラムの構造を求めるのがジャクソン法で，入力データのデータ構造を分析し，プログラムの論理構造図（ワーニエ図）を作成するのがワーニエ法です。

■ モジュール分割の基準

モジュール分割を行った後のモジュールは，それぞれのモジュールの独立性が高いほど良いとされています。モジュールの独立性を高めることで，あるモジュールを変更してもほかへの影響が最小限にとどまるため保守性が上がります。また，独立したモジュールは別のソフトウェアで利用しやすくなるので，再利用性が上がります。

モジュールの独立性を確認する基準として，モジュール強度とモジュール結合度があります。モジュール結合度が弱いほどモジュールの独立性は高いと判断されます。

①モジュール強度

モジュール強度はモジュール凝集度，結束性とも呼ばれ，モジュール内の結び付きの強さを示す度合いです。以下の七つの強度があり，強いほど優れた設計であると判断されます。

モジュール強度の分類

モジュール強度		説明
強 ↑ ↓ 弱	機能的強度	一つの機能だけを実現するモジュール
	情報的強度	特定のデータを扱う複数の機能を一つのモジュールにまとめたもの
	連絡的強度	モジュールの要素間で同じデータの受渡しや参照が行われるもの
	手順的強度	順番に行う複数の機能をまとめたもの
	時間的強度	時間的に連続した複数の機能をまとめたもの
	論理的強度	論理的に関連のある複数の機能をまとめたもの
	暗合的強度	関係のない複数の機能をまとめたもの

②モジュール結合度

モジュール結合度は，二つのモジュール間の結合の度合いです。次の六つの結合度があり，**弱いほど優れた設計**であると判断されます。

モジュール結合度の分類

モジュール結合度		説明
弱 ↑ ↓ 強	データ結合	**単一データ**の変数を**引数**として受け渡すもの
	スタンプ結合	**データ構造**(構造体，レコードなど)を**引数**として受け渡すもの
	制御結合	**制御情報**を引数として与えるもの
	外部結合	**単一データ**の変数を**グローバル変数**として宣言し，参照するもの
	共通結合	**データ構造**を**グローバル変数**として宣言し，参照するもの
	内容結合	ほかのモジュールの内部を直接参照しているもの

それでは，次の問題を解いてみましょう。

問 題

モジュール結合度に関する記述のうち，適切なものはどれか。

ア　あるモジュールがCALL命令を使用せずにJUMP命令でほかのモジュールを呼び出すとき，このモジュール間の関係は，外部結合である。

イ　実行する機能や論理を決定するために引数を受け渡すとき，このモジュール間の関係は，内容結合である。

過去問題をチェック

モジュール強度／結合度に関する問題は，応用情報技術者試験の午前の定番です。この問題のほかにも次の出題があります。望ましいモジュールとはどのようなものかを理解することがポイントです。
【モジュール強度／結合度】
・平成21年秋 午前 問45
・平成22年春 午前 問45
・平成23年特別 午前 問47
・平成26年春 午前 問46
・平成28年春 午前 問47
・令和4年春 午前 問46
・令和5年春 午前 問46
・令和6年春 午前 問46
また，モジュール分割全般について，午後でも出題されています。
【モジュール分割】
・平成28年秋 午後 問8

ウ 大域的な単一のデータ項目を参照するモジュール間の関係は，制御結合である。

エ 大域的なデータを参照するモジュール間の関係は，共通結合である。

(令和6年春 応用情報技術者試験 午前 問46)

解説

モジュール結合度とは，モジュール間の依存度を表す指標で，モジュール間の関係性を示します。弱い結合度のほうがモジュールの独立性が高く，保守性や再利用性が向上します。

大域的なデータを参照するためには，グローバル変数を使用します。グローバル変数を利用する結合には，外部結合と共通結合があります。複数のモジュールが同じデータ構造を参照する形態の結合が共通結合となります。したがって，エが正解です。

ア 内容結合に関する記述です。

イ 制御結合に関する記述です。

ウ データ結合に関する記述です。

《解答》エ

■オブジェクト指向設計

オブジェクト指向は，オブジェクト同士の相互作用としてシステムをとらえる考え方です。システムの静的な構造や動的な振舞い，システム間の協調などをモデル化して，プログラミングするための仕様を記述します。オブジェクト指向でシステム開発をすることによって，プログラムの**保守性**と**再利用性**を上げることができます。

オブジェクト指向における代表的な考え方を次に挙げます。

①クラス

クラスは，オブジェクト指向の基本単位です。**属性**（プロパティ，変数，データ）と**操作**（関数，メソッド）が記述されます。クラス図では，クラス名と属性，操作は右図のように表現されます。

クラス名
属性1 …
操作1 …

クラス図

クラス自体は抽象的なデータ型で，クラスから生成したインスタンス（オブジェクト）が実際の処理を行います。

②カプセル化

クラスに定義された属性や操作にアクセス権を指定することで，クラスの外からのアクセスを制限することをカプセル化といいます。カプセル化を行うことで，内部の属性や操作を変更してもクラスの外部には影響を与えずにすみます。

③継承（インヘリタンス）

あるクラスを基にして別のクラスを作ることを継承といいます。継承の基となったクラスを**スーパクラス**，継承してできたクラスを**サブクラス**といいます。

④多相性（ポリモーフィズム）

同一の呼出しに対して，受け取った側のクラスの違いに応じて多様な振舞いを見せる性質です。多態性，多様性とも呼ばれます。例えば，「図形を描画する」という同じメソッドを呼び出しても，そのクラスが三角だったら△を描画し，四角だったら□を描画するといったように，クラスによって別の振舞いを起こすような動作です。

⑤オブジェクトコンポジション

オブジェクトをまとめる，あるいは取り込むことによって，より複雑な新しい機能を作ることです。機能を再利用するための，継承以外の方法であり，継承を**is-a関係**というのに対し，コンポジションは**has-a関係**と呼ばれます。また，取り込んだオブジェクトに処理を任せることを**委譲**といいます。

それでは，次の問題を解いてみましょう。

📖🔍**用語**

ポリモーフィズムの利用において，実際に実装する技術は継承であり，スーパクラスとサブクラスを使用します。このとき，スーパクラスがそれ自体で処理を実行できないようにするため，スーパクラスはインスタンスをもてないように実装します。ここで利用するクラスが抽象クラスであり，抽象クラスは，継承してサブクラスを作成しないと，インスタンスを作成して実行することができません。

問題

オブジェクト指向におけるクラス間の関係のうち，適切なものはどれか。

ア　クラス間の関連は，二つのクラス間でだけ定義できる。

イ　サブクラスではスーパークラスの操作を再定義することができる。

ウ　サブクラスのインスタンスが，スーパークラスで定義されている操作を実行するときは，スーパークラスのインスタンスに操作を依頼する。

エ　二つのクラスに集約の関係があるときには，集約オブジェクトは部分となるオブジェクトと，属性及び操作を共有する。

(令和6年春 応用情報技術者試験 午前 問45)

解説

オブジェクト指向におけるクラス間の関係に，“継承（インヘリタンス）”があります。サブクラス（子クラス）はスーパークラス（親クラス）から属性やメソッドを継承し，またそれらをオーバーライド（再定義）することができます。この特性により，コードの再利用性が高まり，保守性も向上します。したがって，イが正解です。

ア　一つのクラスは複数のほかのクラスと関連付けることができます。

ウ　サブクラスのインスタンスはスーパークラスで定義された操作を直接利用できます。

エ　“集約”とは，あるクラスがほかのクラスの一部となる関係です。属性や操作を共有するわけではありません。

≪解答≫イ

過去問題をチェック

オブジェクト指向設計についてはこの分野で最もよく出されるポイントで，応用情報技術者試験の午前の定番です。この問題のほかにも次の出題があります。
【オブジェクト指向設計】
・平成21年春 午前 問46
・平成23年特別 午前 問45
・平成24年春 午前 問45
・平成25年春 午前 問45
・平成25年秋 午前 問47
・平成28年秋 午前 問47
・平成29年春 午前 問47
・令和3年秋 午前 問48
・令和6年春 午前 問45
午後でも出題されており，ポリモーフィズム（多様性）の理解と，クラス図とシーケンス図の描き方がポイントとなります。
・平成21年春 午後 問8
・平成22年春 午後 問8
・平成23年特別 午後 問8
・平成24年秋 午後 問8
・平成26年春 午後 問8
・平成27年春 午後 問8
・平成28年春 午後 問8
・令和3年春 午後 問8
・令和6年春 午後 問8

■ 部品化と再利用

ソフトウェアは，モジュールなどの部品として作成することも可能です。これを部品化といいます。ソフトウェアの部品化を行うと，最初は通常の開発よりも工数がかかりますが，部品は再利用しやすいため，2回目以降の開発の工数を削減することができ

4

ます。

　従来の部品化の例としては，標準ライブラリ関数やクラスライブラリなどがあります。再利用の方法はオブジェクト指向の仕組みによりさらに発展し，アプリケーションの基本的な部分を提供する枠組みであるフレームワークなどができています。

　それでは，次の問題を解いてみましょう。

問題

ソフトウェアの再利用の説明のうち，適切なものはどれか。

ア　再利用可能な部品の開発は，同一規模の通常のソフトウェアを開発する場合よりも工数がかかる。

イ　同一機能のソフトウェアを開発するとき，一つの大きい部品を再利用するよりも，複数の小さい部品を再利用する方が，開発工数の削減効果は大きい。

ウ　部品の再利用を促進するための表彰制度などによるインセンティブの効果は，初期においては低いが，時間の経過とともに高くなる。

エ　部品を再利用したときに削減できる工数の比率は，部品の大きさに反比例する。

（平成24年秋 応用情報技術者試験 午前 問46）

解説

　ソフトウェアの再利用では，再利用可能な部品の開発には，同一規模の通常のソフトウェアを開発する場合よりも工数がかかります。しかし，それを再利用するときに工数が削減できるので，似たようなシステムを何度も開発する場合には効率的です。したがって，アが正解です。

イ，エ　部品が大きい方が，開発工数の削減効果が大きく，また，削減できる工数の比率も高くなります。

ウ　　　再利用を促進するインセンティブの効果は，まだ慣れておらず，やりたがる人が少ない初期の頃の方が高くなります。

≪解答≫ア

■パターン

　再利用は単なる部品だけでなく，ソフトウェアの設計や構造など，さらに大きな単位で考えられるようになりました。

　デザインパターンでは，設計のノウハウを集結させて再利用を可能にしました。

　アーキテクチャパターンでは，ソフトウェアの構造（アーキテクチャ）に関するパターンを集約しています。アーキテクチャパターンの一つに，MVC（Model View Controller）があります。MVCでは，機能を業務ロジック（Model），画面出力（View），それらの制御（Controller）の三つのコンポーネントに分けていきます。

■ドメイン駆動設計

　ドメイン駆動設計（**DDD**：Domain-Driven Design）は，ソフトウェア開発においてメインとなるドメイン（業務領域）をモデル化し，**ドメインモデル**を中心に設計を進める手法です。エンジニアと業務の専門家の間で統一した**ユビキタス言語**を用い，協力しながら開発を行います。ドメインモデルは，**エンティティ**や**値オブジェクト**といったドメインオブジェクトを用いて記述します。システム全体の一貫性を保つために，**コンテキストマップ**で複数の境界付けられたコンテキストの関連を表し，管理します。

発展

デザインパターンの有名なものには，**GoF**（Gang of Four）と呼ばれる4人が作成した23個のパターンがあります。また，アーキテクチャパターンの有名なものには，MVCのほかにPOSA（Patterns Oriented Software Architecture）があります。これらのパターンを使うことで，オブジェクト指向での開発を効率的に行うことができ，プログラムの状態を会話で説明することが容易になります。

▶▶ **覚えよう！**

☐　システム方式設計の段階で，あらかじめシステム結合テストのテスト要求事項を定義しておく

☐　同じメッセージで異なる動作をするポリモーフィズム

4-1-3 ⬤ 実装・構築

頻出度 ★☆☆

実装・構築のプロセスでは，ソフトウェアユニットを実際に作成し，ユニットごとのテストを行います。

◼ ソフトウェアユニットの作成

ソフトウェアユニットの作成において，それぞれが好き勝手にコードを書くと，形式が統一されず読みにくくなってしまいます。そこで，あらかじめコーディング基準を決め，コードの形式を揃えておきます。また，コーディング支援手法にも様々なものがあります。

◼ ソフトウェアユニットのテスト

ソフトウェアユニットのテストは，ソフトウェア詳細設計で定義したテスト仕様に従って行い，要求事項を満たしているかどうかを確認します。モジュール（ソフトウェアユニット）単体でのテストになるので，ほかのモジュールと関連する部分に次のような仮のモジュールを用意します。

①ドライバ

テストするモジュールの上位モジュールが未完成の場合，つまり，そのモジュールを呼び出すモジュールが未完成の場合の仮のモジュールのことをドライバと呼びます。

②スタブ

テストするモジュールの下位モジュールが未完成の場合，つまり，そのモジュールから呼び出すモジュールが未完成の場合のモジュールのことをスタブと呼びます。

それでは，次の問題を解いてみましょう。

🔗 関連

ソフトウェアコード作成で使用するプログラム言語については「1-2-4 プログラム言語」で，コード作成やテストで使用するツールについては「2-3-4 開発ツール」で解説しています。

⬆ 発展

コーディング支援手法とは，ソフトウェアコードの作成を簡易にするための手法，またはツールです。例えば，開発ソフトに組み込むツールを使用し，定型文を簡略化してコーディングする手法や，コピー＆ペーストで使えるコードをまとめたスニペット集を利用するなどの手法があります。

4

問題

テスト工程における**スタブ**の利用方法に関する記述として，適切なものはどれか。

ア　指定した命令が実行されるたびに，レジスタや主記憶の一部の内容を出力することによって，正しく処理が行われていることを確認する。

イ　トップダウンでプログラムのテストを行うとき，作成したモジュールをテストするために，仮の下位モジュールを用意して動作を確認する。

ウ　プログラムの実行中，必要に応じて変数やレジスタなどの内容を表示し，必要であればその内容を修正して，テストを継続する。

エ　プログラムを構成するモジュールの単体テストを行うとき，そのモジュールを呼び出す仮の上位モジュールを用意して，動作を確認する。

(平成22年秋 応用情報技術者試験 午前 問45)

解説

　スタブとは，作成したモジュールをテストするために用意された仮の下位モジュールのことです。したがって，イが正解です。エがドライバです。アはスナップショットダンプ，ウは開発ツールなどで用いられるエディットコンティニュの説明です。

≪解答≫イ

過去問題をチェック

ドライバとスタブは混同しやすいですが，応用情報技術者試験ではよく出題される問題で，午前の定番です。この問題のほかにも次の出題があります。
【ドライバ，スタブ】
・平成21年春 午前 問47
・平成23年特別 午前 問48
・平成29年秋 午前 問47

■テストの手法

　テストの手法は，ホワイトボックステストとブラックボックステストの2種類に大別されます。ホワイトボックステストは，ソースコードなどのシステム内部の構造を理解した上で行うテストで，ブラックボックステストは，外部から見て仕様書どおりの機能をもつかどうかをテストするものです。

　それぞれの代表的なテスト設計手法は，次のとおりです。

1. ホワイトボックステスト
①制御パステスト

　プログラム中のソースコードがすべて実行されるようにテストデータを与えるテストです。最も代表的なホワイトボックスのテスト設計手法で，どの程度のソースコードが網羅されたかをカバレッジ（網羅率）で示します。テストする経路によって，次のような様々な網羅方法があります。

- 命令網羅

　　すべての**命令**を最低1回は実行するように設計します。

- 判定条件網羅（分岐網羅）

　　すべての**分岐**で，その**分岐経路のすべて**を1回は実行するように設計します。

- 条件網羅

　　すべての**条件**で，その**可能な結果のすべて**を1回は実行するように設計します。判定条件網羅との違いは，例えば，

　　　if（a > 0 and b > 0）

　　という命令があったとき，andで合わせた全体が真か偽かを考えるのが判定条件網羅，それぞれの条件，つまりa > 0やb > 0のそれぞれについて真偽を考えるのが条件網羅です。

- 判定条件・条件網羅

　　判定条件網羅と条件網羅の両方を満たすように設計します。

- 複数条件網羅

　　すべての条件判定の**組合せ**を網羅するように設計します。テストケースの数は最も多くなります。

- 経路組合せ網羅（経路網羅）

　　すべての**経路**を最低1回は実行するように設計します。

②データフロー・パステスト

　制御部分ではなく使用されるデータに焦点を当てて行うテストです。ソースコード内で扱うデータや変数について，定義→生成→使用→消滅の各ステップが正しく順番どおりに行われているかを調べます。

発展

制御パステストには，網羅の度合いに応じてC0網羅（命令網羅），C1網羅（分岐網羅），C2網羅（条件網羅）という三つの網羅基準があります。
テストの精度は，網羅基準が高いほど高くはなりますが，大規模なシステムではテストケースが膨大になり，現実的な方法ではなくなることもあります。ですから，必ずしも網羅率100%を目指す方がいいとは限りません。

4

2. ブラックボックステスト

①同値分割

入力値と出力値を，システムとして動作が同じと見なせる値の範囲(同値クラス)に分類し，各同値クラスを代表する値に対してテストを行う方法です。

②限界値分析

同値クラスの両端の値(境界値)をテストする方法です。エラーは分岐の境界で起こりやすいので，そこを重点的にテストします。

③決定表(デシジョンテーブル)

考慮すべき条件と，その条件に対する結果のマトリックスを作成する方法です。主に，テスト項目を作成するために用いられます。

④原因・結果グラフ

入力と出力の関係を表す以下のような図や表を作成し，テストを行う方法です。

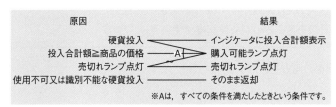

原因・結果グラフの例

それでは，次の問題を考えてみましょう。

問　題

　あるプログラムについて，流れ図で示される部分に関するテストを，命令網羅で実施する場合，最小のテストケース数は幾つか。ここで，各判定条件は流れ図に示された部分の先行する命令の結果から影響を受けないものとする。

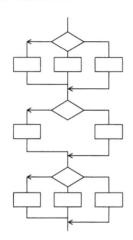

　ア　3　　　　イ　6　　　　ウ　8　　　　エ　18

（令和3年春 応用情報技術者試験 午前 問48）

過去問題をチェック
テストの手法については，次のような出題があります。
【ホワイトボックステスト】
・平成22年春 午前 問48
・平成22年秋 午前 問46
・平成25年秋 午前 問49
・平成29年春 午前 問48
・令和3年春 午前 問48
・令和4年春 午前 問47
・令和4年秋 午前 問48
【ブラックボックステスト】
・平成21年秋 午前 問47
・平成23年秋 午前 問47
・平成25年春 午前 問48
・平成26年秋 午前 問47
・平成30年秋 午前 問49
午後でも次の出題があります。それぞれの手法の種類を知ることとそれを理解することがポイントです。
・平成21年秋 午後 問8
・平成26年秋 午後 問8

4

解　説

　命令網羅とは，ホワイトボックステストの網羅方法の一つで，すべての命令（□または◇）を最低1回は実行するように設計します。それぞれの分岐（◇）で最大三つの枝分かれしかなく，分岐後に一つの流れに戻ります。また，「先行する命令の結果から影響を受けない」とあるので，次のような分岐で実行される三つのテストケースを用意すれば，命令網羅を実現できます。

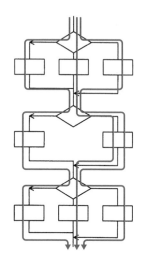

したがって，アの3が正解です。

≪解答≫ア

■ メトリクス計測

　ソフトウェアの品質を評価するために，ツールなどを使い，客観的な指標を計測することをメトリクス計測といいます。メトリクス計測では，関数やクラスの**モジュール強度**や**モジュール結合度**，**分岐**の数，アクセス率などを計測することで，ソフトウェアの弱点を具体的に把握することができます。

▶▶ 覚 え よ う ！

- [ ] **呼び出すモジュールは上位がドライバ，下位がスタブ**
- [ ] **○○網羅はホワイトボックステスト**

4-1-4 ● 統合・テスト

頻出度
★★★

　統合・テストのプロセスでは，ソフトウェアユニットやコンポーネントを統合します。その後，統合したソフトウェアやシステムのテストを行います。

■ テストの管理手法

　テストの実行後には，テストの結果を分析して管理する必要があります。テストを管理する方法には，次のようなものがあります。

①信頼度成長曲線（ゴンペルツ曲線）

　ソフトウェア開発のテスト工程では，エラー（バグ）を発見して修正する作業が順次行われるので，テスト項目の消化とともに，発見されるエラーの増加割合は減少していきます。そのことを**ソフトウェア信頼度成長モデル**といいます。その総エラー数の増加度合いは，経験的に次図のような曲線に従うとされており，この曲線のことを**信頼度成長曲線（ゴンペルツ曲線）**と呼びます。

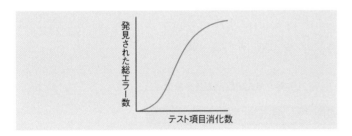

信頼度成長曲線（ゴンペルツ曲線）

　テスト項目に対して発見される総エラー数がこの曲線に沿わない場合はテストに問題があると見なし，検討します。発見されるエラー数が少なすぎる場合は，プログラムの品質が高いことも考えられますが，テストケースが適切でないという疑いもあります。発見された総エラー数が上図の曲線のように収束に向かっていくことをテスト終了の要件にすることも多いです。

②管理図

　バグの管理では，時間の経過に伴うバグ検出数や未消化テス

ト項目数，未解決バグ数をプロットし，バグ管理図を作成します。未消化テスト項目数と累積誤り検出数を並記するテスト工程品質管理図を作成することもあります。

③エラー埋込法

　プログラムに意図的にエラーを埋め込んだ状態でテストを行う方法です。埋込みエラーと真のエラーは同じ割合で発見されるという仮定の下，発見された埋込エラー数から，まだ発見されていない真のエラー数を推測します。

　次の問題を考えてみましょう。

問題

　エラー埋込み法による残存エラーの予測において，テストが十分に進んでいると仮定する。当初の埋込みエラーは48個である。テスト期間中に発見されたエラーの内訳は，埋込みエラーが36個，真のエラーが42個である。このとき，残存する真のエラーは何個と推定されるか。

　ア　6　　　　イ　14　　　　ウ　54　　　　エ　56

（平成25年春 応用情報技術者試験 午前 問47）

解説

　埋込みエラー数と真のエラー数を，発見されたエラー数と残存エラーに分けて計算すると以下のようにまとめられます。

	埋込みエラー数	真のエラー数
発見されたエラー	36	42
残存エラー	12（＝48−36）	？

　埋込みエラーと真のエラーで残存エラーの割合が同じだとすると，残存する真のエラー数は，$12 \times (42 / 36) = 14$ となります。したがって，イが正解です。

《解答》イ

■ チューニング

　システム適格性確認テストでは，単に不具合がないかというデバッグだけでなく，性能などの要件についてもテストを行い，システムの**チューニング**を行います。

■ テストの種類

　システム結合・システム適格性確認テストでは，システム全体を検証するために次のようなテストを行います。

①機能テスト

　ユーザーから要求された機能要件をシステムが満たしているかを検証するテストです。

②非機能要件テスト

　機能要件以外の，システムの非機能要件を満たしているかを検証するテストです。

③性能テスト

　システムの性能要件が確保されているかを検証するテストです。

④負荷テスト

　短時間に大量のデータを与えるなどの高い負荷をかけたときにシステムが正常に機能するかを検証するテストです。

⑤セキュリティテスト

　システムのセキュリティ要件を満たしているかを検証するテストです。

⑥リグレッションテスト（回帰テスト，退行テスト）

　システムを変更したときに，その変更によって予想外の影響が現れていないかを確認するテストです。変更した部分以外のプログラムも含めてテストを行います。

> **Q 用語**
>
> **チューニング**とは，目的とする状態に調整することです。システムのチューニングの場合，性能（パフォーマンス）を最適な状態にする**パフォーマンスチューニング**などが行われます。ボトルネックを見つけ出し，その原因を推定して，ボトルネックを解消するサイクルを実施します。そのときに行われるテストはシステムにストレスをかけるので，**ストレステスト**とも呼ばれます。

||▶▶ 覚えよう ！

- [ ] バグ摘出数は，多すぎても少なすぎてもダメ
- [ ] バグを取るのはデバッグ，性能の最適化はチューニング

4-1-5 ● 導入・受入れ支援 　頻出度 ★★★

　システム又はソフトウェアの導入では，実環境にハードウェアを用意し，ソフトウェア製品を導入（インストール）します。受入れ支援では，システムの取得者がシステム又はソフトウェアを受け入れることを，システムの供給者が支援します。

■ システム又はソフトウェアの導入のタスク

　システム又はソフトウェアの導入では，システム又はソフトウェアの導入計画を作成し，導入を実施します。

　システム又はソフトウェアの導入時には，新旧システムの移行をどのように実施するのかを考え，データ保全や業務への影響を検討し，スケジュールや体制を考えます。古くなったシステムやハードウェア，ソフトウェアを新しいものや別のものに置き換えることをリプレースといいます。また，ソフトウェア導入にあたっては，利用者を支援する作業も行います。

■ システム又はソフトウェアの受入れ支援のタスク

　システム又はソフトウェアの受入れ支援では，供給者（開発者）が取得者（利用者）の受入れレビューと受入れテストの支援，ソフトウェア製品の納入，取得者への教育訓練及び支援を行います。利用者支援のため，業務やコンピュータ操作手順，業務応用プログラム運用手順などを利用者マニュアルとして文書化します。

▶▶ 覚 え よ う ！

　□　ソフトウェアの受入れは，取得者が主体になって行い，開発者はそれを支援する

4-1-6 保守・廃棄

保守プロセスでは，サービスレベルなどの保守を受ける側の要求や，保守を提供する側の実現性や費用を考慮して，保守要件を決定します。保守作業では，具体的には，問題の発生や改善，機能拡張要求などへの対応として，現行ソフトウェアの修正や変更を行います。また，廃棄プロセスでは，システムやソフトウェアを起動不能や解体などによって最終の状態にします。

保守の形態

保守はバグ修正，つまり**是正保守**だけとは限りません。ソフトウェア保守の形態には，日々のチェックを行う**日常点検**や，定期的に行う**定期保守**があります。また，障害や不具合などが起こる前に行う**予防保守**と，起こった後に行う**事後保守**（是正保守）にも分類できます。予防的に改良を加えて完全にする**完全化保守**，システムの変化に適応させる**適応保守**を行うこともあります。さらに，修理を現場で行う**オンサイト保守**と，ほかの場所から行う**遠隔保守**にも分けられます。

それでは，次の問題を考えてみましょう。

問 題

問題は発生していないが，プログラムの仕様書と現状のソースコードとの不整合を解消するために，リバースエンジニアリングの手法を使って仕様書を作成し直す。これはソフトウェア保守のどの分類に該当するか。

ア　完全化保守　　　　イ　是正保守
ウ　適応保守　　　　　エ　予防保守

（令和5年秋 応用情報技術者試験 午前 問48）

> **参考**
> 保守プロセスは開発プロセスとは別に定義されますが，まったく独立して行われるわけではなく，保守のしやすいシステムにするための開発も大切です。

4

■ 解 説 ■

　保守の形態のうち，予防的に改良を加えて完全にする保守は完全化保守です。問題が発生しないうちに，リバースエンジニアリングの手法を使って仕様書を作成し直すのは，予防的な改良なので完全化保守に当てはまります。したがって，アが正解です。

イ　バグ修正など，問題が発生した後に行う保守です。

ウ　システムの変化に適応させる保守です。

エ　障害や不具合などが起こる前に行う保守です。

≪解答≫ア

■システム信頼性のための解析手法

　保守段階でのシステム信頼性のために，信頼性工学の視点を用いて障害のリスクを評価します。FTA（Fault Tree Analysis：故障木解析）は，発生しうる障害の原因を分析するトップダウンの手法です。特定の障害に対して，その障害が発生する原因を洗い出し，木構造にまとめます。また，**FMEA**（Failure Mode and Effects Analysis：故障モード影響解析）は，信頼性を定性的に評価するボトムアップの手法です。システムの構成品目の故障モードに着目して，故障の推定原因を列挙し，システムへの影響を評価することによって分析します。

■廃棄

　廃棄プロセスは，システム又はソフトウェア実体の存在を終了させます。廃棄では，システムもしくはソフトウェアを最終の状態にし，廃棄しても運用に支障のない状態にして，起動不能にしたり，解体したり，取り除いたりします。

　組織の運用の完整性（完全に整っている状態，integrity）を保ちながら，システムの既存ソフトウェア製品又はソフトウェアサービスを廃止にすることが目標です。

▶▶ 覚えよう！

　□　障害後の事後保守だけでなく，事前に行う予防保守もある

4-2 ソフトウェア開発管理技術

ソフトウェア開発のプロセスや手法は様々です。ソフトウェア開発の工程では，自社のものではないソフトウェアを利用すると同時に，自社で開発したソフトウェアを守る必要もあるため，知的財産権の適用管理を行います。また，効率的な開発を行うためには，開発環境の管理や，開発時の構成品目を管理するための構成管理・変更管理も必要です。本章では，開発の周辺で必要になるこのような管理技術について学習します。

4-2-1 🟦 開発プロセス・手法

頻出度
★★★

開発プロセスとしては，ウォーターフォールモデルなど従来の構造化手法を中心とした開発モデルと，スパイラルモデルなどのオブジェクト指向を中心とした開発モデルがあります。

🟦 ソフトウェア開発モデル

ソフトウェア開発の効率化や品質向上のために用いられるのがソフトウェア開発モデルです。代表的なものを以下に挙げます。

①ウォーターフォールモデル

最も一般的な，古くからある開発モデルです。開発プロジェクトを時系列に，「要件定義」「設計」「プログラミング」「テスト」というかたちでいくつかの作業工程に分解し，それを順番に進めていきます。なるべく後戻りしないように，各工程の最後にレビューを行うなどして信頼性を上げます。

②プロトタイピングモデル

開発の早い段階で試作品（プロトタイプ）を作成し，それをユーザーが確認し評価することで，システムの仕様を確定していく方法です。

③スパイラルモデル

システム全体をいくつかの部分に分け，分割した単位で開発のサイクルを繰り返します。その発展形として，オブジェクト指向開発において，分析と設計，プログラミングを何度か行き来し

🖊 勉強のコツ

ソフトウェア開発プロセスや開発管理技術には，こうすれば完璧という「正解」はありません。いろいろな手法の中から，現実的に最適な解を見つけ出していくのです。そのため，この分野のポイントは，「いろいろな手法があるんだな」ということと，それぞれの手法の基本的な考え方を理解することです。

ながらトライアンドエラーで完成させていく**ラウンドトリップ**という手法もあります。

④RAD（Rapid Application Development）

"早く，安く，高品質"を目的とした短期のシステム開発の手法です。CASEツールや開発ツールなどを活用し，プログラム作成を半自動化します。

⑤アジャイル**開発**

迅速に無駄なくソフトウェア開発を行う手法の総称です。代表的な手法にXP（eXtreme Programming）やスクラムがあります。

⑥インクリメンタルモデル（Incremental Model）

大きなシステムをいくつかの独立性の高いサブシステムに分け，そのサブシステムごとに開発，リリースしていく手法です。段階的にリリースするので，すべての機能がそろっていなくてもシステムの動作を確認できます。

⑦エボリューショナルモデル（Evolutionary Model）

開発プロセスの一連の作業を複数回繰り返し行います。要求に従ってソフトウェアを作成してその出来を評価し，改訂された要求に従って再度ソフトウェアを作成する，という作業を繰り返します。**成長モデル**，**進化型モデル**ともいいます。

⑧DevOps

開発担当者と運用担当者が連携して協力する開発手法です。開発（Development）と運用（Operations）の合成語です。

■ アジャイル開発の手法

アジャイル開発は，迅速かつ適応的にソフトウェア開発を行う軽量な開発手法で，従来の開発手法とは考え方に違いがあります。特に価値については，**アジャイルソフトウェア開発宣言**で次のように表されています。

プロセスやツールよりも個人と対話を
包括的なドキュメントよりも動くソフトウェアを
契約交渉よりも顧客との協調を
計画に従うことよりも変化への対応を

アジャイル開発の代表的な手法には次のものがあります。

①XP（エクストリームプログラミング）

事前計画よりも柔軟性を重視する，難易度の高い開発や状況が刻々と変わるような開発に適した手法です。

XPでは，「コミュニケーション」「シンプル」「フィードバック」「勇気」「尊重」の五つに価値が置かれます。その価値の下に，いくつかのプラクティス（習慣，実践）が定められています。代表的なプラクティスには，次のようなものがあります。

・**イテレーション**
　アジャイル開発を繰り返す単位です。短いサイクルで繰り返すことで，反復し，柔軟に対処しながら開発を行います。
・**ペアプログラミング**
　二人一組で実装を行い，一人がコードを書き，もう一人がそれをチェックしナビゲートするという手法です。二人のペアを変えながら開発を行うことで，コミュニケーションを円滑にします。教育的な効果もあります。
・**テスト駆動開発**（Test-Driven Development：TDD）
　実装より先にテストを作成します。
・**リファクタリング**
　完成済のコードを，動作を変更させずに改善します。
・**継続的インテグレーション**
　品質改善や納期短縮のための習慣です。開発者がソースコードの変更を頻繁にリポジトリに登録し，ビルドとテストを定期的に実行することで，テストの効率化や段階的な機能追加を実現できます。
・**バーンダウンチャート**
　時間と作業量の関係をグラフ化したものです。プロジェクトの状況を可視化することができます。

・レトロスペクティブ（ふりかえり）

　イテレーションごとにチームの作業方法を見返し，作業を改善していく手法です。

それでは，次の問題を考えてみましょう。

問題

アジャイル開発などで導入されている "ペアプログラミング" の説明はどれか。

　ア　開発工程の初期段階に要求仕様を確認するために，プログラマと利用者がペアとなり，試作した画面や帳票を見て，相談しながらプログラムの開発を行う。

　イ　効率よく開発するために，２人のプログラマがペアとなり，メインプログラムとサブプログラムを分担して開発を行う。

　ウ　短期間で開発するために，２人のプログラマがペアとなり，交互に作業と休憩を繰り返しながら長時間にわたって連続でプログラムの開発を行う。

　エ　品質の向上や知識の共有を図るために，２人のプログラマがペアとなり，その場で相談したりレビューしたりしながら，一つのプログラムの開発を行う。

（令和３年春 応用情報技術者試験 午前 問50）

解説

　ペアプログラミングとは，２人のプログラマがペアとなり開発を行う手法です。２人で分担するのではなく，一つのプログラムを一緒に開発していきます。一方がプログラミングを行っているときに他方がレビューを行ったり，相談を行うことなどで，品質の向上や知識の共有を図ることができます。したがって，エが正解です。

　ア　利用者とプログラマは要求仕様の確認を一緒に行うことはありますが，プログラムの開発は行いません。

　イ　分担して行うプログラミングであり，ペアプログラミングではありません。

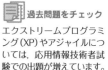
過去問題をチェック

エクストリームプログラミング（XP）やアジャイルについては，応用情報技術者試験での出題が増えています。
【XP】
・平成26年春 午前 問49
・平成27年秋 午前 問49
・平成28年春 午前 問50
・令和４年秋 午前 問49
【アジャイル】
・平成26年秋 午前 問49
・平成29年春 午前 問49
・平成29年春 午後 問8
・平成29年秋 午前 問48
・平成30年春 午前 問48, 問49
・平成30年秋 午前 問50
・令和３年春 午前問50
・令和３年秋 午前 問49
・令和５年秋 午前 問49
【スクラム】
・令和２年10月 午前 問49
・令和３年春 午前 問49
・令和３年秋 午前 問50
・令和４年春 午前 問49
・令和４年秋 午前 問50
・令和５年春 午前 問48
【リーンソフトウェア開発】
・令和元年秋 午前 問49
・令和６年春 午前 問48
午後でも，アジャイルの手法について出題されています。
【継続的インテグレーション】
・平成30年秋 午後 問8
【アジャイル開発】
・令和２年10月 午後 問8
・令和３年秋 午後 問9

ウ　交代でプログラミングを行う作業は，ペアプログラミングでは
　　ありません。

≪解答≫エ

②スクラム

　開発チームが一体となって，共通のゴールに向けて働くことを
目的とした方法論です。プロジェクトの途中で，顧客が要求や
必要事項を変えられるということを想定しています。

　スクラムでは，プロダクトオーナ，開発チーム，スクラムマス
タという三つの役割から**スクラムチーム**を形成します。プロダク
トオーナは，作成するプロダクトに最終的に責任をもつ人で，ス
クラムマスタは，プロジェクトの推進に責任をもつ人になります。

　スクラムでは，決められた期間でのチームの生産量を**ベロシ
ティ**という単位で表し，進捗の尺度として用います。また，スク
ラムの工程の単位は**スプリント**です。スプリントの最初にスプリ
ントプランニングを行い，スプリント中は**デイリースクラム**で毎日
の進捗を確認します。スプリントの後はレビューを行い，ステー
クホルダーからフィードバックを得ます。レビュー後に**レトロス
ペクティブ**（ふりかえり）を行い，チームの改善に役立てます。また，
プロダクトバックログ，スプリントバックログという2種類の**バッ
クログ**を作成し，製品に必要な要素や，スプリントで実現する仕
様をまとめて管理します。

　それでは，次の問題を考えてみましょう。

問　題

アジャイル開発手法の説明のうち，スクラムのものはどれか。

ア　コミュニケーション，シンプル，フィードバック，勇気，尊
　　重の五つの価値を基礎とし，テスト駆動型開発，ペアプログ
　　ラミング，リファクタリングなどのプラクティスを推奨する。

イ　推測（プロジェクト立上げ，適応的サイクル計画），協調（並
　　行コンポーネント開発），学習（品質レビュー，最終QA／リ
　　リース）のライフサイクルをもつ。

　　ウ　プロダクトオーナなどの役割，スプリントレビューなどのイ
　　　　ベント，プロダクトバックログなどの作成物，及びルールか
　　　　ら成るソフトウェア開発のフレームワークである。
　　エ　モデルの全体像を作成した上で，優先度を付けた詳細な
　　　　フィーチャリストを作成し，フィーチャを単位として計画し，
　　　　フィーチャ単位に設計と構築を繰り返す。

（令和2年10月 応用情報技術者試験 午前 問49）

解 説

　アジャイル開発手法でのスクラムとは，チームで開発を行うた
めのプロセスのフレームワークです。プロダクトオーナなどの役
割や，スプリントレビューなどのイベント，プロダクトバックログ
などの作成物，ルールなどが含まれています。したがって，ウが
正解です。
　ア　XP（eXtreme Programming）で提唱される価値やプラクティ
　　　スの説明です。
　イ　ASD（Adaptive Software Development）の説明です。
　エ　FDD（Feature Driven Development）の説明です。

≪解答≫ウ

③リーンソフトウェア開発
　リーンソフトウェア開発とは，製造業の現場から生まれた考え
方をアジャイル開発のプラクティスに適用したものです。次の七
つの原則を重視しながら開発を進めていきます。
　1. ムダをなくす
　2. 品質を作り込む
　3. 知識を作り出す
　4. 決定を遅らせる
　5. 早く提供する
　6. 人を尊重する
　7. 全体を最適化する

④エンタープライズアジャイル

大規模な組織全体でアジャイル手法を導入し，ビジネス価値の向上と迅速な市場対応を目指すアプローチです。一つの製品に対して一緒に作業をする複数のチームにスクラムを拡張するためのフレームワークとして，LeSS（Large-Scale Scrum）フレームワークがあります。また，多数のアジャイルチームを管理するための一連の組織およびワークフローのパターンである**SAFe**（**Scaled Agile Framework**）があります。

■ プロセス成熟度

開発と保守のプロセスを評価，改善するために，システム開発組織のプロセスの成熟度をモデル化したものが**CMMI**（Capability Maturity Model Integration：能力成熟度モデル統合）です。CMMIでは，組織を次の5段階のプロセス成熟度モデルに照らし合わせ，等級をつけて評価します。

CMMIのレベル

レベル	段階	概要
レベル1	初期	場当たり的で秩序がない状態。成功は，担当する人員の力量に依存する
レベル2	管理された	基本的なプロジェクト管理が確実に行われる状態。反復可能
レベル3	定義された	標準の開発プロセスがあり，利用されている状態
レベル4	定量的に管理された	品質と実績のデータをもち，プロセスの実情を定量的に把握している状態
レベル5	最適化している	プロセスの状態を継続的に改善するための仕組みが備わっている状態

プロセス成熟度を向上させるためには，組織やプロジェクトのプロセスを評価し，その成熟度や効果性を客観的に診断する**プロセスアセスメント**を行う必要があります。プロセスアセスメントの概念はJIS X 33001にまとめられており，具体的なプロセスアセスメントの実施に関する要求事項はJIS X 33002に規定されています。

それでは，次の問題を考えてみましょう。

問題

JIS X 33002:2017（プロセスアセスメント実施に対する要求事項）の説明として，適切なものはどれか。

ア　組織のプロセスを継続的に改善して品質を高めるための要求事項を規定している。

イ　組織プロセスの品質を客観的に診断するための要求事項を規定している。

ウ　プロジェクトの実施に重要で，かつ，影響を及ぼすプロジェクトマネジメントの概念及びプロセスに関する包括的な手引きを規定している。

エ　明確に定義された用語を使用し，ソフトウェアライフサイクルプロセスの共通枠組みを規定している。

（令和6年春 応用情報技術者試験 午前 問49）

解説

JIS X 33002:2017は，プロセスアセスメントの実施に関する要求事項を規定しています。この規格では，診断対象プロセスのアセスメント結果が，客観的で，一貫していて，再現可能であり，かつ，代表的であることを確実にするアセスメント実施のための最小限の要求事項を定義しています。したがって，イが正解です。

ア　ISO 9001などの，品質マネジメントシステムに関する内容です。

ウ　ISO 21500などの，プロジェクトマネジメントに関する内容です。

エ　ISO/IEC 12207などの，ソフトウェアライフサイクルプロセスに関する内容です。

≪解答≫イ

■ リバースエンジニアリング

　ソフトウェアにおけるリバースエンジニアリングとは，ソフトウェアの動作を解析するなどして構造を分析し，ソースコードを明らかにすることです。オブジェクトコードをソースコードに変換する**逆コンパイラ**や，関数の呼出関係を表現したグラフである**コールグラフ**などを使用して解析します。

　リバースエンジニアリングを行い，元のソフトウェア権利者の許可なくソフトウェアを開発，販売すると，元のソフトウェアの**知的財産権を侵害**するおそれがあります。また，利用許諾契約によってはリバースエンジニアリングを禁止している場合もあるので注意が必要です。

 用語

リバースエンジニアリングと似た名前の用語に**リファクタリング**があります。こちらは，既存のプログラムに対して，外部から見た振舞いを変更しないようにプログラムを改善することです。より良いコードに書き換えることで，保守性の高いプログラムにすることができます。

4

■ マッシュアップ（Mashup）

　マッシュアップとは，複数の提供者による**API**（Application Programming Interface）を組み合わせることで新しいサービスを提供する技術です。主にWebプログラミングで用いられており，複数のWebサービスのAPIを組み合わせて，あたかも一つのWebサービスのように提供します。

発展

マッシュアップの具体例としては，Google Mapsの地図情報を活用し，地図を表示しながら店舗や観光地の口コミ情報を掲載するサイトなどがあります。GoogleやAmazon，Yahoo!などで公開されているAPIを用いることで，様々なWebサービスを簡単に組み合わせることができます。

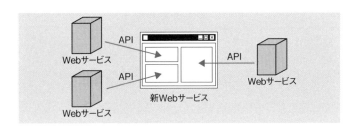

マッシュアップのイメージ

　それでは，次の問題を解いてみましょう。

問　題

マッシュアップに該当するものはどれか。

ア　既存のプログラムから，そのプログラムの仕様を導き出す。

イ　既存のプログラムを部品化し，それらの部品を組み合わせて，新規プログラムを開発する。

ウ　クラスライブラリを利用して，新規プログラムを開発する。

エ　公開されている複数のサービスを利用して，新たなサービスを提供する。

(平成26年春 応用情報技術者試験 午前 問50)

解　説

　マッシュアップとは，公開されている複数のサービスを利用して新たなサービスを提供することです。したがって，エが正解です。アはリバースエンジニアリング，イ，ウはコンポーネント指向のソフトウェアコンポーネント（部品）を用いたプログラミングです。

≪解答≫エ

▶▶ 覚えよう！

☐　CMMIレベルは，1－初期，2－管理，3－定義，4－定量的管理，5－最適化

☐　マッシュアップは複数のサービスを組み合わせて作る

4-2-2 ◯ 知的財産適用管理

知的財産に関する知的財産権には,著作権や産業財産権である特許権など,様々なものがあります。

◯ 著作権管理

開発するプログラムの著作権は,著作権法で保護されます。プログラムの著作権(人格権・財産権)は,契約の内容が優先されます。契約書などでの取決めがない場合には,以下のようになります。

4

- **個人**が作成した場合は,プログラマが著作者です。二人以上が共同で作成した場合は,**共同著作者**となります。
- **従業員**が**職務**で作成した場合は,雇用者である法人が創作者となり,著作権をもちます。ただし,契約・勤務規則などで別途取決めがある場合は異なることもあります。
- 委託によって作成された場合は,**原始的には**作成者(受託者)が著作権をもちます。そのため,**契約などで受託者から委託者へ著作権の移転**が行われるケースが多く見られます。プログラムを外注する際は注意が必要です。

それでは,次の問題を考えてみましょう。

問題

プログラムの著作権侵害に該当するものはどれか。

ア A社が開発したソフトウェアの公開済プロトコルに基づいて,A社が販売しているソフトウェアと同等の機能をもつソフトウェアを独自に開発して販売した。

イ ソフトウェアハウスと使用許諾契約を締結し,契約上は複製権の許諾は受けていないが,使用許諾を受けたソフトウェアにはプロテクトがかけられていたので,そのプロテクトを外し,バックアップのために複製した。

ウ　他人のソフトウェアを正当な手段で入手し，逆コンパイルを行った。

エ　複製及び改変する権利が付与されたソース契約の締結によって，許諾されたソフトウェアを改造して製品に組み込み，ソース契約の範囲内で製品を販売した。

（平成24年秋 応用情報技術者試験 午前 問49）

解 説

使用許諾を受けていても，複製権の許諾を受けていなければ複製を行うことはできません。したがって，イが著作権侵害になります。

ア　公開済プロトコルは著作権保護の対象外です。

ウ　逆コンパイル自体は，特に著作権で規制されていません。

エ　契約の範囲内なら改造しても問題ありません。

≪解答≫イ

■ 特許管理

ソフトウェア開発工程で発生した「発明」は，ソフトウェア特許として保護することができます。特許権を得るには，特許の出願を行って審査を受ける必要があります。

また，ソフトウェア開発時に他者のもつ特許を利用したい場合は，使用許諾を受ける必要があります。特許されている発明を実施するための権利を実施権といい，**専用実施権**と**通常実施権**の2種類があります。専用実施権は，ライセンスを受けた者だけが独占的に実施できる権利，通常実施権は実施するだけの権利です。

先使用権は，他人が特許を出願する前にその発明を使用していた場合などには，他人が特許権を取得しても，その発明を継続して利用できる通常使用権です。

用語

特許の実施権の許諾を受けた者がさらに第三者にその特許の実施権を許諾する権利のことを**サブライセンス**（再実施権）といいます。特許権者の承認を得た場合に限り，サブライセンスを許諾することが可能です。

■ ライセンス管理

　ソフトウェア開発時に，自社が権利をもっていないソフトウェアを利用する必要がある場合には，そのライセンスを受ける必要があります。また，獲得したライセンスについては，使用実態や使用人数がライセンス契約で託された内容を超えないよう管理しなければなりません。

■ 技術的保護

　知的財産権を確保するための技術的保護の手法には，メディアの無断複製を防止するコピーガードや，コンテンツの不正利用を防ぐDRM（Digital Rights Management：デジタル著作権管理）などがあります。また，不正コピーが使われないように，インストール後にライセンスの登録を行うアクティベーションが必要なソフトウェアもあります。

4

||▶▶▶ 覚 え よ う ／

- □　会社で作成したプログラムは，その会社（法人）に著作権が帰属する
- □　特許権申請前の技術には，先使用権が認められる

4-2-3 ■ 開発環境管理　　頻出度 ★★★

　快適に効率的な開発を行うためには，開発要件に合わせて開発環境を整える必要があります。

■ 開発環境構築

　効率的な開発のためには，開発用ハードウェア，ソフトウェア，ネットワーク，シミュレータなどの開発ツールと，そのソフトウェアライセンスを準備する必要があります。また，開発環境の**セキュリティ**も確保すべきです。さらに，組込システムなど，ソフトウェアを実行する機器に適切な開発環境がない場合には，CPUのアーキテクチャが異なる通常のPCなどで開発を行う**クロス開発**のためのツールを用意する必要があります。

■ 管理対象

開発環境管理では，以下の管理を行います。

①開発環境稼働状況管理

開発環境を構築して準備するとともに，コンピュータ**資源の稼働状況**を適切に把握，管理する必要があります。

②設計データ管理

設計にかかわるデータの**バージョン管理**や，プロジェクトでの共有管理を行います。また，**アクセス権**や**更新履歴**を管理し，誰がいつ何の目的で利用したのか，不適切な持出しや改ざんがないかなどを管理する必要があります。

③ツール管理

開発に利用するツールやバージョンが異なると，ソフトウェアの**互換性**に問題が生じることがあります。そのため，ソフトウェアの**構成品目**とバージョンを管理し，ツールに起因するバグやセキュリティホールの発生などを抑えます。

④ライセンス管理

ライセンスの内容を理解し，定期的にインストール数と保有ライセンス数を照合確認することで，適切に使用しているかどうか確認します。

■ プラットフォーム開発

プラットフォーム開発とは，組込みソフトウェア開発でよく利用される，最初に複数の製品で共通となる部分をプラットフォームとして開発する手法です。ソフトウェアを複数の異なる機器に共通して利用することが可能になるので，ソフトウェア開発効率を向上できます。

|||▶▶ 覚えよう！

☐　開発環境に起因する問題を回避するために，開発環境自体も管理する必要がある

4-2-4 ● 構成管理・変更管理

頻出度 ★★★

システム開発における構成管理や変更管理，リリース管理などは，共通フレームでは支援ライフサイクルプロセスの構成管理プロセスに該当します。

■ 構成管理

構成管理では，プロジェクトにおいて管理するソフトウェア品目やそれらのバージョンを識別する体系を確立します。

ソースコードや文書などの成果物とその変更履歴を管理し，任意のバージョンの製品を再現可能にする方法論をSCM（Software Configuration Management：ソフトウェア構成管理）といいます。バージョン管理システムはSCMのためのツールです。構成管理の対象物として変更と管理を行うものをSCI（Software Configuration Item：ソフトウェア構成品目）といいます。

ソフトウェア製品に含まれるすべてのコンポーネントや依存関係をリスト化したものにSBOM（Software Bill of Materials）があります。SBOMがあることで，バージョン管理だけではなく，セキュリティの脆弱性管理などに利用できます。

■ 変更管理

変更管理では，対象としているソフトウェア品目について，状況や履歴を管理し文書化します。また，そのソフトウェア品目の機能的及び物理的な完全性を保証する必要があります。そして，リリース管理を行い，ソフトウェアやそれに関連する文書の新しいバージョンを出荷します。ソフトウェアのソースコードや文書は，開発後もソフトウェアの寿命がある間は保守しなければなりません。

■用語

バージョン管理システムとは，ソフトウェアや文書などのファイルの変更履歴を管理するためのシステムです。「2-3-4　開発ツール」で説明したリポジトリを利用します。

4

||▶▶ 覚 え よ う ！

□　**SCMでは，ソフトウェアの成果物や変更履歴を管理**

4-3 演習問題

問1 UMLのアクティビティ図の特徴　　　　CHECK ▶ ☐☐☐

UMLのアクティビティ図の特徴はどれか。

ア　多くの並行処理を含むシステムの，オブジェクトの振る舞いが記述できる。

イ　オブジェクト群がどのようにコラボレーションを行うか記述できる。

ウ　クラスの仕様と，クラスの間の静的な関係が記述できる。

エ　システムのコンポーネント間の物理的な関係が記述できる。

問2 FTA　　　　CHECK ▶ ☐☐☐

信頼性工学の視点で行うシステム設計において，発生し得る障害の原因を分析する手法であるFTAの説明はどれか。

ア　システムの構成品目の故障モードに着目して，故障の推定原因を列挙し，システムへの影響を評価することによって，システムの信頼性を定性的に分析する。

イ　障害と，その中間的な原因から基本的な原因までの全ての原因とを列挙し，それらをゲート（論理を表す図記号）で関連付けた樹形図で表す。

ウ　障害に関するデータを収集し，原因について“なぜなぜ分析”を行い，根本原因を明らかにする。

エ　多角的で，互いに重ならないように定義したODC属性に従って障害を分類し，どの分類に障害が集中しているかを調べる。

問3 網羅率の適切な組み　　　　　　　　CHECK ▶ □□□

　流れ図で示したモジュールを表の二つのテストケースを用いてテストしたとき，テストカバレージ指標であるC_0（命令網羅）とC_1（分岐網羅）とによる網羅率の適切な組みはどれか。ここで，変数V〜変数Zの値は，途中の命令で変更されない。

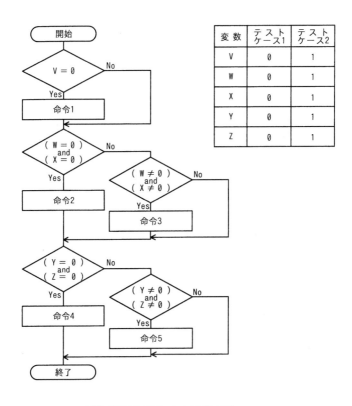

変 数	テスト ケース1	テスト ケース2
V	0	1
W	0	1
X	0	1
Y	0	1
Z	0	1

	C_0による網羅率	C_1による網羅率
ア	100%	100%
イ	100%	80%
ウ	80%	100%
エ	80%	80%

問4 リファクタリング後のクラス図　　　　　　　　　　CHECK ▶ □□□

　図は，ある図形描画ツールのクラス図の一部である。新たな形状や線種で図形を描画する機能の追加を容易にするために，リファクタリング"継承の分割"を行った。変更後のクラス図はどれか。

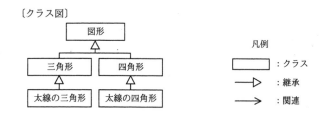

〔クラス図〕

凡例
□ ：クラス
→ ：継承
→ ：関連

ア

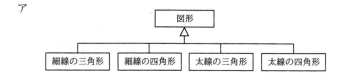

イ

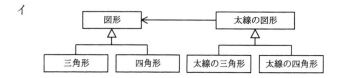

ウ

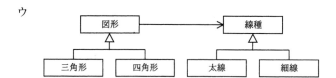

エ

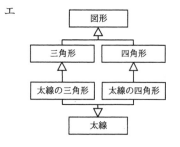

4

問5 　スクラムマスタが行うこと　　　　　　　　　CHECK ▶ □□□

アジャイル開発手法の一つであるスクラムでは，プロダクトオーナ，スクラムマスタ，開発者でスクラムチームを構成する。スクラムマスタが行うこととして，最も適切なものはどれか。

　ア　各スプリントの終わりにプロダクトインクリメントのリリースの可否を判断する。
　イ　スクラムの理論とプラクティスを全員が理解するように支援する。
　ウ　プロダクトバックログアイテムを明確に表現する。
　エ　プロダクトバックログの優先順位を決定する。

問6 　他社への使用許諾　　　　　　　　　　　　　CHECK ▶ □□□

自社開発したソフトウェアの他社への使用許諾に関する説明として，適切なものはどれか。

　ア　既に自社の製品に搭載して販売していると，ソフトウェア単体では使用許諾できない。
　イ　既にハードウェアと組み合わせて特許を取得していると，ソフトウェア単体では使用許諾できない。
　ウ　ソースコードを無償で使用許諾すると，無条件でオープンソースソフトウェアになる。
　エ　特許で保護された技術を使っていないソフトウェアであっても，使用許諾することは可能である。

問7 　アジャイルソフトウェア開発宣言　　　　　　CHECK ▶ □□□

アジャイルソフトウェア開発宣言では，"あることがらに価値があることを認めながらも別のことがらにより価値をおく"としている。"別のことがら"に該当するものの組みはどれか。

　ア　個人と対話，動くソフトウェア，顧客との協調，変化への対応
　イ　個人と対話，包括的なドキュメント，顧客との協調，計画に従うこと
　ウ　プロセスやツール，動くソフトウェア，契約交渉，変化への対応
　エ　プロセスやツール，包括的なドキュメント，契約交渉，計画に従うこと

■ 演習問題の解答

問1　　　　　　　　　　　　　　　　　　　（令和2年10月 応用情報技術者試験 午前 問46）
《解答》ア

　UML（Unified Modeling Language）は，オブジェクト指向システムの開発のためのモデリング言語で，様々な図が定義されています。アクティビティ図は，システムの流れを表すフローチャートのような図です。並行処理を含むシステムを記述でき，オブジェクトの振る舞いを順に書いていきます。したがって，アが正解です。
　イはコミュニケーション図，ウはクラス図，エはコンポーネント図の特徴です。

問2　　　　　　　　　　　　　　　　　　　（令和4年秋 応用情報技術者試験 午前 問47）
《解答》イ

　FTA（Fault Tree Analysis：故障の木解析）は，製品の故障や，その原因を分析するための手法です。障害の原因について，その中間的な原因から基本的な原因までのすべてを列挙し，それらをゲート（論理を表す図記号）で関連付けた樹形図で表します。それぞれの原因の発生頻度を求めることで，システムの信頼性を定量的に分析できます。したがって，イが正解です。
ア　FMEA（Failure Mode and Effect Analysis：故障モード影響解析）の説明です。
ウ　根本原因解析（RCA：Root Cause Analysis）をなぜなぜ分析で行う場合の説明です。
エ　ODC（Orthogonal Defect Classification）分析の説明です。

問3　　　　　　　　　　　　　　　　　　　（令和4年秋 応用情報技術者試験 午前 問48）
《解答》イ

　流れ図で示したモジュールを，表の二つのテストケースを用いてそれぞれ実行すると，次のような流れになります。

【テストケース1】 V = W = X = Y = Z = 0
　（開始）—＜V = 0＞Yes—［命令1］—＜（W = 0）and（X = 0）＞Yes—［命令2］—＜（Y = 0）and（Z = 0）＞Yes—［命令4］—（終了）
【テストケース2】 V = W = X = Y = Z = 1
　（開始）—＜V = 0＞No—＜（W = 0）and（X = 0）＞No—＜（W ≠ 0）and（X ≠ 0）＞Yes—［命令3］—＜（Y = 0）and（Z = 0）＞No—＜（Y ≠ 0）and（Z ≠ 0）＞Yes—［命令5］—（終了）

C_0（命令網羅）とは，すべての命令を最低1回は実行するように設計するホワイトボックステストです。網羅率は，すべての命令のうち，テストケースで実行した割合で計算します。流れ図の命令は，通常の命令（□）と分岐命令（◇）を合わせて全部で10個で，テストケース1，2を合わせるとすべて実行されています。そのため，C_0による網羅率は，10［個］／ 10［個］＝ 1 ＝ 100［％］となります。

C_1（分岐網羅）とは，すべての分岐で，その分岐経路のすべてを1回は実行するように設計するホワイトボックステストです。網羅率は，すべての分岐経路のうち，テストケースで実行した割合で計算します。流れ図の分岐命令（◇）は五つあり，それぞれYes，Noの経路があるので，分岐経路は$5 \times 2 = 10$個です。テストケース1と2を比べると，＜V＝0＞，＜（W ＝ 0）and（X ＝ 0）＞，＜（Y ＝ 0）and（Z ＝ 0）＞の三つの分岐命令は，テストケース1と2の両方で経由し，それぞれの実行結果がYesとNoに分かれているので，分岐をすべて網羅しています。しかし，＜（W ≠ 0）and（X ≠ 0）＞と＜（Y ≠ 0）and（Z ≠ 0）＞の二つの分岐命令は，テストケース2だけしか経由していません。両方Yesなので，二つの分岐でのNoの経路は実行されていないことになります。そのため，C_1による網羅率は，8［個］／ 10［個］＝ 0.8 ＝ 80［％］となります。

したがって，組合せの正しい**イ**が正解です。

問4　（令和3年秋 応用情報技術者試験 午前 問48）

《解答》**ウ**

リファクタリングとは，完成済のコードを，動作を変更させずに改善することです。〔クラス図〕では，"三角形"，"四角形"それぞれのクラスにサブクラスとして"太線の三角形"と"太線の四角形"があります。このクラス図に"点線"などの新たな線種を追加する場合には，"三角形"，"四角形"それぞれのクラスに"点線の三角形"と"点線の四角形"を追加しなければならなくなります。そこでリファクタリングを行います。

リファクタリング"継承の分割"（Tease Apart Inheritance：継承の切り離し）は，一つの継承階層で，二つの仕事をまとめて行っている場合に，二つの継承階層を作成して，委譲を使って一方から他方を呼び出すようにする方法です。図形描画ツールの継承階層には，"図形"だけでなく"線種"があります。そのため，新たな継承階層を作成し，スーパクラス"線種"にサブクラス"太線"，"細線"を作成し，"図形"クラスから"線種"クラスを呼び出すように委譲を関連として設定します。こうすることで，新たな線種として"点線"が加わっても，"線種"クラスのサブクラスに"点線"を加えるだけで変更が終わります。したがって，**ウ**が正解です。

ア，イ　重複した内容のクラスが多くなり，適切ではありません。

エ　"太線"をスーパクラスにすると，太線以外のクラスへの対応が難しくなります。

問5 (令和3年秋 応用情報技術者試験 午前 問50)
《解答》イ

スクラムチームの中でのスクラムマスタとは，プロダクトオーナと開発者の間で，スクラムの推進を行う人です。スクラムがうまくいくように，スクラムの理論とプラクティスを全員が理解するように支援することは，スクラムマスタが行うことです。したがって，イが正解です。

ア，エ　プロダクトオーナが行うことです。

ウ　開発者が行うことです。

問6 (令和元年秋 応用情報技術者試験 午前 問50)
《解答》エ

ソフトウェアの使用許諾契約は，ソフトウェアの生産者と購入者の間の契約です。ソフトウェアの購入者がもつ使用や保管，コピーや再販，バックアップなどの権利を定義します。特許との関係はなく，特許で保護された技術を使っていないソフトウェアであっても，使用許諾することは可能です。したがって，エが正解です。

ア　ソフトウェア単体でも，組み合わせても使用許諾することは可能です。

イ　特許と使用許諾には，特に関係はありません。

ウ　無償の場合でも，ソースコードを公開するかどうかは別の条件となります。

問7 (令和5年秋 応用情報技術者試験 午前 問49)
《解答》ア

アジャイルソフトウェア開発宣言では，次の四つが示されています。

　　　プロセスやツールよりも個人と対話を
　　　包括的なドキュメントよりも動くソフトウェアを
　　　契約交渉よりも顧客との協調を
　　　計画に従うことよりも変化への対応を

　すべて，"あることがら"よりも"別のことがら"を，のかたちになっています。"別のことがら"に該当するのは，「個人と対話」，「動くソフトウェア」，「顧客との協調」，「変化への対応」です。したがって，アが正解となります。

イ　「包括的なドキュメント」「計画に従うこと」は，"あることがら"の方です。

ウ　「プロセスやツール」「契約交渉」は，"あることがら"の方です。

エ　すべて，"あることがら"に該当します。

第 5 章

プロジェクトマネジメント

この章からマネジメント系の分野に入ります。

本章では，開発プロジェクトを中心としたプロジェクトマネジメントの手法について学びます。

分野は，「プロジェクトマネジメント」の一つだけです。PMBOKで説かれているツールや方法論を中心に，プロジェクトを成功させるために必要な様々な考え方について取り上げます。

手薄になりがちな分野ですが，覚えることも少ないですし，考え方を理解すると確実な得点源になります。

それぞれの知識エリアの目的をしっかり押さえておきましょう。

5-1 プロジェクトマネジメント

　プロジェクトマネジメントでは，毎回異なるプロジェクトを無事完了させるために，プロジェクトマネージャが様々な行動をする必要があります。そのときに活用できる方法論がPMBOKにまとめられています。

5-1-1 ● プロジェクトマネジメント　頻出度 ★★★

　プロジェクトマネジメントでは，プロジェクトの目標を達成するために，計画し（Plan），計画どおりに作業を進め（Do），計画と実績の差異を検証し（Check），差異の原因に対する処置を行う（Act），PDCAマネジメントサイクルで管理します。

■ プロジェクトとは

　プロジェクトとは，目標達成のために行う有期の活動です。つまり，定常的な業務と異なり，そのプロジェクトならではの**独自性**をもち，ゴールがあります。そして，明確な始まりと終わりがあることもプロジェクトの特徴です。プロジェクトが終わりになるのは，プロジェクト目標が達成されたときか，プロジェクトが中止されたときです。

■ プロジェクトマネジメント

　プロジェクトマネジメントとは，プロジェクトの要求事項を満たすため，知識，スキル，ツール及び技法をプロジェクト活動に適用することです。具体的には，**テーラリング**（プロジェクトの設計）を実施し，プロセスごとに適切なツールや技法を決めます。**ステークホルダ**（利害関係者）のニーズと期待に応えつつ，競合する要求のバランスをとります。プロジェクトは，プロジェクトマネジメントを行うことによって，組織が意図する成果を創造するのです。

✏ 勉強のコツ

プロジェクトマネジメントのベストプラクティス集であるPMBOKには，実際の現場での経験則が詰まっています。そのため，プロジェクトで働いた経験があれば，理解しやすい分野です。PMBOKに出てくる様々なプロジェクトマネジメントの手法についての知識が出題の中心なので，用語を中心に理解しておきましょう。

🖥 動画

プロジェクトマネジメント分野についての動画を以下で公開しています。
https://www.wakuwaku academy.net/itcommon/5

プロジェクトマネジメントの考え方やリスクマネジメントなどについて，詳しく解説しています。
本書の補足として，よろしければご利用ください。

🔍 用語

ステークホルダとは，直接／間接的に利害関係をもつ人全体のことです。取引先やスポンサー，顧客，従業員などはすべてステークホルダです。詳細は「5-1-3 プロジェクトのステークホルダ」で取り上げます。

■ PMBOK

プロジェクトマネジメントの専門家が、「実務でこうすればプロジェクト成功の可能性が高くなる」という方法論やスキルなどを集めて作成された標準がPMBOK（Project Management Body of Knowledge：プロジェクトマネジメント知識体系）です。プロジェクトマネジメントの原理・原則を明らかにし、業界や場所、規模などを問わず適用されます。

プロジェクトマネジメント・コミュニティにとって最も重要と特定された四つの価値は、責任・尊重・公正・誠実です。PMBOKでは、プロジェクトの成果を実現するために、次の8個のパフォーマンス領域を特定しています。

参考

PMBOKの最新版は、2021年に改訂された第7版です。第7版は、プロセス中心ではなく"原理・原則"中心になり、大幅にコンパクトになっています。

また、プロジェクトマネジメントの標準規格として、JIS Q 21500:2018（プロジェクトマネジメントの手引）があります。こちらはPMBOKの内容とほぼ同じですが、包括的な概念について記述されています。

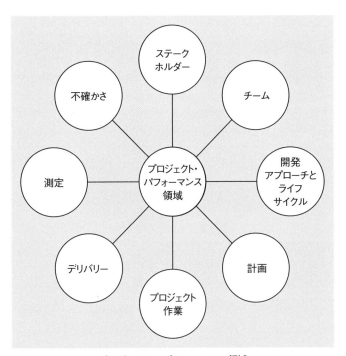

プロジェクト・パフォーマンス領域

参考

プロジェクトマネジメントを行うためには、プロジェクトマネジメントの知識以外にも必要とされる知識がたくさんあります。**人間関係のスキルやマネジメントする分野の知識**などはその代表例です。PMBOKは、それらの知識は必要であるという前提で、**プロジェクトマネジメントに関する知識だけ**がまとめられたものになります。

PMBOK第6版までは、プロジェクトマネジメントで使用されていたプロセスの実施について記載されていました。第7版ではまったく異なり、プロジェクトチームが使用するアプローチに関係なく、成果を達成することに重点が置かれています。プロジェ

クト・パフォーマンス領域は，プロジェクトの成果の効果的な提供に不可欠なものです。

　PMBOK第7版で重視されているテーラリングとは，プロジェクトマネジメントのアプローチやプロセスなどを目の前のタスクに適応させることです。プロジェクトの状況に合わせて，慎重に適合させていくことが求められます。

■ プロジェクトライフサイクル

　プロジェクトライフサイクルとは，プロジェクトのフェーズの集合です。プロジェクトの規模や複雑さは様々ですが，ライフサイクルはプロジェクト開始，組織編成と準備，作業実施，プロジェクト終結の4段階で表現することができます。また，プロジェクトトライフサイクルにおける典型的なコストと要員数は，**プロジェクト開始時に少なく，作業を実行するにつれて頂点に達し，プロジェクトが終了に近づくと急激に落ち込む**，次の図のように推移します。

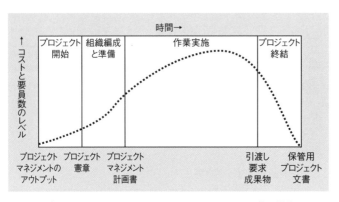

プロジェクトライフサイクルにおけるコストと要員数の推移

　また，ステークホルダの影響力，リスク，不確実性は，プロジェクト開始時に最大であり，プロジェクトが進むにつれて徐々に低下します。変更コストは，プロジェクトが終了に近づくにつれて図のように大幅に増加していきます。

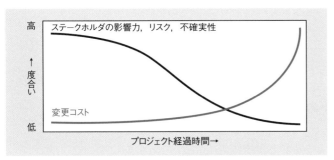

ステークホルダの関わり方と変更コストの推移

それでは，次の問題を解いてみましょう。

問題

多くのプロジェクトライフサイクルに共通する特性はどれか。

ア　プロジェクト完成時のコストに対してステークホルダが及ぼ
　　す影響の度合いは，プロジェクトの終盤が最も高い。

イ　プロジェクトの開始時は不確実性の度合いが最も高いので，
　　プロジェクト目標が達成できないリスクが最も大きい。

ウ　プロジェクト要員の必要人数は，プロジェクトの開始時点が
　　最も多い。

エ　変更やエラー訂正にかかるコストは，プロジェクトの初期段
　　階が最も高い。

（平成22年春 応用情報技術者試験 午前 問51）

解 説

　不確実性の度合いはプロジェクトの開始時が最も高いため，プ
ロジェクトが成功せず，プロジェクト目標が達成できないリスク
も最も高くなります。したがって，イが正解です。

ア　コストに対してステークホルダが及ぼす影響の度合いは，プロ
　　ジェクト開始時が最も高く，終盤に向けて低くなっていきます。

ウ　プロジェクト要員の必要人員は，開始時点と終盤は少なく，
　　途中の作業実施時に最も多くなります。

エ 変更やエラー訂正にかかるコストは，プロジェクトの終盤が
   最も高くなります。

《解答》イ

■ 複数のプロジェクトのマネジメント

　プロジェクトが複数あり，それぞれが独立しているわけでは
なく，一緒に管理することで効率化を図れる場合には，それをま
とめて**プログラム**という単位にします。複数のプロジェクトを合
わせてプログラムとして管理することを**プログラムマネジメント**
といいます。一つのプロジェクトを管理する人がプロジェクトマ
ネージャ，関連する複数のプロジェクトを調整して管理するのが
プログラムマネージャです。

　また，複数のプロジェクトやプログラムを一元的にマネジメ
ントし，全体として最適化を図る役割を担う部署のことをPMO
(Project Management Office) といいます。PMOでは，プロジェ
クトに関するプロセスを標準化し，ツールや技法などをプロジェ
クトと共有します。さらに，企業の戦略目標から，どのようなプ
ロジェクトやプログラムを実行し，資源を配分するのかを決定す
ることを**ポートフォリオ・マネジメント**といいます。

▶▶ 覚 え よ う !

- □ 　プロジェクトは目標を達成するために実施する有期の活動
- □ 　プロジェクトの必要人員は，作業実施時が最も多い

5-1-2 ● プロジェクトの統合

　プロジェクト統合マネジメントの目的は，プロジェクトマネジメント活動の各エリアを統合的に管理，調整することです。プロジェクトの定義や統一，調整など，必要なプロセスを実施します。個々のプロセスは相互に関係しているので，その中で競合する目標と代替案などのトレードオフを行い，相互依存関係のマネジメントを実施します。

■ プロジェクト統合マネジメントのプロセス

　プロジェクト統合マネジメントに含まれるプロセスには，プロジェクト憲章作成，統合変更管理，プロジェクトやフェーズの終結などがあります。統合変更管理プロセスでは，プロジェクトのプロダクトの構成要素などに対する変更と実施状況を記録・報告したり，要求事項への適合性を検証する活動を支援するため，**コンフィギュレーションマネジメント(構成管理)** を行います。

■ プロジェクト憲章

　プロジェクト憲章は，プロジェクトやフェーズを**公式に認可する**文書です。**立上げプロセス群**の中で実行される，ステークホルダのニーズと期待を満足させる初期の要求事項を文書化するプロセスが，**プロジェクト憲章作成**です。
　プロジェクト憲章には，次のような内容が記述されます。
- プロジェクトの目的や妥当性
- 測定可能なプロジェクト目標とその成功基準
- 予算，スケジュールなどの概要

■ プロジェクトやフェーズの終結

　プロジェクトやフェーズを公式に終了するためにすべてのプロジェクトマネジメントプロセス群のすべてのアクティビティを完結するプロセスが，プロジェクトやフェーズの終結です。プロジェクトマネージャは，すべての作業が完了し，その目標を達成したことを確認します。

用語

トレードオフとは，一方を追求すれば他方を犠牲にせざるを得ないという状態／関係です。プロジェクトマネジメントでは，このようなトレードオフを調整することが求められます。

5

▶▶▶ 覚 え よ う ！

□ 　**プロジェクト憲章でプロジェクトは正式に認可される**

5-1-3 ● プロジェクトの ステークホルダ

頻出度
★★★

プロジェクトステークホルダマネジメントでは，プロジェクトに影響を受けるか，あるいは影響を及ぼす個人，グループ又は組織を明らかにすることが目的です。PMBOK第5版で新たに加わった知識エリアです。

■ ステークホルダ

ステークホルダ（利害関係者）とは，プロジェクトに積極的に関与しているか，またはプロジェクトの実行や完了によって利益にプラス又はマイナスの影響を受ける個人や組織です。具体的には，顧客やユーザー，スポンサー，プロジェクトチームのメンバ，メンバが所属する組織，商品の納入を行う業者などです。

■ プロジェクトステークホルダマネジメントのプロセス

プロジェクトステークホルダマネジメントに含まれるプロセスには，ステークホルダマネジメント計画，ステークホルダエンゲージメントマネジメントなどがあります。エンゲージメントとは，ステークホルダの関係や関わりの度合を，強すぎず弱すぎず適切なものとするような活動です。

■ ステークホルダ登録簿

ステークホルダを適切に管理するため，ステークホルダの利害や環境に関する情報を文書化します。**ステークホルダ登録簿**を作成し，ステークホルダの氏名や評価情報などを記載します。

||▶▶ 覚 え よ う ！

☐ ステークホルダには，顧客やメンバ，関係組織など，様々な人がいて，利害関係が対立する

☐ ステークホルダとプロジェクトとの関係が適度な距離になるよう管理する

5-1-4 ● プロジェクトのスコープ

プロジェクトスコープマネジメントでは，プロジェクトに必要な作業を過不足なく含めることが目的です。プロジェクトスコープとはプロジェクトの範囲であり，必要なプロダクトやサービスを生み出すために行わなければならない作業です。

■ プロジェクトスコープマネジメントのプロセス

プロジェクトスコープマネジメントに含まれるプロセスには，スコープマネジメント計画，要求事項収集，スコープ定義，WBS作成，スコープ妥当性確認，スコープコントロールがあります。

■ プロジェクトスコープ記述書

プロジェクトスコープマネジメントでは，**スコープ定義**において，専門家の判断やプロダクト分析，ワークショップなどの結果を参考にしながらスコープを定義します。

定義したスコープは，プロジェクトスコープ記述書に，プロジェクトの要求**成果物**，成果物受入れ基準，プロジェクトからの**除外事項**などの項目を含めて記述します。

■ スコープコントロール

プロジェクトスコープマネジメントでは，プロジェクトスコープに従って，スコープの変更や，予定と異なるスコープになることを最小限に抑えるためコントロールする必要があります。プロジェクトのスコープは，時間の経過とともに拡大していく傾向があり，そうなった状態を**スコープクリープ**といいます。スコープクリープが起こるとプロジェクトの成功が危うくなるため，プロジェクトマネージャは，起こらないように適切にスコープコントロールを行う必要があります。

■ WBS

WBS（Work Breakdown Structure）は，成果物を中心に，プロジェクトチームが実行する作業を階層的に要素分解したものです。WBSを使うと，プロジェクトのスコープ全体を系統立ててまとめて定義することができます。

発展

要求事項収集とは，プロジェクト目標を達成するためにステークホルダにニーズを定義し，文書化するプロセスです。スポンサーや顧客など，ステークホルダのニーズを**要求事項文書**にまとめます。

5

過去問題をチェック

プロジェクトスコープマネジメントについて，応用情報技術者試験では次の出題があります。
【プロジェクト・スコープ記述書】
・令和2年10月 午前 問51
・令和5年秋 午前 問51
【WBS】
・平成21年春 午前 問50
・平成22年秋 午前 問50
・平成23年特別 午前 問50
・平成26年秋 午前 問51
・平成27年秋 午前 問51

　WBSでは，上位のWBSレベルから下位のWBSレベルへと，より詳細な構成要素に分解します。最も詳細に分解した**最下位のWBS**をワークパッケージといいます。ワークパッケージには，実際に行う作業であるアクティビティを割り当てます。

　WBSの構造は，プロジェクトライフサイクルのフェーズを要素分解の第1レベルに置く方法，主要な成果物を第1レベルに置く方法，組織単位・契約単位で分ける方法など，いろいろな形態で利用することができます。

　WBSの構造は次の図のようになります。

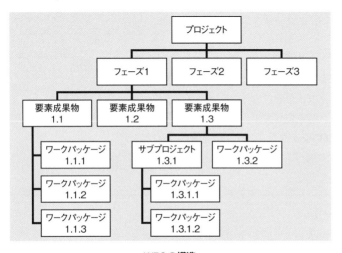

WBSの構造

　WBSは毎回一から作るのではなく，これまでのプロジェクトで作成されたWBSを参考にすることで，より効率的にプロジェクトを運営できます。過去のプロジェクトの実績に基づき，典型的な作業の階層構造や作業項目をまとめたひな形をWBSテンプレートといいます。WBSテンプレートを作ることで，中長期的にスケジュール作成の効率と精度を高めることができるようになります。

　それでは，次の問題を解いてみましょう。

問題

PMBOKのWBSで定義するものはどれか。

ア　プロジェクトで行う作業を階層的に要素分解したワークパッケージ

イ　プロジェクトの実行，監視・コントロール，及び終結の方法

ウ　プロジェクトの要素成果物，除外事項及び制約条件

エ　ワークパッケージを完了するために必要な作業

(平成23年特別 応用情報技術者試験 午前 問50)

解 説

WBSでは，プロジェクトで行う作業を階層的に要素分解していき，ワークパッケージまで細分化します。したがって，アが正解です。

イはプロジェクトマネジメント計画書，ウはプロジェクトスコープ記述書，エはアクティビティの説明です。

≪解答≫ア

■ WBS辞書

WBS辞書は，WBS作成プロセスにおいて生成する文書であり，WBSを補完します。各WBS要素に対応する**作業の詳細な記述**や，技術的な文書の詳細な記述を行います。

|▶▶▶ 覚 え よ う！

- ☐ スコープはプロジェクトに必要なものを過不足なく定義
- ☐ WBSの最下位の要素はワークパッケージ

5-1-5 ● プロジェクトの資源

　プロジェクト資源マネジメントは，プロジェクトチームのメンバが各々の役割と責任を全うすることでチームとして機能し，プロジェクトの目標を達成することを目的に行われます。

■ プロジェクト資源マネジメントのプロセス

　プロジェクト資源マネジメントのプロセスには，資源マネジメント計画作成，プロジェクトチーム編成，プロジェクトチーム育成などがあります。複数のプロジェクトにまたがる資源のマネジメントについては，PMOが取り扱います。

■ 責任分担マトリックス

　責任分担マトリックスとは，プロジェクトチームのメンバの役割や責任の分担を明らかにした表です。責任分担マトリックスの表現方法の一つに，RACIチャートがあります。RACIチャートとは，R（Responsible：実行責任者），A（Accountable：説明責任者），C（Consulted：相談先），I（Informed：報告先）の四つの責任について，利害関係者の分担をマトリックス表にしたものです。

　それでは，次の問題を解いて，RACIチャートを理解していきましょう。

問　題

　表は，RACIチャートを用いた，ある組織の責任分担マトリックスである。条件を満たすように責任分担を見直すとき，適切なものはどれか。

〔条件〕
・各アクティビティにおいて，実行責任者は1人以上とする。
・各アクティビティにおいて，説明責任者は1人とする。

アクティビティ	要員				
	菊池	佐藤	鈴木	田中	山下
①	R	C	A	C	C
②	R	R	I	A	C
③	R	I	A	I	I
④	R	A	C	A	I

ア　アクティビティ①の菊池の責任をIに変更

イ　アクティビティ②の佐藤の責任をAに変更

ウ　アクティビティ③の鈴木の責任をCに変更

エ　アクティビティ④の田中の責任をRに変更

5

(令和3年春 応用情報技術者試験 午前 問52)

解説

　〔条件〕の一つ目に,「各アクティビティにおいて,実行責任者は1人以上とする」とあるので,アクティビティ①～④に実行責任者(R)の要員が1人以上必要です。問題文の表では,この条件は満たしています。

　〔条件〕の二つ目に,「各アクティビティにおいて,説明責任者は1人とする」とあるので,アクティビティ①～④に説明責任者(A)の要員が1人だけ必要です。表を見ると,アクティビティ④でAが2人(佐藤,田中)に割り当てられているので,どちらかを別の役割にする必要があります。

　実行責任者(R)は1人以上なので増えても問題はなく,アクティビティ④の田中の責任をRにすることで〔条件〕をすべて満たすことができます。したがって,エが正解です。

≪解答≫エ

教育技法

　プロジェクトの人材育成では,知識中心ではなく,より実践的な教育技法が用いられます。代表的なものに,日常業務の中で

先輩や上司が個別指導する**OJT**（On the Job Training）や，具体的な事例を取り上げて詳細に分析し，解決策を見出していく**ケーススタディ**，その応用で，制限時間内で多くの問題を処理させる**インバスケット**などがあります。

▶▶ 覚 え よ う！

□ **インバスケット**は，一定時間に数多くの案件を処理する

5-1-6 ● プロジェクトの時間

頻出度
★★☆

プロジェクトスケジュールマネジメントでは，プロジェクトを所定の時期に完了させることが目的です。プロジェクトだけでなく，プロジェクトに関わる要員それぞれの進捗管理も重要です。

■ プロジェクトスケジュールマネジメントのプロセス

プロジェクトスケジュールマネジメントに含まれるプロセスには，スケジュールマネジメント計画，アクティビティ定義，アクティビティ順序設定，アクティビティ資源見積り，アクティビティ所要期間見積り，スケジュール作成，スケジュールコントロールがあります。

■ アクティビティ

プロジェクトのWBSで定義された**ワークパッケージ**を，より小さく，よりマネジメントしやすい単位に要素分解したものがアクティビティです。チームメンバや専門家などと協力してアクティビティを分解し，必要なすべてのアクティビティを網羅した**アクティビティ・リスト**を作成します。そして，すべてマイルストーンを特定し，マイルストーン・リストを作成します。さらに，アクティビティの**順序関係**をまとめ，プロジェクトのスケジュールを**アローダイアグラム**で表現します。

■ スケジュールの作成方法

アクティビティごとに，資源がいつどれだけ必要になるか，作業量や期間はどの程度かを見積もり，スケジュールを作成します。

用語
マイルストーンとは，プロジェクトにおいて重要な意味をもつ時点やイベントのことで，節目の工程となるものです。

スケジュール作成の代表的な手法には以下のものがあります。

①クリティカルパス法

　アクティビティ（作業）の順序関係を表した**アローダイアグラム**から，プロジェクト完了までにかかる最長の経路である**クリティカルパス**を計算し，それを基準にそれぞれのアクティビティがプロジェクト完了を延期せずにいられる余裕がどれだけあるか（**トータルフロート**）を計算します。

　具体的には，最初にスケジュール・ネットワークの経路の往路時間計算（フォワードパス）を求め，作業期間の合計が最も大きい経路を**クリティカルパス**とし，その期間を**プロジェクト全体の所要時間**とします。そして，その所要時間から逆算して復路時間計算（バックワードパス）を行います。フォワードパスにより，すべてのアクティビティの**最早開始日**と**最早終了日**を，バックワードパスにより**最遅開始日**と**最遅終了日**を求めることができます。

②クリティカルチェーン法

　クリティカルパス法では，資源（人員など）に関する制限を考慮せずに計算していました。しかし実際には資源に限度があるので，その資源に合わせてクリティカルパスを修正する手法がクリティカルチェーン法です。クリティカルチェーン上にないアクティビティが遅延してもクリティカルチェーンに影響しないように，クリティカルチェーンにつながっていくアクティビティの直後に**合流バッファ**を追加します。

③スケジュール短縮手法

　スケジュールの予定がスケジュール目標に間に合わない場合にスケジュールを短縮させる方法に，**クラッシング**と**ファストトラッキング**があります。**クラッシング**とは，コストとスケジュールのトレードオフを分析し，最小の追加コストで最大の**期間短縮**を実現する手法を決定することです。**ファストトラッキング**は，順を追って実行するフェーズやアクティビティを**並行して実行**するというスケジュール短縮手法です。

　それでは，次の問題を考えてみましょう。

発展

クリティカルパス法とよく似た手法に**PERT**（Program Evaluation and Review Technique）があります。PERTでは，三点見積りという，時間見積りを確率的に行う方法を用いて，全体スケジュールの所要期間を計算します。PMBOKでは，三点見積りはアクティビティ所要時間見積り手法として紹介されています。

参考

クリティカルパスは，プロジェクト完了までにかかるそれぞれの経路の所要時間の合計から最長の経路を選択して求めるものです。このクリティカルパスでの所要時間が，プロジェクト全体で必要な最短の時間となります。

用語

トータルフロートは，最早日付と最遅日付の差で測定される値で，スケジュールの柔軟性を示す指標になります。

参考

クリティカルチェーンを題材にした小説に『クリティカルチェーン　なぜ，プロジェクトは予定どおりに進まないのか』（エリヤフ・ゴールドラット著／ダイヤモンド社刊）があります。プロジェクトマネジメントの方法を肌で感じられる本としておすすめです。

過去問題をチェック

スケジュールの作成方法
は，応用情報技術者試験
のプロジェクトマネジメン
ト分野で最もよく出てくる
午前問題の定番中の定番で
す。ほぼ毎回出題されます。
【クリティカルパス法】
・平成22年秋 午前 問52
・平成23年特別 午前 問51
・平成23年秋 午前 問51
・平成24年春 午前 問51
・平成24年秋 午前 問52
・平成26年秋 午前 問54
・平成27年秋 午前 問53
・平成28年春 午前 問53
・平成28年春 午前 問52
・平成29年春 午前 問52
・平成29年秋 午前 問53
・平成31年春 午前 問53
・令和元年秋 午前 問52
・令和3年春 午前 問53
・令和5年秋 午前 問53
・令和6年春 午前 問52
【クリティカルチェーン法】
・令和5年秋 午前 問52
【プレシデンスダイアグラ
ム法】
・令和2年10月 午前 問53
・令和3年秋 午前 問52
・令和4年春 午前 問52
午後でも，以下の出題があ
ります。
【クリティカルパス法】
・平成22年春 午後 問10
・平成24年秋 午後 問10
・平成31年春 午後 問9

問題

図のプロジェクトを最短の日数で完了したいとき，作業Eの最遅開始日は何日目か。

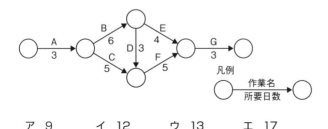

ア　9　　イ　12　　ウ　13　　エ　17

（平成22年春 応用情報技術者試験 午前 問52）

解説

フォワードパスを求め，クリティカルパスとそれぞれの作業の最早終了日を求めると，以下の赤字で示したようになります。

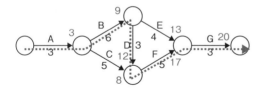

プロジェクト全体の所要日数はクリティカルパス上の20日なので，ここから逆算して求めると，作業Eは作業Fと同じく最遅終了日が17日となり，作業Eは所要日数4日で終わるため，最遅開始日は13日となります。したがって，ウが正解です。

≪解答≫ウ

④プレシデンスダイアグラム法

プレシデンスダイアグラム法とは，プロジェクトのアクティビティの関係を表す図です。アクティビティの依存関係には，次の四つの関係があります。

・終了－開始関係（FS：Finish to Start）

先行しているアクティビティが終了しないと，次のアクティビティが開始できない関係

・**終了－終了関係**（FF：Finish to Finish）

先行しているアクティビティが終了しないと，次のアクティビティを終了できない関係

・**開始－開始関係**（SS：Start to Start）

先行しているアクティビティが開始しないと，次のアクティビティが開始できない関係

・**開始－終了関係**（SF：Start to Finish）

先行しているアクティビティが開始しないと，次のアクティビティが終了できない関係

それでは，次の問題でプレシデンスダイアグラム法での作業日数を計算してみましょう。

問 題

　図は，実施する三つのアクティビティについて，プレシデンスダイアグラム法を用いて，依存関係及び必要な作業日数を示したものである。全ての作業を完了するのに必要な日数は最少で何日か。

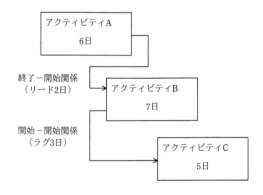

　　ア　11　　　イ　12　　　ウ　13　　　エ　14

（令和4年秋 応用情報技術者試験 午前 問52）

解説

　アクティビティ A とアクティビティ B は終了－開始関係で，アクティビティ A が終了してからアクティビティ B を開始できますが，リード（早められる時間）が2日あるので，アクティビティ A の終了2日前，6－2＝4日が経過した後にアクティビティ B を開始できることになります。

　次に，アクティビティ B とアクティビティ C は開始－開始関係で，アクティビティ B を開始したときにアクティビティ C も開始可能になりますが，ラグ（遅れる時間）が3日あるため，4＋3＝7日が経過した後にアクティビティ C を開始します。アクティビティ B は7日かかるので終了するのは4＋7＝11日，アクティビティ C は5日かかるので終了するのは7＋5＝12日です。そのため，全ての作業を完了するのに要する最少日数は，アクティビティ C が終了するまでの12日となります。したがって，イが正解です。

≪解答≫イ

■ スケジュールコントロール

　スケジュールコントロールでは，プロジェクトの進捗を更新するためにプロジェクトの状況を監視し，スケジュールに対する変更をマネジメントします。スケジュール作成で行われたクリティカルパス法などの分析により，基本となるスケジュールである**スケジュールベースライン**を決定します。それを基に差異分析を行い，スケジュールを調整します。プロジェクトの費用管理と進捗管理を同時に行うため，横軸に開発期間，縦軸に予算消化率を設定してグラフ化した**トレンドチャート**を用いることもあります。

■ ガントチャート

　ガントチャートは，作業の進捗状況を表す図です。プロジェクト管理などにおいて工程管理に用いられます。縦軸で WBS のそれぞれの要素を表し，横棒で実施される期間や実施状況を色分けなどして表します。ガントチャートは，次のような一種の棒グラフのかたちで示されます。

アクティビティ	開始	終了	1	2	3	4	5	6	7	8	9
要件定義	1月	1月	■								
概要設計	2月	3月		■	■						
詳細設計	4月	5月				■	■				
プログラミング	6月	8月						■	■	■	
テスト	7月	9月							■	■	■

ガントチャートの例

▶▶▶ 覚 え よ う !

- □ クリティカルパスは日程に余裕のない経路
- □ ガントチャートは進捗管理に利用される図

5

5-1-7 ● プロジェクトのコスト 頻出度 ★★★

プロジェクトコストマネジメントは，プロジェクトを決められた予算内で完了させることを目的に行われます。プロジェクトだけでなく，プロジェクトに関わる要員それぞれのコスト管理も重要です。

■ プロジェクトコストマネジメントのプロセス

プロジェクトコストマネジメントに含まれるプロセスには，コストマネジメント計画，コスト見積り，予算設定，コストコントロールがあります。

■ コスト見積手法

代表的なコスト見積手法としては，次のものがあります。

①ファンクションポイント法 (FP法)

ソフトウェアの**機能 (ファンクション)** を基本にして，その処理内容の**複雑さ**から**ファンクションポイント**を算出します。帳票，画面，ファイルなどのソフトウェアの機能を洗い出し，その数を見積もります。その後，機能を次の5種類のファンクションタイプに分け，それぞれの難易度を容易・普通・複雑の3段階で評価して点数化し，それを合計して**基準値**とします。

ファンクションの評価基準の例

ファンクション	ファンクションタイプ	容易	普通	複雑
トランザクション ファンクション	外部入力（EI）	3	4	6
	外部出力（EO）	4	5	7
	外部参照（EQ）	3	4	6
データファンクション	内部論理ファイル（ILF）	7	10	15
	外部インタフェースファイル（EIF）	5	7	10

　次に，システム特性に対してその複雑さを14の項目で0～5の6段階で評価し，それを合計して**調整値**を求めます。基準値と調整値を基に，次の式でファンクションポイントを算出します。

　ファンクションポイント＝基準値×（0.65＋調整値／100）

　ファンクションポイント法は，プログラミングに入る前にユーザー要件が決まり，必要な機能が見えてきた段階で見積りが行えるという特徴があります。

②LOC法

　LOC（Lines Of Code）法は，ソースコードの行数でプログラムの規模を見積もる方法です。オンライン系とバッチ系に分けて機能を洗い出します。従来からある方法ですが，担当者によって見積り規模に大きな偏差が出ることから，客観的に計算できるファンクションポイント法が普及してきました。

③COCOMO

　COCOMO（Constructive Cost Model）は，ソフトウェアで予想されるソースコードの行数に，エンジニアの能力や要求の信頼性などによる補正係数をかけ合わせ，開発に必要な工数，期間などを算出します。現在は，ファンクションポイントやCMMIなどの概念を取り入れて発展させたCOCOMO Ⅱが提唱されています。

④三点見積法（PERT分析）

　見積りの不確実性を考慮して，コストの精度を高めます。具体的には，最も起こる可能性のある最頻値（C_M）と，最良のケースを想定した楽観値（C_O），最悪のケースを想定した悲観値（C_P）の3種類を見積もります。これらの3種類の見積りを加重平均し，次の式でコストの期待値（C_E）を求めます。

$$C_E = \frac{C_O + 4C_M + C_P}{6}$$

それでは，次の問題を解いてみましょう。

過去問題をチェック

ファンクションポイント法に関する問題は，応用情報技術者試験で次の出題があります。
【ファンクションポイント法】
・平成22年秋 午前 問54
・平成23年秋 午前 問52
・平成24年春 午前 問53
・平成25年春 午前 問52
・平成25年秋 午前 問51
・平成27年秋 午前 問54
・平成30年秋 午前 問54
午後でも出題されています。次の問題には，ファンクションポイントを実際に計算する設問があります。ファンクションポイント法を体験してみたい方にはおすすめです。
【ファンクションポイントの計算問題】
・平成25年秋 午後 問7
・令和3年春 午後 問9

問題

　ソフトウェアの機能量に着目して開発規模を見積もるファンクションポイント法で，調整前FPを求めるために必要となる情報はどれか。

　ア　開発者数　　　　　イ　画面数
　ウ　プログラムステップ数　　エ　利用者数

(平成30年秋 応用情報技術者試験 午前 問54)

解説

　ファンクションポイント法では，ソフトウェアの機能（ファンクション）を基本にして，その処理内容の複雑さからファンクションポイントを算出します。このとき，帳票，画面，ファイルなどのソフトウェアの機能を洗い出すので，画面数の情報は必要となります。したがって，イが正解です。

ア，エ　開発者数や利用者数は，ファンクションポイントを計算する際には考慮されません。

ウ　ファンクションポイント法では，プログラムのステップ数は利用しません。

《解答》イ

■ 開発規模と開発工数の関係

　COCOMOでは，システム開発の工数を見積もる際に以下のような式を使います。

$$MM = 3.0 \times (KDSI)^{1.12}$$

　MMは開発工数［人月］で，KDSIは開発規模［行（ソースコードの行数）］です。つまり，**開発規模が大きくなると，それに比例する以上に，指数的に開発工数が大きくなる**というモデルです。一般的にはこのように，開発規模が大きくなるほど開発工数もどんどん大きくなると考えられています。

　それでは，次の問題を解いてみましょう。

問 題

　ソフトウェアの開発規模と開発工数の関係を表すグラフはどれか。

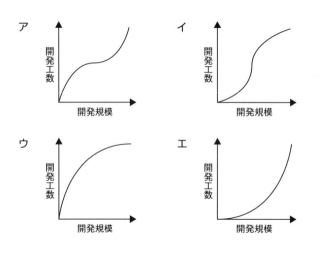

（平成21年秋 応用情報技術者試験 午前 問53）

解 説

　一般に，ソフトウェアの開発規模が大きくなるにつれて，開発工数も指数的に大きくなっていくと考えられています。したがって，エのようなグラフになります。

≪解答≫エ

■ EVM（Earned Value Management）

アーンド・バリュー・マネジメント（EVM）は，予算とスケジュールの両方の観点からプロジェクトの遂行を定量的に評価するプロジェクトマネジメントの技法です。PMBOKでは，コスト・コントロールの技法として使われています。

アーンド・バリュー・マネジメントでは，次の三つの値を用いて測定し，監視します。

① PV（Planned Value：計画値）

遂行すべき作業に割り当てられた予算です。計画から求められます。

② EV（Earned Value：出来高）

実施した作業の価値です。完了済の作業に対して当初割り当てられていた予算を算出します。

③ AC（Actual Cost：実コスト）

実施した作業のために実際に発生したコストです。実測値から求められます。

これらの三つの値を使って，次のような差異や効率指数を計算することができます。

- **SV（Schedule Variance：スケジュール差異）**
  SV＝EV－PVで，進捗の遅れをコストで表します。
  SVが＋ならスケジュールは進んでおり，－なら遅れています。
- **CV（Cost Variance：コスト差異）**
  CV＝EV－ACで，コストの超過を表します。
  CVが＋ならコストは黒字，－なら赤字です。
- **SPI（Schedule Performance Index：スケジュール効率指数）**
  SPI＝EV／PVで，進捗状況を指数で表します。
  SPI＞1なら進んでおり，SPI＜1なら遅れています。
- **CPI（Cost Performance Index：コスト効率指数）**
  CPI＝EV／ACで，コストの効率を指数で表します。
  CPI＞1なら黒字，CPI＜1ならコスト超過です。

発展

EVMの長所は，スケジュールだけでなくコストも同時に管理できる点です。そのため，スケジュールは遅れていないが残業が発生してコストがかかっているといった事象もチェックすることができます。また，定量的に管理するため，進捗がどれくらい遅れそうかという予測も立てやすくなります。

それでは，次の問題を考えてみましょう。

問題

EVMで管理しているプロジェクトがある。図は，プロジェクトの開始から完了予定までの期間の半分が経過した時点での状況である。コスト効率，スケジュール効率がこのままで推移すると仮定した場合の見通しのうち，適切なものはどれか。

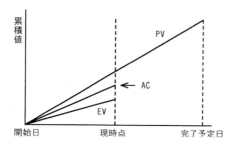

ア　計画に比べてコストは多くなり，プロジェクトの完了は遅くなる。

イ　計画に比べてコストは多くなり，プロジェクトの完了は早くなる。

ウ　計画に比べてコストは少なくなり，プロジェクトの完了は遅くなる。

エ　計画に比べてコストは少なくなり，プロジェクトの完了は早くなる。

（令和6年春 応用情報技術者試験 午前 問51）

解説

PV（Planned Value：計画値）とAC（Actual Cost：実コスト），そしてEV（Earned Value：出来高）を利用し，コスト効率（CPI：Cost Performance Index）とスケジュール効率（SPI：Schedule Performance Index）を算出します。

CPIはEV／ACで求められ，値が1より大きい場合，予算内に収まっていることを示します。逆に，値が1より小さい場合，予算オーバーを示します。図の現時点では，AC＞EVとなっているので，値は1より小さくなると考えられ，計画に比べてコストは多くなると予想できます。

過去問題をチェック
EVMについては，応用情報技術者試験で次の出題があります。
【EVM】
・平成24年春 午前 問52
・平成24年秋 午前 問53
・平成25年秋 午前 問53
・平成26年春 午前 問52
・平成26年秋 午前 問53
・平成27年秋 午前 問52
・平成29年春 午前 問51
・平成29年秋 午前 問52
・平成31年春 午前 問52
・令和2年10月 午前 問52
・令和4年春 午前 問51
・令和5年秋 午前 問52
・令和6年春 午前 問51
午後でも出題されています。
・平成22年春 午後 問10
・平成25年春 午後 問10
・令和元年秋 午後 問9

SPIはEV／PVで求められ，値が1より大きい場合，スケジュールが進んでいることを示します。逆に，値が1より小さい場合，スケジュールが遅れていることを示します。図の現時点では，PV＞EVとなっているので，値は1より小さくなると考えられ，プロジェクトの完成は遅くなると予想できます。

まとめると，計画に比べてコストは多くなり，プロジェクトの完了は遅くなる見通しとなります。したがって，アが正解です。

《解答》ア

▶▶ 覚えよう！

☐ 帳票や画面など機能を基に見積もるファンクションポイント法
☐ EVMは進捗とコストの両方を定量的に評価する

5-1-8 ◉ プロジェクトのリスク

　プロジェクトリスクマネジメントでは，プロジェクトに関するリスクについてマネジメントの計画，特定，分析，対応，監視・コントロール等を実施します。プロジェクトにマイナスとなる事象の発生確率と影響を低減することが目的です。

◼ リスクの対象群が含むプロセス

　リスクの対象群には，脅威および機会を特定し，マネジメントするために必要なプロセスを含みます。JIS Q 21500:2018（プロジェクトマネジメントの手引）によると，リスクの対象群が含むプロセスには，リスクの特定，リスクの評価，リスクへの対応，リスクの管理が含まれます。

◼ リスクの特定

　リスクとは，もしそれが発生すれば，プロジェクト目標に影響を与える不確実な事象あるいは状態のことです。常に**将来において起こるもの**が対象になります。すでに起こっていて明らかなものは課題（または問題点）と呼ばれ，リスクとは区別して管理します。リスク特定では，可能性のある**リスクを洗い出し**ます。

過去問題をチェック

プロジェクトのリスクマネジメントについては，応用情報技術者試験では午後で詳しく出題されます。次の問題は，リスクマネジメントの一連の流れを一度体験してみたい方におすすめです。
【プロジェクトリスクマネジメント】
・平成21年秋 午後 問10
・平成26年秋 午後 問9
・令和4年春 午後 問9

🔗 **関連**

リスクマネジメントに関しては，「3-5-2 情報セキュリティ管理」でも取り上げています。セキュリティに特化した場合でも，プロジェクト全般でも，リスクに対する考え方は同じなので，こちらも参考にしてください。

リスクの情報収集方法としては，参加者が自由にアイディアを出すブレーンストーミングや，専門家の間でアンケートを使用して質問を繰り返すことで合意を形成するデルファイ法，根本原因分析などが挙げられます。

■リスクの評価

リスクの評価のために，まずリスク分析を行います。リスク分析では，リスクの**発生確率**とその**影響度**を策定し，プロジェクトへの影響を分析します。大まかにリスクの優先順位付けを行う**定性的リスク分析**と，リスクの影響を数量的に分析する**定量的リスク分析**があります。リスク分析の結果をもとに，リスクを評価します。

■リスクへの対応

リスクへの対応では，リスクの評価を基に，プロジェクト目標に対する好機を高め，脅威を減少させるための選択肢と方法を策定します。

●プラスのリスクもしくは好機に対する戦略
- **活用** …… 好機が確実に到来するようにする
- **共有** …… 能力の高い第三者に好機の実行権を与える
- **強化** …… 好機の発生確率や影響力を増加させる
- **受容** …… 特に何もしないが，実現したときには利益を享受する

●マイナスのリスクもしくは脅威に対する戦略
- **回避** …… 脅威を完全に取り除くために，プロジェクトマネジメント計画を変更する
- **転嫁** …… 脅威によるマイナスの影響や責任の一部または全部を第三者に移転する。保険，担保などの方法がある
- **軽減** …… リスク事象の発生確率や影響度を減少させる
- **受容** …… 脅威に対して特別な対策は行わないが，状況に応じて次のような対応をとる

　　能動的な受容：脅威の発生に備えて時間や資金に予備を設けるなど

　　受動的な受容：何もせず，起きたときに対応する

■ リスクの管理

　リスクは，一度対応すると終わりではありません。継続的にリスクを管理し，改善していく必要があります。

　リスクの管理の目的は，リスクへの対応を実行するかどうか，及びそれが期待する効果を上げられるかどうかを明らかにし，プロジェクトの混乱を最小限にすることです。そのために，特定したリスクの追跡，新たなリスクの特定及び分析，コンティンジェンシー計画の発動条件の監視及びリスク対応の有効性を評価しながらリスク対応の進捗をレビューします。

　それでは，次の問題を考えてみましょう。

問題

　JIS Q 21500:2018（プロジェクトマネジメントの手引）によれば，プロセス "リスクの管理" の目的はどれか。

ア　特定したリスクに適切な処置を行うためにリスクを測定して，その優先順位を定める。

イ　発生した場合に，プロジェクトの目標にプラス又はマイナスの影響を与えることがある潜在的リスク事象及びその特性を決定する。

ウ　プロジェクトの目標への機会を高めて脅威を軽減するために，選択肢を作成して対策を決定する。

エ　リスクへの対応を実行するかどうか及びそれが期待する効果を上げられるかどうかを明らかにし，プロジェクトの混乱を最小限にする。

（令和6年春 応用情報技術者試験 午前 問53）

解説

　プロセス "リスクの管理" は，特定したリスクの追跡，リスク対応の進捗をレビューするなど，リスクを適切に管理するための具体的なプロセスです。JIS Q 21500:2018（プロジェクトマネジメントの手引）の "4.3.31 リスクの管理" には，「リスクの管理の目的は，リスク

過去問題をチェック

リスクマネジメントについては，近年，応用情報技術者試験での出題が増えている傾向があります。リスクマネジメントの考え方を理解するためにこれらの問題を解いてみるのもおすすめです。
【リスクマネジメント】
・平成25年春 午前 問54
・平成25年秋 午前 問54
・平成28年秋 午前 問54
・平成29年春 午前 問54
・令和2年10月 午前 問54
・令和3年春 午前 問54
・令和3年秋 午前 問53
・令和5年春 午前 問54
・令和5年秋 午前 問54
・令和6年春 午前 問53

午後でも出題されています。
【リスクマネジメント】
・平成21年秋 午後 問10
・平成26年秋 午後 問9
・令和4年秋 午後 問9
・令和5年春 午後 問9
　設問3

への対応を実行するかどうか及びそれが期待する効果を上げられるかどうかを明らかにし，プロジェクトの混乱を最小限にすることである」とあります。したがって，エが正解です。

ア "リスクの評価"の目的です。

イ "リスクの特定"の目的です。

ウ "リスクへの対応"の目的です。

≪解答≫エ

▶▶ 覚 え よ う ！

☐ **リスクは，まだ起こっていないもの。起こったら課題**

☐ **リスクを第三者に移すのは転嫁，代替策は回避**

5-1-9 ⬤ プロジェクトの品質 頻出度 ★★★

プロジェクト品質マネジメントの目的は，プロジェクトが取り組むニーズを満足させることです。プロジェクトでは，必要に応じて行われる継続的プロセス改善活動とともに，方針，手順を通して品質マネジメントを実施します。

■ プロジェクト品質マネジメントのプロセス

プロジェクト品質マネジメントに含まれるプロセスには，品質マネジメント計画，品質保証，品質コントロールがあります。それぞれのプロセスでは，以下のことを行います。

①品質マネジメント計画（品質計画）

品質要求事項や品質標準を定め，プロジェクトでそれを順守するための方法を文書化します。

②品質保証

適切な品質標準と運用基準の適用を確実に行うために，品質の要求事項と品質管理測定の結果を監査します。

③品質コントロール（品質管理）

パフォーマンスを査定し，必要な変更を提案するために品質活動の実行結果を監視し，記録します。QC七つ道具や新QC七つ道具などを駆使します。

関連

QC七つ道具や新QC七つ道具については，「9-1-2 業務分析・データ利活用」で詳しく説明します。

それでは，次の問題を解いてみましょう。

問 題

品質の定量評価の指標のうち，ソフトウェアの保守性の評価指標になるものはどれか。

ア　（最終成果物に含まれる誤りの件数）÷（最終成果物の量）

イ　（修正時間の合計）÷（修正件数）

ウ　（変更が必要となるソースコードの行数）÷（移植するソースコードの行数）

エ　（利用者からの改良要求件数）÷（出荷後の経過月数）

（平成29年秋 応用情報技術者試験 午前 問54）

解 説

ソフトウェアの品質特性を定義した規格ISO/IEC 25010（JIS X 25010）では，ソフトウェアの保守性を，「意図した保守者によって，製品又はシステムが修正することができる有効性及び効率性の度合い」と定義しています。修正の容易さを表すので，（修正時間の合計）÷（修正件数）で，修正1件当たりにかかる時間を算出することは，保守性の評価指標になります。したがって，イが正解です。

アは信頼性，ウは移植性，エは機能適合性の評価指標となります。

≪解答≫イ

■ 品質マネジメントの手法

代表的な品質マネジメントの手法には，以下のものがあります。

①管理図

管理図は，プロセスが安定しているかどうか，またはパフォーマンスが予測どおりであるかどうかを判断するための図です。許容される**上方管理限界**と**下方管理限界**を設定します。

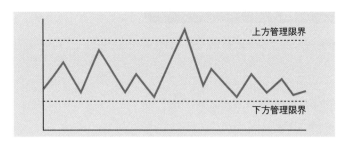

上方管理限界

下方管理限界

管理図の例

②ベンチマーク

実施中または計画中のプロジェクトを類似性の高いプロジェクトと比べることによって，ベストプラクティスを特定したり，改善策を考えたり，測定基準を設けたりすることです。

③レビュー，テスト

ウォークスルー，インスペクションなどのレビューや，段階的なテストは，品質を向上させるための大切な手法です。

④品質の指標

JIS X 25010（ISO/IEC 25010）で定められているソフトウェア品質特性の指標は，ソフトウェア開発時の品質の指標としてよく用いられます。

関連

レビューやソフトウェア品質については「4-1-2　設計」で，テストについては「4-1-3　実装・構築」以降の節で詳しく説明しています。

||▶▶ 覚えよう！

□　品質マネジメントは，品質を確実にするための体系的な活動

□　品質マネジメント計画では，手順を定めて文書化する

5-1-10 ● プロジェクトの調達　頻出度 ★★★

　プロジェクト調達マネジメントの目的は，作業の実行に必要な資源やサービスを外部から購入，取得するために必要な契約やその管理を適切に行うことです。

■ プロジェクト調達マネジメントのプロセス

　プロジェクト調達マネジメントのプロセスに含まれるものには，調達マネジメント計画，調達実行，調達コントロール，調達終結があります。

　それぞれのプロセスでは，以下のことを行います。

①調達マネジメント計画

　プロジェクト調達の意思決定を文書化し，取り組み方を明確にして，納入候補を特定します。

②調達実行

　納入候補から回答を得て，納入者を選定し，契約を締結します。

③調達コントロール

　調達先との関係をマネジメントし，契約のパフォーマンスを監視して，必要に応じて変更と是正を行います。

④調達終結

　プロジェクトにおける個々の調達を完結します。

過去問題をチェック

マネジメントの手法については，応用情報技術者試験の午後問題を解いてみると流れがよく理解できます。以下の問題のように，実際の調達マネジメントが行われる内容が出題されています。
【ERPパッケージの導入検討】
・平成23年特別 午後 問10
【会計パッケージの調達】
・平成23年秋 午後 問10
【再構築プロジェクトの調達とリスク】
・令和4年春 午後 問9

5

5-1-11 ● プロジェクトの コミュニケーション

頻出度
★★★

　プロジェクトコミュニケーションマネジメントは，プロジェクト情報の生成，収集，配布，保管，検索，最終的な廃棄を適宜，適切かつ確実に行うためのプロセスから構成されます。人と情報を結び付ける役割を果たすことが目的です。

■プロジェクトコミュニケーションマネジメントのプロセス

　プロジェクトコミュニケーションマネジメントのプロセスには，コミュニケーションマネジメント計画，コミュニケーションマネジメント，コミュニケーションコントロールがあります。コミュニケーションマネジメント計画書を作成し，ステークホルダのコミュニケーションに関するニーズに応えるための仕組みを構築します。

　コミュニケーションをとる場合の伝達方法を**コミュニケーションチャネル**といいます。近年は，SNSや動画配信なども重要なコミュニケーションチャネルと見なされています。

■ グラフ

　コミュニケーション技法として，文章だけでなくグラフで表現することは大切です。

　次の問題を考えてみましょう。

問 題

グラフの使い方のうち，適切なものはどれか。

ア　企業の財務評価などで，複数の特性間のバランスを把握するために，円グラフを使用する。

イ　商品価格の最高値と最安値など，ある期間内に幅のある数値を時系列で表現するために，浮動棒グラフを使用する。

ウ　全支社の商品ごとの売上高の比率など，二つ以上の関連する要素の比率の変化を比較するために，積上げ棒グラフを使用する。

エ　年度ごとの売上高の内訳の推移など，要素の変化と要素の合計の変化を比較するために，帯グラフを使用する。

(平成21年春 応用情報技術者試験 午前 問53)

関連

プロジェクトマネジメントの問題としても，グラフの書き方や使い方はよく出題されます。なお，グラフについては「9-1-2 業務分析・データ利活用」で主に取り上げるので，詳しいグラフの種類についてはそちらを参考にしてください。

解説

　浮動棒グラフとは，ある期間のデータの最高値と最低値をローソク足と呼ばれる棒で表し，その値の推移を時系列で表現することで値の推移を見ることができるグラフです。したがって，イが正解です。

　アはレーダチャート，ウは複合棒グラフ，エは積上げ棒グラフが適しています。

参考

浮動棒グラフの例

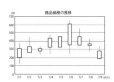

《解答》イ

▶▶▶ 覚えよう！

- [ ] SNSや動画配信は重要なコミュニケーションチャネル
- [ ] 浮動棒グラフでは，ローソク足を使って時系列で表現

5

コラム　　　先人の知恵の結晶

　優れたプロジェクトマネージャは，ほかのプロジェクトマネージャが有効に活用している手法を学び取り，それを活用しています。身近に偉大なプロジェクトマネージャがいて，その仕事の進め方を観察し，その人から指導してもらうという幸運に恵まれればベストですが，普通はそううまくはいきません。そんなときに役に立つのが，実際のプロジェクトで役に立った技法を集約したPMBOKです。

　プロジェクトマネジメントの技法はもともと建設プロジェクトのために開発されたものですし，魔法の杖ではないので，それさえ知っていれば何にでも役に立つというわけではありません。しかし，自分で試行錯誤するよりは，効率良く役に立つツールを見つけることができます。そんな先人の知恵の結晶がPMBOKであり，学習すると実務にも応用できます。

　情報技術の分野では，ほかにもそうした先人の知恵の結晶があります。次の章で紹介するITILは，ITサービスマネジメントのベストプラクティス集ですし，第3章のセキュリティの項で紹介したISMSも，セキュリティを守るための考え方の規範です。その他，プログラミングでのアルゴリズムやデザインパターンなども，先人の知恵の結晶ですし，覚えておくと実際のプログラミング時に役立ちます。先人の知恵を学んで，それを基本に自分なりの経験を積み重ねていきましょう。

5-2 演習問題

問1　プロジェクト憲章　　　　　　　　　　　　　　CHECK ▶ □□□

プロジェクトマネジメントにおける"プロジェクト憲章"の説明はどれか。

ア　プロジェクトの実行，監視，管理の方法を規定するために，スケジュール，リスクなどに関するマネジメントの役割や責任などを記した文書
イ　プロジェクトのスコープを定義するために，プロジェクトの目標，成果物，要求事項及び境界を記した文書
ウ　プロジェクトの目標を達成し，必要な成果物を作成するために，プロジェクトで実行する作業を階層構造で記した文書
エ　プロジェクトを正式に認可するために，ビジネスニーズ，目標，成果物，プロジェクトマネージャ，及びプロジェクトマネージャの責任・権限を記した文書

問2　アローダイアグラム　　　　　　　　　　　　　CHECK ▶ □□□

アローダイアグラムで表される作業A〜Hを見直したところ，作業Dだけが短縮可能であり，その所要日数は6日に短縮できることが分かった。作業全体の所要日数は何日短縮できるか。

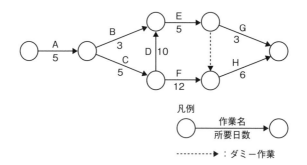

凡例

作業名
所要日数

--------▶：ダミー作業

問3　所要期間を短縮する技法　　　　　CHECK ▶ □□□

プロジェクトのスケジュールを短縮するために，アクティビティに割り当てる資源を増やして，アクティビティの所要期間を短縮する技法はどれか。

ア　クラッシング　　　　　　　　イ　クリティカルチェーン法
ウ　ファストトラッキング　　　　エ　モンテカルロ法

問4　リスク対応戦略　　　　　　　　　CHECK ▶ □□□

PMBOK ガイド第6版によれば，脅威と好機の，どちらに対しても採用されるリスク対応戦略として，適切なものはどれか。

ア　回避　　　　　イ　共有　　　　　ウ　受容　　　　　エ　転嫁

問5　EVM（アーンド・バリュー・マネジメント）　　　CHECK ▶ □□□

ある組織では，プロジェクトのスケジュールとコストの管理にアーンドバリューマネジメントを用いている。期間10日間のプロジェクトの，5日目の終了時点の状況は表のとおりである。この時点でのコスト効率が今後も続くとしたとき，完成時総コスト見積り（EAC）は何万円か。

管理項目	金額（万円）
完成時総予算（BAC）	100
プランドバリュー（PV）	50
アーンドバリュー（EV）	40
実コスト（AC）	60

問6　プロジェクト・スコープ記述書に記述する項目　　CHECK ▶ □□□

PMBOK ガイド第7版によれば，プロジェクト・スコープ記述書に記述する項目はどれか。

ア　WBS　　　　　　　　　　　イ　コスト見積額
ウ　ステークホルダ分類　　　　　エ　プロジェクトからの除外事項

■ 演習問題の解答

　プロジェクトマネジメントにおける"プロジェクト憲章"は，プロジェクトやフェーズを公式に認可する文書です。立上げプロセス群の中で実行される，ステークホルダのニーズと期待を満足させる初期の要求事項を文書化します。文書には，ビジネスニーズ，目標，成果物，プロジェクトマネージャ，及びプロジェクトマネージャの責任権限などを記載します。したがって，エが正解です。

ア　責任分担マトリックスなどの，プロジェクトチームのメンバの役割や責任の分担を明らかにした文書が該当します。

イ　プロジェクトスコープ記述書に関する説明です。

ウ　WBS（Work Breakdown Structure）の説明です。

　クリティカルパス上でのクラッシングを行う問題です。アローダイアグラムより，最早終了日で現在のクリティカルパスを求めると，以下のようになります。

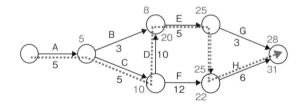

　作業全体の所要日数は31日で，作業Dはクリティカルパス上にあるので，日程短縮は全体の所要日数短縮につながります。しかし，作業Dを6日にしてもう一度クリティカルパスを求めると，次のようになります。

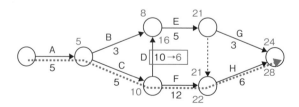

作業Dを4日短縮すると，作業Dがクリティカルパスでなくなるので，全体の所要日数は28日です。短縮できる日数は，$31 - 28 = 3$日になります。

《解答》ア

プロジェクトのスケジュールを短縮するために行う技法に，クラッシングとファストトラッキングがあります。アクティビティに割り当てる資源を増やして，アクティビティの所要期間を短縮する技法は，クラッシングとなります。したがって，**ア**が正解です。
イ　プロジェクトの各タスクや予算なども考慮して所要時間を算出する技法です。
ウ　工程を並行して進めることで，プロジェクト全体の所要時間を短縮する技法です。
エ　数値演算の分野で，乱数を用いた試行を繰り返して近似解を求める技法です。

《解答》ウ

PMBOKガイド第6版によれば，脅威となるマイナスのリスクに対する戦略には，回避，転嫁，軽減，受容があります。好機となるプラスのリスクに対する戦略には，活用，共有，強化，受容があります。どちらにもあるのは受容なので，**ウ**が正解です。

《解答》150 [万円]

現在のコスト効率CPIは，$CPI = EV / AC = 40 / 60 = 2 / 3 \fallingdotseq 0.666\cdots$です。つまり，かけたコストに対して予定の$2 / 3$の生産性しかないということになります。
　このコスト効率が今後も続く場合には，完成時の総コスト見積りEACは，以下のようになります。
$$EAC = BAC \div CPI = 100[万円] \div (2 / 3) = 150[万円]$$
　イメージとしては，100万円だと$2 / 3$しか終わらないので，全部終わらせるのには$3 / 2 = 1.5$倍のコストが必要という考え方になります。

| 問6 | （令和5年秋 応用情報技術者試験 午前 問51） |

《解答》エ

　プロジェクト・スコープ記述書とは，プロジェクトのスコープとなる作業範囲や必要となる成果物について記述したものです。PMBOK第7版には，プロジェクト・スコープ記述書 (Project Scope Statement)の定義として，「プロジェクトのスコープ、主要な成果物、除外事項を記述した文書」とあります。除外事項にプロジェクトで行わないことをまとめることで，プロジェクトの範囲を明確にします。したがって，エが正解です。

ア　プロジェクトのスコープを考えるときにWBSを使用することもありますが，プロジェクト・スコープ記述書に記述する必要はありません。

イ　プロジェクトコストマネジメントで決定する内容です。

ウ　プロジェクトステークホルダマネジメントで記述する内容です。

第**6**章

サービスマネジメント

ITサービスに関連するマネジメントについて学ぶ分野がITサービスマネジメントです。

内容は二つ,「サービスマネジメント」と「システム監査」です。サービスマネジメントでは,ITILを中心に,システム運用管理,ITサービスマネジメントの手法や考え方について学びます。そして,システム監査では,システムを監査し,情報システムが適切にコントロールされていることを確保する方法や,その考え方について学びます。

マネジメント系の分野については勉強することを忘れがちなのですが,意外と出題数も多く,午後問題でも狙い目です。

一度,考え方を押さえながらきちんと学習し,確実に解答できるようにしておきましょう。

6-1 サービスマネジメント

ITのサービスマネジメントの基本はシステムの運用管理ですが，それだけではありません。システムの運用や保守などを，顧客の要求を満たす「ITサービス」としてとらえて体系化し，効果的に提供するための統合されたサービスマネジメントシステムです。

6-1-1 ● サービスマネジメント 頻出度 ★★★

サービスマネジメントでは，サービスをただ実施するだけでなく，顧客にとっての価値を創造することが重要です。

■ サービスマネジメントの目的と考え方

ITILではサービスマネジメントを「顧客に対し，サービスの形で価値を提供する組織の専門能力の集まり」と定義しています。システムの運用や保守などをサービスとしてとらえて体系化し，適切な**サービス品質**で，**サービス価値**を提供します。ITILでは，サービスをコアサービス，実現サービス，強化サービスの三つに分類します。また，サービス提供者だけでなく，**ユーザーの遵守事項**も決定します。

■ サービスマネジメントシステム

サービスマネジメントでは，確立，実践，維持及び継続的改善を行います。ITサービス全体をマネジメントする仕組みとして，サービスマネジメントシステム（**SMS**：Service Management System）を構築します。

サービスマネジメントの規格には，JIS Q 20000シリーズ（ISO/IEC 20000シリーズ）があります。JIS Q 20000-1:2020には，サービスマネジメントシステム要求事項がまとめられています。サービスマネジメントシステムは構築して終わりではなく，実践，維持，改善を繰り返します。パフォーマンスを改善するために繰返し行われる活動のことを，継続的改善といいます。

サービスマネジメント構築手法には以下のものがあります。

✍ 勉強のコツ

従来からの「運用管理」の考え方と，新しく運用や保守をとらえ直した「ITサービスマネジメント」の考え方の両方について出題されます。
ITILのマネジメント手法を中心に，システム運用管理手法全般についての方法論を押さえておきましょう。知識としては，ITILのサービスマネジメントシステムのそれぞれの管理について出題されますので，一度しっかりそれぞれのサービスマネジメントシステムを押さえておくと確実です。

サービスマネジメントの分野についての動画を以下で公開しています。
https://www.wakuwaku academy.net/itcommon/6
ITILの概要やサービスマネジメントなどについて，詳しく解説しています。
本書の補足として，よろしければご利用ください。

①ベンチマーキング

　業務やプロセスのベストプラクティスを探し出して分析し，それを指標（ベンチマーク）にして現状の業務のやり方を評価し，変革に役立てる手法です。現状とベストプラクティスの差異を分析することをギャップ分析といいます。

②リスクアセスメント

　サービスにかかわるリスクを洗い出し，リスクの大きさや，許容できるリスクかどうかということと，対策の優先順位などを評価します。

③CSFとKPIの定義

　サービスマネジメントが成功したかどうかを，あいまいにせず確実に評価するため，CSF（Critical Success Factor：重要成功要因）を定義します。そして，そのCSFが実現できたかどうかを確認する指標として，KPI（Key Performance Indicator：重要業績評価指標）を設定します。

　それでは，次の問題を考えてみましょう。

関連

CSFやKPIの考え方は，「8-1-3　ビジネス戦略と目標・評価」に出てくるバランススコアカードの評価指標と同じです。これは，ITサービスマネジメントは経営戦略の一部であるという考え方があるためです。CSFやKPIの詳しい内容は，8-1-3を参照してください。

6

問題

　JIS Q 20000-1:2020（サービスマネジメントシステム要求事項）によれば，サービスマネジメントシステム（SMS）における継続的改善の説明はどれか。

- ア　意図した結果を得るためにインプットを使用する，相互に関連する又は相互に作用する一連の活動
- イ　価値を提供するため，サービスの計画立案，設計，移行，提供及び改善のための組織の活動及び資源を，指揮し，管理する，一連の能力及びプロセス
- ウ　サービスを中断なしに，又は合意した可用性を一貫して提供する能力
- エ　パフォーマンスを向上するために繰り返し行われる活動

（令和5年春 応用情報技術者試験 午前 問55）

解説

JIS Q 20000-1:2020（サービスマネジメントシステム要求事項）によれば，サービスマネジメントシステム（SMS）における継続的改善（continual improvement）とは，「パフォーマンスを向上するために繰り返し行われる活動」（用語：3.1.4）のことです。したがって，エが正解です。

　ア　プロセスの説明です。

　イ　サービスマネジメントの説明です。

　ウ　サービス継続の説明です。

《解答》エ

参考

ITILの最新バージョンは，2019年にリリースされたITIL 4です。
情報処理技術者試験のカリキュラムは，JIS Q 20000-1:2020を基準に作成されています。

■ ITIL

ITIL（Information Technology Infrastructure Library）は，サービスマネジメントのフレームワークで，サービスマネジメントに対するベストプラクティスがまとめられたものです。現在，デファクトスタンダードとして世界中で活用されています。

ITILがベストプラクティスとして，「このようにすればよい」という手法を示すのに対して，JIS Q 20000はITSMS適合性評価制度として，SMSが適切に運用されていることを認定するために使用します。

ITILの最新版ITIL4では，「ITはビジネスと共にある」として，ITとビジネスの柔軟性にフォーカスしており，サービスマネジメントを次の四つの側面と六つの外部要因で捉えています。

サービスマネジメントの四つの側面とは，

　　①組織と人材

　　②情報と技術

　　③パートナとサプライヤ

　　④バリューストリームとプロセス

です。プラクティスをグループ化したものをプロセス，複数プラクティスからプロセスを組み合わせて作り上げた業務をバリューストリームといいます。

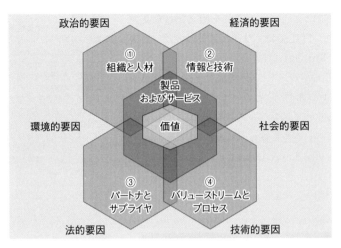

政治的要因

経済的要因

① 組織と人材

② 情報と技術

製品およびサービス

価値

環境的要因

社会的要因

③ パートナとサプライヤ

④ バリューストリームとプロセス

法的要因

技術的要因

サービスマネジメントの四つの側面と六つの外部要因

ITILでは，IT組織が必要とする業務をサービスマネジメントプラクティス，一般的マネジメントプラクティス，技術的マネジメントプラクティスに分類して定義しています。このうち，サービスマネジメントプラクティスには，次のものがあります。

サービスマネジメントプラクティス一覧

- ・可用性管理
- ・事業分析
- ・キャパシティおよびパフォーマンス管理
- ・変更実現
- ・インシデント管理
- ・IT資産管理
- ・モニタリング及びイベント管理
- ・問題管理
- ・リリース管理

- ・サービス・カタログ管理
- ・サービス構成管理
- ・サービス継続性管理
- ・サービスデザイン
- ・サービスデスク
- ・サービスレベル管理
- ・サービスの要求管理
- ・サービスの妥当性管理およびテスト

関連
ITIL及びJIS Q 20000のそれぞれのプラクティスについては，「6-1-2 サービスマネジメントシステムの計画及び運用」で詳しく学習します。

■ SLA

SLA（Service Level Agreement）とは，サービスの提供者と委託者との間で，提供するサービスの**内容と範囲，品質に対する要求事項**を明確にし，さらにそれが**達成できなかった場合の**

ルールも含めて合意しておくことです。それを明文化した文書や契約書もSLAと呼ばれ，ITILでは，**サービス設計**の**サービスレベル管理プロセス**で文書化されます。

　サービスレベルを管理することを，**SLM**（Service Level Management：サービスレベル管理）といいます。また，SLAの中で具体的に設定されるサービスレベルの目標をSLO（Service Level Objective：サービスレベル目標），その達成状況を測定するための指標をSLI（Service Level Indicator：サービスレベル指標）と呼びます。

　それでは，次の問題を解いてみましょう。

発展

SLAは，もともとは通信事業者がネットワークサービスのQoS（Quality of Service）を保証するために行った契約形態で，故障回復時間や遅延時間，稼働率などの品質要件が一定の水準を下回った場合に料金を返還するというものでした。
現在では，ホスティングやアウトソーシング，ソフトウェア開発など，様々な場面に広がっています。

問　題

SLAに記載する内容として，適切なものはどれか。

ア　サービス及びサービス目標を特定した，サービス提供者と顧客との間の合意事項

イ　サービス提供者が提供する全てのサービスの特徴，構成要素，料金

ウ　サービスデスクなどの内部グループとサービス提供者との間の合意事項

エ　利用者から出されたITサービスに対する業務要件

（平成26年秋 応用情報技術者試験 午前 問55）

解　説

　SLAでは，サービスやサービス目標を設定し，サービス提供者と顧客との合意事項を記載します。したがって，アが正解です。

イ　すべてのサービスについて記載するわけではありません。

ウ　内部グループとの間での契約ではありません。

エ　RFPに記載する内容です。

《解答》ア

過去問題をチェック

SLAの問題は，午前，午後を問わず，応用情報技術者試験でよく出題されます。
【SLA】
＜午前＞
・平成21年春 午前 問55
・平成23年特別 午前 問55
・平成23年秋 午前 問54
・平成25年春 午前 問55
・平成26年秋 午前 問55
・平成27年秋 午前 問56
・平成28年春 午前 問56
・平成30年秋 午前 問56
・令和6年春 午前 問56
＜午後＞
・平成21年春 午後 問11
・平成24年春 午後 問3
・平成25年秋 午後 問10
・平成28年秋 午後 問10
・令和3年春 午後 問10
・令和5年秋 午後 問10

▶▶▶ 覚 え よ う！

☐　**ITILはベストプラクティス，JIS Q 20000は評価の基準**

☐　**SLAは，サービスの提供者と委託者の間であらかじめ合意すること**

6-1-2 ◯ サービスマネジメント システムの計画及び運用 ★★☆

サービスマネジメントシステムでは，サービスポートフォリオを管理し，関係及び合意の形成，供給及び需要の管理，サービスの設計・構築・移行の実施，解決及び実現のため継続的な管理を行います。さらに，サービス保証や情報セキュリティ管理を行い，適切に管理されていることを確認します。

■ サービスマネジメントシステムの計画と支援

サービスマネジメントシステムでは，サービスマネジメントシステムの計画を作成し，実施及び維持することでPDCAサイクルを回します。このとき，**文書化した情報**，**知識**を共有し，コミュニケーションを正確に行うことが大切です。

■ サービスポートフォリオ

サービスポートフォリオとは，提供する**すべてのサービスの一覧**です。どのようなサービスがあるのかを把握し，適切なレベルで資源を配分し，何に重点を置くのかを決定します。サービスポートフォリオの管理では，サービスの提供や計画，サービスライフサイクルに関与する関係者の管理，資産管理，構成管理を行います。代表的な内容の詳細は，次のとおりです。

● サービスの計画

サービスの要求事項を決定し，利用可能な資源を考慮して，変更要求及び新規サービスまたはサービス変更の提案の優先順位付けを行います。特定の市場や顧客に向けたサービスの状態（計画中，開発中，稼働中，廃止など）の一覧である**サービスパイプライン**を作成し，どの顧客にどのようなサービスを提供するのかを考えます。

● サービスカタログ管理

顧客に提供するサービスについての文書化した情報として，サービスカタログを作成し，維持します。サービスカタログには，サービスの意図した成果や，サービス間の依存関係を説明する

過去問題をチェック
サービスポートフォリオについては，次の出題があります。
【サービスポートフォリオ】
・令和3年春 午前 問56

情報を含めます。サービスカタログはすべて公開するのではなく，顧客，利用者及びその他の利害関係者に対して，サービスカタログの適切な部分へのアクセスを提供します。

●資産管理

　サービスマネジメントシステムの計画における要求事項及び義務を満たすために，サービスを提供するために使用されている資産を確実に管理します。**アセットマネジメント**とは，アセット（資源・資産）を適正に数量も数えて管理することです。ITアセットマネジメント（ITAM：IT asset management），ソフトウェアアセットマネジメント（SAM）を行い，IT資産やソフトウェアを管理します。さらに，ライセンスマネジメントも行い，ライセンス数も適切に管理します。

●構成管理

　構成管理では，サービスや製品を構成するすべてのCI（Configuration Item：構成品目）を識別し，維持管理します。構成管理では，大規模で複雑なITサービスとインフラを管理するため，**CMS**（Configuration Management System：構成管理システム）を構築して一元管理します。CMSで使われるデータベースを**CMDB**（Configuration Management DataBase：構成管理データベース）といい，プロジェクト情報やツール，イベントなど様々な情報を一元管理します。

■関係及び合意

　サービスマネジメントでは，事業関係者との関係を管理する必要があります。また，関係者の間を調整し，合意を形成する必要があります。代表的な管理には次のものがあります。

●事業関係管理

　顧客関係を管理し，顧客満足を維持し，顧客及び他の利害関係者との間のコミュニケーションのための取決めを確立します。サービスのパフォーマンス傾向やサービスの成果のレビューを行い，サービス満足度の測定，サービスに対する苦情の管理を行います。

●サービスレベル管理

　サービスレベル管理（SLM：Service Level Management）の最終目標は，現在のすべてのITサービスに対して合意されたレベルを達成すること，そして将来のサービスが，合意された達成可能な目標値を満たすように提供されることです。SLMでは，サービスの利用者とサービスの提供者の間で**SLA**を締結し，PDCAマネジメントサイクルでサービスの維持,向上を図ります。さらに，あらかじめ決められた間隔で，サービスレベル目標に照らしたパフォーマンスや実績の周期的な変化を監視し，レビューし，報告を行います。

●供給者管理

　サービス提供者が委託などにおいて，さらにサービスマネジメントプロセスの導入や移行のために供給者（サプライヤ）を用いる場合には，その供給者の管理が必要です。運用を委託する場合や，内部での提供でも別の部署として管理する場合には，運用レベルを保証するためOLA（Operation Level Agreement：運用レベル合意書）を作成します。また,アウトソーシングとして,SaaS，PaaS，IaaSなどのクラウドサービスの利用も増えてきています。

■ 供給及び需要

　サービスを提供するにあたり，資源や費用などの供給や需要に関する管理を行います。代表的な業務や管理内容は次のとおりです。

●サービスの予算業務及び会計業務

　財務管理の方針に従って，サービス提供費用の予算を計画・管理する予算業務を行います。ITサービスのコストを明確にし，事業を行う者がその内容を確実に理解するようにします。
　サービス指向の会計機能により，サービスに直接的に寄与するコストである**直接費**と，直接的には確認できない**間接費**を求めます。そして，サービスごとに必要なコストを算出し，基本的にはサービスの受益者（利用者）が負担するように課金を行います。サービスを実施するコストだけでなく，ランニングコストな

関連

SaaS，PaaS，IaaSなどのクラウドサービスについては，「7-1-3 ソリューションビジネス」で詳しく取り上げます。

どの必要な経費を含めた総保有コストである**TCO**（Total Cost of Ownership：総所有費用）を意識することが大切です。

●需要管理

　サービスに対する現在の需要を決定し，将来の需要を予測することが需要管理です。あらかじめ定めた間隔で，サービスの需要及び消費を監視し報告します。特定の顧客の要望に合わせて，提供するサービスを組み合わせたものを**サービスパッケージ**といいます。コアサービス，実現サービス，強化サービスを組み合わせて，提供するサービスの需要管理を行います。

過去問題をチェック
サービスパッケージについては，次の出題があります。
【サービスパッケージ】
・令和元年秋 午前 問55

●容量・能力管理

　資源の容量，能力などシステムの容量（キャパシティ）を管理し，最適なコストで合意された需要を満たすために，サービス提供者が十分な能力を備えることを確実にする一連の活動が**容量・能力管理**（キャパシティ管理）です。CPU使用率，メモリ使用率，ディスク使用率，ネットワーク使用率などの管理指標を計画し，それぞれのリソースの**しきい値**（閾値）を設定します。

　また，容量・能力の利用状況を監視し，容量・能力及びパフォーマンスデータを分析し，パフォーマンスを改善するためのポイントを特定していきます。

　それでは，次の問題を考えてみましょう。

問題

　SaaS（Software as a Service）による新規サービスを提供するに当たって，顧客への課金方式を検討している。課金方式①～④のうち，想定利用状況に基づいて最も高い利益が得られる課金方式を採用したときの，年間利益は何万円か。ここで，新規サービスの課金は月ごとに行い，各月の想定利用状況は同じとする。また，新規サービスの運用に掛かる費用は1,050万円／年とする。

〔課金方式〕

①月間のサービス利用時間による従量課金　　　4,000円／時間

②月間のトランザクション件数による従量課金　　700円／件

③月末時点のディスク割当て量による従量課金　　300円／GB

④月末時点の利用者ID数による従量課金　　　1,600円／ID

〔想定利用状況〕

・サービス利用時間　　　　　　　250時間／月

・トランザクション件数　　　　　1,500件／月

・月末時点のディスク割当て量　3,300GB

・月末時点の利用者ID数　　　　650ID

ア　150　　　イ　198　　　ウ　210　　　エ　260

（令和6年春 応用情報技術者試験 午前 問55）

6

解説

　SaaS（Software as a Service）による新規サービスを提供するに当たって，顧客への課金方式を検討し，最も高い利益が得られる課金方式を選択します。

　〔想定利用状況〕の内容をもとに，〔課金方式〕の①〜④について，年間利益を計算すると，次のようになります。

① 1時間当たりの課金額が4,000円で，月間のサービス利用時間が250時間なので，月間売上は4,000［円／時間］×250［時間／月］＝1,000,000［円／月］となります。これを12か月分で計算すると，年間売上は1,000,000［円／月］×12［月／年］＝12,000,000［円／年］＝1,200［万円／年］となります。新規サービスの運用に掛かる費用は1,050［万円／年］なので，年間利益は1,200［万円／年］－1,050［万円／年］＝150［万円／年］です。

② 1件当たりの課金額が700円で，月間トランザクション件数が1,500件なので，月間売上は700［円／件］×1,500［件／月］＝1,050,000［円／月］となります。これを12か月分で計算すると，年間売上は1,050,000［円／月］×12［月／年］＝12,600,000［円／年］＝1,260［万円／年］となります。新規サービスの運用に掛かる費用は1,050［万円／年］なので，年間利益は1,260［万円／年］

－1,050［万円／年］＝210［万円／年］です。

③　1GB当たりの課金額が300円で，月末時点のディスク割当て
　　量が3,300GBなので，月間売上は300［円／GB］×3,300［GB／月］
　　＝990,000［円／月］となります。これを12か月分で計算すると，
　　年間売上は990,000［円／月］×12［月／年］＝11,880,000［円／
　　年］＝1,188［万円／年］となります。新規サービスの運用に掛か
　　る費用は1,050［万円／年］なので，年間利益は1,188［万円／年］
　　－1,050［万円／年］＝138［万円／年］です。

④　1ID当たりの課金額が1,600円で，月末時点の利用者ID数が
　　650IDなので，月間売上は1,600［円／ID］×650［ID／月］＝
　　1,040,000［円／月］となります。これを12か月分で計算すると，
　　年間売上は1,040,000［円／月］×12［月／年］＝12,480,000［円
　　／年］＝1,248［万円／年］となります。新規サービスの運用に掛
　　かる費用は1,050［万円／年］なので，年間利益は1,248［万円／年］
　　－1,050［万円／年］＝198［万円／年］です。

　これらの結果から，最も高い年間利益は②の210［万円／年］と
なります。したがって，ウが正解です。

≪解答≫ウ

■ サービスの設計・構築・移行

　サービスの設計・構築・移行では，新規サービスや変更サー
ビスの設計・構築を行います。サービス内容の変更や移行時の
リリース・展開についても管理を行います。管理の内容には次の
ものがあります。

●変更管理

　変更管理は，サービスやコンポーネント，文書の変更を安全か
つ効率的に行うための管理です。事業やITからのRFC（Request
for Change：変更要求）を受け取り，対応します。すべての変更
はもれなくCMDBに記録し，反映させる必要があります。

　ITサービスに変更を加える要因には，単純なオペレーションだ
けでなく事業戦略やビジネスプロセスの変更など，様々なものが
あります。そのため，顧客やユーザー，開発者，システム管理者，サー
ビスデスクなどの様々な立場の利害関係者が定期的に集まり，サー

ビスの追加，廃止または提案を含む変更をアセスメントするCAB
（Change Advisory Board：変更諮問委員会）が開かれます。

●サービスの設計及び移行

　サービスの設計及び移行では，まず新規サービスまたはサービス変更の計画を立て，設計を行った後，構築及び移行を行います。それぞれの段階で行うことは，次のとおりです。

1. 新規サービスまたはサービス変更の計画

　サービス計画で決定した新規サービスや，サービス変更についてのサービスの要求事項を用いて，新規サービスまたはサービス変更の計画を立案します。

2. 設計

　サービス計画で決定したサービスの要求事項を満たすようにサービス受入れ基準を決定してサービスを設計し，サービス設計書として文書化します。このとき，SLAやサービスカタログ，契約書なども必要に応じて新設，更新を行います。

3. 構築及び移行

　文書化した設計に適合する構築を行い，サービス受入れ基準を満たしていることを検証するために，**受入れテスト**や**運用テスト**などの試験を行います。リリース及び展開管理を使用して，新規サービスやサービス変更を，稼働環境に展開していきます。

●リリース及び展開管理

　変更管理プロセスで承認された変更内容を，ITサービスの本番環境に正しく反映させる作業（リリース作業）を行うのがリリース管理及び展開管理です。リリース管理では，本番環境にリリースした確定版のすべてのソフトウェアのソースコードや手順書，マニュアルなどのCI（構成品目）を1か所にまとめて管理します。まとめておく書庫のことをDML（Definitive Media Library：確定版メディアライブラリ）といいます。

■ 解決及び実現

　サービスマネジメントシステムの構築後の不具合を解決し，さらに改善したシステムを実現するためには，インシデントを適切に取り扱うだけではなく，根本原因を解決することが大切です。解決及び実現に向けた管理には，次のものがあります。

●インシデント管理

　サービスマネジメントシステムにおけるインシデントとは，サービスに対する計画外の中断，サービスの品質の低下だけでなく，顧客または利用者へのサービスにまだ影響していないが今後影響する可能性のある事象のことです。インシデントの対応手順は，次のようになります。

1. 記録し，分類する
2. 影響及び緊急度を考慮して，優先順位付けをする
3. 必要であれば，エスカレーションする
4. 解決する
5. 終了する

　エスカレーションとは，自身で解決できない問題を他の人に引き継ぐことです。技術部など他の部署などに引き継ぐことを**機能的エスカレーション**，上司など上の立場の人に引き継ぐことを**階層的エスカレーション**といいます。インシデントが発生したときに早急に行われる，サービスへの影響を低減または除去する方法のことを，**回避策（ワークアラウンド）**といいます。

　また，重大なインシデントを特定する基準を決定しておくことも大切です。重大なインシデントは，文書化された手順に従って分類して管理し，**トップマネジメントに通知する**必要があります。

●サービス要求管理

　サービス要求管理では，サービス要求に対して，次の事項を実施します。

1. 記録し，分類する
2. 優先順位付けをする

 過去問題をチェック

インシデント管理，サービス要求管理，問題管理は，出題の定番です。それぞれ次のような出題があります。
【インシデント管理】
・平成24年秋 午前 問55
・平成25年秋 午前 問55
・平成27年秋 午前 問55
【インシデント及びサービス要求管理】
・令和元年秋 午前 問57
【問題管理】
・平成21年秋 午前 問57
・平成22年春 午前 問54
・平成27年秋 午前 問57
・平成29年春 午前 問57
・平成31年春 午前 問54
・令和3年秋 午前 問54
・令和4年秋 午前 問55

3. 実現する

4. 終了する

　また，サービス要求の実現に関する指示書を，サービス要求の実現に関与する要員が利用できるようにする必要があります。

●問題管理

　一つまたは複数のインシデントの根本原因のことを問題といいます。その問題を突き止めて，登録し管理するのが**問題管理**です。

　問題を特定するために，インシデントのデータ及び傾向を分析し，根本原因の分析を行い，インシデントの発生または再発を防止するための処置を決定します。

　問題管理は，次の事項を実施します。

1. 記録し，分類する

2. 優先順位付けをする

3. 必要であれば，エスカレーションする

4. 可能であれば，解決する

5. 終了する

6

　問題管理に必要な変更は，**変更管理の方針**に従って管理されます。根本原因が特定されても問題が恒久的に解決されていない場合には，問題がサービスに及ぼす影響を低減，除去するための処置を決定する必要があります。また，**既知の誤り**は記録しておき，再度調査しないようにすることも大切です。

　それでは，次の問題を考えてみましょう。

問題

サービスマネジメントにおける問題管理の目的はどれか。

　ア　インシデントの解決を，合意したサービスレベル目標の時間枠内に達成することを確実にする。

　イ　インシデントの未知の根本原因を特定し，インシデントの発生又は再発を防ぐ。

ウ　合意した目標の中で，合意したサービス継続のコミットメント
　　を果たすことを確実にする。

エ　変更の影響を評価し，リスクを最小とするように実施し，レ
　　ビューすることを確実にする。

(令和4年秋 応用情報技術者試験 午前 問55)

解説

　サービスマネジメントにおける問題管理では，インシデントの
根本原因を特定し，インシデントの発生又は再発を防ぐための解
決策を提案します。したがって，イが正解です。

ア　インシデント管理の目的です。

ウ　サービス継続管理の目的です。

エ　変更管理の目的です。

≪解答≫イ

■サービス保証

　サービスが適切に運用されていることを確認し，保証する必要
があります。サービス保証に向けた管理には，次のものがあります。

●サービス可用性管理

　すべてのサービスで提供されるサービス可用性のレベルが，
費用対効果に優れた方法であり，合意されたビジネスニーズに
合致するように実行するための管理が**サービス可用性管理**です。
サービス可用性管理では，次の四つの側面をモニタ，測定，分析，
報告します。

・**サービス可用性** …… 必要なときに合意された機能を実行
　　　　　　　　　　　　する能力（指標例：稼働率）

・**信頼性** ……………… 合意された機能を中断なしに実行す
　　　　　　　　　　　　る能力（指標例：MTBF，MTBSI）

・**保守性** ……………… 障害の後，迅速に通常の稼働状態に戻
　　　　　　　　　　　　す回復力（指標例：MTTR，MTRS）

・**サービス性** ………… 外部プロバイダが契約条件を満たす
　　　　　　　　　　　　能力

用語

MTBSI（Mean Time Between System Incidents）は，システムにおいて障害（インシデント）と次の障害が発生するまでの平均時間を示す指標です。
MTRS（Mean Time to Restore Service）は，システムに障害が発生してから，そのサービスが復旧するまでの平均時間を示す指標です。

●サービス継続管理

顧客と合意したサービス継続をあらゆる状況の下で満たすことを確実にするための活動が**サービス継続管理**です。サービス継続に関する要求事項は，事業計画や**SLA**，リスクアセスメントに基づいて決定します。サービス継続管理では，災害のインパクトを定量化するために**ビジネスインパクト分析**や，サービス継続性に関する**リスク分析**を行います。

また，災害発生時に最小時間でITサービスを復旧させ，事業を継続させるために事業継続計画（BCP）を立て，事業継続管理（BCM）を実施します。

それでは，次の問題を解いてみましょう。

（6）**関連**

事業継続計画（BCP）や事業継続管理（BCM）については，「7-1-1 情報システム戦略」で，詳しく取り上げます。

6

問題

Y社は，受注管理システムを運用し，顧客に受注管理サービスを提供している。日数が30日，月曜日の回数が4回である月において，サービス提供条件を達成するために許容されるサービスの停止時間は最大何時間か。ここで，サービスの停止時間は，小数第1位を切り捨てるものとする。

〔サービス提供条件〕
・サービスは，計画停止時間を除いて，毎日0時から24時まで提供する。
・計画停止は，毎週月曜日の0時から6時まで実施する。
・サービスの可用性は99%以上とする。

ア 0 　　 イ 6 　　 ウ 7 　　 エ 13

（令和5年秋 応用情報技術者試験 午前 問56）

解 説

月曜日の回数が4回である月では，計画停止が4回発生します。日数が30日の月での，計画停止を除くサービス時間は，次の式で計算できます。

30［日］× 24［時間／日］－ 4［回］× 6［時間／回］

＝ 720［時間］－ 24［時間］＝ 696［時間］

「サービスの可用性は99％以上とする」とあるので，停止できるのは100 － 99 ＝ 1％(0.01)の時間だけです。許容される停止時間は，次の式で計算できます。

696［時間］× 0.01 ＝ 6.96［時間］≒ 6［時間］

小数第1位を切り捨てると，最大6時間となります。したがって，イが正解です。

≪解答≫イ

情報セキュリティ管理

情報資産の機密性，完全性，可用性を保つように，情報セキュリティを管理します。ISO/IEC 27000 シリーズ（及びそれに基づき制定されている JIS 規格群）をもとに ISMS を構築し，情報セキュリティマネジメントに関する作業を適切に実施します。

▶▶▶ 覚えよう！

☐　インシデント管理はとりあえず復旧，問題管理で根本的原因を解明

☐　変更管理では，RFCを作成し，それをCABで検討する

6-1-3 ■ パフォーマンス評価及び改善 <small>頻出度 ★★★</small>

　サービスマネジメントシステムでは，パフォーマンスを定期的に評価し，改善していく必要があります。サービスマネジメントシステムのパフォーマンスを適切に監視し，測定しておくことで，評価や改善につながります。

■ パフォーマンス評価

　サービスマネジメントシステムの**パフォーマンス**は，サービスマネジメントの目的に合わせて有効性を評価する必要があります。このとき，目的に合わせて作成したサービスの要求事項と照らし合わせ，監視，測定，分析，評価を行います。パフォーマンスの評価は，定期的に行い，継続的改善に役立てます。

　パフォーマンス評価を行うための手法としては，内部監査やマネジメントレビューがあります。監査項目を設定し，サービスの要求事項を満たしているかを監査します。また，報告の要求事項や目的に沿って作成された，サービスマネジメントシステムやサービスのパフォーマンスや有効性に関する**サービスの報告**を作成する必要があります。

■ パフォーマンスの改善

　パフォーマンス評価で**不適合**が発生した場合には，不適合を管理し修正するための処置を行う必要があります。不適合によって起こった結果に対処する処置，不適合が再発しないようにするための処置のことを**是正処置**といいます。

　パフォーマンスの改善は，一度で終わりではなく，継続的改善を行っていくことが大切です。サービスマネジメントシステムやサービスの適切性，妥当性及び有効性を継続的に改善するために，改善の機会に適用する**評価基準**を決定しておくことで，承認された改善活動を管理することが可能になります。

　評価基準には，**CSF**，**KPI**などがあります。

　それでは，次の問題を考えてみましょう。

関連

CSF，KPIなどの評価指標については，「6-1-1 サービスマネジメント」で取り上げています。

問題

JIS Q 20000-1:2020（サービスマネジメントシステム要求事項）によれば，組織は，サービスレベル目標に照らしたパフォーマンスを監視し，レビューし，顧客に報告しなければならない。レビューをいつ行うかについて，この規格はどのように規定しているか。

- ア　SLAに大きな変更があったときに実施する。
- イ　あらかじめ定めた間隔で実施する。
- ウ　間隔を定めず，必要に応じて実施する。
- エ　サービス目標の未達成が続いたときに実施する。

（令和5年春 応用情報技術者試験 午前 問56）

解説

JIS Q 20000-1:2020（サービスマネジメントシステム要求事項）で，サービスレベル目標に関するレビューをいつ行うかについて，どのように規定しているかを確認します。

JIS Q 20000-1:2020では，"8.3.3 サービスレベル管理"で，「あらかじめ定めた間隔で，組織は，次の事項を監視し，レビューし，報告しなければならない」とあり，「a) サービス目標に照らしたパフォーマンス」などが定義されています。そのため，レビューをいつ行うかは，あらかじめ定められた間隔となります。したがって，イが正解です。

ア　変更については，変更管理で適切に管理します。
ウ　間隔を定めて実施することで，レビューを確実にします。
エ　サービス目標の未達成が続く場合は，問題管理として原因究明を行います。

≪解答≫イ

▶▶▶ 覚えよう！

- ☐　事業目的に合わせてパフォーマンスの評価指標を決定して評価する
- ☐　継続的にサービスの品質を改善していくため，プロセスを回す

6-1-4 ● サービスの運用

頻出度
★☆☆

　サービスの運用では，システム運用管理者の役割が重要になってきます。通常時の運用と障害時の運用の両方を考える必要があります。また，システムの導入，移行においても，あらかじめ手順を決めておくことが大切です。

■ システム運用管理者の役割

　システム運用管理者の役割は，業務を行うユーザに対してITサービスを提供し，業務に役立ててもらうことです。従来は依頼があったときに対応する**リアクティブ**（受動的）な運用が主でしたが，最近は自発的に貢献する**プロアクティブ**（能動的）な取り組みが推奨されます。また，IT運用のためにAIを活用するプロセスであるAIOpsを利用し，効率化を図ることもできます。

　システム運用管理者が，運用以外にもプロアクティブに関わっていくことで，より良いITサービスを提供できるようになります。

■ スケジュール設計

　通常時の運用では，**日次処理**，**週次処理**，**月次処理**など，段階別に運用内容を決定しておく必要があります。運用ジョブに対しても，プロジェクトマネジメントの場合と同様に，先行ジョブとの関連を考え，**ジョブネットワーク**（ジョブのつながり方）を考慮してスケジュール設計を行います。

■ 障害時運用設計

　障害時には，待機系の切替え，データの回復などを行いますが，その手法はあらかじめ設計しておく必要があります。**BCP**を策定し，**RTO**（Recovery Time Objective：目標復旧時間），**RPO**（Recovery Point Objective：目標復旧時点）を決めておきます。RPOとは，障害時にどの時点までのデータを復旧できるようにするかという目標です。さらに，**RLO**（Recovery Level Objective：目標復旧レベル）として，RTO内にどの程度まで復旧させるかという目標を設定します。

　災害などによる致命的なシステム障害から情報システムを復旧させることや，そういった障害復旧に備えるための復旧措置の

関連

BCP（Business Continuity Planning：事業継続計画）については，「7-1-1　情報システム戦略」でも取り上げています。運用管理もシステム戦略の一環ととらえ，障害時の計画を立てておく必要があります。

ことをディザスタリカバリ (災害復旧) と呼びます。

　また，障害が起こると業務に重大な影響があるため24時間
365日常に稼働し続ける必要があるシステムを**ミッションクリ
ティカルシステム**といいます。ミッションクリティカルシステム
では，システム障害が起こっても停止しないように待機系を複数
用意するなど，万全の対策が求められます。

■ バックアップ

　バックアップを取得する際，バックアップ対象をすべて取得
することをフルバックアップといいます。それに対し，前回のフ
ルバックアップとの増分や差分のみを取得することを**増分バック
アップ**，**差分バックアップ**といいます。増分バックアップでは，
前回のフルバックアップまたは**増分バックアップ以後**に変更さ
れたファイルだけをバックアップします。差分バックアップでは，
前回の**フルバックアップ以後**に変更されたファイルだけをバック
アップします。図で示すと次のようになります。

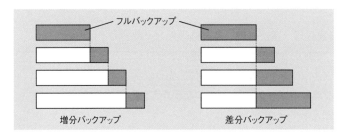

増分バックアップと差分バックアップ

　フルバックアップを取得する周期が短い方が，復旧にかかる時
間は短くなります。また，増分バックアップでは，1回のバックアッ
プにかかる時間は短くて済みますが，復旧時にはすべての増分ファ
イルを順番に使用する必要があるため，復旧に時間がかかります。

　それでは，次の問題を解いてみましょう。

問題

　フルバックアップ方式と差分バックアップ方式とを用いた運用
に関する記述のうち，適切なものはどれか。

ア　障害からの復旧時に差分バックアップのデータだけ処理すれ
　　ばよいので，フルバックアップ方式に比べ，差分バックアッ
　　プ方式は復旧時間が短い。
イ　フルバックアップのデータで復元した後に，差分バックアッ
　　プのデータを反映させて復旧する。
ウ　フルバックアップ方式と差分バックアップ方式とを併用して
　　運用することはできない。
エ　フルバックアップ方式に比べ，差分バックアップ方式はバッ
　　クアップに要する時間が長い。

（令和5年秋 応用情報技術者試験 午前 問57）

過去問題をチェック
バックアップに関する問題
は，応用情報技術者試験の
隠れた定番です。午前では，
この問題のほかに以下の出
題があります。
【バックアップ】
＜午前＞
・平成22年春 午前 問56
・平成22年秋 午前 問56
・平成25年秋 午前 問56
・平成26年春 午前 問56
・平成26年秋 午前 問57
・平成28年秋 午前 問57
・平成29年秋 午前 問56
・平成31年春 午前 問56
・令和3年春 午前 問57
・令和4年春 午前 問55
＜午後＞
・平成22年秋 午後 問11

解説

　フルバックアップとは，全体をバックアップすることです。差
分バックアップとは，フルバックアップとの差分だけを取得する
バックアップです。差分バックアップでの復旧は，フルバックアッ
プのデータで復元した後に，差分バックアップのデータを反映さ
せます。したがって，イが正解です。
ア　差分バックアップの方が復旧時間は長くなります。
ウ　週に一度のフルバックアップ，毎日の差分バックアップなどの
　　ような形で併用して運用します。
エ　差分バックアップの方が，差分だけなので，バックアップに
　　要する時間は短くなります。

≪解答≫イ

■ システム運用の評価項目

システム運用が運用要件を満たしているかどうかを定期的に評価することは重要です。様々な視点からの評価項目が設定されます。例として，次のようなものがあります。

- **機能性評価指標**：要求機能の実現度
- **使用性評価指標**：特定の利用の実現度
- **性能指標**：応答時間，処理時間
- **資源の利用状況に関する指標**：資源の利用状況
- **信頼性評価指標**：システム故障の頻度,障害件数,回復時間, 稼働率

その他，安全性とセキュリティ，**運用者の作業負担**，利用者のシステム使用性なども評価項目として考えられます。

■ サービスデスク（ヘルプデスク）

サービスデスクとは，様々なサービスやイベントに関わるスタッフを擁する機能です。ユーザにとっては，問題が起こったときに連絡する**単一窓口**（SPOC：Single Point Of Contact）です。サービスデスクで問合せの内容をすぐに解決できない場合には，エスカレーションを行います。

サービスデスクの構造に，通信技術を利用して，複数の拠点に分散したサービスデスクを単一のサービスデスクに見せる**バーチャルサービスデスク**があります。さらに，時差がある分散拠点にサービスデスクを配置し，連携することで24時間対応のサービスを提供する**フォロー・ザ・サン**という方法があります。

‖▶▶ 覚 え よ う **!**

- ☐ 増分バックアップは前回からの差，差分バックアップはフルバックアップとの差
- ☐ サービスデスクは単一窓口（SPOC）で，他の部署にエスカレーションする

6-1-5 ● ファシリティマネジメント 頻出度
★★★

　ファシリティマネジメントとは，経営の視点から業務用不動産（土地や建物や設備など）を保有，運用し，維持するための総合的な管理手法です。単なる施設管理ではなく，施設を適切に使っていくためのあらゆるマネジメントを含みます。

■ 施設管理・設備管理

　データセンターなどの施設や，コンピュータ，ネットワークなどの設備を管理し，コストの削減，快適性，安全性などを管理します。また，停電時に数分間電力を供給し，システムを安定して停止させることができるUPS（Uninterruptible Power Supply：無停電電源装置）や停電時に自力で電力を供給できるようにする**自家発電装置**などを利用した電源管理も行います。PCなどにワイヤを取り付ける**セキュリティワイヤー**の利用などにより，物理的なセキュリティを確保します。また，データセンターの品質水準として，日本データセンター協会（JDCC）が定めた

　データファシリティスタンダードがあります。データセンターの品質をティア1〜ティア4の4段階で格付けします。

　それでは，次の問題で確認してみましょう。

問 題

　電源の瞬断時に電力を供給したり，停電時にシステムを終了させるのに必要な時間の電力を供給したりすることを目的とした装置はどれか。

　　ア　AVR　　　イ　CVCF　　　ウ　UPS　　　エ　自家発電装置

（平成26年春 応用情報技術者試験 午前 問57）

解　説

　電源の瞬断時に数分間だけ電力を供給し，その間に安全にシステムを終了させることを目的にした装置は，ウのUPSです。

- ア　AVR（Automatic Voltage Regulator）は自動定電圧装置で，電圧の変動を安定させるために使用します。
- イ　CVCF（Constant Voltage Constant Frequency）は定電圧定周波数装置で，瞬間的な電圧や周波数の変動を安定させるために使用します。
- エ　自家発電装置は，停電時に自分で電力を用意するための装置です。

≪解答≫ウ

■ 環境側面

　環境側面では，地球環境に配慮したIT製品やIT基盤，環境保護や資源の有効活用につながるIT利用を推進することが大切です。この思想のことを**グリーンIT**といいます。

　また，データセンターの省エネを目指し，**データセンタ総合エネルギー効率指標**が設定されました。代表的な効率指標に**PUE**（Power Usage Effectiveness）などがあります。**GHGプロトコル**（温室効果ガスプロトコル）は，世界環境経済人協議会と世界資源研究所によって共同設立された，GHG排出量の算定と報告に関する基準です。事業者などの組織が，GHG排出量を管理し，削減するための情報を提供しています。

☆参考

PUEは，データセンターの総消費エネルギーをIT機器の消費エネルギーで割った値です。この値が小さいほど，空調や照明といった付帯設備の効率化が図られていると評価されます。

▶▶ 覚えよう！

　□　ファシリティマネジメントでは設備を管理する

6-2 システム監査

　システム監査とは，情報システムに関する監査です。監査とは，ある対象に対し，遵守すべき法令や基準に照らし合わせ，業務や成果物がそれに則っているかについて証拠を収集し，評価を行って利害関係者に伝達することです。システム監査では，システム監査基準やシステム管理基準などの基準に則り，情報システムの監査を行います。

6-2-1 システム監査

第3位
頻出度
★★★

　システム監査を行うことで，対象の組織体（企業や政府など）が情報システムにまつわるリスクに対するコントロールを適切に整備・運用しているかどうかをチェックします。そうすることで，情報システムが組織体の経営方針や戦略目標を実現し，組織体の安全性，信頼性，効率性を保つために機能できるようになります。

監査業務

　監査の業務には，その対象によって，**システム監査**，会計監査，**情報セキュリティ監査**，個人情報保護監査，コンプライアンス監査など，様々なものがあります。

　また，社外の独立した第三者が行う**外部監査**と，その組織自体の内部で行われる**内部監査**の2種類に分けられます。

　さらに，基準に照らし合わせて適切であることを保証する**保証型監査**と，問題点を検出して改善提案を行う**助言型監査**という分け方もあります。

システム監査人の要件

　システム監査人の要件で最も大切なのは**独立性**です。内部監査の場合でも，システム監査は社内の独立した部署で行われます。システム監査人は監査対象から独立していなければなりません。身分上独立している**外観上の独立性**だけでなく，公正かつ客観的に監査判断ができるよう**精神上の独立性**も求められます。また，システム監査人は，**職業倫理と誠実性**，そして**専門能力**をもって職務を実施する必要があります。

📝 **勉強のコツ**

システム監査基準に出てくるシステム監査の考え方や手順について，主に問われます。監査の独立性や専門性などの考え方と，監査調書や監査証跡，指摘事項など，用語は正確に押さえておきましょう。
勉強の分量は少ないので，午後では意外に狙い目の科目となります。

🔗 **関連**

システム監査基準の原本は，経済産業省のホームページ（下記）に掲載されています。
https://www.meti.go.jp/policy/netsecurity/sys-kansa/sys-kansa-2023r.pdf

6

それでは，次の問題を考えてみましょう。

問題

システム監査実施体制のうち，システム監査人の独立性の観点から避けるべきものはどれか。

ア　監査チームメンバに任命された総務部のAさんが，他のメンバと一緒に，総務部の入退室管理の状況を監査する。

イ　監査部のBさんが，個人情報を取り扱う業務を委託している外部企業の個人情報管理状況を監査する。

ウ　情報システム部の開発管理者から5年前に監査部に異動したCさんが，マーケティング部におけるインターネットの利用状況を監査する。

エ　法務部のDさんが，監査部からの依頼によって，外部委託契約の妥当性の監査において，監査人に協力する。

（平成25年秋 応用情報技術者試験 午前 問58）

解説

　総務部のAさんが，総務部の入退室管理の状況を監査するという行為は，自分の所属する部署の監査になるので，外観上の独立性から問題になります。したがって，アが正解です。イ，エは，監査対象から独立しているので問題ありません。ウのように，関係部署に以前所属していたという場合は問題になることもありますが，5年前だと，ある程度年数が経っていると判断されるので，問題ないと考えられます。

≪解答≫ア

関連
システム監査では独立性が重視されるので，現在関係がある会社に依頼することは避ける必要があります。まったく独立して監査を行う企業を探すための資料としては，システム監査企業台帳があります。経済産業省が公表しており，こちらを参考に，システム監査を行う企業を探すことができます。
https://www.meti.go.jp/policy/netsecurity/sys-kansa/

■システム監査の手順

　システム監査は，①監査計画に基づき，②予備調査，③本調査及び④評価・結論の手順で実施します。

●システム監査計画

　システム監査人は，実施するシステム監査の目的を有効かつ効率的に達成するために，監査手続の内容，時期及び範囲などについて適切な監査計画を立案します。監査計画は，原則として中長期計画，年度計画，個別監査計画に分けて策定されます。監査計画は，事情に応じて修正できるよう，弾力的に運用します。

●システム監査の実施（予備調査，本調査，評価・結論）

　監査手続は，十分な監査証拠を入手するための手続です。システム監査人は適切かつ慎重に監査手続を実施し，監査結果を裏付けるのに十分かつ適切な監査証拠を入手します。

　そして，監査手続の結果とその関連資料を監査調書として作成します。監査調書は，監査結果の裏付けとなるため，監査の結論に至った過程が分かるように記録し，保存します。

●システム監査の報告

頻出ポイント

システム監査の分野では，監査調書や報告書など，システム監査手続に関する問題がよく出題されています。午後でも監査手続は頻出ポイントです。

　システム監査人は，実施した監査についての監査報告書を作成し，監査の依頼者（組織体の長）に提出します。監査報告書には，実施した監査の対象や概要，保証意見または助言意見，制約などを記載します。また，監査を実施した結果において発見された指摘事項と，その改善を進言する改善勧告について明瞭に記載します。

●システム監査終了後の任務

　システム監査人は，**監査報告書の記載事項**について責任を負います。そして，監査の結果に基づいて改善できるよう，監査報告に基づく**改善指導**（フォローアップ）を行います。また，システム監査の実施結果の妥当性を評価する**システム監査の品質評価**も行うことがあります。

　それでは，次の問題を考えてみましょう。

問題

　システム監査人が作成する監査調書に関する記述として，適切なものはどれか。

　　ア　監査調書の作成は任意であり，作成しなくても問題はない。
　　イ　監査調書は，監査人自身の行動記録であり，監査チーム内でも他の監査人と共有すべきではない。
　　ウ　監査調書は，監査の結論を支える合理的な根拠とするために，発見した事実及び発見事実に関する所見を記載する。
　　エ　監査調書は，保管の必要がない監査人の備忘録である。

（令和5年秋 応用情報技術者試験 午前 問58）

解説

　システム監査人が作成する監査調書とは，監査手続の結果とその関連資料をまとめたものです。監査調書では，監査の結論を支える合理的な根拠とするために，発見した事実及び発見事実に関する所見を記載する必要があります。したがって，ウが正解です。

　ア　監査調書はシステム監査で必要な書類です。
　イ　監査調書は，監査報告書と合わせて監査結果として提出する書類です。
　エ　監査調書は正式な書類なので，保管の必要があります。

≪解答≫ウ

■システム監査技法

　システム監査の技法としては，一般的な資料の閲覧・収集，ドキュメントレビュー（査閲），チェックリスト，質問書・調査票，インタビューなどのほかに次のような方法があります。

①統計的サンプリング法

　母集団からサンプルを抽出し，そのサンプルを分析して母集団の性質を統計的に推測します。

②監査モジュール法

　監査対象のプログラムに監査用のモジュールを組み込んで，プログラム実行時の監査データを抽出します。

③ITF（Integrated Test Facility）法

　稼働中のシステムにテスト用の架空口座（ID）を設置し，システムの動作を検証します。実際のトランザクションとして架空口座のトランザクションを実行し，正確性をチェックします。

④ウォークスルー法

　データの生成から入力，処理，出力，活用までのすべてのプロセスや，組み込まれているコントロールについて，書面上で，または実際に追跡する技法です。

⑤コンピュータ支援監査技法
（CAAT：Computer Assisted Audit Techniques）

　監査のツールとしてコンピュータを利用する監査技法の総称です。③のITF法もCAATの一例であり，テストデータ法など様々な技法があります。

■ 監査証跡とコントロール

　監査証跡とは，監査対象システムの入力から出力に至る過程を追跡できる一連の仕組みと記録です。情報システムに対して，信頼性，安全性，効率性のコントロールが適切に行われていることを実証するために用いられます。

　監査におけるコントロールとは，統制を行うための手続きです。コントロールの具体例としては，画面上で入力した値が一定の規則に従っているかどうかを確認するエディットバリデーションチェックや，数値情報の合計値を確認することでデータに漏れや重複がないかを確認するコントロールトータルチェックなどがあります。

　それでは，次の問題を解いてみましょう。

問題

業務システムの利用登録をするために、利用者登録フォーム画面（図1）から登録処理を行ったところ、エラー画面（図2）が表示され、再入力を求められた。このコントロールはどれか。

```
┌─────────────────────────┐
│      利用者登録フォーム        │
│                         │
│  氏名：  ┌──────────┐      │
│        └──────────┘      │
│  郵便番号：┌──────────┐    │
│          └──────────┘    │
│  住所：  ┌──────────┐      │
│        └──────────┘      │
│  生年月日：┌──────────┐    │
│          └──────────┘    │
│                         │
│       ┌──────────┐       │
│       │  登録処理  │       │
│       └──────────┘       │
└─────────────────────────┘
```

```
┌─────────────────────────┐
│           エラー            │
│                         │
│ ・郵便番号は半角数字で入力して下さい。   │
│ ・住所は必ず入力して下さい。         │
│ ・生年月日は西暦で入力して下さい。      │
│                         │
│       ┌──────────┐       │
│       │   確認   │       │
│       └──────────┘       │
└─────────────────────────┘
```

図1　利用者登録フォーム画面　　　図2　エラー画面

ア　アクセスコントロール
イ　エディットバリデーションチェック
ウ　コントロールトータルチェック
エ　プルーフリスト

（平成24年秋 応用情報技術者試験 午前 問59）

解説

図2のエラーの内容は、図1の利用者登録フォーム画面で入力したデータに対してチェックが行われて表示されたものです。そのため、入力値に対するエラーをチェックするエディットバリデーションチェックが行われていることが分かります。したがって、イが正解です。

アは、ファイアウォールなどを使用して、許可されたアクセス以外を通さないように制御するコントロールです。ウは、数値の合計値をチェックして、漏れや重複がないことを確認するコントロールです。エのプルーフリストは、入力データを処理・加工せずにそのまま出力したものです。入力した値が正しかったかどう

かをチェックするためのコントロールに利用されます。

――――――――――――――――――――――――――

≪解答≫イ

―――――――――――――――――――――――――――――――

■ 監査関連法規・標準

　システム監査に関連する標準や法規としては主に以下のものがあります。

①システム監査基準

　システム監査人のための行動規範です。最新版は令和5年度版で，システム監査の基準として，システム監査の属性，実施，報告の三つの分野にかかる基準が定義されています。

②システム管理基準

　システム監査基準に従って**判断の尺度に使う項目**です。全部で287項目あり，情報戦略，企画業務，開発業務，運用業務，保守業務，共通業務について，システム管理基準の項目を活用しながらシステム監査を行っていきます。

③情報セキュリティ監査基準

　情報セキュリティ監査人のための行動規範です。システム監査基準の情報セキュリティバージョンといえます。

④情報セキュリティ管理基準

　情報セキュリティ監査基準に従って**判断の尺度**に使う項目です。平成20年度改正版では，ISO/IEC 27001とISO/IEC 27002を基に策定されており，「ISMS適合性評価制度」で用いられる**適合性評価の尺度と整合**するように配慮されています。

⑤個人情報保護関連法規

　個人情報保護に関する法律や，プライバシーマーク制度で使われる**JIS Q 15001**などのガイドラインは，個人情報保護に関する監査に対して利用されます。

関連

法律については「9-2　法務」で詳しく解説しています。そちらを参照してください。

⑥知的財産権関連法規

システム監査では権利侵害行為を指摘する必要があるため，著作権法，特許法，不正競争防止法などの知的財産権に関する法律を参考にします。

⑦労働関連法規

システム監査では法律に照らして労働環境における問題点を指摘する必要があるので，労働基準法，労働者派遣法，男女雇用機会均等法などの労働に関する法律を参考にします。

⑧法定監査関連法規

システム監査は，会計監査などの法定監査との連携を図りながら実施する必要があるため，株式会社の監査等に関する商法の特例に関する法律や金融商品取引法，商法など法定監査に関わる法律も参考にします。

⑨クラウド情報セキュリティ管理基準

JASA（特定非営利活動法人日本セキュリティ監査協会）が作成した，クラウドサービスに求められるセキュリティ水準を定めたものです。JIS Q 27017:2016 に準拠しています。

▶▶ 覚 え よ う ！

- ☐ 監査証拠を集めて監査調書を作り，監査報告書にまとめる
- ☐ 監査証跡は信頼性，安全性，効率性をコントロールする
- ☐ システム監査基準は行動規範，具体的な尺度はシステム管理基準

6-2-2 ● 内部統制

頻出度
★★★

　内部統制とは，健全かつ効率的な組織運営のための体制を，企業などが自ら構築し運用する仕組みです。内部監査と密接な関係があります。内部統制の実現には，業務プロセスの明確化，職務分掌，実施ルールの設定，チェック体制の確立が必要です。

■ 内部統制

　内部統制のフレームワークの世界標準は，米国のトレッドウェイ委員会組織委員会(COSO：the Committee of Sponsoring Organization of the Treadway Commission)が公表した**COSO フレームワーク**です。日本では，金融庁の企業会計審議会・内部統制部会が，「**財務報告に係る内部統制の評価及び監査の基準**」及び「**財務報告に係る内部統制の評価及び監査に関する実施基準**」を制定し，日本における内部統制の実務の基本的な枠組みを定めています。この基準によると，内部統制の意義は次の四つの目的を達成することです。

●四つの目的

・**業務の有効性及び効率性**
　事業活動の目的の達成のため，業務の有効性及び効率性を高めること
・**財務報告の信頼性**
　財務諸表及び財務諸表に重要な影響を及ぼす可能性のある情報の信頼性を確保すること
・**事業活動に関する法令等の遵守**
　事業活動に関わる法令その他の規範の遵守を促進すること
・**資産の保全**
　資産の取得，使用及び処分が正当な手続及び承認の下に行われるよう，資産の保全を図ること

　そして，内部統制の目的を達成するために，次の六つの基本的要素が定められています。

●六つの基本的要素

・統制環境

組織の気風を決定する倫理観や経営者の姿勢，経営戦略など，他の基本的要素に影響を及ぼす基盤

・リスクの評価と対応

リスクを洗い出し，評価し，対応する一連のプロセス

・統制活動

経営者の命令や指示が適切に実行されることを確保するための要素。職務の分掌などの方針や手続が含まれる

・情報と伝達

必要な情報が識別，把握，処理され，組織内外の関係者に正しく伝えられることを確保するための要素

・モニタリング

内部統制が有効に機能していることを継続的に評価するプロセス

・ITへの対応

組織の目標を達成するために適切な方針や手続を定め，それを踏まえて組織の内外のITに適切に対応すること。**IT環境への対応とITの利用及び統制**から構成される。COSOフレームワークにはない日本独自の追加要素

用語

職務の分掌とは，業務を実行する人とそれを承認する人を分けるなど，業務を1人で完了できないようにすることです。
職務の分掌を行うことによって，「内部牽制」と呼ばれる，内部で不正が行われないように相互にチェックして未然に防ぐ体制を実現できます。

●役割と責任

内部統制に関係する人には，次のような役割があり，責任範囲が決まっています。

・経営者

組織のすべての活動について最終的な責任があり，取締役会が決定した基本方針に基づき内部統制を整備及び運用する役割と責任があります。

・取締役会

内部統制の整備及び運用に係る基本方針を決定します。経営者による内部統制の整備及び運用に対して監督責任があります。

・監査役等

独立した立場から，内部統制の整備及び運用状況を監視，検証する役割と責任があります。

- **内部監査人**

    内部統制の目的をより効果的に達成するために，モニタリングの一環として，内部統制の整備及び運用状況を検討，評価し，改善を促す職務を担っています。

- **組織内のその他の者**

    内部統制は，組織内の全ての者が遂行するプロセスなので，有効な内部統制の整備及び運用に一定の役割を担っています。

それでは，次の問題を考えてみましょう。

問題

金融庁 "財務報告に係る内部統制の評価及び監査の基準（令和元年）" における，内部統制に関係を有する者の役割と責任の記述のうち，適切なものはどれか。

ア　株主は，内部統制の整備及び運用について最終的な責任を有する。

イ　監査役は，内部統制の整備及び運用に係る基本方針を決定する。

ウ　経営者は，取締役及び執行役の職務の執行に対する監査の一環として，独立した立場から，内部統制の整備及び運用状況を監視，検証する役割と責任を有している。

エ　内部監査人は，モニタリングの一環として，内部統制の整備及び運用状況を検討，評価し，必要に応じて，その改善を促す職務を担っている。

（令和5年春 応用情報技術者試験 午前 問60）

過去問題をチェック

内部統制に関する問題は，応用情報技術者試験で次の出題があります。
【内部統制】
＜午前＞
・平成21年秋 午前 問60
・平成22年春 午前 問60
・平成23年特別 午前 問60
・平成24年春 午前 問60
・平成27年秋 午前 問60
・令和5年春 午前 問60
＜午後＞
・平成21年秋 午後 問12

解説

金融庁 "財務報告に係る内部統制の評価及び監査の基準（令和元年）" では，4. 内部統制に関係を有する者の役割と責任（4）内部監査人に，「モニタリングの一環として、内部統制の整備及び運用状況を検討、評価し、必要に応じて、その改善を促す職務を担っ

ている」という記述があります。したがって，エが正解です。

ア　最終的な責任を有しているのは経営者です。

イ　基本方針を決定するのは取締役会です。

ウ　監視，検証を行うのは監査役等です。

≪解答≫エ

■ ITガバナンス

ITガバナンスとは，企業などが競争力を高めることを目的として情報システム戦略を策定し，戦略実行を統制する仕組みを確立するための組織的な仕組みです。より一般的な**コーポレートガバナンス**（企業統治）は，企業価値を最大化し，企業理念を実現するために企業の経営を監視し，規律する仕組みです。そのための手段として，**内部統制**やコンプライアンス（法令遵守）が実施されます。

ITガバナンスのベストプラクティス集（フレームワーク）には **COBIT**（Control Objectives for Information and related Technology）があります。

■ ITに係る全般統制と業務処理統制

金融庁"財務報告に係る内部統制の評価及び監査に関する実施基準（令和5年）"の「ITの統制の構築」では，ITに対する統制活動は次の二つに分けられています。

・**全般統制**

複数の業務処理統制に関係する方針を統制する

・**業務処理統制**

それぞれのシステムにおいて，業務プロセスに組み込んで内部統制を行う

それでは，次の問題を考えてみましょう。

問題

　情報システムに対する統制をITに係る全般統制とITに係る業務処理統制に分けたとき，ITに係る業務処理統制に該当するものはどれか。

- ア　サーバ室への入退室を制限・記録するための入退室管理システム
- イ　システム開発業務を適切に委託するために定めた選定手続
- ウ　販売管理システムにおける入力データの正当性チェック機能
- エ　不正アクセスを防止するためのファイアウォールの運用管理

（令和6年春 応用情報技術者試験 午前 問60）

解説

　金融庁"財務報告に係る内部統制の評価及び監査に関する実施基準（令和元年）"のITの統制の構築によると，ITに対する統制活動は，全般統制と業務処理統制の二つに分けられます。複数の業務処理統制に関係する方針を統制するのが全般統制で，それぞれのシステムにおいて，業務プロセスに組み込んで内部統制を行うのが業務処理統制です。

　販売管理システムにおける入力データの正当性チェック機能は，具体的な業務処理の一部として行われるデータの正当性チェックを指しているため，ITに係る業務処理統制に該当します。したがって，ウが正解です。

　ア，イ，エは，情報システム全体の運用を統制するためのものであり，ITに係る全般統制に該当します。

≪解答≫ウ

■ 法令遵守状況の評価・改善

　情報システムの構築，運用は，システムにかかわる法令を遵守して行う必要があります。そのために，適切なタイミングと方法で遵守状況を継続的に評価し，改善していきます。

　内部統制報告制度は，財務報告の信頼性を確保するために金融商品取引法に基づき義務付けられる制度です。また，CSA（Control Self Assessment：統制自己評価）は，内部統制等に関する統制活動の有効性について，維持・運用している人自身が自らの活動を主観的に検証・評価する手法です。

▶▶ 覚 え よ う ！

- ☐ 　内部統制は，企業自らが構築し運用する仕組み
- ☐ 　ITガバナンスは，IT戦略をあるべき方向に導く組織能力

6-3 演習問題

問1 サービス提供で必要な要員 　　　　　　　　　　CHECK ▶ □□□

あるサービスデスクでは，年中無休でサービスを提供している。要員は勤務表及び勤務条件に従って1日3交替のシフト制で勤務している。1週間のサービス提供で必要な要員は，少なくとも何人か。

〔勤務表〕

シフト名	勤務時間帯	勤務時間（時間）	勤務する要員数（人）
早番	0:00 ～ 8:30	8.5	2
日中	8:00 ～ 16:30	8.5	4
遅番	16:00 ～翌日0:30	8.5	2

〔勤務条件〕
・勤務を交替するときに30分間で引継ぎを行う。
・1回のシフト中に1時間の休憩を取り，労働時間は7.5時間とする。
・1週間の労働時間は，40時間以内とする。

問2 サービスレベル管理の活動 　　　　　　　　　　CHECK ▶ □□□

ITサービスマネジメントにおけるサービスレベル管理の活動はどれか。

ア　現在の資源の調整と最適化とを行い，将来の資源要件に関する予測を記載した計画を作成する。

イ　サービスの提供に必要な予算に対して，適切な資金を確保する。

ウ　災害や障害などで事業が中断しても，要求されたサービス機能を合意された期間内に確実に復旧できるように，事業影響度の評価や復旧優先順位を明確にする。

エ　提供するITサービス及びサービス目標を特定し，サービス提供者が顧客との間で合意文書を交わす。

問3 バックアップ CHECK ▶ □□□

次の処理条件で磁気ディスクに保存されているファイルを磁気テープにバックアップするとき, バックアップの運用に必要な磁気テープは最少で何本か。

〔処理条件〕
(1) 毎月初日(1日)にフルバックアップを取る。フルバックアップは1本の磁気テープに1回分を記録する。
(2) フルバックアップを取った翌日から次のフルバックアップを取るまでは, 毎日, 差分バックアップを取る。差分バックアップは, 差分バックアップ用としてフルバックアップとは別の磁気テープに追記録し, 1本に1か月分を記録する。
(3) 常に6か月前の同一日までのデータについて, 指定日の状態にファイルを復元できるようにする。ただし, 6か月前の月に同一日が存在しない場合は, 当該月の末日までのデータについて, 指定日の状態にファイルを復元できるようにする(例: 本日が10月31日の場合は, 4月30日までのデータについて, 指定日の状態にファイルを復元できるようにする)。

ア 12　　　　　イ 13　　　　　ウ 14　　　　　エ 15

問4 監査手続 CHECK ▶ □□□

システム監査における"監査手続"として, 最も適切なものはどれか。

ア 監査計画の立案や監査業務の進捗管理を行うための手順
イ 監査結果を受けて, 監査報告書に監査人の結論や指摘事項を記述する手順
ウ 監査項目について, 十分かつ適切な証拠を入手するための手順
エ 監査テーマに合わせて, 監査チームを編成する手順

問5　システム管理基準　　　　　　　　　CHECK ▶ □□□

アジャイル開発を対象とした監査の着眼点として，システム管理基準（平成30年）に照らして，適切なものはどれか。

- ア　ウォータフォール型開発のように，要件定義，設計，プログラミングなどの工程ごとの完了基準に沿って，開発作業を逐次的に進めていること
- イ　業務システムの開発チームが，情報システム部門の要員だけで構成されていること
- ウ　業務システムの開発チームは，実装された機能について利害関係者へのデモンストレーションを実施し，参加者からフィードバックを得ていること
- エ　全ての開発作業が完了した後に，本番環境へのリリース計画を策定していること

問6　ウォークスルー法　　　　　　　　　CHECK ▶ □□□

システム監査基準（平成30年）におけるウォークスルー法の説明として，最も適切なものはどれか。

- ア　あらかじめシステム監査人が準備したテスト用データを監査対象プログラムで処理し，期待した結果が出力されるかどうかを確かめる。
- イ　監査対象の実態を確かめるために，システム監査人が，直接，関係者に口頭で問い合わせ，回答を入手する。
- ウ　監査対象の状況に関する監査証拠を入手するために，システム監査人が，関連する資料及び文書類を入手し，内容を点検する。
- エ　データの生成から入力，処理，出力，活用までのプロセス，及び組み込まれているコントロールを，システム監査人が，書面上で，又は実際に追跡する。

■ 演習問題の解答

《解答》12［人］

1週間のサービス提供で必要な要員について考えます。

〔勤務条件〕に，「1回のシフト中に1時間の休憩を取り，労働時間は7.5時間とする」「1週間の労働時間は，40時間以内とする」とあるので，1人が1週間で入ることができるシフトは，次の式で計算できます。

$$\frac{40［時間／週］}{7.5［時間／シフト］} ≒ 5.3［シフト／週］ \rightarrow 5［シフト／週］$$

シフト時間は決まっており，回数は整数で切り上げる必要があるので，1人当たり5回までシフトには入れることになります。

〔勤務表〕から，1週間で必要な延べ勤務要員数を計算すると，次の式になります。

（2［人］＋4［人］＋2［人］）×7［日］＝56［人日］

1人当たり5シフトしか入れず，人数は整数となるので，必要な人員数は次の式で計算できます。

$$\frac{56［シフト］}{5［シフト／人］} = 11.2［人］ \rightarrow 12［人］$$

人数は整数で切り上げる必要があるので，必要な要員数は**12人**となります。

《解答》エ

サービスレベル管理の活動では，サービス提供者が顧客との間にSLA（Service Level Agreement：サービス品質保証）という合意文書を交わします。SLAには，提供するITサービス及びサービス目標が記述されるので，**エ**が正解です。

ア　キャパシティ管理プロセスの活動です。

イ　サービスの予算業務及び会計業務の活動です。

ウ　サービス継続管理プロセスの活動です。

問3	(令和3年秋 応用情報技術者試験 午前 問55)
	《解答》 ウ

　バックアップに必要な磁気テープは，〔処理条件〕(1)(2)のフルバックアップ，差分バックアップでそれぞれ月に1本，計2本です。(3)より，差分バックアップは6か月前までのものが必要です。このとき，例にある10月31日の場合では，4月30日までのデータを復元できるようにするので，4，5，6，7，8，9，10月分，つまり7か月分のバックアップが必要です。そのため，必要本数は，2［本／月］×7［月］＝14［本］となります。したがって，**ウ**が正解です。

問4	(令和4年秋 応用情報技術者試験 午前 問59)
	《解答》 ウ

　監査手続は，十分な監査証拠を入手するための手順です。システム監査人は適切かつ慎重に監査手続を実施し，監査結果を裏付けるのに十分かつ適切な監査証拠を入手します。したがって，**ウ**が正解です。
ア　システム監査計画に該当します。
イ　システム監査報告に該当します。
エ　システム監査の体制整備に該当します。

問5　　　　　　　　　　　　　　　　（令和3年秋 応用情報技術者試験 午前 問58）

《解答》ウ

　システム管理基準（平成30年）では，"【基準8】監査証拠の入手と評価""＜解釈指針＞4."に，「アジャイル手法を用いたシステム開発プロジェクトなど、精緻な管理ドキュメントの作成に重きが置かれない場合は、監査証拠の入手において、以下のような事項を考慮することが望ましい」とあり，アジャイル開発を対象とした監査についての着眼点が記述されています。その中に，「（4）必要となる監査証拠を適時に入手するためには、開発の関係者間の意思疎通を図る情報共有、コミュニケーションの仕組み、ルールが公式化され、常に適切に実践されていることを確認することが重要である」があります。業務システムの開発チームが，実装された機能について利害関係者へのデモンストレーションを実施し，参加者からフィードバックを得ていることは，開発の関係者間の意思疎通を図る情報共有の実践に該当するので適切です。したがって，**ウ**が正解です。

ア，エ　システム管理基準（平成30年）では，"【基準6】監査計画策定の全般的留意事項""＜解釈指針＞1.（4）"に，「アジャイル開発手法の本来の意義を損なわないように留意しつつ、監査実施のタイミング、サイクル、作業負荷、及び監査証拠の範囲・種類などを特定して計画を立案する」とあり，ウォータフォール型を基本とした逐次的な開発の進め方に従う必要はありません。

イ　開発チームの要員についての条件は，システム管理基準には特にありません。

問6　　　　　　　　　　　　　　　　（令和2年10月 応用情報技術者試験 午前 問58）

《解答》エ

　ウォークスルー法については，システム監査基準（平成30年）のIV. システム監査実施に係る基準【基準8】監査証拠の入手と評価 ＜解釈指針＞3の監査手続の適用に際して利用する技法の一つとして，（4）に「データの生成から入力、処理、出力、活用までのプロセス、及び組み込まれているコントロールを、書面上で、又は実際に追跡する技法」と記述されています。システム監査人は，監査証拠を入手するためにウォークスルー法を用いて追跡を行い，その内容をシステム監査に利用します。したがって，**エ**が正解です。

ア　テストデータ法の説明です。

イ　インタビュー法の説明です。

ウ　ドキュメントレビュー法の説明です。

第 **7** 章

システム戦略

この章から，ストラテジ系の分野に入ります。

ITサービスに関連する戦略について学ぶ分野がシステム戦略です。内容は二つ，「システム戦略」と「システム企画」です。システム戦略では，様々な情報システムについて，経営を踏まえた戦略の考え方や手法を学びます。システム企画では，システムを企画し，要件定義を行って調達する手法や考え方について学びます。

ストラテジ系の分野の中でも，システム戦略はシステム開発との関連が強いので，これまでの勉強で触れた概念も多いと思います。復習も兼ね，ここまでに得た知識に新しい知識を関連させて身に付けていきましょう。

7-1 システム戦略

システム戦略の分野では，経営戦略のうち情報システムに関わる戦略と，組織の業務に関わる情報システムについて学びます。

7-1-1 ◯ 情報システム戦略

情報システム戦略の目的は，経営戦略を実現させることです。そのため，経営戦略に沿って効果的な情報システム戦略を策定することが重要になります。

■ 情報システム戦略の策定

情報システム戦略の策定では，経営陣の一人であるCIO（Chief Information Officer：最高情報責任者）やCDO（Chief Digital Officer：最高デジタル責任者）が中心となり，経営戦略に基づいて全体システム化計画や情報化投資計画を策定します。このとき，自社の状況を知るために，経済産業省が提案した，IT活用度を測る「物差し」であるIT経営力指標を利用することもあります。

また，情報システム戦略では，ビジネスの課題を洗い出し，問題解決を行うビジネスアナリシスが重要です。この実践においては，ビジネスアナリシスの計画やモニタリングをはじめとする七つの知識エリアをまとめた知識体系であるBABOK（Business Analysis Body of Knowledge）を活用するのが効率的です。

■ DX

DX（Digital Transformation）とは，スウェーデンのウメオ大学のエリック・ストルターマン教授が提唱した概念で，人々に良い生活（Good life）を実現させる，ITを中心としたテクノロジーを指します。具体的には，AIやIoT，VRなどの先進的な技術と，クラウドやスマートフォンなどのプラットフォームなどを組み合わせて，既存の業界のビジネスモデルを脱却し，ITを活用して新たなビジネス価値を創造することをDXと呼びます。

経済産業省が取りまとめた"デジタル経営改革のための評価指標（DX推進指標）"は，経営者や社内の関係者がDXの推進に向

📝 **勉強のコツ**

エンタープライズアーキテクチャなどの全体最適化と，SaaS，PaaSなどのクラウドコンピューティングが出題の中心です。
経営戦略に沿って全体最適化を行い，情報システムを構築していくという考え方をしっかり押さえておきましょう。
出題の中心は知識問題で，問われる内容は限られているので，過去問題を中心に用語を確認しておきましょう。

参考

DX推進指標については，次のページに詳細が掲載されています。
https://www.ipa.go.jp/digital/dx-suishin/index.html
IPAは「DX推進指標 自己診断フォーマット」の配布，自己診断結果の収集及び分析を行っています。

けた現状や課題に対する認識を共有し，アクションにつなげるための気付きの機会を提供するものです。DX推進指標では，「DX推進のための経営のあり方，仕組み」と「DXを実現する上で基盤となるITシステムの構築」の二つに関して，定性指標と定量指標が示されています。

DXを進める基盤としてITシステムに求められる主要な要素は，次の三つです。

1. データ活用
データをリアルタイム等使いたい形で使えるか
2. スピード・アジリティ
変化に迅速に対応できるデリバリースピードを実現できるか
3. 全体最適
データを，部門を超えて全体最適で活用できるか

それでは，次の問題を考えてみましょう。

問題

経済産業省が取りまとめた"デジタル経営改革のための評価指標（DX推進指標）"によれば，DXを実現する上で基盤となるITシステムの構築に関する指標において，"ITシステムに求められる要素"について経営者が確認すべき事項はどれか。

ア　ITシステムの全体設計や協働できるベンダーの選定などを行える人材を育成・確保できているか。

イ　環境変化に迅速に対応し，求められるデリバリースピードに対応できるITシステムとなっているか。

ウ　データ処理において，リアルタイム性よりも，ビッグデータの蓄積と事後の分析が重視されているか。

エ　データを迅速に活用するために，全体最適よりも，個別最適を志向したITシステムとなっているか。

(令和4年秋 応用情報技術者試験 午前 問62)

解説

　経済産業省が取りまとめた"デジタル経営改革のための評価指標（DX推進指標）"は，DXを行う各企業が簡易な自己診断を行うための評価指標です。定性指標の大分類「ITシステム構築の枠組み」中分類「ビジョン実現の基盤としてのITシステムの構築」の中の小分類に「ITシステムに求められる要素」があり，キークエスチョンのNo.8-2サブクエスチョン（スピード・アジリティ）に，「環境変化に迅速に対応し，求められるデリバリースピードに対応できるITシステムとなっているか」という記載があります。スピード・アジリティについては，経営者が確認すべき事項です。したがって，イが正解となります。

ア　中分類「ガバナンス・体制」で，No.9-2にサブクエスチョン（人材確保）として記載されている内容です。

ウ　「ITシステムに求められる要素」キークエスチョンにNo.8-1サブクエスチョン（データ活用）があり，「データを，リアルタイム等使いたい形で使えるITシステムとなっているか」を確認します。ビッグデータの蓄積と事後の分析よりも，リアルタイム性が重視されています。

エ　「ITシステムに求められる要素」キークエスチョンにNo.8-3サブクエスチョン（全社最適）があり，「部門を超えてデータを活用し，バリューチェーンワイドで顧客視点での価値創出ができるよう，システム間を連携させるなどにより，全社最適を踏まえたITシステムとなっているか」を確認する必要があります。個別最適ではなく，全体最適を指向したITシステムにする必要があります。

《解答》イ

■全体システム化計画

　全体システム化計画では，全体のシステム化についての計画を立てます。最初に**全体最適化方針**を決め，それに基づいて**全体最適化計画**を立てます。

発展

全体最適化や情報化投資など，情報戦略についての指針や考え方は，**システム管理基準のI.情報戦略**にまとめられています。試験問題ではよく，「システム管理基準によれば，」という書き出しで登場することがあるので，一度原本を眺めてみるのもおすすめです。

■ 情報化投資計画

　情報化投資計画では，情報化投資に関する予算を適切に配分します。経営戦略との整合性を考慮して策定することと，投資対効果の算出方法を明確にすることが求められます。情報システムの全体的な業績や個別のプロジェクトの業績を財務的な観点から評価し，ITの投資効果をマネジメントするIT投資マネジメントの観点も大切です。

■ 全体最適化方針

　全体最適化方針は，組織全体としてシステムがとるべき方法を示す指針です。全体最適化目標を制定し，ITガバナンスの方針を明確にします。To-Beモデルといわれる，情報システムのあるべき姿を明確にした業務モデルを作成します。

　組織で進行している複数のプロジェクトを有機的に組み合わせ，全体として最適化を図るプログラムマネジメントの考え方も大切です。

動画

システム戦略の分野についての動画を以下で公開しています。
https://www.wakuwaku
academy.net/itcommon/7
非機能要件やEAなど，システム戦略分野の重要用語について，詳しく解説しています。
本書の補足として，よろしければご利用ください。

■ 全体最適化計画

　全体最適化計画は，全体最適化方針に基づき，事業者の各部署において個別に作られたルールや情報システムを統合化し，効率性や有効性を向上させるための計画です。

　全体最適化計画では，コンプライアンスを考慮し，情報化投資の方針及び確保すべき経営資源を明確にしてシステムのあるべき姿を定義することなどが求められています。

　また，組織体制としては，情報システムの全体最適化を実現するために情報システム化委員会が設置されます。情報システム化委員会では，情報システムに関する活動全般についてモニタリングを実施し，必要に応じて是正措置をとります。また，技術情報の動向に対応するため，技術採用指針を明確にすることも大切です。

用語

コンプライアンスは法令遵守と翻訳される概念で，法令や規則などのルールや社会的規範を守ることです。企業のコンプライアンスのことを企業コンプライアンスと呼び，区別することもあります。

■ システム化計画

　全体システム化計画に従って，個別システム化計画を立案します。企業の戦略性を向上させ，企業全体または事業活動の統合管理を実現するシステムとしては次のようなものがあります。

① ERP（Enterprise Resource Planning）

　ERPは企業資源計画などと訳されます。企業全体の経営資源を**統合的に**管理して経営の効率化を図るための手法で、これを実現するためのソフトウェアをERPパッケージと呼びます。

② SCM（Supply Chain Management）

　SCMは、原材料の調達から最終消費者への販売に至るまでの**調達→生産→物流→販売**の一連のプロセスを、企業の枠を超えて統合的にマネジメントするシステムです。このとき、一連のプロセスで在庫、売行き、販売・生産計画などの情報を共有することで、余分な在庫の削減が可能となり、ムダな物流が減少します。

③ CRM（Customer Relationship Management）

　CRMは顧客関係管理などと訳されます。顧客との関係を構築することで顧客満足度を向上させる経営手法です。これを実現するためのシステムがCRMシステムで、詳細な顧客情報の管理や分析、問合せやクレームへの対応などを一貫して管理することが可能になります。

④ SFA（Sales Force Automation）

　営業支援のための情報システムです。商談の進捗管理や営業部内の情報共有などを行います。また、**CRMの一環**として扱われることも多くなっています。

⑤ KMS（Knowledge Management System）

　ナレッジマネジメントを行うためのシステムです。ナレッジマネジメントとは、個人のもつ暗黙知を形式知に変換することにより知識の共有化を図り、より高いレベルの知識を生み出すという考え方です。フレームワークとしてSECIモデルがあり、①**共同化**（Socialization）、②**表出化**（Externalization）、③**結合化**（Combination）、④**内面化**（Internalization）の4段階のプロセスが定義されています。

用語

暗黙知とは、言葉で表現できる知識の背景にある、暗黙のうちに「知っている」「分かっている」状態にある知識のことです。
暗黙知を言葉で表現できる形式知にすることで、その知識を人と共有できるようになります。
ナレッジマネジメントでは、SECIモデルを使って、暗黙知と形式知の変換を行います。

⑥ シェアドサービス

　関連する複数の会社が共通してもっている部門（経理や総務な

ど)をそれぞれ社内から切り離して共同の新会社を設立し，そこで業務を請け負うという形態です。

それでは，次の問題を解いてみましょう。

問題

A社は，ソリューションプロバイダから，顧客に対するワントゥワンマーケティングを実現する統合的なソリューションの提案を受けた。この提案が該当するソリューションとして，最も適切なものはどれか。

ア　CRMソリューション　　　イ　HRMソリューション
ウ　SCMソリューション　　　エ　財務管理ソリューション

（令和5年秋 応用情報技術者試験 午前 問62）

解説

顧客に対するワントゥワンマーケティングを実現する統合的なソリューションは，CRM（Customer Relationship Management：顧客関係管理）ソリューションといいます。したがって，アが正解です。

イ　HRM（Human Resource Management：人的資源管理）ソリューションは，人事管理や労務管理などを実現します。

ウ　SCM（Supply Chain Management）ソリューションでは，調達→生産→物流→販売の一連のプロセスを，企業の枠を超えて統合的にマネジメントします。

エ　財務管理ソリューションでは，会計業務などの財務管理を実現します。

≪解答≫ア

■エンタープライズアーキテクチャ（EA）

エンタープライズアーキテクチャ（EA：Enterprise Architecture）は，組織全体の業務とシステムを統一的な手法でモデル化し，業務とシステムを同時に改善することを目的とした，組織の設計・管理手法です。**全体最適化**を図るためには，**アーキテ**

クチャモデルを作成し，目標を明確に定めることが大切です。

　エンタープライズアーキテクチャでは，まず，業務の現状を
As-Isモデルとしてまとめます。次に，最終目標のあるべき姿を
To-Beモデルとし，そのギャップを分析します。そして，より現
実的な次期モデル（Targetモデル）を作成し，それを構築します。

■ EA のアーキテクチャモデル

　エンタープライズアーキテクチャ（EA）では，アーキテクチャモ
デルとして，次の四つの分類体系で整理する方法がとられています。

① 政策・業務体系（BA）

　ビジネスアーキテクチャ（BA：Business Architecture）とも
呼ばれ，組織の目標や業務を体系化したアーキテクチャです。
機能構成図（DMM：Diamond Mandala Matrix）や**業務流れ図**
（**WFA**：Work Flow Architecture）を作成します。DFDやUML
を用いて記述します。

② データ体系（DA）

　データアーキテクチャ（DA：Data Architecture）とも呼ばれ，
組織の目標や業務に必要となるデータの構成，データ間の関連
を体系化したアーキテクチャです。データ定義表や**情報体系
整理図**（UMLのクラス図），**E-R図**（ERD：Entity Relationship
Diagram）を作成します。

③ 適用処理体系（AA）

　アプリケーションアーキテクチャ（AA：Application Archi-
tecture）とも呼ばれ，組織としての目標を実現するための業務と，
それを実行するアプリケーションの関係を体系化したアーキテク
チャです。**情報システム関連図**や**情報システム機能構成図**を作
成します。

④ 技術体系（TA）

　テクノロジアーキテクチャ（TA：Technology Architecture）
とも呼ばれ，業務を実行するためのハードウェア，ソフトウェア，
ネットワークなどの技術を体系化したアーキテクチャです。**ソフ**

トウェア構成図，ハードウェア構成図，ネットワーク構成図を作成します。

それぞれの体系の関連を図にすると，以下のようになります。

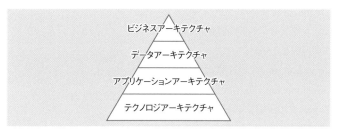

アーキテクチャモデル

それでは，次の問題を解いてみましょう。

問 題

エンタープライズアーキテクチャ（EA）を説明したものはどれか。

ア　オブジェクト指向設計を支援する様々な手法を統一して標準化したものであり，クラス図などの構造図と，ユースケース図などの振る舞い図によって，システムの分析や設計を行うものである。

イ　概念データモデルを，エンティティとリレーションシップとで表現することによって，データ構造やデータ項目間の関係を明らかにするものである。

ウ　各業務や情報システムなどを，ビジネスアーキテクチャ，データアーキテクチャ，アプリケーションアーキテクチャ，テクノロジアーキテクチャの四つの体系で分析し，全体最適化の観点から見直すものである。

エ　企業のビジネスプロセスを，データフロー，プロセス，ファイル，データ源泉／データ吸収の四つの基本要素で抽象化して表現するものである。

（令和4年秋 応用情報技術者試験 午前 問63）

過去問題をチェック

エンタープライズアーキテクチャの問題は，応用情報技術者試験の定番中の定番です。この問題のほかに以下の出題があります。エンタープライズアーキテクチャの考え方やモデルについては，用語とともに押さえておきましょう。

【エンタープライズアーキテクチャ】
・平成21年秋 午前 問61，62
・平成22年秋 午前 問61，63
・平成23年秋 午前 問61
・平成24年秋 午前 問61
・平成25年秋 午前 問62
・平成26年春 午前 問61
・平成27年春 午前 問62
・平成27年秋 午前 問61
・平成29年秋 午前 問61
・令和3年春 午前 問61
・令和6年春 午前 問61
午後でも出題されています。
・平成23年秋 午後 問3

解説

　エンタープライズアーキテクチャ（EA：Enterprise Architecture）とは，要素を整理し，階層構造化することで，組織全体の構成要素の関係を明確にし，全体最適化を行うためのものです。ビジネス，データ，アプリケーション，テクノロジの四つの体系（アーキテクチャ）で分析するので，ウが正解となります。

　ア　UML（Unified Modeling Language）の説明です。
　イ　ER図（ERD：Entity Relationship Diagram）の説明です。
　エ　DFD（Data Flow Diagram）の説明です。

≪解答≫ウ

■ ソフトウェアライフサイクルプロセス

　第4章で取り上げたソフトウェアライフサイクルプロセスのうち，企画プロセスや要件定義プロセスについては，本章で扱います。ソフトウェアライフサイクルプロセスでは，システム開発関連のプロセス群を次の三つの視点によって定義しています。

①企画と要件定義の視点

　システムの企画と要件定義を行うプロセスです。**企画プロセス**と**要件定義プロセス**が含まれます。
　企画プロセスでは，システムが関与する**システム化構想の立案**，**システム化計画の立案**などを行います。要件定義プロセスでは，システムが実現する**仕組みに関わる要件を定義**します。

②エンジニアリングの視点

　ソフトウェアを中心としたシステムの開発を行うプロセスです。**開発プロセス**と**保守プロセス**が含まれます。

③運用の視点

　システムを運用する**運用プロセス**が含まれます。

過去問題をチェック

ソフトウェアライフサイクルプロセス（共通フレーム）の問題は，応用情報技術者試験ではシステム開発の分野だけでなく，情報システム戦略の分野でもよく出題されます。ここで紹介する問題のほかにも以下の出題があります。それぞれのプロセスの特徴とともに押さえておきましょう。
【ソフトウェアライフサイクルプロセス（共通フレーム）】
・平成21年春 午前 問61
・平成21年秋 午前 問65
・平成22年春 午前 問61
・平成23年特別 午前 問64
・平成24年春 午前 問64
・平成27年秋 午前 問50
・令和2年10月 午前 問62
・令和5年春 午前 問66

■ 事業継続計画（BCP）

BCP（Business Continuity Plan：事業継続計画）は，企業が事業の継続を行う上で基本となる計画です。災害や事故などが発生したときに，**目標復旧時点**（RPO：Recovery Point Objective）以前のデータを復旧し，**目標復旧時間**（RTO：Recovery Time Objective）以内に再開できるようにするために，**事前に計画を策**定しておきます。緊急時の対応計画のことを，**コンティンジェンシープラン**といいます。より包括的な管理のことを**BCM**（Business Continuity Management：事業継続管理）ともいいます。この場合は，事前にリスク分析を行い，対応策を決定しておきます。

過去問題をチェック

BCPについては，応用情報技術者試験の午後問題で以下の出題があります。一度解いてみるとBCPのイメージがつかめるでしょう。
【BCP】
・平成23年特別 午後 問3

▶▶ 覚えよう！

□ 全体最適化計画では情報システム化委員会を設立
□ EAは，業務体系（BA）・データ体系（DA）・適用処理体系（AA）・技術体系（TA）の四つ

7-1-2 ◉ 業務プロセス

頻出度
★★★

業務プロセスの改善と問題解決においては，既存の組織構造や業務プロセスを見直し，効率化を図ります。それとともに，情報技術を活用して，業務・システムを最適化します。

■ 業務プロセスの改善手法

業務プロセスの改善手法には，以下のものがあります。

①業務プロセスの改善と問題解決

業務プロセスの改善においては，既存の組織構造や業務プロセスを見直し，効率化を図ります。そのときに使用される情報技術にRPA（Robotic Process Automation）があります。RPAは，PCの中でロボット的な動作を行うソフトウェアを用いて，業務の自動化を行う仕組みです。RPAを用いることで，業務の最適化を図ることができます。

②ビジネスプロセスマネジメント

BPM（Business Process Management）は，業務分析，業務

設計，業務の実行，モニタリング，評価のサイクルを繰り返し，継続的なプロセス改善を遂行する経営手法です。

③ビジネスプロセスリエンジニアリング

BPR（Business Process Reengineering）とは，顧客の満足度を高めることを主な目的とし，最新の情報技術を用いて業務プロセスを**抜本的に改革する**ことです。品質・コスト・スピードの三つの面から改善し，**競争優位性を確保**します。

④ビジネスプロセスアウトソーシング

BPO（Business Process Outsourcing）は，企業などが自社の業務の一部または全部を，外部の専門業者に一括して委託することです。業務を外部に出すことで，**経営資源をコアコンピタンスに集中**できます。海外の事業者や子会社に開発をアウトソーシングするオフショア開発も一般的です。

⑤業務プロセスの可視化

業務プロセスを可視化するための手法には様々なものがあります。**WFA**（Work Flow Architecture：業務流れ図）や**BP図**（BPD：Business Process Diagram），**E-R図**（ERD：Entity Relationship Diagram），**UML**（Unified Modeling Language）などの手法を用います。これらによって業務プロセスを把握，分析して問題点を発見し，業務改善の提案を行います。

それでは，次の問題を考えてみましょう。

関連

コアコンピタンスについては，「8-1-1 経営戦略手法」を参照してください。

用語

オフショアとは，もともとは「沖合い」を意味します。沖合いを航海する船は課金されないことから，それが転じて無税もしくはほとんど課税されない地域のことを指すようになりました。さらに，システム開発を海外のコストの安い地域に委託することをオフショア開発と呼びます。

用語

BP図とは，ビジネスにおける物流，ワークフローなどを流れ図として表現したものです。ビジネスモデルを表す図ともいえます。業務フローなどを示すときによく用いられます。

問 題

業務プロセスを可視化する手法としてUMLを採用した場合の活用シーンはどれか。

ア 対象をエンティティとその属性及びエンティティ間の関連で捉え，データ中心アプローチの表現によって図に示す。

イ データの流れによってプロセスを表現するために，データ送出し，データ受取り，データ格納域，データに施す処理を，データの流れを示す矢印でつないで表現する。

ウ 複数の観点でプロセスを表現するために，目的に応じたモデル図法を使用し，オブジェクトモデリングのために標準化された記述ルールで表現する。

エ プロセスの機能を網羅的に表現するために，一つの要件に対して発生する事象を条件分岐の形式で記述する。

(平成30年秋 応用情報技術者試験 午前 問62)

7

解 説

UML (Unified Modeling Language：統一モデリング言語)とは，主にオブジェクト指向のために考え出されたモデリング言語です。複数の観点でプロセスを表現するために，目的に応じたモデル図法を使用します。したがって，ウが正解です。

ア E-R図(ERD：Entity Relationship Diagram)が適切です。

イ DFD (Data Flow Diagram)が適切です。

エ BP図(BPD：Business Process Diagram)が適切です。

≪解答≫ウ

▶▶ 覚 え よ う ！

☐ BPRは抜本的に改革，BPOは業務をアウトソーシング

7-1-3 ソリューションビジネス 頻出度 ★★★

ソリューションビジネスとは,顧客の経営課題をITと付加サービスを通して解決する仕組みです。最新のITを活用して,顧客の経営課題を解決するサービスを提供します。

■ ソリューションビジネスの種類とサービス形態

ソリューションビジネスでは,顧客の経営課題を解決するサービスを提案するので,業種別,業務別,課題別など様々なサービスの形態があります。代表的なソリューションサービスの形態としては,**クラウドサービス**や**アウトソーシングサービス**,**ホスティングサービス**,**ERPパッケージ**,**CRMソリューション**などが挙げられます。

■ クラウドサービス

クラウドサービスとは,ソフトウェアやデータなどを,インターネットなどのネットワークを通じて,サービスというかたちで必要に応じて提供する方式です。公開されるものを**パブリッククラウド**,組織内などで限定して使用されるものを**プライベートクラウド**といいます。また,クラウドコンピューティングに対して,自社でサーバを立ててサービスを構築することを**オンプレミス**といいます。

ソフトウェア機能をサービスと見立て,そのサービスをネットワーク上で連携させてシステムを構築する手法に**SOA**(Service Oriented Architecture:サービス指向アーキテクチャ)があります。この方法により,ユーザーの要求に合わせてサービスを提供することができます。

●クラウドサービスの形態

クラウドサービスの代表的なサービスの形態には,次のようなものがあります。

・**SaaS**(Software as a Service)
ソフトウェア(アプリケーション)をサービスとして提供する

・**PaaS**(Platform as a Service)
OSやミドルウェアなどの基盤(プラットフォーム)を提供する

参考

ソリューションサービスを利用するときの考え方に,「**提供されるサービスに業務を合わせる**」というものがあります。自社の業務に合わせてシステムを構築するという従来の考え方では,業務自体の改革ができません。ERPパッケージなどのソリューションサービスは,先進的なサービスを研究し,理想的な業務モデルを基に開発されています。そのため,サービスに合わせて業務を変えることで,同時に業務改善も実現できることになります。

用語

アプリケーションソフトの機能をネットワーク経由で顧客に提供するサービスに**ASP**(Application Service Provider)があります。基本的にはSaaSと同じ意味で,従来からあったサービスです。ビジネスとして重要度が増してきたことから,マーケティングの観点から,SaaSという新たな名前で再登場したと考えられます。

・IaaS（Infrastructure as a Service）
　ハードウェアやネットワークなどのインフラを提供する

　図にすると，次のようなかたちになります。

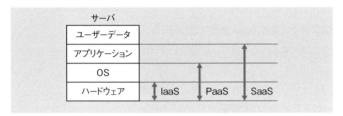

SaaS，PaaS，IaaSで提供される構成要素

●**様々なクラウドサービス**

　クラウドサービスでは，仮想的なサーバを提供する形態以外にも，様々なサービスが提供されています。代表的なサービスには，次のものがあります。

・**DaaS**（Desktop as a Service）
　仮想デスクトップ環境（VDI：Virtual Desktop Infrastructure)をネットワーク越しに提供するサービス

・**FaaS**（Function as a Service）
　機能（関数）のみを記述するだけで，サーバレスでアプリケーション開発を行うサービス

・**IDaaS**（IDentity as a Service）
　ID，パスワードなどの認証情報や，利用できるサービスやリソースなどの認可情報を一元管理するサービス

　それでは，次の問題を解いてみましょう。

問題

　企業の業務システムを，自社のコンピュータでの運用からクラウドサービスの利用に切り替えるときの留意点はどれか。

- ア　企業が管理する顧客情報や従業員の個人情報を取り扱うシステム機能は，リスクを検討するまでもなく，クラウドサービスの対象外とする。
- イ　企業の情報セキュリティポリシやセキュリティ関連の社内規則と，クラウドサービスで提供される管理レベルとの不一致の存在を確認する。
- ウ　クラウドサービスの利用開始に備え，自社で保有しているサーバの機能強化や記憶域の増加を実施する。
- エ　事業継続計画は自社の資産の範囲で実施することを優先し，クラウドサービスを利用する範囲から除外する。

（平成30年秋 応用情報技術者試験 午前 問63）

解説

　自社のコンピュータでの運用からクラウドサービスの利用に移行すると，自社内での情報セキュリティポリシなどの規程が適用されなくなります。そのため，クラウドサービスで提供される管理レベルを事前に確認し，現行の情報セキュリティポリシで規定されている管理レベルとの不一致をあらかじめ確認しておく必要があります。したがって，イが正解です。

ア　プライベートクラウドなど，セキュリティを考慮したクラウドサービスもあるので，検討は必要です。

ウ　クラウドサービスを利用すると，自社サーバなどを増強する必要性は少なくなります。

エ　クラウドサービスの利用方法も事業継続計画の範囲です。

≪解答≫イ

▶▶▶ 覚 え よ う ！

- ☐ 既存の業務をパッケージの業務モデルに合わせる方が効率的
- ☐ SaaSはソフトウェア，PaaSはプラットフォーム，IaaSはインフラを提供

7-1-4 ● システム活用促進・評価 [頻出度 ★★★]

情報システムを有効に活用し，経営に生かすためには，情報システムの構築時から活用促進活動を継続的に行う必要があります。

■ データの分析と活用

情報システムに蓄積されたデータは，データサイエンスの手法によって分析し，今後の事業戦略に活用します。データサイエンスの手法には，**データマイニング**，**ナレッジマネジメント**，**BI**（Business Intelligence）などがあります。活用するデータとしては，**ビッグデータ**や**オープンデータ**，個人の**パーソナルデータ**を扱うことが増えています。また，個人所有のスマートフォンを業務利用する**BYOD**（Bring Your Own Device）や，会話に応じて自動で応答する**チャットボット**などを用いてデータ活用を行うこともあります。

データサイエンスの手法で分析を行う専門家に，**データサイエンティスト**がいます。データサイエンティストに必要とされるスキルカテゴリは，次の三つとなります。

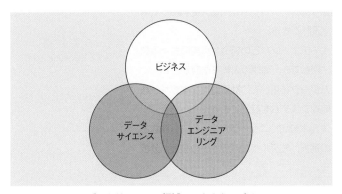

データサイエンス領域のスキルカテゴリ

データサイエンティストには，統計学やAIなどのデータサイエンスのスキルだけでなく，データベースなどの情報技術を扱うデータエンジニアリングや，ビジネスを理解して解決するビジネスのスキルが求められます。

関連

データマイニングとビッグデータについては「3-3-5 データベース応用」で，ナレッジマネジメントについては「7-1-1 情報システム戦略」で説明しています。

用語

BIは，企業内の膨大なデータを蓄積し，分類・加工・分析をすることで企業の迅速な意思決定に活用しようとする手法です。

用語

オープンデータとは，原則無償で利用できる形で公開された官民データのことです。営利・非営利の目的を問わず二次利用が可能という利用ルールが定められており，編集や加工をする上で機械判読に適した形式（CSVやXML，RDFなど）で公開されています。気象庁が公開している気象データなどが代表例です。

それでは，次の問題を考えてみましょう。

問　題

　ビッグデータを有効活用し，事業価値を生み出す役割を担う専門人材であるデータサイエンティストに求められるスキルセットを表の三つの領域と定義した。データサイエンス力に該当する具体的なスキルはどれか。

データサイエンティストに求められるスキルセット

ビジネス力	課題の背景を理解した上で，ビジネス課題を整理・分析し，解決する力
データサイエンス力	人工知能や統計学などの情報科学に関する知識を用いて，予測，検定，関係性の把握及びデータ加工・可視化する力
データエンジニアリング力	データ分析によって作成したモデルを使えるように，分析システムを実装，運用する力

ア　扱うデータの規模や機密性を理解した上で，分析システムをオンプレミスで構築するか，クラウドサービスを利用して構築するかを判断し，設計できる。

イ　事業モデル，バリューチェーンなどの特徴や事業の主たる課題を自力で構造的に理解でき，問題の大枠を整理できる。

ウ　分散処理のフレームワークを用いて，計算処理を複数サーバに分散させる並列処理システムを設計できる。

エ　分析要件に応じ，決定木分析，ニューラルネットワークなどのモデリング手法の選択，モデルへのパラメタの設定，分析結果の評価ができる。

（平成31年春 応用情報技術者試験 午前 問63）

解 説

決定木分析，ニューラルネットワークなどのモデリング手法は，機械学習と呼ばれる人工知能の一手法です。分析要件に応じて適切に，人工知能や統計学などの情報科学の知識を使い分けることは，データサイエンス力に該当します。したがって，エが正解です。

ア，ウ　システムの設計は，データエンジニアリング力に該当します。

イ　事業に関する課題整理は，ビジネス力に該当します。

《解答》エ

■ 情報システム利用実態の評価・検証

情報システムの投資対効果を分析し，システムの利用実態を調査して評価します。評価指標としては，投資利益率（ROI：Return On Investment）や利用者満足度，投資回収期間（PBP；Pay Back Period）があります。

関連
ROI，PBPについては「9-1-3
会計・財務」でも学びます。

7

■ 普及啓発

パソコンやインターネットなどの利用においては，使いこなせる人と使いこなせない人に生じる格差，デジタルディバイドができてしまいがちです。そのため，情報システムを活用するためには，各人に合わせた教育・訓練の実施などで，全社員のデジタルリテラシー（情報を活用する能力）を向上させるための普及啓発活動を行う必要があります。どのように人材を育成するかについて人材育成計画を立て，講習会などを開いて利用方法を説明します。また，教育訓練の手法として，従来の集合研修の他にも，ネット上で学習を行うe-ラーニングや，課題解決などにゲームデザインを活用するゲーミフィケーションなどが利用されます。

▶▶▶ 覚えよう！

- □ データサイエンティストに求められるのは，ビジネス力，データサイエンス力，データエンジニアリング力
- □ 情報システムの評価に投資対効果分析を行う

7-2 システム企画

　システム企画で扱う内容は，ソフトウェアライフサイクルプロセスでの企画プロセス，要件定義プロセス，および供給プロセスに当たります。第4章で学んだ開発プロセスとの関連も押さえながら，エンジニアリングとは異なる視点でシステム開発作業を見ていきましょう。

7-2-1 システム化計画　頻出度 ★★★

　システム化構想とシステム化計画の立案は，ソフトウェアライフサイクルプロセスの企画プロセスのアクティビティです。企画プロセスの目的は，要求事項を集めて合意し，システム化の方針を決め，システムの実施計画を策定することです。

システム化構想の立案のプロセス

　システム化構想の立案のプロセスでのタスクは，**経営要求・課題**の確認，**事業環境・業務環境**の調査分析，**現行業務・システム**の調査分析，**情報技術動向**の調査分析，対象となる業務の明確化，業務の新全体像の作成，システム化構想の文書化と承認，システム化推進体制の確立です。**EA**を導入することもあります。経営層や各部門などいろいろな方向から**システムに関係する**要求事項が集められ，合意されます。システム化を行うとき，定義された業界標準のビジネスプロセスや機能に合わせることを，Fit to Standardといいます。カスタマイズを最小限にすることで，コストやリスクを軽減できます。**OOTB**（Out Of The Box）も同様の考え方で，ソフトウェアや機器の設定や機能が標準で即時に利用可能な状態を指します。追加のカスタマイズや設定が不要であり，迅速な導入とコスト削減を可能となります。

　システム化構想の立案の段階で考えるべきシステム設計に，次の三つがあります。

・**SoR**（Systems of Records）
　記録のシステム。社内の情報を記録する

勉強のコツ

ソフトウェアライフサイクルプロセスの内容と，RFPを中心とした調達関連が出題の中心です。要件定義プロセスと開発プロセスでのシステム要件定義の違いなどは押さえておきましょう。また，調達についての出題が多いので，調達の実施手順を知っておくと頭に入りやすくなります。

・**SoE**（Systems of Engagement）
顧客とつながるシステム。社外のユーザーとのつながりを意識する
・**SoI**（Systems of Insight）
SoR，SoEの情報から新たな洞察や知見を引き出すシステム

システム化計画の立案のプロセス

システム化計画の立案プロセスの目的は，**システムを実現するための実施計画を得る**ことです。全体システム化計画，個別システム化計画を行うことによって全体最適化を図ります。また，システムの目的や適用範囲，開発範囲を決め，業務モデルを作成します。サービスレベルと品質に対する基本方針や開発プロジェクト体制も策定します。

システム化計画における検討事項には次のものがあります。

①全体開発スケジュールの作成

対象となったシステムを必要に応じてサブシステムに分割し，サブシステムごとに優先順位を付けます。また，要員，納期，コスト，整合性などを考え，各サブシステムについて開発スケジュールの大枠を作成します。

②要員教育計画

業務・システムに関する教育訓練について，教育訓練体制やスケジュールなどの基本的な要件を明確にします。

③投資の意思決定

経済性計算の手法である**PBP法**，**DCF法**，**NPV法**などを利用してより正確な投資の価値を算出し，投資の意思決定を行います。

④開発投資対効果（IT投資効果）

システム実現時の定量的，定性的な効果予測を行います。また，期間・体制などの大枠を予測し，費用を見積もります。このとき，**IT投資ポートフォリオ**やシステムライフサイクルを意識します。

7

(関連)
PBP法，DCF法，NPV法などの具体的な手法については，「9-1-3 会計・財務」の「経済性計算」を参照してください。

(用語)
IT投資ポートフォリオとは，組織全体の観点から情報化資産を適切に配分することです。情報化投資をリスクや投資価値の類似性でいくつかのカテゴリに整理し，経営戦略実現のための最適な資源配分を管理します。

⑤情報システム導入リスク分析

導入に伴うリスクの種類や大きさを分析します。

それでは，次の問題を解いてみましょう。

問題

IT投資ポートフォリオの目的はどれか。

ア IT投資を事業別，システム別，ベンダ別，品目別などに分類
して，経年推移や構成比率の変化などを分析し，投資額削減
の施策を検討する。

イ 個別のIT投資案件について，情報戦略との適合性，投資額や
投資効果の妥当性，投資リスクの明瞭性などの観点から投資
判断を行う。

ウ 個別プロジェクトの計画，実施，完了に応じて，IT投資の事
前評価，中間評価，事後評価を一貫して行い，戦略目標に対
する達成度を評価する。

エ 投資リスクや投資価値の類似性で分類したカテゴリごとのIT
投資について，企業レベルで最適な資源配分を行う。

(平成27年春 応用情報技術者試験 午前 問64)

解 説

IT投資ポートフォリオとは，IT投資についての資源配分を最適
に行うための手法です。投資リスクや投資価値の類似性で分類し
たカテゴリごとに考えるので，エが正解です。

アはIT投資マネジメント，イは個別IT投資案件の評価，ウは
IT投資の評価プロセスの目的についての説明です。

≪解答≫エ

▶▶▶ 覚 え よ う ！

□ システム化構想では，いろいろ分析して要求事項を集める

□ システム化計画では，全体の大枠の計画を立てる

7-2-2 ◯ 要件定義

頻出度
★★★

　システムへの要求を洗い出して分析することを要求分析といいます。そして，要求分析の結果をまとめて明確にし，定義するのが要件定義です。

◼ 要求分析

　要求分析は，要求項目の洗出し，分析，システム化ニーズの整理，前提条件や制約条件の整理という手順で行います。このときに，利害関係者（ステークホルダ）から提示されたユーザーのニーズや要望を識別し，整理します。

◼ 要件定義

　要件定義の目的は，**システムや業務全体の枠組みやシステム化の範囲と機能を明らかにすること**です。共通フレーム2013の要件定義プロセスでは，プロセス開始の準備，利害関係者の識別，要件の識別，要件の評価，要件の合意，要件の記録の六つのアクティビティが定義されています。

①要件定義で明確化する内容

　要件定義で明確化する内容には，大きく分けて**機能要件**と**非機能要件**があります。機能要件は，業務要件を実現するために必要なシステムの機能です。**非機能要件**とは，機能として明確にされない要件です。

　また，情報・データ要件や移行要件など，システム以外に関連する様々な要件についても定義します。

②要件定義の手法

　要件定義の手法には，構造化分析手法やデータ中心分析手法，オブジェクト指向分析手法などがあります。プロセス仕様を明らかにしてDFDなどを記述するのが**構造化分析手法**です。**データ中心分析手法**では，E-R図を記述してデータの全体像を把握します。オブジェクト指向分析手法ではUMLを利用します。

7

🔗 関連

非機能要件については，「4-1-1　システム要件定義・ソフトウェア要件定義」の「システム要件の定義」も参照してください。

③利害関係者への要件の確認

　要件定義者は，定義された要件の実現可能性を十分に検討した上で，ステークホルダに要件の合意と承認を得ます。

■ 非機能要件

　非機能要件とは，システム要件のうち，機能要件以外の要件です。その要件に対する要求を非機能要求といいます。

　機能要求に比べて非機能要求は顧客の意識に上がってこないことが多いため，要求分析時に見落とされやすく，トラブルの原因になりがちです。そのため，意識して非機能要求を洗い出す必要があります。

　IPAで公開している「非機能要求グレード」には，以下の六つのカテゴリがあります。

- 可用性：システムを継続的に利用可能にするための要求
- 性能・拡張性：システムの性能と将来のシステム拡張に関する要求
- 運用・保守性：システムの運用と保守のサービスに関する要求
- 移行性：現行システム資産の移行に関する要求
- セキュリティ：構築する情報システムの安全性の確保に関する要求
- システム環境・エコロジー：システムの設置環境やエコロジーに関する要求

　それでは，次の問題で確認してみましょう。

参考

独立行政法人情報処理推進機構(IPA) の「ソフトウェア・エンジニアリング」のサイトには，「非機能要求」についての確認を行う手法として**非機能要求グレード2018**が公開されています。
https://www.ipa.go.jp/
sec/softwareengineering/
std/ent03-b.html
具体的な項目についてはこちらを参考にしてください。

問題

受注管理システムにおける要件のうち，非機能要件に該当するものはどれか。

ア　顧客から注文を受け付けるとき，与信残金額を計算し，結果がマイナスになった場合は，入力画面に警告メッセージを表示すること

イ　受注管理システムの稼働率を決められた水準に維持するために，障害発生時は半日以内に回復できること

ウ　受注を処理するとき，在庫切れの商品であることが分かるように担当者に警告メッセージを出力すること

エ　出荷できる商品は，顧客から受注した情報を受注担当者がシステムに入力し，営業管理者が受注承認入力を行ったものに限ること

（平成26年秋 応用情報技術者試験 午前 問64）

解説

非機能要件とは，システムの機能に関係しない可用性や性能などの要件です。障害発生時の回復は可用性の要件となり，非機能要件の一つなので，イが正解です。

ア，ウ，エはシステムの機能なので，機能要件です。

≪解答≫イ

▶▶ 覚えよう！

□　要件定義プロセスでは，利害関係者（ステークホルダ）の要求をまとめ合意をとる

□　機能以外の要件を非機能要件といい，見落とされやすい

7-2-3 ○ 調達計画・実施

　ここでの調達には，開発するシステムに必要な製品やサービスの購入だけでなく，組織内部や外部委託によるシステム開発なども含まれます。開発するシステムの用途，規模，取組方針，前提や制約条件に応じた調達方法を考える必要があります。

■ 調達計画

　調達計画の策定では，調達の対象，調達の条件，調達の要求事項などを定義します。また，要件定義を踏まえ，既存の製品またはサービスの購入，組織内部でのシステム開発，外部委託によるシステム開発などから調達方法を選択します。
　このとき，何を社内で実施し，社外には何を委託するかを決める**内外作基準**を作成します。

■ 調達の方法

　調達の代表的な方法には，企画競争，一般競争入札，総合評価落札方式などがあります。

■ 情報提供依頼書（RFI）

　調達にあたって，ベンダ企業に対し，システム化の目的や業務内容を示し，RFP（次項参照）を作成するための情報の提供を依頼する RFI（Request For Information：**情報提供依頼書**）を作成します。ベンダ企業は，RFIに対して情報を提供します。

■ 提案依頼書（RFP）

　ベンダ企業に対し，調達対象システム，提案依頼事項，調達条件などを示したRFP（Request For Proposal：提案依頼書）を提示し，提案書・見積書の提出を依頼します。
　RFPには，システムの対象範囲やモデル，サービス要件，目標スケジュール，契約条件，ベンダの経営要件，ベンダのプロジェクト体制要件，ベンダの技術及び実績評価などを含みます。
　それでは，次の問題を解いてみましょう。

問　題

RFIを説明したものはどれか。

ア　サービス提供者と顧客との間で，提供するサービスの内容，品質などに関する保証範囲やペナルティについてあらかじめ契約としてまとめた文書

イ　システム化に当たって，現在の状況において利用可能な技術・製品，ベンダにおける導入実績など実現手段に関する情報提供をベンダに依頼する文書

ウ　システムの調達のために，調達側からベンダに技術的要件，サービスレベル要件，契約条件などを提示し，指定した期限内で実現策の提案を依頼する文書

エ　要求定義との整合性を図り，利用者と開発要員及び運用要員の共有物とするために，業務処理の概要，入出力情報の一覧，データフローなどをまとめた文書

(令和3年秋 応用情報技術者試験 午前 問65)

過去問題をチェック

RFP，RFIなどの調達に関する文書の問題は，応用情報技術者試験の定番です。
【RFP，RFI】
・平成21年春 午前 問66
・平成21年秋 午前 問67
・平成22年春 午前 問65
・平成24年春 午前 問65
・平成24年秋 午前 問65
・平成25年春 午前 問66
・平成27年秋 午前 問65
・平成30年春 午前 問66
・令和3年春 午前問64
・令和3年秋 午前 問65
・令和5年春 午前 問65
午後でも以下の出題があります。RFIやRFIの位置付けを理解し，調達の流れをイメージしてみましょう。
【RFP作成】
・平成24年春 午後 問4

解　説

　RFI（Request For Information：情報提供依頼書）は，RFP（Request For Proposal：提案依頼書）を作成するにあたって，現在の状況において利用可能な技術・製品，ベンダにおける導入実績など実現手段に関する情報提供をベンダに依頼する文書です。したがって，イが正解です。

ア　SLA（Service Level Agreement：サービス品質保証）の説明です。

ウ　RFPの説明です。

エ　システム開発のプロセスで作成される，システムの仕様書についての説明になります。

≪解答≫イ

■ 提案書・見積書

　ベンダ企業では，提案依頼書を基にシステム構成，開発手法などを検討し，提案書や見積書を作成して発注元に提案します。このとき，見積りを依頼するためにRFQ（Request For Quotation：見積依頼書）を作成することもあります。

■ 調達選定

　調達先の選定にあたっては，提案評価基準や要求事項適合度の重み付けを行う選定手順を確立する必要があります。このとき，コストや工期だけでなく**法令遵守**（コンプライアンス）や**内部統制**などの観点からも比較評価して選定することが大切です。

　また，CSR（Corporate Social Responsibility：企業の社会的責任）も意識する必要があります。CSRとは，企業が利益を追求するだけでなく，社会へ与える影響にも責任をもち，利害関係者（ステークホルダ）からの要求に対して適切な意思決定をすることです。CSRを意識した調達をCSR調達といいます。

　さらに，製品やサービスなどを調達するときには，購入前に必要性を考慮し，環境への負担が少ないものから優先的に選択することを**グリーン調達**といいます。

■ ファブレス

　ファブレスとは，ファブ（fabrication facility：工場）をもたない会社のことです。工場を所有せずに製造業の活動を行う企業を指します。具体的には，製品の企画設計や開発は行いますが，製造は自社工場で行わず，EMS（Electronics Manufacturing Service：電子機器の受託生産サービス）などを行う企業などに委託します。このとき，製品はOEM（Original Equipment Manufacturer：相手先ブランド名製造）での供給を受けるかたちで，自社ブランドとして発売します。

　ファブレスが主流になっている業種には半導体産業があります。ファブレスとは逆に，製造のみを専門に行うサービスのことをファウンドリーサービスと呼びます。半導体産業のほかに，コンピュータ，食品，玩具，造船業界など様々な業種でもファブレスの形態が見られるようになっています。

発展

ソフトウェアの調達を行うとき，購入するのではなく月額費用を払うなどで，一定期間だけ利用権を借りるライセンスの一形態を**サブスクリプション方式**といいます。
サブスクリプション方式の代表的な例には，Microsoft 365（旧Office 365）や Adobe Creative Cloud などがあります。

発展

主なファブレス企業としては，半導体メーカーの AMD，玩具業界では任天堂やセガ，食品業界では伊藤園やダイドードリンコなどが挙げられます。

それでは，次の問題を考えてみましょう。

過去問題をチェック

ファブレス，ファウンドリーに関しては，次の出題があります。
【ファブレス】
・平成24年秋 午前 問66
・平成29年秋 午前 問66
・令和4年秋 午前 問71
【ファウンドリー】
・令和元年秋 午前 問66
・令和3年秋 午前 問66
・令和4年春 午前 問70
・令和5年秋 午前 問66
【EMS】
・令和6年春 午前 問65

問題

半導体ファブレス企業の説明として，適切なものはどれか。

ア　委託者の依頼を受けて，自社工場で半導体製造だけを行う。

イ　自社で設計し，自社工場で生産した製品を相手先ブランドで納入する。

ウ　自社内で回路設計から製造まで全ての設備をもち，自社ブランド製品を販売する。

エ　製品の企画，設計及び開発は行うが，半導体製造の工場は所有しない。

(平成29年秋 応用情報技術者試験 午前 問66)

解説

　半導体ファブレス企業では，工場を所有せず，企画，設計及び開発のみを行うので，エが正解です。

　アはファウンドリサービス，イはOEMの説明です。ウのような形態はIDM（Integrated Device Manufacturer：垂直統合型デバイスメーカー）といい，インテルがその代表例です。

≪解答≫エ

7

■ 調達リスク分析

　調達にあたっては，内部統制，法令遵守，CSR調達，グリーン調達などの観点による**リスク管理**が必要です。リスクを分析および評価して，対策を立てる必要があります。また，調達のリスクには信用リスク，事務リスク，風評リスクなど様々あり，リスクの内容に合わせて分ける必要があります。

■ 契約締結

　選定したベンダ企業と契約について交渉を行い，納入システム，費用，納入時期，発注元とベンダ企業の役割分担などを確認し，契約を締結します。このとき，情報システムの取引におい

て業務を委託するときに締結する契約には，**請負契約**と**準委任契約**の2種類があります。**請負契約**では，頼んだ仕事を完成させる責任がベンダ企業にあるのに対し，**準委任契約**では，完成責任は発注者側にあり，ベンダ企業には仕事の完成ではなく業務の実施が求められます。

契約の方法としては，委託ではなくリスクを共有し，パートナーと協力して，あらかじめ決めた配分率で利益を分け合うレベニューシェアという方法もあります。

さらに，業務の委託ではなく労働力を提供してもらうときに締結する契約に**派遣契約**と**出向契約**があります。いずれも指揮命令は発注者側が行います。そして，労働条件（残業するかどうかなど）を受注者（派遣会社など）が決めるのが派遣契約，発注者（出向先企業など）が決めるのが出向契約です。

情報システムの契約のモデルとなる契約書については，IPAが「**情報システム・モデル取引・契約書**」を公開しています。そこでは，要件定義やシステム開発などの工程ごとに個別契約を行う**多段階契約**の考え方が示されています。

それでは，次の問題を解いてみましょう。

 関連

「情報システム・モデル取引・契約書」の最新版は第二版で，以下から参照できます。
https://www.ipa.go.jp/digital/model/index.html
実例を知りたい方はこちらを参考にするとイメージがつかめると思います。

問題

"情報システム・モデル取引・契約書"によれば，情報システムの開発において，多段階契約の考え方を採用する目的はどれか。ここで，多段階契約とは，工程ごとに個別契約を締結することである。

- ア　開発段階において，前工程の遂行の結果，後工程の見積前提条件に変更が生じた場合に，各工程の開始のタイミングで，再度見積りを可能とするため
- イ　サービスレベルの達成・未達の結果に対する対応措置（協議手続，解約権，ペナルティ・インセンティブなど）及びベンダの報告条件などを定めるため
- ウ　正式な契約を締結する前に，情報システム構築を開始せざるを得ない場合の措置として，仮発注合意書（Letter of Intent : LOI）を交わすため

 過去問題をチェック

システム開発の契約については，様々なかたちで出題されています。
【請負契約】
・平成21年春 午前 問79
・平成21年秋 午前 問79
・平成24年秋 午前 問79
・平成25年春 午前 問80
・平成26年秋 午前 問80
・平成29年春 午前 問80
・令和2年10月 午前 問80
・令和4年春 午前 問79
【準委任契約】
・平成25年秋 午前 問80
【情報システム・モデル取引・契約書】
・平成26年秋 午前 問66
・平成28年秋 午前 問66
・平成29年秋 午前 問65
・平成30年秋 午前 問66
・令和4年秋 午前 問66
【レベニューシェア】
・令和2年10月 午前 問66
・令和3年春 午前 問66

　エ　ユーザ及びベンダのそれぞれの役割分担を，システムライフ
　　　サイクルプロセスに応じて，あらかじめ詳細に決定しておく
　　　ため

（平成29年秋 応用情報技術者試験 午前 問65）

解 説

　経済産業省が公開する"情報システム・モデル取引・契約書"で
は，見積り時期とそのリスクを踏まえて，多段階契約と再見積り
の考え方を採用しています。多段階契約の考え方を採用する目的
は，開発段階で見積前提条件に変更が生じた場合に，後工程での
再見積を可能にするためです。したがって，アが正解です。

　イ　SLA（サービス合意書）の目的です。
　ウ　仮発注を文書化する考え方です。
　エ　責任関係を明確化する考え方です。

≪解答≫ア

7

▶▶▶ 覚 え よ う ！

- ☐ RFIで情報をもらって，RFPで提案書を提出する
- ☐ 完成させるのが請負契約，業務を行うのが準委任契約

7-3 演習問題

問1　SOA　　　　　　　　　　　　　　　　　　　CHECK ▶ □□□

SOAの説明はどれか。

ア　会計，人事，製造，購買，在庫管理，販売などの企業の業務プロセスを一元管理することによって，業務の効率化や経営資源の全体最適を図る手法

イ　企業の業務プロセス，システム化要求などのニーズと，ソフトウェアパッケージの機能性がどれだけ適合し，どれだけかい離しているかを分析する手法

ウ　業務プロセスの問題点を洗い出して，目標設定，実行，チェック，修正行動のマネジメントサイクルを適用し，継続的な改善を図る手法

エ　利用者の視点から業務システムの機能を幾つかの独立した部品に分けることによって，業務プロセスとの対応付けや他ソフトウェアとの連携を容易にする手法

問2　IT投資効果の評価方法　　　　　　　　　　　CHECK ▶ □□□

IT投資効果の評価方法において，キャッシュフローベースで初年度の投資によるキャッシュアウトを何年後に回収できるかという指標はどれか。

ア　IRR（Internal Rate of Return）

イ　NPV（Net Present Value）

ウ　PBP（Pay Back Period）

エ　ROI（Return On Investment）

問3　クラウドサービス区分　　　　　CHECK ▶ ☐☐☐

JIS X 9401:2016（情報技術−クラウドコンピューティング−概要及び用語）の定義によるクラウドサービス区分の一つであり，クラウドサービスカスタマが表中の項番1と2の責務を負い，クラウドサービスプロバイダが項番3〜5の責務を負うものはどれか。

項番	責　務
1	アプリケーションソフトウェアに対して，データ利用時のアクセス制御と暗号化の設定を行う。
2	アプリケーションソフトウェアに対して，セキュアプログラミングとソースコードの脆弱性診断を行う。
3	DBMS に対して，修正プログラム適用と権限設定を行う。
4	OS に対して，修正プログラム適用と権限設定を行う。
5	ハードウェアに対して，アクセス制御と物理セキュリティ確保を行う。

ア　HaaS　　　　イ　IaaS　　　　ウ　PaaS　　　　エ　SaaS

問4　BCP　　　　　CHECK ▶ ☐☐☐

BCPの説明はどれか。

ア　企業の戦略を実現するために，財務，顧客，内部ビジネスプロセス，学習と成長という四つの視点から戦略を検討したもの

イ　企業の目標を達成するために，業務内容や業務の流れを可視化し，一定のサイクルをもって継続的に業務プロセスを改善するもの

ウ　業務効率の向上，業務コストの削減を目的に，業務プロセスを対象としてアウトソースを実施するもの

エ　事業の中断・阻害に対応し，事業を復旧し，再開し，あらかじめ定められたレベルに回復するように組織を導く手順を文書化したもの

問5 レベニューシェア型契約 CHECK ▶ ☐☐☐

システムを委託する側のユーザ企業と，受託する側のSI事業者との間で締結される契約形態のうち，レベニューシェア型契約はどれか。

ア　SI事業者が，ユーザ企業に対して，クラウドサービスを活用したシステム開発と運用に関わるSEサービスを月額固定料金で課金する。

イ　SI事業者が，ユーザ企業に対して，ネットワーク経由でアプリケーションサービスを提供する際に，サービスの利用時間に応じて加算された料金を課金する。

ウ　開発したシステムによって将来，ユーザ企業が獲得する売上や利益をSI事業者にも分配することを条件に，開発初期のSI事業者への委託金額を抑える。

エ　システム開発に必要な工数と人員の単価を掛け合わせた費用をSI事業者が見積もり，システム構築費用としてシステム完成時にユーザ企業に請求する。

問6 ファウンドリーサービス CHECK ▶ ☐☐☐

半導体メーカーが行っているファウンドリーサービスの説明として，適切なものはどれか。

ア　商号や商標の使用権とともに，一定地域内での商品の独占販売権を与える。

イ　自社で半導体製品の企画，設計から製造までを一貫して行い，それを自社ブランドで販売する。

ウ　製造設備をもたず，半導体製品の企画，設計及び開発を専門に行う。

エ　他社からの製造委託を受けて，半導体製品の製造を行う。

■ 演習問題の解答

　SOA（Service Oriented Architecture）は，サービス（機能）を中心とした手法で，利用者の視点で分けた業務システムの機能を独立した部品とします。分けることによって，ソフトウェアの連携を容易にすることができるので，**エ**が正解です。
　アはERP（Enterprise Resource Planning），イはフィット＆ギャップ分析，ウはPDCAサイクルによる継続的改善の説明です。

　IT投資効果の評価方法のうち，キャッシュフローベースで初年度の投資によるキャッシュアウトを何年後に回収できるかという指標は，PBP（Pay Back Period：資金回収期間）となります。したがって，**ウ**が正解です。
ア　IRR（Internal Rate of Return：内部利益率）は，NPVがゼロとなる割引率です。
イ　NPV（Net Present Value：正味現在価値）は，設備投資による正味の現在価値です。
エ　ROI（Return On Investment：投資利益率）は，投資した資本に対して，どれだけの利益を獲得したかを表します。

　クラウドサービスカスタマが項番1と2の責任を負うということは，データだけでなくアプリケーションに対しても責任があるということです。また，3のDBMSや4のOS，5のハードウェアに対してはクラウドサービスプロバイダが責務を負うということは，DBMSやOSなどのプラットフォームはプロバイダが提供するということになります。これは，PaaS（Platform as a Service）に該当します。したがって，**ウ**が正解です。
ア　HaaS（Hardware as a Service）では，1〜4がクラウドサービスカスタマの責任になります。
イ　IaaS（Infrastructure as a Service）では，1〜3がクラウドサービスカスタマの責任になります。
エ　SaaS（Software as a Service）では，1のみがクラウドサービスカスタマの責任になります。

問4 (令和4年秋 応用情報技術者試験 午前 問61)

《解答》エ

　BCP（Business Continuity Plan：事業継続計画）は，企業が事業の継続を行う上で基本となる計画です。災害など，事業が中断・阻害される状況に対応し，事業を復旧させ回復するための手順を規定しています。したがって，エが正解です。

ア　BSC（Balanced Score Card：バランススコアカード）の説明です。

イ　BPM（Business Process Management：ビジネスプロセスマネジメント）の説明です。

ウ　BPO（Business Process Outsourcing：ビジネスプロセスアウトソーシング）の説明です。

問5 (令和2年10月 応用情報技術者試験 午前 問66)

《解答》ウ

　レベニューシェア（Revenue Share）型契約とは，支払額が固定される委託契約ではなく，収益（Revenue）の一定割合をシェア（Share）する契約です。開発したシステムによって将来，ユーザ企業が獲得する売上や利益をSI事業者にも分配することを条件に，開発初期のSI事業者への委託金額を抑えることは，レベニューシェア型契約となります。したがって，ウが正解です。

ア　定額制による課金形態です。

イ　従量制による課金形態です。

エ　人月による工数見積りを利用した固定額での契約形態です。

問6 (令和5年秋 応用情報技術者試験 午前 問66)

《解答》エ

　ファウンドリーサービスとは，半導体製造のみを専門に行うサービスのことです。他社からの製造委託を受けて，半導体製品の製造を行うことはファウンドリーサービスに該当します。したがって，エが正解です。

ア　フランチャイズチェーンにおける，本部（フランチャイザー）が行うことです。

イ　通常の，半導体製造と販売まですべて自社で行う企業のことです。

ウ　ファブレス企業の説明です。

第**8**章

経営戦略

この章では，企業を経営する上で大切な経営戦略を学びます。

ITの専門家は，技術だけでなく経営的な視点をもつことも必要です。この分野では，純粋に経営に関することと，それをITをはじめとした技術とどう結び付けていくかについて学びます。

分野は三つ，「経営戦略マネジメント」「技術戦略マネジメント」と「ビジネスインダストリ」です。経営戦略マネジメントでは，経営戦略やマーケティングなど，経営全般の知識や手法について学びます。技術戦略マネジメントでは，技術中心の会社での経営マネジメント手法について学びます。そして，ビジネスインダストリでは，実際のビジネスや製品の応用例について学びます。

ITとは関連性が薄い部分が多いので，経営学を学んできていない方にとっては見慣れない知識が多いと思います。あせらず一つ一つ確実にステップアップしていきましょう。

8-1 経営戦略マネジメント

経営戦略マネジメントは，経営戦略全体をマネジメントすることです。経営戦略の手法やマーケティング，ビジネス戦略，経営管理システムなど，経営全般について学びます。

8-1-1 経営戦略手法

 頻出度 ★★☆

経営戦略は大きく，全社戦略，事業戦略（ビジネス戦略），機能戦略に階層的に分類されます。企業は，経営理念や経営ビジョンに沿って能動的に行動することが求められます。

全社戦略の策定

全社戦略ではまず，企業の事業領域である**ドメイン**を決めます。ドメイン内ではほかの企業に対して競争優位性をもつことが重要であり，その源泉が**コアコンピタンス**です。事業を効率化し，ITの力で良い方向に変化させるためにも，**DX**（Digital Transformation）が大切になってきます。組織の変革の状況や課題を整理するための組織変革モデルとして ADKAR モデルがあります。Awareness（認知），Desire（欲求），Knowledge（知識），Ability（能力），Reinforcement（定着）の頭文字を取ったもので，組織の変革を五つのステップで考えます。

ドメイン以外のものは，積極的に外部に出すことも大切です。複数の組織で共通に実施している業務を組織から切り離し，別会社として独立させて共同で利用する**シェアドサービス**を利用し，業務の効率化を図ることもあります。複数の製品を生産するときには，製品同士の組合せで効果を高める**シナジー効果**や，生産量が多くなることでコストが安くなる**スケールメリット**について考慮します。

また，組織で働く様々な人たちの多様性，例えば年齢や性別，人種などの違いを競争優位の源泉として活用する**ダイバーシティマネジメント**も大切です。さらに，地球環境に配慮し，持続可能な世界を実現するために，**SDGs**（Sustainable Development Goals：持続可能な開発目標）を意識することも重要になってきます。

それでは，次の問題を考えてみましょう。

 勉強のコツ

午前は知識問題が中心です。PPMやSWOT分析，BSCなどの定番用語を中心に，経営戦略でよく使う用語を押さえておきましょう。午後では，マーケティングの手法やSWOT分析の実例などが出題されますので，用語を暗記するだけでなく，その目的や手法を押さえておくことが大切です。

 用語

コアコンピタンスとは，経営資源を組み合わせて企業の独自性を生み出す組織能力のことです。

 参考

DXについては，「7-1-1 情報システム戦略」で取り上げています。

問題

コアコンピタンスに該当するものはどれか。

ア　主な事業ドメインの高い成長率
イ　競合他社よりも効率性が高い生産システム
ウ　参入を予定している事業分野の競合状況
エ　収益性が高い事業分野での市場シェア

（平成31年春 応用情報技術者試験 午前 問67）

解説

　コアコンピタンスとは，ある企業の活動において，競合他社よりも圧倒的に高い能力があるもののことです。競合他社よりも効率性が高い生産システムは，コアコンピタンスといえるので，イが正解です。

　アの成長率やエの市場シェアは，PPM（Product Portfolio Management）で用いる指標の一つです。ウは，ファイブフォース分析などで用いる競争企業間の敵対関係を示します。

≪解答≫イ

8

■ ベンチャービジネス

　それまでになかった新しいビジネスを展開することをベンチャービジネスといいます。ベンチャービジネスは事業に必要なスキルがないと失敗するリスクが高いので，支援を行う**インキュベータ**という組織や制度があります。ベンチャービジネスでは，コストをそれほどかけず，最小限の実用性をもつ製品を短期間で作り，それを改善していく**リーンスタートアップ**という手法が多くとられています。

　また，新規ビジネスを立ち上げるときには，そのビジネスの実行可能性や採算性を分析し，評価を行う**フィージビリティスタディ**を実施します。

用語

インキュベータとは，もともとは「孵卵器」を意味します。卵を保護して，それを無事，雛になるまで育てる機械です。アニメ『魔法少女まどか☆マギカ』や『マギア・レコード』に出てくるキュゥべえも，魔法少女を育てるインキュベータです。

■ M&A

M&A（Mergers and Acquisitions）とは，企業の合併・買収のことで，企業が行う統合の手段ととらえられます。M&Aの代表的な手法には，TOB（Take Over Bid：**公開買付け**），LBO（Leveraged Buy Out），MBO（Management Buy Out）などがあります。

TOBは，買収側の企業が，被買収側の企業の株式の価格などを公開し，直接株主から買い取る方法です。**LBO**は，買収側の企業が，被買収側の企業の資産などを担保に，銀行借入れなどで資金を手に入れて買収する方法です。**MBO**は，子会社などにおいて，現経営陣が株式を買い取って経営権を取得する方法です。

用語

MBOと似た方法に**EBO**（Employee Buy Out）があります。経営陣ではなく従業員による買収で経営権を取得する方法です。

■ プロダクトポートフォリオマネジメント

PPM（Product Portfolio Management：プロダクトポートフォリオマネジメント）は，戦略の策定に用いられる手法です。次のようなチャートを作成し，商品や事業の戦略を考えます。

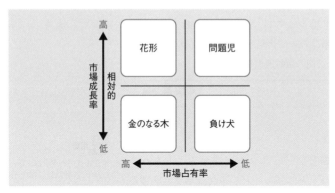

プロダクトポートフォリオのチャート

動画

経営戦略の分野についての動画を以下で公開しています。
https://www.wakuwaku academy.net/itcommon/8
PPMや競争地位別戦略など，経営戦略分野の定番用語について，詳しく解説しています。
本書の補足として，よろしければご利用ください。

発展

PPMは，BCG（ボストン・コンサルティング・グループ）によって開発されたツールです。企業が**多角化**により複数の事業を展開するときの指針となるものです。

各カテゴリの内容は以下のとおりです。

①問題児

市場が成長しているので資金流出が大きく，市場占有率が低いため，キャッシュフローはマイナスです。**資金を投入して**，相対的市場占有率を上げることで**花形に移行**します。

発展

すべての問題児が，資金を投入すれば花形に育つわけではありません。また，研究開発などを行うことで，最初から花形の事業を作ることもできます。
どの事業に注力するか，その選別が重要となります。

②花形

資金流入も資金流出も大きく，キャッシュフローの源ではありません。成熟期になって市場成長率が低くなると**金のなる木に移行**するので，それまで投資を続ける必要があります。

③金のなる木

資金流入が多く，資金流出が少ないので，キャッシュフローの源です。ここの資金を花形や問題児に投資します。

④負け犬

資金流入，資金流出がともに少ないので，撤退するのが基本です。ただ，残存者利益を獲得できる場合もあります。

それでは，次の問題を解いてみましょう。

問 題

PPMにおいて，投資用の資金源として位置付けられる事業はどれか。

　ア　市場成長率が高く，相対的市場占有率が高い事業
　イ　市場成長率が高く，相対的市場占有率が低い事業
　ウ　市場成長率が低く，相対的市場占有率が高い事業
　エ　市場成長率が低く，相対的市場占有率が低い事業

(令和6年春 応用情報技術者試験 午前 問67)

解 説

PPMでは，投資用の資金源となるのは"金のなる木"と呼ばれる事業で，市場成長率が低く，相対的市場占有率が高いため，投資が少なくても利益を確保できます。したがって，ウが正解です。
アは花形，イは問題児，エは負け犬の事業です。

≪解答≫ウ

過去問題をチェック

PPMの問題は，応用情報技術者試験の午前ではよく出題されます。この問題のほかに以下の出題があります。
【PPM】
・平成21年春 午前 問67
・平成21年秋 午前 問69
・平成23年特別 午前 問67
・平成25年春 午前 問67
・平成30年春 午前 問67
・令和元年秋 午前 問67
・令和3年春 午前 問67
・令和4年春 午前 問67
・令和6年春 午前 問67

8

■ ファイブフォース分析

米国の経営学者であるマイケル・ポーターによると，特定の事業分野における競争要因には次の五つがあり，それらを分析することをファイブフォース分析といいます。

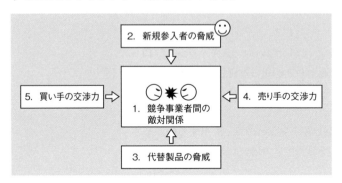

ファイブフォースの要素

発展

新規参入者の脅威に対し，既存企業が利益の減少などを防ぐために築くものに参入障壁があります。規模の経済性があり，規模が増大するに従ってコストが減少していく場合には，新規参入の参入障壁は高くなります。

■ SWOT分析

SWOT分析は，影響を与える要因を次の四つの要素に整理して分析する手法です。

SWOT分析の四つの要素

	外部環境	内部環境
良い影響	機会 (Opportunity)	強み (Strength)
悪い影響	脅威 (Threat)	弱み (Weakness)

発展

SWOT分析ではまず，業界や市場の動向などの**外部環境**を分析し，機会と脅威を整理します。次に，自社と競合他社を比較して**内部環境**を分析し，自社の強みと弱みを整理します。SWOT分析によって，事業の**KSF** (Key Success Factor：成功要因) と自社の**コアコンピタンス**を見極めます。

■ バリューチェーン分析

バリューチェーン分析は，企業が提供する製品やサービスの付加価値が，事業活動のどの部分で生み出されているかを分析する手法です。企業の事業活動には，**主活動**である

　　　購買物流→製造→出荷物流→販売・マーケティング→
　　　サービス

の五つに加え，**支援活動**として人事・労務管理，技術開発，調達活動，全般管理の四つがあります。それぞれの活動の**役割やコスト，事業戦略への貢献度を明確に**することがポイントです。

それでは，次の問題を解いてみましょう。

発展

バリューチェーンは価値の連鎖なので，一部の活動だけで低コストや差別化を実現しても，その有効性はあまりありません。**全体として連結**させた上ではじめて，その価値を顧客まで届けることができます。

問 題

バリューチェーンによる分類はどれか。

ア　競争要因を，新規参入の脅威，サプライヤの交渉力，買い手
　　の交渉力，代替商品の脅威，競合企業という五つのカテゴリ
　　に分類する。

イ　業務を，購買物流，製造，出荷物流，販売・マーケティング，
　　サービスという五つの主活動と，人事・労務管理などの四つ
　　の支援活動に分類する。

ウ　事業の成長戦略を，製品（既存・新規）と市場（既存・新規）
　　の2軸を用いて，市場浸透，市場開発，製品開発，多角化と
　　いう4象限のマトリックスに分類する。

エ　製品を，市場の魅力度と自社の強みの2軸を用いて，花形，
　　金のなる木，問題児，負け犬という4象限のマトリックスに
　　分類する。

（平成30年秋 応用情報技術者試験 午前 問68）

過去問題をチェック

バリューチェーンについて
は，次の出題があります。
【バリューチェーン】
・平成22年春 午前 問66
・平成26年春 午前 問68
・平成30年秋 午前 問68
・令和2年10月 午前 問67
・令和3年秋 午前 問67

解 説

8

　バリューチェーンによる分類では，主活動と支援活動に分類し
ます。主活動には，購買物流，製造，出荷物流，販売・マーケティ
ング，サービスの五つがあります。支援活動には，人事・労務管
理，技術開発，調達活動，全般管理の四つがあります。したがって，
イが正解です。

ア　ファイブフォース分析の分類になります。

ウ　アンゾフの成長マトリックスの分類になります。

エ　プロダクトポートフォリオマネジメント（PPM）の分類になり
　　ます。

≪解答≫イ

■ 製品・市場マトリクス

　製品・市場マトリクスは，経営戦略の展開エリアを四つに分類したマトリクスです。製品と市場の2軸に，既存と新規という基準を重ね合わせたものです。

製品・市場マトリクスにおける四つの展開エリア

	既存／新規	製品（技術）	
		既存	新規
市場	既存	市場浸透戦略	製品開発戦略
	新規	市場開拓戦略	多角化戦略

- **市場浸透戦略**：既存市場に既存製品を投入していく戦略
- **市場開拓戦略**：新しい顧客層，地域など新規市場に展開する戦略
- **製品開発戦略**：新しい特徴をもった新製品を既存市場に投入する戦略
- **多角化戦略**　：新規市場に新製品を投入していく戦略

発展

市場浸透戦略では，マーケティングを有効活用し，市場でのシェアを拡大します。

■ 競争優位の戦略

　競争相手に対して優位性を築くための戦略として，マイケル・ポーターは以下の三つの基本戦略を提唱しています。

①コストリーダシップ戦略

　競争企業よりも，低い**コスト**で生産・販売する戦略です。技術が成熟し，価格以外で差別化ができなくなる**コモディティ化**した製品でよく選択されます。

②差別化戦略

　買い手にとって魅力的な**独自性**を打ち出す戦略です。

③集中戦略

　市場を細分化し，**一部のセグメント**に焦点を当てる戦略です。その市場において差別化やコストの面で優位に立ちます。

　これらの基本戦略以外に，競争の激しい既存市場を避けて，未開拓市場を切り開く**ブルーオーシャン戦略**などがあります。

発展

ブルーオーシャン戦略の例としては，任天堂のWiiなどが挙げられます。高性能化が進んでいたゲーム業界において，ゲーム慣れしていない層というブルーオーシャン（競合のいない領域）を見つけ，そこに参入していくという戦略を実践しました。

■ 競争地位別戦略

業界での市場占有率によって企業は次の四つに分類され，それぞれの位置付けにおける基本戦略が示されています。

①リーダー戦略

業界内で最大の市場占有率を誇るので，製品はフルライン化し，**非価格対応**を行います。

②フォロワ戦略

リーダーに追随し，危険を冒さず，**低価格化**で対応します。

③チャレンジャ戦略

リーダーに果敢に挑戦し，**差別化**を図ります。

④ニッチ戦略

特定市場のみに**集中化**し，資源もそこに集中させます。

それでは，次の問題を解いてみましょう。

用語

非価格対応とは，価格を高くするということではなく，値崩れを起こさないよう適切な価格を維持することです。業界が低価格競争に巻き込まれると，最も利益が減少するのはリーダー企業なので，リーダーは非価格対応が基本です。

問題

企業の競争戦略におけるフォロワ戦略はどれか。

ア　上位企業の市場シェアを奪うことを目標に，製品，サービス，販売促進，流通チャネルなどのあらゆる面での差別化戦略をとる。

イ　潜在的な需要がありながら，大手企業が参入してこないような専門特化した市場に，限られた経営資源を集中する。

ウ　目標とする企業の戦略を観察し，迅速に模倣することによって，開発や広告のコストを抑制し，市場での存続を図る。

エ　利潤，名声の維持・向上と最適市場シェアの確保を目標として，市場内の全ての顧客をターゲットにした全方位戦略をとる。

(令和3年春 応用情報技術者試験 午前 問68)

過去問題をチェック

競争地位別戦略については，応用情報技術者試験では定番としてよく登場します。この問題のほか以下の出題があります。
【競争地位別戦略】
・平成22年春 午前 問67
・平成24年春 午前 問67
・平成24年秋 午前 問67
・平成25年春 午前 問68
・平成26年秋 午前 問67
・平成28年春 午前 問67

解説

　フォロワ戦略とは，リーダーに追随する戦略です。目標とする企業の戦略を観察し，迅速に模倣して低価格化することで市場での存続を図るので，ウが正解です。

　アはチャレンジャ戦略，イはニッチ戦略，エはリーダー戦略の説明です。

≪解答≫ウ

▶▶ 覚えよう！

☐　企業の競争優位性の源泉はコアコンピタンス

☐　PPMは問題児→花形→金のなる木，そして負け犬

8-1-2 ■ マーケティング 頻出度★★★

　マーケティングとは，売れる仕組み作りです。販売やプロモーションだけでなく，消費者のニーズを認識し，魅力的な商品を開発し，流通経路を確保するなどの一連のプロセスがマーケティングです。

■ マーケティングミックス

　マーケティングミックスとは，マーケティングの要素である4Pの適切な組合せです。また，売り手側の4Pに合わせて，買い手側に4Cの要素があるという考え方があります。4Pに対応する4Cは次のとおりです。

用語

適切なマーケティングを行い続けるには，マーケティングマネジメントプロセスが必要です。マーケティングマネジメントプロセスでは，以下の一連のプロセスを実現します。
1. 市場機会の分析
2. 標本市場の選定
3. マーケティングミックス戦略の開発
4. マーケティング活動の管理

マーケティングミックスの4Pと4C

売り手側の4P	内容	買い手側の4C
製品（Product）	市場のニーズにマッチした製品を提供するための戦略	顧客価値（Customer Value）
価格（Price）	最適な市場投入価格を策定するための戦略	顧客コスト（Customer Cost）
チャネル・流通（Place）	消費者に製品を届けるために流通を最適化するための戦略	利便性（Convenience）
プロモーション（Promotion）	様々な手段を用いて認知や購買促進を図る戦略	コミュニケーション（Communication）

それでは，次の問題を考えてみましょう。

問題

　施策案 a 〜 d のうち，利益が最も高くなるマーケティングミックスはどれか。ここで，広告費と販売促進費は固定費とし，1個当たりの変動費は1,000円とする。

施策案	価格	広告費	販売促進費	売上数量
a	1,600円	1,000千円	1,000千円	12,000個
b	1,600円	1,000千円	5,000千円	20,000個
c	2,400円	1,000千円	1,000千円	6,000個
d	2,400円	5,000千円	1,000千円	8,000個

　　ア　a　　　イ　b　　　ウ　c　　　エ　d

(平成27年春 応用情報技術者試験 午前 問69)

解説

　広告費と販売促進費は固定費とし，1個当たりの変動費を1,000円としたとき，施策案a 〜 dのマーケティングミックスの利益は，それぞれ次のようになります。

　　a：$(1,600 - 1,000) \times 12,000 - 1,000,000 - 1,000,000 = 5,200,000$

　　b：$(1,600 - 1,000) \times 20,000 - 1,000,000 - 5,000,000 = 6,000,000$

　　c：$(2,400 - 1,000) \times 6,000 - 1,000,000 - 1,000,000 = 6,400,000$

　　d：$(2,400 - 1,000) \times 8,000 - 5,000,000 - 1,000,000 = 5,200,000$

　したがって，最も利益が高くなるのは施策案cなので，ウが正解です。

≪解答≫ウ

■ CS（Customer Satisfaction：顧客満足）

　経済が成熟し，消費が高度化するに伴い，顧客に精神的，主観的な満足を感じさせることが企業の重要課題になっています。CRM（Customer Relationship Management）では，顧客の購買

履歴などで顧客を分類し，積極的な関係構築を図ります。

　B. H. シュミットが提唱した**CEM**（Customer Experience Management）では，顧客の中に眠っているニーズを引き出すことで，信頼感や愛情を高めます。CEMにおける**カスタマーエクスペリエンス**（顧客体験）とは，商品やサービスの機能・性能・価格といった合理的な価値だけでなく，購入するまでの過程・使用する過程・購入後のフォローアップなどの過程における経験での，感情的な価値の訴求を重視することです。

■ マーケティング分析

　マーケティング分析では，市場規模，顧客ニーズ，自社の経営資源，競合関係などの分析を行います。代表的な手法には次のものがあります。

①3C分析

　3Cとは，**市場**（Customer），**競合**（Competitor），**自社**（Company）の頭文字を取ったもので，これらを個別に具体的に分析する際のフレームワークを**3C分析**といいます。市場分析と競合分析が外部分析，自社分析が内部分析に相当します。

②RFM分析

　RFM分析とは，顧客に対して，Recency（**最終購買日**），Frequency（**購買頻度**），Monetary（**購買金額**）という三つの観点でポイントを付け，その合計点で顧客をランク付けしていく手法です。

③マーケティングリサーチ（市場調査）

　マーケティングリサーチとは，マーケティングに必要な情報を体系的に収集，分析，評価するための活動です。データの収集方法には，**質問法**，**観察法**，**実験法**があります。また，全数調査を行うか**サンプリング**を行うかは状況に応じて決定します。

④消費者行動モデル（AIDMA）

　消費者行動モデルの**AIDMA**とは，消費者がある商品を知って購入に至るまでの段階を，Attention（**注意**），Interest（**関心**），Desire（**欲求**），Memory（**記憶**），Action（**行動**）の五つに分け

用語

質問法は調査対象者に質問することでデータを収集します。面接法，電話法，郵送法，留置法などがあります。

観察法は，動線調査や他店調査，通行量調査など，観察対象者の行動や反応を直接観察する方法です。

実験法は，ある変数（マーケティング要素）を操作することで，別の変数へ影響するかどうかを調査する方法です。

たモデルです。それぞれの段階で消費者に対するアプローチの仕方が異なるので，段階に応じたマーケティングが大切です。

⑤コンジョイント分析

仮説検証に用いるデータ分析手法の一つで，消費者の意思決定に商品のどの部分がどのくらい影響しているのかを検証します。商品がもつ価格，デザイン，使いやすさなど，購入者が重視している複数の属性の組合せについて，それぞれの属性の影響の大きさを求めることができます。

■ ターゲットマーケティング

消費者のニーズを単一的なものととらえて同じ製品を大量に投入していくマスマーケティングでは，消費者の個々のニーズに適合するのが困難になってきました。そこで，市場を細分化（セグメンテーション）し，その中から最も効果的な市場を標的（ターゲティング）とし，その市場の中で自社がいかにして優位に立つか（ポジショニング）を検討します。それがターゲットマーケティングです。市場をセグメンテーションする際に使用される基準となる変数としては，次のものがあります。

①地理的変数（ジオグラフィック変数）

地域や気候，人口密度などによる地理的な基準です。

②人口統計的変数（デモグラフィック変数）

年齢，性別，所得，職業などの人口統計的な基準です。

③心理的変数（サイコグラフィック変数）

消費者の価値観やライフスタイルなど，消費者の心理的な側面に焦点を当てた基準です。

④行動的変数

使用率，ロイヤルティなど，消費者の製品に対する知識，態度，反応などに焦点を当てた基準です。

それでは，次の問題を考えてみましょう。

用語

全数調査：対象をすべて調査すること

サンプリング：全対象から一部を抽出すること。抽出した対象を調査することをサンプリング調査（標本調査）という

8

問 題

市場を消費者特性でセグメント化する際に，基準となる変数を，地理的変数，人口統計的変数，心理的変数，行動的変数に分類するとき，人口統計的変数に分類されるものはどれか。

ア 社交性などの性格 　　イ 職業

ウ 人口密度 　　　　　　エ 製品の使用割合

(令和5年秋 応用情報技術者試験 午前 問69)

解 説

市場をセグメント化するときの基準のうち，人口統計的変数（デモグラフィック変数）では，消費者を年齢や性別，所得などの客観的な属性で分類します。職業は，人口統計的変数に分類されます。したがって，イが正解です。

ア 心理的変数に分類されます。

ウ 地理的変数に分類されます。

エ 行動的変数に分類されます。

《解答》イ

■マーケティング戦略

マーケティングの戦略には，次のものがあります。

①製品戦略

製品に対する戦略です。製品戦略を立てる上で大切な考え方に，PLC（Product Life Cycle：製品ライフサイクル）があります。PLCとは，製品が市場に投入され，廃棄されるまでの生命周期のことで，導入期，成長期，成熟期，衰退期の段階に分けられます。それぞれの段階と売上高の関係は次の図のようになります。

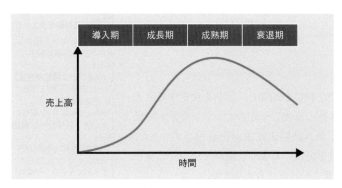

PLC（製品ライフサイクル）

　PLCへの対策に**計画的陳腐化**があります。製品のモデルチェンジを頻繁に行い，消費者に対して常に新製品を提供していくという戦略です。また，新製品を作成する場合には，自社の製品が他の自社製品と競合してしまい，ともにマーケットシェアを落としてしまう**カニバリゼーション**を避ける必要があります。逆に，製品寿命を延ばしてロングセラー化を実現しようとする取組みのことを**ライフサイクル・エクステンション**（製品寿命の延命化）といいます。また，製品が一般化し，他と差別化が図れなくなることを**コモディティ化**といいます。IoTやAIなどを活用することで，製品を大量生産しながら，顧客に合ったカスタマイズを行う**マスカスタマイゼーション**という戦略も可能となります。

②広告戦略（プロモーション戦略）

　商品を消費者に認知してもらうコミュニケーション手段です。消費者行動モデルを活用した広告などがあります。

③ブランド戦略

　商品をブランド化し，価値を上げる戦略です。まず，ブランドの位置付けである**ポジショニング**を検討し，次にブランドの特色である**パーソナリティ**を検討します。その後，どのように商品を認知させるかという**ブランディング**の検討を行います。

④価格戦略

価格を設定する戦略です。価格設定方法には次の3種類があります。

・コスト (原価) 志向型

コスト (原価) に適切な利益を加算し, 価格を決定する方式です。製造原価または仕入原価に一定のマージンを乗せて価格を決定する**コストプラス価格決定法**が代表例です。また, 目標とする投資収益率を実現するように価格を決定する**ターゲットリターン価格設定**という方法もあります。

・需要志向型

消費者がその商品に対して感じている価値 (カスタマーバリュー) を基準に価格を決定する方式です。消費者がどれだけの価値を知覚するかに合わせる**知覚価値法**があります。また, 顧客層, 時間帯, 場所など市場セグメントごとに異なった価格を決定する**差別価格設定**もあります。消費者の需要に合わせて, 製品を売るのではなく使用権を販売し, 必要な期間だけ提供する**サブスクリプションモデル**を使用することもできます。

価格を調査する方法には, 消費者にアンケートを実施して4通りの価格帯を探り, そこから最適な価格を導出する**PSM (Price Sensitivity Measurement) 分析**という手法 (価格感度測定の手法) があります。

・競争志向型

競合他社がいることを前提に, 市場ベースでの価格決定を行う方式です。現在の市場価格に合わせる**実勢価格設定法**などがあります。新製品を浸透させるため, 低価格戦略と積極的なプロモーションによって新製品のマーケットシェアの増大を図る**浸透価格戦略**を用いる方法もあります。

逆に, 先に製品を発売したときには, 先行者利益を獲得するために, 製品投入の初期段階で高価格を設定する**スキミングプライシング**という戦略を用いることもあります。

さらに, 複数の製品に対して5,000円均一, 10,000円均一などの製品ランクごとに販売する**プライスライニング戦略**を用いる方法もあります。

それでは, 次の問題を考えてみましょう。

 過去問題をチェック

価格戦略に関する問題は, 近年の午前試験で頻出しています。
【コストプラス価格決定法】
・平成23年秋 午前 問68
【浸透価格戦略】
・平成29年春 午前 問68
【ターゲットリターン価格設定】
・平成30年春 午前 問69
・令和4年秋 午前 問68
【プライスライシング戦略】
・令和2年10月 午前 問69

午後では, PSM分析 (価格感度測定の手法) を用いて最適価格を算出する問題が出題されています。実際に分析を行う問題であり, 学習に適しているので, 機会があれば解いてみることをおすすめします。
【PSM分析】
・平成26年春 午後 問2

問題

事業戦略のうち，浸透価格戦略に該当するものはどれか。

ア 売上高をできるだけ維持しながら，製品や事業に掛けるコストを徐々に引き下げていくことによって，短期的なキャッシュフローの増大を図る。

イ 事業を分社化し，その会社を売却することによって，投下資金の回収を図る。

ウ 新規事業に進出することによって，企業を成長させ，利益の増大を図る。

エ 低価格戦略と積極的なプロモーションによって，新製品のマーケットシェアの増大を図る。

（平成29年春 応用情報技術者試験 午前 問68）

解説

　浸透価格戦略とは，新製品を浸透させるため，低価格戦略と積極的なプロモーションによって新製品のマーケットシェアの増大を図る戦略です。したがって，エが正解です。

　アは収穫戦略，イは投資の回収，ウは新規事業進出の戦略です。

≪解答≫エ

8

■マーケティング手法

　マーケティング手法としては，これまで出てきた**マスマーケティング**や**ターゲットマーケティング**のほかに次のようなものがあります。

①ワントゥワンマーケティング

　顧客との対話により把握した**個々の顧客**の属性，ニーズや嗜好，購買履歴などに合わせてマーケティングを展開することです。顧客シェアが拡大しても，情報技術を駆使してマスカスタマイゼーションを行うことで実現できます。

用語

マスカスタマイゼーション
とは，大量生産とカスタムを合成したものです。製品のモジュール化などで，大量生産と豊富なバリエーションの両方を実現し，個々の顧客ニーズに対応します。

②リレーションシップマーケティング

　企業と外部（顧客，取引先，社会など）との関係に注目し，**長期的な相互利益と成長**を目指すという概念です。

③ダイレクトマーケティング

　流通業者を経由せずに直接消費者に販売を実施していく手法です。一人一人を対象にマーケティング活動を行います。

④バイラルマーケティング

　製品やサービスの**口コミ**を意図的に広める手法です。

⑤インバウンドマーケティング

　ブログや動画などの有益なコンテンツをWebサイトで公開し，SNSなどでシェアされたりして注目を集めることで自社製品を広める方法です。

⑥パーミッションマーケティング

　繰り返すプロセスで，顧客の信頼性，関係性を徐々に蓄積し，顧客から得る同意（パーミッション）の範囲を段階的に広げてプロモーションを行う手法です。

　それでは，次の問題を考えてみましょう。

問題

　顧客から得る同意の範囲を段階的に広げながら，プロモーションを行うことが特徴的なマーケティング手法はどれか。

　　ア　アフィリエイトマーケティング
　　イ　差別型マーケティング
　　ウ　パーミッションマーケティング
　　エ　バイラルマーケティング

（令和5年秋 応用情報技術者試験 午前 問68）

解 説

　顧客から得る同意（パーミッション）の範囲を段階的に広げなが
ら，プロモーションを行うことが特徴的なマーケティング手法は，
パーミッションマーケティングと呼ばれます。パーミッションマー
ケティングでは，繰り返すプロセスで，顧客の信頼性，関係性を徐々
に蓄積していきます。したがって，ウが正解です。

ア　Webサイトのリンクを経由して商品が購入された場合に報酬
　　を支払うことが特徴的な手法です。

イ　細分化された複数の市場に，それぞれのニーズに合致したマー
　　ケティングを行う手法です。

エ　製品やサービスの口コミを意図的に広める手法です。

≪解答≫ウ

▶▶▶ 覚 え よ う ！

- [ ] 4Pは，Product（製品），Price（価格），Place（チャネル・流通），Promotion（プロモーション）
- [ ] ターゲットマーケティングは，セグメンテーション→ターゲティング→ポジショニング

8

8-1-3 ⬤ ビジネス戦略と目標・評価 頻出度 ★☆☆

　ビジネス戦略（事業戦略）とは，ビジネスを実際に行う上での戦略です。企業理念や企業ビジョン，全社戦略を踏まえ，ビジネス環境分析，ビジネス戦略立案を行い，具体的な戦略目標を定めます。

■ ビジネス戦略と目標の設定・評価

　ビジネス戦略を立てる上では，まず企業・組織のビジョンを明確にする必要があります。そして，どのようにしてビジョンを実現するか，どの分野に力を入れるかという戦略を立て，具体的な戦略目標を定めます。そして，目標達成のために重点的に取り組むべきCSF（Critical Success Factor：重要成功要因）を明確にします。最後に，目標達成の度合いを測る指標を設定し，評価します。また，新規ビジネスを立ち上げる上では，新規ビジネスの採算性や実行可能性を投資前に分析して評価するフィージビリティスタディも大切です。

■ ビジネスモデルキャンバス

　ビジネスモデルを全体的に考える手法に，ビジネスモデルキャンバスがあります。ビジネスモデルキャンバスでは，次のようなかたちで，3分野，9つの視点でビジネスを分析していきます。

過去問題をチェック
ビジネスモデルキャンバスについては，午後で次の出題があります。
【ビジネスモデルキャンバス】
・令和4年秋 午後 問2

KP（主要なパートナー）	KA（主要な活動）	VP（価値提案）	CR（顧客との関係）	CS（顧客セグメント）
	KR（主要なリソース）		CH（チャネル）	
C$（コスト構造）		R$（収益の流れ）		

ビジネスモデルキャンバスの例

　組織体制，マネジメント（KP, KA, KR）と，マーケティング（VP, CR, CH, CS），収益・コスト構造（C$, R$）を整理し，どのような価値を提案し，収益を上げていくのかを見極めていきます。

■ バランススコアカード

　BSC（Balanced Score Card：バランススコアカード）は，企業の業績評価システムです。企業のもつ要素が企業のビジョンや戦略にどのように影響し，業績に表れているかを評価します。具体的には，従来の評価の視点は**財務**のみであることが多かったため，それ以外の**顧客，内部ビジネスプロセス，学習と成長**を合わせた**四つの視点**で評価します。

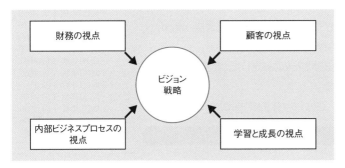

バランススコアカードの四つの視点

　財務，顧客，内部ビジネスプロセス，学習と成長という四つの視点ごとに課題や施策，目標の因果関係などを表現する**戦略マップ**を作成し，それぞれの視点での戦略目標を決めます。そして，その目標が達成されたかを確認する指標として，**KGI**（Key Goal Indicator：**重要目標達成指標**）を決めます。例えば，財務の視点では「利益率の向上」などを指標とします。そして，KGIを達成するために決定的な影響を与える**CSF**を決定します。例えば，KGI「利益率の向上」に対しては，「既存顧客の契約高の向上」などがCSFになります。そして，業務プロセスの実施状況を**モニタリング**するために設定される指標が，**KPI**（Key Performance Indicator：**重要業績評価指標**）です。例えば，KGI「利益率の向上」に対しては，「当期純利益率」や「保有契約高」などがKPIです。

　そして，KPIを達成するために具体的なアクションプランを立て，それを実行します。

　それでは，次の問題を解いてみましょう。

問題

バランススコアカードを説明したものはどれか。

ア　外部環境と内部環境の視点から，自社にとっての事業機会を導き出す手法

イ　計画，行動，評価，修正のサイクルで，戦略実行の管理を行うフレームワーク

ウ　財務，顧客，内部ビジネスプロセス，学習と成長の視点から，経営戦略の立案と実行を支援する手法

エ　ビジネス戦略を実現するために設定した，業務プロセスをモニタリングする指標

（平成26年春 応用情報技術者試験 午前 問70）

解説

バランススコアカード（BSC）は，四つの視点で経営戦略の立案と実行を支援する手法なので，ウが正解です。アはSWOT分析の説明です。外部環境（機会，脅威）と内部環境（強み，弱み）の視点から分析します。イはPDCAサイクル，エはKPIの説明です。

≪解答≫ ウ

 過去問題をチェック

バランススコアカードの問題は，応用情報技術者試験の経営戦略分野の定番です。この問題のほかに以下の出題があります。

【バランススコアカード】
・平成22年春 午前 問68
・平成22年秋 午前 問69
・平成23年特別 午前 問68
・平成23年秋 午前 問69
・平成24年春 午前 問70
・平成25年春 午前 問69
・平成25年秋 午前 問69
・平成26年秋 午前 問61
・平成28年秋 午前 問62
・平成29年春 午前 問63
・平成30年秋 午前 問64
・平成31年春 午前 問68
・令和3年春 午前 問70
・令和5年春 午前 問68
午後でも，バランススコアカード作成を実際に行う問題が出題されています。

【バランススコアカード作成】
・平成22年春 午後 問3
・平成29年春 午後 問2
・令和5年秋 午後 問2

■ PEST分析

企業を取り巻くマクロな外部環境を分析するのが**マクロ環境分析**です。マクロ環境を分析する手法のうち，**PEST**を利用して外部環境を洗い出し，その影響度や変化を分析する手法をPEST分析といいます。

PESTとは，P（Political：**政治的**），E（Economic：**経済的**），S（Sociocultural：**社会文化的**），T（Technological：**技術的**）の頭文字を取ったもので，マクロ環境を網羅的に見ていくためのフレームワークです。

▶▶ 覚えよう！

☐　BSCの4視点は財務，顧客，内部ビジネスプロセス，学習と成長

☐　KGIは最終的な目標，KPIは中間的なモニタリング指標

8-1-4 ● 経営管理システム

頻出度
★★★

　経営管理システムは，企業の経営に関する情報を収集して分析を行い，経営課題の解決に役立てるシステムです。経営管理システムには，全社を対象としたものだけでなく，特定の部門を対象としたシステムもあります。

■ BI

　BI（Business Intelligence）とは，業務システムなどから得られるビジネスにおける大量のデータを蓄積して分析・加工し，企業の意思決定に活用するという概念です。その仕組みを支えるシステムのことをBIと呼ぶ場合もあります。データウェアハウスやデータマイニングなどは，BIのテクノロジとして位置付けられます。

■ 経営管理システムの例

　経営管理システムの代表例には，**KMS，ERP，CRM，SFA，SCM**などがあります。また，EIP（Enterprise Information Portal：企業内情報ポータル）など，企業内の情報を集めたポータルサイトも経営管理システムです。

関連

KMSやERP，CRM，SFA，SCMについては，「7-1-1 情報システム戦略」で解説しています。

8

■ バリューチェーンマネジメント

　VCM（Value Chain Management：バリューチェーンマネジメント）とは，バリューチェーン（価値連鎖）を意識し，個々の業務だけでなく，全体最適の視点でマネジメントすることです。その基本となる考え方が**TOC**（Theory of Constraints：制約条件理論）であり，生産性の向上に対してボトルネック（制約条件）になっている部分を見つけて集中的に改善することで，全体のスループットを増大させます。

　また，VCMの考え方を受け継いだものに**SCM**（Supply Chain Management：**サプライチェーンマネジメント**）があります。サプライチェーン全体で連携して全体最適化を図るという考え方でシステムを構成しています。経営戦略としては**ECR**（Efficient Consumer Response：効率的消費者対応）があり，製造・卸売・小売が連携して効率的な流通機構を構築することで，

発展

TOCを題材にした小説に，『ザ・ゴール企業の究極の目的とは何か』（エリヤフ・ゴールドラット著／ダイヤモンド社刊）があります。TOCだけでなく，経営戦略の手法を肌で感じてみるのにおすすめです。

消費者に対して迅速に商品を届けることができるようにします。
それでは，次の問題を解いてみましょう。

問題

　部品や資材の調達から製品の生産，流通，販売までの，企業間
を含めたモノの流れを適切に計画・管理し，最適化して，リード
タイムの短縮，在庫コストや流通コストの削減などを実現しよう
とする考え方はどれか。

　　ア　CRM　　　イ　ERP　　　ウ　MRP　　　エ　SCM

(平成26年秋 応用情報技術者試験 午前 問69)

解説

　企業間を含めた全体でモノの流れを最適化する考え方は，SCM
（Supply Chain Management）です。したがって，エが正解です。
ア　CRM（Customer Relationship Management）は，顧客との関
　係を構築することに注力する経営手法です。
イ　ERP（Enterprise Resource Planning）は，企業のもつ資源を
　統合的に管理することを目指す手法です。
ウ　MRP（Materials Requirements Planning）は，資材の所要量
　を計画することです。

≪解答≫エ

▶▶ 覚えよう！

- □　BIは，業務データを企業の意思決定に活用
- □　SCMでは，サプライチェーン全体で最適化して，コストの削減などを図る

8-2 技術戦略マネジメント

企業の持続的な発展のためには，技術開発への投資とともにイノベーションを促進し，技術と市場ニーズとを結び付けて事業を成功に導く技術開発戦略が重要です。技術戦略マネジメントは，MOT（技術経営）ともいわれます。

8-2-1 技術開発戦略の立案

経営戦略や事業戦略の下で技術開発戦略を立案します。技術開発は長期にわたることが多いため，中心となるコア技術を見極め，柔軟に外部資源を活用する必要があります。

■ イノベーション

イノベーションとは，新しい技術の発明や創造的なアイディアを実行に移すことで新たな利益や社会的に大きな変化をもたらす変革です。イノベーションの類型としては次の四つが挙げられます。

①プロダクトイノベーション

これまでにない新製品を開発するための技術革新です。

②プロセスイノベーション

生産工程や技術を改良する革新です。

③ラディカルイノベーション

従来にはない，まったく異なる価値を市場にもたらす革新です。一般に，最初はなかなか評価されない変革です。

④オープンイノベーション

自社でのイノベーションにとどまらず，他社や研究機関などの異分野のアイディアや知見を活用する革新です。オープンに行うことで，個人でものづくりを行う人も含め，様々な人が3Dプリンタやレーザーカッターなどを活用して，新しい製品を作る**メイカームーブメント**が起こっています。

✐ **勉強のコツ**

知識問題が中心であり，基本的には午前の出題のみです。

技術系のいろいろな新用語が登場し，カタカナ用語やアルファベットの略語が多いので，用語の意味と英語の意味を結び付けて押さえておくのがおすすめです。頻出の用語は色文字で示していますので，時間がなければそれだけでもチェックしてください。

🔍 **用語**

MOT (Management of Technology：技術経営) とは，経営戦略や事業戦略の下で，企業の技術を確立するための技術戦略を構築し，その技術戦略に沿った事業活動を行うことです。MOTプログラムとしては教育プログラムが開発されており，これは経営学修士 (MBA) の工学版としても位置付けられています。

8

それでは，次の問題を解いてみましょう。

問 題

オープンイノベーションに関する事例として，適切なものはどれか。

- ア 社外からアイディアを募集し，新サービスの開発に活用した。
- イ 社内の製造部と企画部で共同プロジェクトを設置し，新規製品を開発した。
- ウ 物流システムを変更し，効率的な販売を行えるようにした。
- エ ブランド向上を図るために，自社製品の革新性についてWebに掲載した。

（平成31年春 応用情報技術者試験 午前 問70）

解 説

オープンイノベーションとは，自社だけでなく他社や研究機関など異分野のアイディアや知見を活用してイノベーションにつなげることです。社外からのアイディア募集は，自社以外のアイディアを活用することになるので，オープンイノベーションに該当します。したがって，アが正解です。

- イ 社内での部署内の共同プロジェクトは，オープンイノベーションではありません。
- ウ 物流システムの一般的な変更は，イノベーションではありません。
- エ Webへの掲載は広報活動であり，イノベーションではありません。

≪解答≫ア

■イノベータ理論

イノベータ理論とは，新しい製品やサービスの普及の過程を五つの区分で表したものです。五つの区分とは，イノベータ，アーリーアダプター，アーリーマジョリティ，レイトマジョリティ，

ラガードで，それぞれの区分の利用者によって商品に対する価値観（新しいものへの反応）が異なります。

　イノベータとアーリーアダプタを初期市場，アーリーマジョリティからラガードをメインストリーム市場とし，特にハイテク製品では，二つの市場の間にはキャズムと呼ばれる深い溝があるというキャズム理論が提唱されています。

■ 技術経営での価値創出

　技術経営（MOT）では，技術開発を経済的価値に結び付けるためには，技術・製品価値創造（Value Creation），価値実現（Value Delivery），価値利益化（Value Capture）の3要素が重要であるという考え方があります。

　MOTでの価値創出においてポイントとなる概念を以下に示します。

①技術のSカーブ

　一つの製品の技術進歩のパターンを追っていくと，次のようなS字型の曲線をたどるのが一般的です。

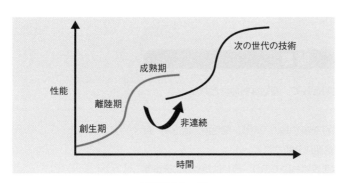

技術のSカーブ

 発展

ある技術の確立に先行し成功した企業は，その技術に固執し，成熟期になっても移行できず，次世代技術に対応した後発企業に追い抜かれてしまうことがよくあります。このことをイノベーションのジレンマと呼びます。

　技術開発を行うと，当初は緩やかなペースでしか技術進歩が進みません（創生期）。それが，あるポイントを過ぎると急激に成長します（離陸期）。そして，しばらくすると再び成長が鈍化します（成熟期）。古い技術が新しい技術に取って代わるとき，それぞれのS字カーブは**非連続**であることがほとんどで，技術とともに主役である企業が交代することが多くあります。

②魔の川，死の谷，ダーウィンの海

　技術を基にしたイノベーションを実現するためには，研究成果が実用化され，使える技術として確立されるまでに，次のような様々な障壁を越えることになります。

　・魔の川（Devil River）
　　研究段階から開発段階に移行するときに存在する障壁
　・死の谷（Valley of Death）
　　開発段階から事業化の段階に移行するときに存在する障壁
　・ダーウィンの海（Darwinian Sea）
　　事業化のあと，その事業を成功させるときに存在する障壁

③PoC，PoV

　新しい概念やアイディアを実証するために，試作品の前段階として，概念が正しいかどうかの検証として，**PoC**（Proof of Concept：概念実証）を行います。また，概念やアイディアが実際に価値を提供するかどうかを**PoV**（Proof of Value：価値実証）によって確かめます。

　それでは，次の問題を解いてみましょう。

問題

　"技術のSカーブ"の説明として，適切なものはどれか。

　ア　技術の期待感の推移を表すものであり，黎明期，流行期，反動期，回復期，安定期に分類される。

　イ　技術の進歩の過程を表すものであり，当初は緩やかに進歩するが，やがて急激に進歩し，成熟期を迎えると進歩は停滞気味になる。

　ウ　工業製品において生産量と生産性の関係を表すものであり，生産量の累積数が増加するほど生産性は向上する傾向にある。

　エ　工業製品の故障発生の傾向を表すものであり，初期故障期間では故障率は高くなるが，その後の偶発故障期間での故障率は低くなり，製品寿命に近づく摩耗故障期間では故障率は高くなる。

（令和3年春 応用情報技術者試験 午前 問71）

解説

技術のSカーブでは，最初は緩やかで，やがて急激に進歩し，成熟期には進歩が停滞します。したがって，イが正解です。

アは**ハイプサイクル**，ウは経験曲線，エはバスタブ曲線の説明です。

≪解答≫イ

技術開発戦略の立案手順

技術開発戦略の立案に先立ち，製品動向，技術動向，標準化動向などを分析しておく必要があります。また，自社の核となる技術であるコア技術を見極めることが大切です。

コア技術以外の技術開発や商品開発にはなるべく手を出さず，他社の**成功事例**などの外部資源を積極的に活用していく必要があります。また，柔軟に技術開発戦略を行うためには，従来のやり方にとらわれない**発想法**も大切です。未来のありたい姿を描き，解決策を検討することによって，ありたい姿に近づける思考方法として，**バックキャスティング**があります。

外部資源活用戦略

外部資源活用戦略において外部資源を活用する方法には，技術獲得，技術供与，技術提携，M＆A（Mergers and Acquisitions）などがあります。複数の企業がコンソーシアム（共同事業体）を作成して自社の特許権をもち寄り，特許権を一括して管理する仕組みである**パテントプール**を利用する場合もあります。

また，**産学官連携**として，大学などの教育機関・研究機関と民間企業が連携して研究開発や事業を行うことによる技術開発も可能です。このとき，大学などが開発した技術などを**特許化**し，企業にライセンスを供与するための組織である**TLO**（Technology Licensing Organization：技術移転機関）が**大学と産業界の橋渡**しを行います。そのために大学等技術移転促進法（TLO法）が施行されるなど，国も支援しています。

それでは，次の問題を解いてみましょう。

問題

MPEG-4などに存在するパテントプールの説明として，適切なものはどれか。

ア 国際機関及び標準化団体による公的な標準ではなく，市場の実勢によって事実上の標準とみなされるようになった規格及び製品

イ 著作権表示を保持することによって，ソフトウェアの使用，複製，改変，及び再頒布が認められる仕組み

ウ 特許料が無償でライセンスされている技術

エ 複数の企業が自社の特許権をもち寄り，特許権を一括して管理する仕組み

(令和2年10月 応用情報技術者試験 午前 問70)

解説

パテントプールとは，複数の企業がコンソーシアム（共同事業体）を作成して自社の特許権をもち寄り，特許権を一括して管理する仕組みのことです。したがって，エが正解です。

ア デファクトスタンダードの説明です。

イ クリエイティブコモンズなどの著作権管理の仕組みの説明です。

ウ 無償での特許ライセンスに該当します。

≪解答≫エ

▶▶▶ 覚えよう！

□ 技術も経営も新しいのがラディカルイノベーション

□ TLOは，特許化を通じて大学と企業の仲介役をする

8-2-2 ⬤ 技術開発計画 頻出度 ★★★

経営戦略や技術開発戦略に基づいて作成されるのが技術開発計画です。技術開発投資計画や技術開発拠点計画，人材計画などを作成します。

◼ 技術開発のロードマップ

技術開発の具体的なシナリオとして，科学的裏付けとコンセンサスのとれた**未来像**を時系列で描くのが**ロードマップ**です。ロードマップの種類には以下のものがあります。

①技術ロードマップ

企業が計画している技術開発や，周りの技術動向をまとめたものです。

②**製品応用ロードマップ**

技術開発を製品に応用していく過程を表したものです。

③**特許取得ロードマップ**

開発した技術に特許を取得する過程を表したものです。

 参考

技術ロードマップは，民間企業が1社で作成するものだけでなく，業界団体が共通で行うもの，政府が行うものなどいろいろな意味合いのものがあります。
日本において政府が策定する技術ロードマップとしては，経済産業省が発表している「技術戦略マップ」があります。

8

▶▶ 覚 え よ う ！

☐ 技術開発のロードマップは，コンセンサスのとれた未来像

8-3 ビジネスインダストリ

ビジネスインダストリとは，その職種や専門分野において押さえておくべき知識のことで，主に業界に特化したシステムや標準などに関する業務知識，業界知識のことです。

8-3-1 ビジネスシステム

頻出度

いろいろなビジネス分野で用いられる情報システムについて取り上げるのがビジネスシステムの分野です。

社内業務支援システム

社内業務で活用される情報システムには，会計・経理・財務システム，人事・給与システム，営業支援システム，グループウェア，ワークフローシステム，Web会議システムなどがあります。

財務報告用の情報を作成・流通・再利用できるように標準化されたXMLベースの規格に **XBRL**（eXtensible Business Reporting Language）があります。金銭にまつわる情報を標準化することで，情報のサプライチェーンを実現できます。

基幹業務支援システム及び業務パッケージ

業務を支援する代表的な情報システムには，流通情報システム，物流情報システム，金融情報システム，医療情報システム，**POS**（Point of Sales）システム，**EOS**（Electronic Ordering System：電子補充発注システム），販売管理システム，購買管理システム，在庫管理システム，顧客情報システム，ERP，電子カルテなどがあります。

また，様々な機器にコンピュータチップとネットワークが埋め込まれ，人間がコンピュータの存在を意識することなく利用できるユビキタスコンピューティングを利用した業務システムも開発されました。例えば，流通情報システムでは，物品にコンピュータチップを埋め込むことで，生産段階から消費段階，廃棄段階まで流通経路を追跡するトレーサビリティを実現できます。

📝 **勉強のコツ**

生産管理やNC（Numerical Control：数値制御）など，計算問題が結構出されます。やり方を押さえ，本番であわてずに解けるようにしておきましょう。また，どんどん新しくなっていく分野なので，見慣れない用語はしっかり押さえておくことが大切です。
システムや機器の具体例はあまり覚えなくてもいいので，「こんなのがあるんだ」というイメージをつかんでおきましょう。

■ 行政システム

　行政で使用される代表的な情報システムには，有価証券報告書等の電子開示システムであるEDINET（Electronic Disclosure for Investors' Network）や，電波管理業務システム，出入国管理システム，登記情報システム，社会保険オンラインシステム，特許業務システム，地域気象観測システム（アメダス），公共情報システム，住民基本台帳ネットワークシステム，公的個人認証サービスなどがあります。

■ 公共情報システム

　公共分野における代表的な情報システムには，GPS（Global Positioning System：全地球測位システム）応用システム，VICS（Vehicle Information and Communication System：道路交通情報通信システム），ETC（Electronic Toll Collection System：自動料金支払システム），座席予約システム，スマートグリッドなどがあります。

　スマートグリッド（次世代送電網）とは，電力の流れを供給する側と利用する側の両方から制御し，最適化する仕組みです。利用者の住宅には，通信機能や管理機能を備えた電力システムであるスマートメータが設置され，機器の稼働状況などを電力会社が管理します。

■ 3PL

　3PL（3rd Party Logistics）とは，物流業務に加え，流通加工なども含めたアウトソーシングサービスを行い，荷主企業の物流企画も代行する仕組みです。既存の物流業者とは別の物流企業が，物流のコンサルタントやシステム提供を合わせて，物流業務を一括して受託することで実現できます。

■ Society 5.0

　Society 5.0とは，内閣府が提唱している科学技術政策の一つで，「サイバー空間（仮想空間）とフィジカル空間（現実空間）を高度に融合させたシステムにより，経済発展と社会的課題の解決を両立する，人間中心の社会（Society）」です。第5期科学技術基本計画において我が国が目指すべき未来社会の姿として提唱

されました。

　Society 5.0で実現する社会では，IoT（Internet of Things）ですべての人とモノがつながり，様々な知識や情報が共有され，今までにない新たな価値を生み出すことができます。

　IoTがもたらす効果は，監視，制御，最適化，自律化の4段階に分類されます。IoTやブロックチェーンなどを適切に活用することで超スマート社会が実現できます。さらに，IoTを活用し，現実の物理空間と同じものを仮想空間で実現させるデジタルツインや，センサーからのデータを活用して仮想世界を構築する**サイバーフィジカルシステム**（CPS：Cyber-Physical System）も実現できます。

　それでは，次の問題を考えてみましょう。

参考

超スマート社会とは，Society 5.0で実現させようとしている社会で，様々なイノベーションで，新しい価値やサービスが次々と創出される社会のことを指します。Society 5.0の概要や，超スマート社会の実現については，内閣府のホームページ（下記URL）で紹介されています。
https://www8.cao.go.jp/cstp/society5_0/index.html

問題

　CPS（サイバーフィジカルシステム）を活用している事例はどれか。

　ア　仮想化された標準的なシステム資源を用意しておき，業務内容に合わせてシステムの規模や構成をソフトウェアによって設定する。

　イ　機器を販売するのではなく貸し出し，その機器に組み込まれたセンサーで使用状況を検知し，その情報を基に利用者から利用料金を徴収する。

　ウ　業務処理機能やデータ蓄積機能をサーバにもたせ，クライアント側はネットワーク接続と最小限の入出力機能だけをもたせてデスクトップの仮想化を行う。

　エ　現実世界の都市の構造や活動状況のデータによって仮想世界を構築し，災害の発生や時間軸を自由に操作して，現実世界では実現できないシミュレーションを行う。

（令和5年秋 応用情報技術者試験 午前 問71）

解説

　CPS（Cyber-Physical System）とは，現実世界のデータをセンサーネットワークなどを用いて収集し，そのデータを活用して仮想世界を構築するシステムです。仮想世界で災害の発生や時間軸を自由に操作して，現実世界では実現できないシミュレーションを行うことが可能となります。したがって，エが正解です。

ア　クラウドサービスなどで利用される，仮想化とオンデマンド化を組み合わせた事例です。

イ　スマートセンサーを利用したIoTシステムの事例です。

ウ　VDI（Virtual Desktop Infrastructure）などを利用したシンクライアントシステムの事例です。

《解答》エ

■ AIの利活用

　AI（Artificial Intelligence：人工知能）の利活用は急速に広がっています。AI利活用についての原則や活用目的，留意事項には次のものがあります。

①AI利活用の原則及び指針

　AIの利活用においては，人間中心のアプローチが重要です。公平性，説明責任，透明性を確保することが求められ，これらは**人間中心のAI社会原則**に基づいています。人工知能学会では倫理指針が策定されており，**倫理的に調和した設計**（Ethically Aligned Design）が必要です。AIを適切に利用し，社会に受け入れられるためには，AI Risk Management Framework（AI RMF）などでのリスク管理も欠かせません。

②AIの活用領域及び活用目的

　AIは，研究開発から製造，物流，金融，ヘルスケアに至るまで幅広い分野で活用されています。AIの活用目的は，売上予測や原因究明，計画策定，判断支援など多岐にわたります。教師あり学習を用いた予測や，教師なし学習によるデータのグルーピングなどがその代表例です。また，生成AIの登場により，文章

の添削や要約，アイディアの提案，プログラムの自動生成など，よりクリエイティブな領域での利用も進んでいます。AIは，特定の領域に特化した**特化型AI**や，一般的な目的に活用する汎用AIといったかたちで開発されます。映像と文字など，複数種類の情報に対応する**マルチモーダルAI**なども登場しており，複雑なタスクを柔軟に処理することが可能です。

③AIを利活用する上での留意事項

　AIの利活用には多くの利点がありますが，その一方でリスクや脅威も存在します。AIはしばしば誤認識でハルシネーションを起こすことがあり，古い情報，悪意のある情報を含む可能性があります。そのため，AIが出力したデータに対しては，常に人間が確認し，必要に応じて修正を加えることが求められます。さらに，AIがどのような判断を行ったかを説明できる仕組み，すなわち**説明可能なAI（XAI）**の導入が重要です。

▶▶ 覚えよう！

- ☐ **XBRL**は，財務報告用の情報の**XML**規格
- ☐ **IoT**によって，監視，制御，最適化，自律化が実現できる

8-3-2 ◯ エンジニアリングシステム 頻出度 ★★★

　エンジニアリングシステムは，生産や開発，設計などの工学分野で情報技術を利用したシステムです。

◾ 生産の自動制御

　生産工程を自動制御し，生産を自動化することでコストを削減できます。また，危険を伴う作業を機械化できるという利点もあります。生産方式には以下のようなものがあります。

①ライン生産方式

　生産ライン上の各作業ステーションに作業を割り当て，品物がラインを移動することで加工が進んでいく方式です。

②セル生産方式

異なる機械をまとめた機械グループ（セル）を構成して工程を編成する生産方式です。多品種少量生産に向いています。

③JIT（Just In Time：ジャストインタイム）生産方式

すべての工程において，必要なものを，必要なときに，必要な量だけ生産する生産方式です。**かんばん方式**ともいわれます。

また，生産の自動制御を行う際，その動作を数値情報で指令する制御方式を**NC**（Numerical Control：数値制御）といいます。
それでは，次の問題を解いてみましょう。

問題

　製造業のA社では，NC工作機械を用いて，四つの仕事a～dを行っている。各仕事間の段取り時間は表のとおりである。合計の段取り時間が最小になるように仕事を行った場合の合計段取り時間は何時間か。ここで，仕事はどの順序で行ってもよく，a～dを一度ずつ行うものとし，FROMからTOへの段取り時間で検討する。

単位　時間

FROM ＼ TO	仕事a	仕事b	仕事c	仕事d
仕事a		2	1	2
仕事b	1		1	2
仕事c	3	2		2
仕事d	4	3	2	

　　ア　4　　　　イ　5　　　　ウ　6　　　　エ　7

（令和4年春 応用情報技術者試験 午前 問73）

過去問題をチェック

応用情報技術者試験で生産計画などの計算問題が多く出てくるのが，エンジニアリングシステムの分野です。この問題のほかに以下の出題があります。複雑な計算が多いので，演習をしっかり積んで慣れておきましょう。
【生産計画の計算】
・平成21年春 午前 問71，72
・平成22年秋 午前 問72
・平成24年春 午前 問71
・平成26年春 午前 問72，73
・平成27年春 午前 問71
・平成28年秋 午前 問71
・平成29年秋 午前 問70
・平成30年秋 午前 問73

解説

四つの仕事a～dの段取り時間を図にまとめると，以下のようになります。

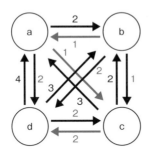

それぞれの経路でより段取り時間の少ない経路（赤字）を考慮し，合計の段取り時間が最小となる経路を探すと，仕事b→仕事a→仕事c→仕事dとなり，合計時間は1＋1＋2＝4時間となります。したがって，アが正解です。

≪解答≫ア

■ 生産システム

生産システムとは，生産に関わる情報システムの総称で，中心となる工場の生産管理にその関連情報システムが含まれます。具体的には，品質管理，工程管理，日程管理，在庫管理，設計管理，積算支援，調達管理，原価管理，利益管理，戦略管理などのシステムから構成されます。主な生産システムには，次のようなものがあります。

① CAD（Computer Aided Design）／
　CAM（Computer Aided Manufacturing）／
　CAE（Computer Aided Engineering）
コンピュータ支援による設計（CAD）／生産（CAM）／解析（CAE）システムです。

②MRP（Material Requirement Planning）

　資材所要量計画を行います。資材所要量計画とは，製品を作る上で必要な資材の量を計算して求めることです。

③FMC（Flexible Manufacturing Cell）

　個々の工程を行う機械を組み合わせたものです。

④FMS（Flexible Manufacturing System）

　生産設備の全体をコンピュータで統括的に管理します。

⑤FA（Factory Automation）

　FMSに資材調達，設計データの管理や受渡し，間接業務などを加え，すべて自動化するシステムのことです。

▶▶▶ 覚 え よ う ！

☐　JITは，必要なときに，必要なものを，必要な量だけ生産

☐　生産システムFMSにそれ以外の業務を統合するとFA

8-3-3 ● e-ビジネス

頻出度 ★★☆

　インターネットを介して行うビジネスがe-ビジネスです。EC（Electronic Commerce：電子商取引）とは，インターネットなどのネットワーク上で，情報通信によって商品やサービスを売買，分配する仕組みです。

■電子決済システム

　電子決済システムとは，現金を用いずに電子的なデータ交換で料金を支払うシステムで，キャッシュレス化を実現できます。金融取引では，インターネットバンキングやEFT（Electronic Funds Transfer：電子資金移動）システムが利用されています。インターネット上のクレジットカードの標準規格であるSET（Secure Electronic Transaction）はPKIを利用した仕組みで，暗号化やデジタル署名を行います。

　金融システムに情報技術を組み合わせたテクノロジーに，フィ

用語
インターネットバンキングは顧客と銀行間のシステムです。EFTシステムは，預金口座間の資金振替や銀行間の決済を処理するシステムです。

関連
PKI（公開鍵基盤）やデジタル署名，SSLの詳細は「3-5-1情報セキュリティ」で説明しています。SETでは，暗号化にDESとRSA，デジタル署名にRSAが採用されています。

参考
電子決済システムでは，通信回線のセキュリティを確保するため，SSL/TLSを用いて通信することが一般的です。

8

ンテック(FinTec)があります。フィンテックのサービスとしては，複数の金融機関の口座(アカウント)を一元管理する**アカウントアグリゲーション**や，AIを活用した投資助言サービスである**ロボアドバイザー**などがあります。また，ブロックチェーンや暗号技術などを利用した財産的価値をもつものに，**暗号資産**(仮想通貨)があります。

■ IC カード

　電子マネーなどに利用して，情報の記録や演算を行うためにICを組み込んだカードに**ICカード**があります。ICカードには，カードリーダなどで接触させて読み込む必要がある**接触型**と，無線通信を利用して接触しなくても利用できる**非接触型**の2種類があります。

■ RFID

　物品などに接続された**RFタグ**からRFリーダを使って無線通信で情報をやり取りする仕組みが**RFID**(Radio Frequency IDentification)です。RFIDのタグ(無線ICタグ)の種類には，RFリーダからの電波をエネルギー源として動作するため電池を内蔵する必要がない**パッシブ方式**の**RFタグ**と，電池を内蔵する**アクティブ方式**の**RFタグ**があります。

■ e-ビジネスの進め方

　e-ビジネスは，**企業**(Business)，**消費者**(Customer)及び**政府**(Government)の3種類の役割の間で進めます。企業対企業の取引が**B to B**(Business to Business)，**インターネットショッピング**などの企業と消費者の取引が**B to C**(Business to Consumer)です。インターネットネットオークションなどの顧客同士の取引は**C to C**(Consumer to Consumer)です。また，政府と企業や消費者が取引する**G to B**(Government to Business)や**G to C**(Government to Citizen)もあります。

　e-ビジネスでは距離の制約がなくなるので，従来とは違うビジネスも可能になります。例えば，売れ筋商品に絞り込んで販売するのではなく，多品種少量販売を行う**ロングテール**によって利益を得ることができます。インターネットを通じて単発の仕事を受託するような個人の働き方や，そうした仕事で形成される経

済状態のことを，**ギグエコノミー**といいます。

　それでは，次の問題を解いてみましょう。

問 題

　インターネットショッピングで売上の全体に対して，あまり売れない商品の売上合計の占める割合が無視できない割合になっていることを指すものはどれか。

```
ア　アフィリエイト          イ　オプトイン
ウ　ドロップシッピング      エ　ロングテール
```

（平成30年春 応用情報技術者試験 午前 問73）

解 説

　あまり売れない商品は，それぞれの売上は小さいですが，その数が多いため売上全体に占める割合が多くなることがあります。このことをロングテールといいます。したがって，エが正解です。

ア　ネット広告の課金方式の一つで，Webサイトのリンクを経由して商品が購入された場合に報酬が支払われる方式です。

イ　加入や参加の意思を相手方に明示することです。例えば，明確にメールマガジンを受信することに同意した人にだけメールを送る，といった形態をオプトイン方式といいます。

ウ　ネット販売の一形態で，Webサイトで商品を購入した場合に，商品の発送をサイト管理者ではなく製造元や卸元が行う取引です。

≪解答≫エ

■オンラインマーケティング

　e-ビジネスではオンラインでのマーケティングが行われます。インターネット上では検索によってそのビジネスを見つけてもらう必要があるので，検索エンジンでの表示順位を上げるためのSEO（Search Engine Optimization）対策を行います。

　広告を出してアクセスを増やすときには，その効果を測定する必要があります。Webサイトに訪問した人の中で成約した人の割合である**コンバージョン率**や，広告にかけた費用に対する利益の割合である**CPA**（Cost Per Action）など，様々な指標があります。

　また，お勧め商品を提案する**レコメンデーション**では，ポピュラリティ（人気ランキング）を利用する方法や，顧客の利用履歴を分析して類似した傾向をもつ他の顧客が購入したものを勧める**協調フィルタリング**などの方法があります。

　さらに，複数の企業が提供するサービスを集約（Aggregation）して一つのサービスとしたものを**アグリゲーションサービス**といいます。ワンストップでのサービス提供によって，顧客の利便性が高まります。

■ EDIの仕組みと特徴

　EDI（Electronic Data Interchange：電子データ交換）は，標準化したプロトコルに基づいて電子文書を通信回線上でやり取りする規格です。EDI規格は次の4レベルがあります。

EDIの4レベル

レベル		内容
レベル4	取引基本規約	EDIにおける取引の有効性を確立するための契約書
レベル3	業務運用規約	業務やシステムの運用に関する取り決め
レベル2	情報表現規約	対象となる情報データを互いのコンピュータで理解できるようにする取り決め
レベル1	情報伝達規約	ネットワーク回線の種類や伝送手順などに関する取り決め

　基本的に，レベル3，4は当事者間で取り決めます。レベル2の情報表現規約として代表的なものに，UN/CEFACTが取り決めた**UN/EDIFACT**などがあります。また，レベル1の情報伝達規約としては，**JCA**（Japan Chain Stores Association）**手順**や全国銀行協会手順（**全銀手順**）などがあります。

用語

UN/CEFACT（United Nations Centre for Trade Facilitation and Electronic Business：貿易簡易化と電子ビジネスのための国連センター）は，国際連合の下位機関で，商取引や貿易の促進を目的に，世界規模で活動しています。

■ ソーシャルメディア

　ソーシャルメディアとは，個人による情報発信や個人間のコミュニケーションなどの社会的な要素を含んだメディアのことです。個人が情報発信するための手段としての**ブログ**や**ミニブログ**があり，コンテンツを管理するためのシステムとして**CMS**（Content Management System：コンテンツ管理システム）があります。また，個人間のコミュニケーションの場としての**SNS**（Social Networking Service）があります。SNSでは，利用者が好ましいと思う情報が多く表示されるため，実社会とは隔てられてた情報空間となる**フィルタバブル**に取り込まれがちになります。

　また，ソーシャルメディアのデータはビッグデータとなるので，利活用が進んでいます。個人が利用してよい企業や目的を決めたうえでデータを提供し，データを活用した企業が見返りとして個人に合わせたサービスや商品を提供する枠組みとして**情報銀行**があります。

　それでは，次の問題を考えてみましょう。

参考

代表的な**SNS**には，X（旧Twitter）やLINEなどがあります。Mobage（モバゲー）も，ゲームのポータルサイトであると同時にSNSでもあります。

問題

　ビッグデータの利活用を促す取組の一つである情報銀行の説明はどれか。

　ア　金融機関が，自らが有する顧客の決済データを分析して，金融商品の提案や販売など，自らの営業活動に活用できるようにする取組

　イ　国や自治体が，公共データに匿名加工を施した上で，二次利用を促進するために共通プラットフォームを介してデータを民間に提供できるようにする取組

　ウ　事業者が，個人との契約などに基づき個人情報を預託され，当該個人の指示又は指定した条件に基づき，データを他の事業者に提供できるようにする取組

　エ　事業者が，自社工場におけるIoT機器から収集された産業用データを，インターネット上の取引市場を介して，他の事業者に提供できるようにする取組

（令和5年春 応用情報技術者試験 午前 問63）

8

解説

　情報銀行とは，個人が利用してよい企業や目的を決めたうえでデータを提供し，データを活用した企業が見返りとして個人に合わせたサービスや商品を提供する枠組みです。事業者が，個人との契約などに基づき個人情報を預託され，当該個人の指示又は指定した条件に基づき，データを他の事業者に提供できるようにします。したがって，ウが正解です。

ア　自社のサービスでのビッグデータ活用事例です。

イ　自治体標準オープンデータセットなど，公共の共通プラットフォームに関する説明です。

エ　データ取引市場に関する説明です。

≪解答≫ウ

▶▶ 覚えよう！

☐　Bは企業，Cは消費者，Gは政府

☐　EDIの情報表現規約はメッセージの形式を決める

8-3-4 民生機器

民生機器とは，一般家庭で使用される電化製品のことです。

組込みシステム

　民生機器や産業機器にはコンピュータが組み込まれており，これらを制御するために組込みシステムが必要です。

　ビジネス戦略として組込みシステムをとらえた場合には，設計や製造などで複数のメーカから電子機器の受託生産を行う**EMS**（Electronics Manufacturing Service）が挙げられます。

民生機器

　民生機器には，コンピュータ周辺機器やOA機器，民生用通信端末機器，情報家電などがあります。幅広い製品にコンピュータが組み込まれ，組込みシステムにより，細かな制御を実現しています。

　特に，情報機器の小型化，ネットワーク化が進み，**個人用情報機器**（携帯電話，**スマートフォン**，**タブレット端末**など）が普及しました。スマートフォンには，インターネットに接続するだけでなく，自身を経由してほかのコンピュータなどをインターネットに接続させる**テザリング**機能を備えているものもあります。また，ディスプレイに映像，文字などを表示する電子看板である**デジタルサイネージ**や，ホームネットワークを利用してテレビなどの映像をスマートフォンなどで視聴できる**DLNA**（Digital Living Network Alliance）などの技術もあります。

　さらに，拡張現実を実現するための**AR**（Augmented Reality）**グラス**や，音声で様々な操作を行う**スマートスピーカ**なども登場しています。

> **▶▶▶ 覚えよう！**
> ☐ 　電子機器の受託生産を行う**EMS**

関連

組込みシステムの技術的な内容については，「2-4-1 ハードウェア」などで解説しています。

参考

スマートフォン，タブレット端末などを総称して，**スマートデバイス**と呼ぶこともあります。高性能でPCと同様のことができる反面，PCと同様にセキュリティを守る必要があることなどを意識することが大切です。

8

8-3-5 ● 産業機器

頻出度
★★★

　産業機器とは，産業で使用される機器のことです。産業機器では，幅広い製品にコンピュータが組み込まれ，組込みシステムによる細かな分析，計測，制御を実現しています。また近年は，省力化，無人化，ネットワーク化などが行われています。

■ 産業機器の例

　産業機器の例としては，ルータ，MDF（Main Distributing Frame：主配電盤）などの通信設備機器，船舶，航空機などの運輸機器，薬物検知，水質調査などを行う分析機器，計測機器，空調などの設備機器，建設機器などがあります。「8-3-1　ビジネスシステム」で取り上げたスマートグリッドを実現させるためのスマートメータも，産業機器の一例で，様々な機器を組み合わせて自動化することで工場全体を**スマートファクトリー**にすることができます。機器の近くにサーバを分散配置するエッジコンピューティングを利用して，処理の遅延を防ぎ，通信の最適化を行うこともできます。

　また，自動車を制御する自動車制御システムも，産業機器の例です。自動車内には車載ネットワークとして**CAN**（Controller Area Network）が装備されており，車内で様々な情報をやり取りしています。自動運転を支援するために，車車間通信（Vehicle-to-Vehicle：**V2V**）を行うこともあります。このような，車外からのデータを取り込むICT端末としての機能を備えた自動車を，**コネクテッドカー**といいます。

　それでは，次の問題を考えてみましょう。

●関連
エッジコンピューティングについては，「2-2-1 システム構成」でも取り上げています。

問 題

IoTの技術として注目されている，エッジコンピューティングの説明として，最も適切なものはどれか。

ア 演算処理のリソースをセンサー端末の近傍に置くことによって，アプリケーション処理の低遅延化や通信トラフィックの最適化を行う。

イ 人体に装着して脈拍センサーなどで人体の状態を計測して解析を行う。

ウ ネットワークを介して複数のコンピュータを結ぶことによって，全体として処理能力が高いコンピュータシステムを作る。

エ 周りの環境から微小なエネルギーを収穫して，電力に変換する。

(令和6年春 応用情報技術者試験 午前 問72)

解 説

エッジコンピューティングとは，端末の近くにサーバを配置する手法です。演算処理のリソースを端末の近くに置いて，アプリケーション処理の低遅延化や通信トラフィックの効率化を行います。したがって，アが正解です。

イ ウェアラブル端末の説明です。

ウ グリッドコンピューティングの説明です。

エ エネルギーハーベスティングの説明です。

≪解答≫ア

▶▶▶ 覚えよう！

□ スマートメータを用いて，スマートグリッドを実現させる

8-4 演習問題

問1 バリューチェーンの説明 CHECK ▶ ☐☐☐

バリューチェーンの説明はどれか。

ア 企業活動を，五つの主活動と四つの支援活動に区分し，企業の競争優位の源泉を分析するフレームワーク

イ 企業の内部環境と外部環境を分析し，自社の強みと弱み，自社を取り巻く機会と脅威を整理し明確にする手法

ウ 財務，顧客，内部ビジネスプロセス，学習と成長の四つの視点から企業を分析し，戦略マップを策定するフレームワーク

エ 商品やサービスを，誰に，何を，どのように提供するかを分析し，事業領域を明確にする手法

問2 超スマート社会実現への取組み CHECK ▶ ☐☐☐

政府は，IoTを始めとする様々なICTが最大限に活用され，サイバー空間とフィジカル空間とが融合された"超スマート社会"の実現を推進してきた。必要なものやサービスが人々に過不足なく提供され，年齢や性別などの違いにかかわらず，誰もが快適に生活することができるとされる"超スマート社会"実現への取組は何と呼ばれているか。

ア e-Gov イ Society 5.0
ウ Web 2.0 エ ダイバーシティ社会

問3　戦略マップ　　　　　　　　　CHECK ▶ □□□

バランススコアカードで使われる戦略マップの説明はどれか。

ア　切り口となる二つの要素をX軸，Y軸として，市場における自社又は自社製品
　　のポジションを表現したもの

イ　財務，顧客，内部ビジネスプロセス，学習と成長という四つの視点を基に，課題，
　　施策，目標の因果関係を表現したもの

ウ　市場の魅力度，自社の優位性という二つの軸から成る四つのセルに自社の製品
　　や事業を分類して表現したもの

エ　どのような顧客層に対して，どのような経営資源を使用し，どのような製品・サー
　　ビスを提供するのかを表現したもの

問4　デジタルツイン　　　　　　　　　CHECK ▶ □□□

IoT活用におけるデジタルツインの説明はどれか。

ア　インターネットを介して遠隔地に設置した3Dプリンターへ設計データを送り，
　　短時間に複製物を製作すること

イ　システムを正副の二重に用意し，災害や故障時にシステムの稼働の継続を保証
　　すること

ウ　自宅の家電機器とインターネットでつながり，稼働監視や操作を遠隔で行うこ
　　とができるウェアラブルデバイスのこと

エ　デジタル空間に現実世界と同等な世界を，様々なセンサーで収集したデータを
　　用いて構築し，現実世界では実施できないようなシミュレーションを行うこと

8

問5　サイバーフィジカルシステム(CPS)　CHECK ▶ □□□

サイバーフィジカルシステム (CPS) の説明として，適切なものはどれか。

ア　1台のサーバ上で複数のOSを動かし，複数のサーバとして運用する仕組み
イ　仮想世界を現実かのように体感させる技術であり，人間の複数の感覚を同時に刺激することによって，仮想世界への没入感を与える技術のこと
ウ　現実世界のデータを収集し，仮想世界で分析・加工して，現実世界側にリアルタイムにフィードバックすることによって，付加価値を創造する仕組み
エ　電子データだけでやり取りされる通貨であり，法定通貨のように国家による強制通用力をもたず，主にインターネット上での取引などに用いられるもの

問6　協調フィルタリングを用いたもの　CHECK ▶ □□□

レコメンデーション (お勧め商品の提案) の例のうち，協調フィルタリングを用いたものはどれか。

ア　多くの顧客の購買行動の類似性を相関分析などによって求め，顧客Aに類似した顧客Bが購入している商品を顧客Aに勧める。
イ　カテゴリ別に売れ筋商品のランキングを自動抽出し，リアルタイムで売れ筋情報を発信する。
ウ　顧客情報から，年齢，性別などの人口動態変数を用い，"20代男性"，"30代女性"などにセグメント化した上で，各セグメント向けの商品を提示する。
エ　野球のバットを購入した人に野球のボールを勧めるなど商品間の関連に着目して，関連商品を提示する。

■ 演習問題の解答

　バリューチェーンは企業活動の価値を分析するためのフレームワークです。購買物流→製造→出荷物流→販売・マーケティング→サービスという流れの五つの主活動と，人事・労務管理，技術開発，調達活動，全般管理の四つの支援活動に分けることで，企業が事業で行う活動の貢献度を明確にします。したがって，**ア**が正解です。

イ　SWOT分析の説明です。

ウ　BSC（Balanced Score Card：バランススコアカード）の説明です。

エ　エーベルの三次元事業定義モデルの説明です。

　内閣府の統合イノベーション戦略で目指す，「サイバー空間（仮想空間）とフィジカル空間（現実空間）を高度に融合させたシステムにより，経済発展と社会的課題の解決を両立する，人間中心の社会（Society）」のことを，Society 5.0といいます。したがって，**イ**が正解です。

ア　電子政府の情報窓口です。政府に関する情報を提供し，行政機関に対する申請・届出等の手続を行うことができます。

ウ　誰もがWebサイトを通じて情報を発信することができるようになったWebの利用状態のことを指します。

エ　多様な背景をもつ人々や，多様な価値観を受容する社会のことを指します。

　バランススコアカードで使われる戦略マップとは，財務，顧客，内部ビジネスプロセス，学習と成長という四つの視点ごとに課題や施策，目標の因果関係などを表現したものです。したがって，**イ**が正解です。

ア　ポジショニングマップの説明です。

ウ　PPM（Product Portfolio Management）の説明です。

エ　顧客のセグメンテーションなどの説明です。

問4 (令和6年春 応用情報技術者試験 午前 問70)

《解答》エ

　IoT活用におけるデジタルツインとは，現実の物理空間と同じものを仮想空間で実現させることです。様々なセンサーで収集したデータを用いて仮想空間に物体を構築します。自動運転車の衝突など，現実世界では実施できないようなシミュレーションを行うことができます。したがって，エが正解です。

ア　3Dプリンターを活用した遠隔複製です。

イ　デュプレックスシステムの説明です。

ウ　遠隔作業を支援するスマートグラスの説明です。

問5 (令和4年秋 応用情報技術者試験 午前 問73)

《解答》ウ

　サイバーフィジカルシステム(CPS：Cyber-Physical System)とは，現実世界(フィジカル空間)にある多様なデータをセンサーネットワーク等で収集し，仮想世界(サイバー空間)で分析・加工を行うシステムです。仮想世界で創出した情報／価値をリアルタイムで現実世界にフィードバックすることで，産業の活性化や社会問題の解決などの付加価値を創造する仕組みです。したがって，ウが正解です。

ア　サーバの仮想化による，1台の物理サーバで複数台の仮想サーバを運用する仕組みが該当します。

イ　仮想現実(VR：Virtual Reality，バーチャルリアリティ)の説明です。

エ　仮想通貨(暗号資産)に関する説明です。

問6 (令和3年春 応用情報技術者試験 午前 問63)

《解答》ア

　協調フィルタリングとは，顧客の利用履歴を分析して行うレコメンデーション手法です。多くの顧客の購買行動の類似性を相関分析などによって求め，顧客Aに類似した顧客Bが購入している商品を顧客Aに勧めることは，協調フィルタリングに該当します。したがって，アが正解です。

イ　ポピュラリティ（人気ランキング）を用いたものです。

ウ　セグメンテーションを用いたものです。

エ　コンテンツベースフィルタリングを用いたものです。

第**9**章

企業と法務

この章では，企業が活動を行うのに大切な，企業と法務のかかわりについて学びます。

企業を適切に運営していくには，会計や財務，法律についての知識を身に付けておくことが必要です。この分野では，経営・組織に関すること，業務分析・データ利活用や会計・財務，法務に関することなどを学びます。

分野は二つ，「企業活動」と「法務」です。企業活動では，企業が業務を継続させていくのに必要な考え方について学びます。法務では，会社を運営していく上で必要な法律や標準について学びます。

OR・IEと会計・財務の分野は，ただ覚えるだけでなく，理解して使いこなすことが求められます。実際に手を動かしながら考え方を理解していきましょう。

9-1 企業活動

企業では，部品や材料など必要なものを調達し，それを消費者のニーズに合ったものに変えて提供します。そのためには資金や人員が必要になるので，資金調達をしたり従業員を雇用したりします。こういった活動が企業活動です。

9-1-1 ● 経営・組織論　頻出度 ★☆☆

企業では，企業理念の下，目的を実現するために企業活動を行います。その際に大切になる経営資源には，ヒト・モノ・カネ・情報の四つがあり，これを管理するのが経営管理です。

■ 企業経営

企業は営利活動を行う組織ですが，単に利益を追求するだけでなく，企業理念をもち，CSR（Corporate Social Responsibility：企業の社会的責任）を果たすことも重要です。また，地球環境に配慮したIT活用を行うグリーンITの思想も大切です。

法人化された企業を会社と呼びますが，現在，日本で設立できる会社の形態は，合資会社，合名会社，合同会社（LLC：Limited Liability Company），株式会社の4種類です。株式会社では，市場で株式の売買を行えるよう，株式公開（IPO：Initial Public Offering）ができます。

■ 企業の特徴

企業が将来にわたって無期限に事業を継続することを前提とした考え方がゴーイングコンサーン（継続的事業体）です。そして，企業の特性や個性を明確に提示し，共通したロゴやメッセージなどを発信することで社会に向けたイメージを形成していくことをコーポレートアイデンティティといいます。また，企業は一般投資家や株主，債権者などに情報を開示する必要があります。その投資家向け広報がIR（Investor Relations）です。

そして，企業は1社だけで活動するのではなく，様々な利害関係者との相互作用で成り立っています。そのため，企業に対する利害関係者（ステークホルダ）の視点から，企業経営の社会性

📏 **勉強のコツ**

午前でも午後でも最もよく出題されるのは，会計・財務の分野です。利益の計算，経営分析の方法など，会計・財務の基本を押さえておきましょう。
用語はほかの分野と重なる部分も多いので，復習も兼ねて知識を身に付けていきましょう。

👆 **発展**

一つの取引しか行わない期限のある企業の場合は，収支を精算して終わりになります。しかし，**ゴーイングコンサーン**を前提にすると**企業に終わりはない**ので，収支の算出は，一定期間ごとに意図的に行う必要があります。それが**会計期間**です。

や政治性を確保する必要があります。この考え方をコーポレート
ガバナンスといい，利害関係者は企業の経営者が適切にマネジ
メントを行っているかをチェックします。

それでは，次の問題を考えてみましょう。

企業と法務の分野について
の動画を以下で公開してい
ます。
https://www.wakuwaku
academy.net/itcommon/9
線形計画法やゲーム理論な
ど，経営と法務分野の定番
用語について，詳しく解説
しています。
本書の補足として，よろし
ければご利用ください。

問 題

企業経営の透明性を確保するために，企業は誰のために経営を
行っているか，トップマネジメントの構造はどうなっているか，
組織内部に自浄能力をもっているか，などを問うものはどれか。

ア　コアコンピタンス
イ　コーポレートアイデンティティ
ウ　コーポレートガバナンス
エ　ステークホルダアナリシス

(平成26年秋 応用情報技術者試験 午前 問74)

解 説

コーポレートガバナンスでは企業の社会性を確認する必要があ
るので，企業経営の透明性が必要です。そこで，企業は誰のため
に経営を行っているか，トップマネジメントはどうなっているのか，
ということを問いかけます。したがって，ウが正解です。
ア　コアコンピタンスは，企業の経営資源を組み合わせて，企業
　　の独自性を生み出す組織能力のことです。
イ　コーポレートアイデンティティは，企業の特性や個性を明確に
　　提示し，社会に向けたイメージを形成していくことです。
エ　ステークホルダアナリシス(ステークホルダ分析)は，企業を
　　取り巻くステークホルダ(利害関係者)を洗い出し，対策を考
　　えることです。

≪解答≫ウ

発展

企業経営のマネジメントで
は，他のマネジメントと同様，
PDCA (Plan, Do, Check,
Act) サイクルを回していく
ことが基本です。
近年では，PDCA以外に
もOODAループが注目さ
れています。OODAとは，
Observe (観察), Orient (方
向づけ), Decide (意思決
定), Act (行動) の頭文字
を取ったもので，先の読め
ない状況で意思決定を行う
方法を示すものです。

9

■ ヒューマンリソースマネジメント

経営管理においては，ヒューマンリソースマネジメント（**HRM**：Human Resource Management：人的資源管理）はとても大切です。HRMには，人事管理や労務管理だけでなく，組織の設計や教育・訓練，報酬体系の設計，福利厚生など様々な内容が総合的に含まれます。

HRMを技術で解決する方法も増えてきており，人事や採用などを行うためのテクノロジーのことを**HRテック**（Human Resource Tech）といいます。

HRMには従業員の教育も含まれ，eラーニングや**アダプティブラーニング**など，状況に合わせた教育が必要となっています。

従来は能力主義だった人事制度は徐々に，具体的な成果を基準とする成果主義に変わってきました。成果主義では**MBO**（Management by Objectives：目標管理制度）などが導入され，評価の公平性や透明性を上げています。

さらに，従業員のコンピテンシに重点を置き，コンピテンシの高い人材を採用する，またコンピテンシで従業員を評価するといった概念の導入も進んでいます。

■ 行動科学

企業組織での人間行動に影響する理論に，マズローの欲求段階説があります。これは，人間の欲求を低次のものから挙げると，

1. 生理的欲求
2. 安全欲求
3. 所属と愛の欲求
4. 承認欲求
5. 自己実現欲求

の五つであり，低次の欲求が満たされるとより高次の欲求へと段階的に移動するという考え方です。

また，別の側面からの理論にマクレガーが提唱した**XY理論**があります。**X理論**とは，「人間は本来ナマケモノなので，放っておくと仕事をしない。だから命令や懲罰で管理する必要がある」という考え方です。**Y理論**は，「人間は本来進んで働きたがる生き物であり，自己実現のために自ら行動する」という考え方です。低次の欲求が満たされている現代では，**Y理論に基づいた経営**

用語

アダプティブラーニング（適応学習）とは，学習者一人一人の状況や理解度に応じて，学習内容やレベルを調整する仕組みです。

用語

コンピテンシとは，高い業務成果を生み出す顕在化された個人の行動特性です。職種別に高い業績を上げている個人の行動特性（例えば「ムードメーカー」「論理思考」など）を分析し，その行動特性を評価基準として従業員を評価します。

発展

欲求段階説では，1〜4の欲求を欠乏欲求といい，これらの欲求が満たされないときに，人は緊張や不安を感じます。また，自己実現欲求に動機付けられた欲求を成長欲求といい，一度充足してもより強く充足させようと指向するといわれています。

参考

マズローとマクレガーは，米国の心理学者です。

手法が望ましいとされています。

　また，部下の成熟度によって有効なリーダシップは異なるという**SL理論**（Situational Leadership Theory）があります。SL理論では，仕事志向の強さと人間志向の強さを基準に，次の四つのリーダシップスタイルに分類します。

　・教示的リーダシップ（仕事指向が高く，人間指向が低い場合）
　・説得的リーダシップ（仕事指向と人間指向が共に高い場合）
　・参加的リーダシップ（仕事指向が低く，人間指向が高い場合）
　・委任的リーダシップ（仕事指向と人間指向が共に低い場合）

　また，リーダが取るべき行動についての理論として，**PM理論**があります。PM理論では，P機能（Performance function：目標達成機能）とM機能（Maintenance function：集団維持機能）の二つの次元に焦点を当て，どちらを重視するかを定義します。

■ 経営組織

　経営者の職能のうち，すべての業務を統括する役員のことを**CEO**（Chief Executive Officer：最高経営責任者）といいます。また，情報を統括する役員は**CIO**（Chief Information Officer：最高情報責任者）です。

　経営組織の構造には，経営者，部長，課長，平社員といった**階層型組織**や，人事，営業，情報システムなどの職能で分ける**職能別組織**，製品やサービスごとに事業部を分ける**事業部制組織**などがあります。また，職能別組織と事業部制組織を合わせたマトリックス組織という形態もあります。

■ 経営環境の変化

　社会環境の変化により，仕事だけを一生懸命するのではなく，ワークライフバランスに考慮した勤務形態を実現する必要が出てきました。そのために，遠隔勤務のできるオフィスである**サテライトオフィス**や自宅でビジネスを行う**SOHO**（Small Office Home Office）といった形態が発展してきました。組織に所属するのではなく，個人がインターネットを利用して単発の仕事を受諾する，**ギグエコノミー**という経済形態も生まれています。

　また，国際化により，利害関係者に対して，経営や財務の状

参考
CEO，CIOという呼び方は米国由来のもので，日本では法的な効力はもちません。日本では，最高責任者は**代表取締役**となります。

9

用語
ワークライフバランスとは，一人一人が仕事上の責任を果たすとともに，家庭や地域生活などにおいても多様な生き方を実現できるようにするという考え方です。仕事と生活を調和させ，仕事のために他の私生活を犠牲にしないようにする必要があります。

況など各種の情報を公開する**ディスクロージャ**や，企業が株主から委託された資金を適正な使途に配分し，その結果を説明する責任があるとする**アカウンタビリティ**も大切になっています。そして投資家も，単に利益を追求するのではなく，経営陣に対して**CSRに配慮した経営**を求めていくSRI（Socially Responsible Investment：社会的責任投資）を行う必要があります。また，地球環境と調和した企業経営を行う**環境経営**という考え方もあります。さらに，企業の悪い評判が広がることによるリスクである**レピュテーションリスク**も考慮する必要があります。

> ▶▶▶ 覚 え よ う ！
>
> □　企業の経営を監視する仕組みがコーポレートガバナンス
> □　SRIでは，CSRに配慮した企業に投資する

9-1-2 ● 業務分析・データ利活用

企業経営では，オペレーションズリサーチ（OR）やインダストリアルエンジニアリング（IE）の手法が用いられます。

■ OR・IE

オペレーションズリサーチ（OR：Operations Research）とは，数学的・統計的モデルやアルゴリズムなどを利用して，様々な計画に対して最も効率的な方法を決定する技法です。

インダストリアルエンジニアリング（IE：Industrial Engineering）とは，企業が経営資源をより効率的・効果的に運用できるよう，作業手順や工程，管理方法などを分析・評価して，改善策を現場に適用できるようにする技術です。生産工学，経営工学などと訳されます。

以降で，OR・IEの代表的な手法を見ていきます。

■ 線形計画法 (LP)

ORの手法の一つに線形計画法があります。LP（Linear Programming：線形計画法）とは，いくつかの一次式を満たす変数の中で，ある一次式を最大化または最小化する値を求める方法です。

具体的には，次に示す問題のような例が線形計画法になります。
一緒に解いてみましょう。

問 題

　ある工場では表に示す3製品を製造している。実現可能な最大利益は何円か。ここで，各製品の月間需要量には上限があり，組立て工程に使える工場の時間は月間200時間までとする。また，複数種類の製品を同時に並行して組み立てることはできないものとする。

	製品X	製品Y	製品Z
1個当たりの利益 (円)	1,800	2,500	3,000
1個当たりの組立て所要時間 (分)	6	10	15
月間需要量上限 (個)	1,000	900	500

ア　2,625,000　　　　イ　3,000,000
ウ　3,150,000　　　　エ　3,300,000

（平成23年秋 基本情報技術者試験 午前 問72）

解 説

　この条件から，製品X, Y, Zの個数をそれぞれx, y, zとすると，表の条件は以下のような式になります。

　　$0 \leq x \leq 1,000$ [個]，$0 \leq y \leq 900$ [個]，$0 \leq z \leq 500$ [個]

　　$6 \times x + 10 \times y + 15 \times z \leq 200 \times 60 = 12,000$ [分]

　ここで，1個当たりだけでなく，1個当たり1分当たりの利益率を考えてみると，次のようになります。

　　製品X　$1,800 \div 6 = 300$ [円／個・分]
　　製品Y　$2,500 \div 10 = 250$ [円／個・分]
　　製品Z　$3,000 \div 15 = 200$ [円／個・分]

　そこで，できる限り製品Xを作り，順にY，Zと作っていくと，実現可能な利益額が最大になることが分かります。

　$x \leq 1,000$ [個]なので，製品Xを最大の1,000個作ると，所要時間は$6 \times 1,000 = 6,000$ [分]です。続いて，$y \leq 900$ [個]なので，製品Yを最大の900個作ると，所要時間は$10 \times 900 = 9,000$ [分]

勉強のコツ

線形計画法の問題は，以前は連立方程式を立てて解くものが多かったのですが，今では減っています。現在はこの問題のように，利益率を計算し，**利益率の高い製品から順番に製造していく**というやり方で解く問題が主流です。資源当たりの利益が高い製品はどれかという観点で問題を考えていきましょう。

9

となり，XとYだけで200時間（12,000分）を超えてしまいます。そこで，製品Xを最大限（1,000個）作り，製品Zを作らず，製品Yをできるだけ作ることにすると，次のようになります。

$$6 \times 1,000 + 10 \times y = 12,000$$
$$10 \times y = 6,000$$
$$y = 600 \ [個]$$

つまり，製品Yを600個作ればよいことが分かります。

このときの利益は，$1,800 \times 1,000 + 2,500 \times 600 = 3,300,000$ となるので，エが正解です。

《解答》エ

在庫管理

在庫管理の考え方には，一定期間ごとに発注を行う**定期発注方式**と，一定量の発注を行う**定量発注方式**の2種類があります。在庫は，もっているだけで**在庫費用**がかかります。そのため，定期発注方式の場合は，発注費用と在庫費用を最小化する**EOQ**（Economic Ordering Quantity：**経済的発注量**），または**発注ロットサイズ**を考えることが重要です。定量発注方式の場合には，在庫がこの数を切ったら発注するという**発注点**を考えることが大切になります。

また，どの商品を在庫としてもつか，集中して管理するかということも在庫管理では重要です。**ABC分析**では，商品を売上高が多い順にA，B，Cの三つに分類し，能率的に管理を行います。品目，売上高，売上高累積構成比をグラフにすると，おおよそ以下のようになります。

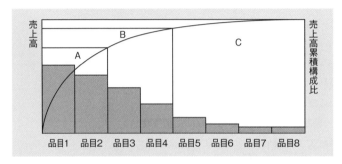

ABC分析

過去問題をチェック

在庫管理について，応用情報技術者試験の午前では以下の出題があります。
【定期発注方式】
・平成22年春 午前 問77
・平成24年春 午前 問75
・平成27年春 午前 問76
【定量発注方式】
・平成26年秋 午前 問76
・平成29年春 午前 問75
・平成31年春 午前 問75
・令和2年10月 午前 問75

午後でも出題されています。以下の問題は，定量発注方式と定期発注方式の両方に関する内容で，発注点を求めて最適な在庫管理を考えます。
【最適な在庫管理】
・平成22年秋 午後 問3
【在庫管理システムの監査】
・平成29年秋 午前 問60

■ゲーム理論

ゲーム理論とは，ある特定の条件下において，互いに影響を与え合う複数のプレイヤーの間での意思決定の考え方を研究するものです。ビジネスの分野でも，競争相手がいる場合にはゲーム理論を応用できる場面はいろいろあります。

ゲーム理論では，ゲームを支配するルールを決め，その行動戦略がいくつかあり，プレイヤーがそれを選択する，という枠組みの中でどう意思決定すると利得（利益などの効用）を最大化できるかを考えます。

戦略の例として，毎回同じ行為をする**純粋戦略**と，毎回異なった行為をする**混合戦略**があります。また，意思決定を行う際の判断基準として，最悪の場合の利得を最大とする基準をマクシミン原理，最良の場合の利得を最大とする基準をマクシマックス原理といいます。また，各プレイヤーが自己の利得を最大化することを考え，どのプレイヤーも戦略変更によってより高い利得を得ることができなくなった戦略の組合せのことを**ナッシュ均衡**といいます。

それでは，次の問題を考えてみましょう。

問題

経営会議で来期の景気動向を議論したところ，景気は悪化する，横ばいである，好転するという三つの意見に完全に分かれてしまった。来期の投資計画について，積極的投資，継続的投資，消極的投資のいずれかに決定しなければならない。表の予想利益については意見が一致した。意思決定に関する記述のうち，適切なものはどれか。

予想利益 (万円)		景気動向		
		悪化	横ばい	好転
投資計画	積極的投資	50	150	500
	継続的投資	100	200	300
	消極的投資	400	250	200

ア　混合戦略に基づく最適意思決定は，積極的投資と消極的投資である。

　イ　純粋戦略に基づく最適意思決定は，積極的投資である。

　ウ　マクシマックス原理に基づく最適意思決定は，継続的投資である。

　エ　マクシミン原理に基づく最適意思決定は，消極的投資である。

(平成27年秋 応用情報技術者試験 午前 問75)

解説

　混合戦略，純粋戦略という分類は，今回は当てはまりません。今回の意思決定は，戦略を一つに決定するという意味では純粋戦略です。それぞれの景気動向が3分の1の確率で起こるとし，**期待利益を最大化するという戦略**を取る場合の得は，積極的投資は $(50 + 150 + 500) \div 3 = 233$，継続的投資は $(100 + 200 + 300) \div 3 = 200$，消極的投資は $(400 + 250 + 200) \div 3 \fallingdotseq 283$ となり，消極的投資が有利です。また，マクシマックス原理では，最良の場合の得，つまり積極的投資だと500，継続的投資だと300，消極的投資だと400のうちで得を最高にするので，積極的投資が最適です。マクシミン原理では，最悪の場合，つまり積極的投資だと50，継続的投資だと100，消極的投資だと200のうちで得を最高にするので，消極的投資が最適になります。

　したがって，エが正解です。

≪解答≫エ

■検査手法

　検査を行うとき，あるロットのすべての物品を調べるのではなく，**抜取検査**で少数の標本を調べることがあります。しかし，単純に不良品がn個以下のロットを合格とすると，抜取り方によって品質にばらつきが出てしまうので，そのロットの合格確率を統計的に求めます。

　このとき，横軸にロットの不良率，縦軸にロットの合格確率をとった曲線を**OC**（Operating Characteristic：検査特性）**曲線**といいます。OC曲線を見れば，ある不良率をもったロットがどの程度の確率で合格するのかを判断できます。

頻出ポイント

OR・IEの分野では，OC曲線などの検査手法についてよく出題されています。QC七つ道具と合わせて頻出ポイントです。

それでは，次の問題を解いてみましょう。

問 題

横軸にロットの不良率，縦軸にロットの合格率をとり，抜取検査でのロットの品質とその合格率との関係を表したものはどれか。

ア　OC曲線　　　　　　　イ　バスタブ曲線
ウ　ポアソン分布　　　　　エ　ワイブル分布

(平成30年秋 応用情報技術者試験 午前 問75)

解 説

この問はOC曲線の説明そのものなので，アが正解です。

ウの**ポアソン分布**は統計的な分布で，待ち行列モデルの到着率などで使われています。エの**ワイブル分布**は，物体の体積と強度との関係を定量的に記述するための確率分布です。寿命を統計的に記述するためにも利用されています。

≪解答≫ア

用語

バスタブ曲線とは**故障率曲線**のことで，機械や装置の時間経過に伴う故障率の変化を表したものです。
時間の経過により，**初期故障期，偶発故障期，摩耗故障期**の三つに分けられます。通常，偶発故障期の故障率は低く，その前後の故障率が高く，グラフがバスタブのような形になることから，この名前が付けられています。

9

■ 稼働分析

　稼働分析とは，IEの代表的な作業測定方法で，一定の期間内での生産活動の中で，人または機械がどのような作業にどれだけの時間を掛けているかを明らかにする分析です。稼働分析の手法として基本的なものには，実際の作業動作そのものをストップウォッチで数回反復測定して，作業時間を調査する**ストップウォッチ**（Stop Watch）**法**があります。また，作業を基本動作に分解して，基本動作の時間標準テーブルから，構成される基本動作の時間を合計して作業時間を求める**PTS**（Predetermined Time Standard system）**法**も用いられています。さらに，すべてを調査するのではなく，観測回数・観測時刻を設定し，実地観測によって観測された要素作業数の比率などから，統計的理論に基づいて作業時間を見積もる**ワークサンプリング法**もあります。

■品質管理手法

　品質管理手法において，主に定量分析に用いられるものが**QC七つ道具**です。また，主に定性分析に用いられるのが**新QC七つ道具**です。

【QC七つ道具】

①層別

　母集団をいくつかの層に分割することです。

②ヒストグラム

　データの分布状況を把握するのに用いる図です。データの範囲を適当な間隔に分割し，度数分布表を棒グラフ化します。

③パレート図

　項目別に層別して，**出現頻度の高い順に並べる**とともに，累積和を示して，累積比率を折れ線グラフで表す図です。前述した**ABC分析**とほぼ同様の図になります。

④散布図

　二つの特性を横軸と縦軸とし，観測値をプロットします。相関関係や異常点を探るのに用いられます。

参考

パレート図では，出現頻度の順に層別を比較します。ABC分析では，品目ごとに売上高を比較します。扱うものは違いますが，重要なものを見つけ出して重点を置くという考え方は同じです。

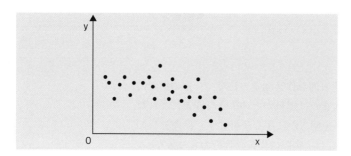

散布図

　点の散らばり方に**直線的な関係**があるときには，xとyの間に**相関がある**といわれます。右肩上がりのときは**正の相関**，右肩下がりのときは**負の相関**です。統計分析によって**相関係数**を求めることもありますが，正の相関のときには相関係数は正，負の相関のときには相関係数は負になります。

関連

相関係数については，「1-1-2 応用数学」も参考にしてください。

⑤特性要因図

　ある特性をもたらす一連の原因を階層的に整理するものです。矢印の先に結果を記入して，因果関係を図示します。

⑥チェックシート

　事実を区分して，詳しく定量的にチェックするためにデータをまとめてグラフ化する手法です。

⑦管理図

　連続した量や数値などのデータを時系列に並べ，異常かどうかの判断基準を管理限界線として引いて管理する図です。

【新QC七つ道具】

①親和図法

　多くの散乱した情報から，言葉の意味合いを整理して問題を確定する手法です。

②連関図法

　問題が複雑にからみ合っているときに，問題の因果関係を明確にすることで原因を特定する手法です。

③系統図法

　目的と手段を多段階に展開する手法です。

④マトリックス図法

　目的や現象と，手段や要因のそれぞれの対応関係を多元的に整理する手法です。

⑤マトリックスデータ解析法

　問題に関係する特性値間の相関関係を手がかりに総合特性を見つけ，個体間の違いを明確にする手法です。

⑥PDPC（Process Decision Program Chart）法

　プロセス決定計画図と訳され，計画を実行する上で，事前に考えられる様々な結果を予測し，プロセスをできるだけ望ましい方向に導く手法です。

⑦アローダイアグラム法

　クリティカルパス法やPERTで使われている手法です。

　それでは，次の問題で確認してみましょう。

関連

クリティカルパス法については「5-1-6　プロジェクトの時間」を，PERTについては「5-1-7　プロジェクトのコスト」を参照してください。

問題

　発生した故障について，発生要因ごとの件数の記録を基に，故障発生件数で上位を占める主な要因を明確に表現するのに適している図法はどれか。

　ア　特性要因図　　　　　　イ　パレート図
　ウ　マトリックス図　　　　エ　連関図

（令和5年秋 応用情報技術者試験 午前 問76）

解説

　品質管理手法において，主に定量分析に用いられるものがQC七つ道具です。QC七つ道具のうち，項目別に層別して，出現頻度の高い順に並べるとともに，累積和を示して，累積比率を折れ線グラフで表す図をパレート図といいます。パレート図では，発生した故障について，発生要因ごとの故障発生件数を上位から順に並べることで，故障に占める主な要因を明確に表現することが可能です。したがって，イが正解です。

ア　QC七つ道具の一つで，ある特性をもたらす一連の原因を階層的に整理する手法です。

ウ　新QC七つ道具の一つで，目的とその手段など，二つの関係を行と列の二次元に表し，行と列の交差点に二つの関係の程度を記述する手法です。

エ　新QC七つ道具の一つで，問題が複雑にからみ合っているときに，問題の因果関係を明確にすることで原因を特定する手法です。

≪解答≫イ

■ 分析手法

ORやIEで利用される分析手法には様々なものがあります。代表的な分析手法は以下のとおりです。

①回帰分析

相互関係がある二つの変数の間の関係を統計的な手法で推測します。**最小二乗法**などが用いられます。

②パレート分析

複数の事象などを，現れる頻度によって分類し，管理効率を高める手法です。パレート図を作成して行います。

③クラスタ分析

対象の集合を似たようなグループに分け，その特徴となる要因を分析する手法です。

④モンテカルロ法

乱数を用いてシミュレーションや数値演算を行うことで答えを求める手法です。

■ データ利活用

データ利活用は，現代のビジネスや社会において重要な役割を果たしています。データの収集，加工・分析，統計的手法，可視化の各ステップが連携することで，データ利活用は効果的かつ戦略的に行われます。以下に，データ利活用の一連の流れを示します。

①データの収集

データの収集は，目的に応じて適切なデータを集めることから始まります。調査データや実験データ，あるいは人の行動ログデータや機械の稼働ログデータ，ソーシャルメディアデータやGIS（Geographic Information System：地理情報システム）データなど，多岐にわたるデータ源があります。経済統計や一般的な公開情報などの伝統的なデータに対して，これまで利活用されてこなかったデータのことを，**オルタナティブデータ**といいます。

データを収集するときには，データの内容だけでなく，収集の
タイミングや頻度も重要です。Webクローリングや**スクレイピン
グ**などを利用してデータを収集します。**データレイク**に蓄積して
一元管理することで，データが分断された状態となる**サイロ化**
を避けることが可能になります。

②データの加工・分析

　収集したデータを活用するためには，まずデータの**前処理**が
必要です。例えば，データ結合や名寄せ，外れ値や欠損値の処
理，標準化や離散化が一般的です。文章内であまり意味をもた
ない言葉であるストップワードの除去も重要です。また，データ
の性質やドメイン知識を理解し，**特徴量エンジニアリング**を行う
ことも重要です。収集したデータに対して適切な検証項目を設
計・実行することで，データの信頼性を担保します。

　データの加工後，データ分析を行います。データサイエンス
の手法を駆使して，ビジネスインテリジェンス（BI）やデータドリ
ブンマーケティングに基づいた意思決定に役立てます。機械学
習を用いたパターン発見や最適化，シミュレーションを行うこと
で，データの潜在的な価値を引き出します。

③データ分析における統計的手法

　データの分析には統計的手法が不可欠です。母集団から適切
な標本抽出を行い，精度と偏りを理解したうえで，データの特徴
を分析します。選択バイアスや情報バイアス，認知バイアス（ハ
ロー効果や確証バイアスなど）に注意しながら，データが示す真
の意味を見極めることが求められます。統計的手法を用いるこ
とで，データから導き出される洞察の正確性が向上し，より信頼
性の高い結論を得ることができます。

④図表やグラフによるデータの可視化

　データ分析の結果を理解し，共有するためには，適切な可視
化が欠かせません。棒グラフや折れ線グラフ，箱ひげ図，ヒー
トマップ，レーダーチャートなど，データの特性や目的に応じて
最適な図表やグラフを選択します。クロス集計表や散布図行列
などを使い，データ間の相関関係や傾向を視覚的に示すことで，

 用語

データの前処理での**名寄せ**
とは，同じ意味をもつ異な
る言葉（例えば，住所の「1
丁目1番地」と「1－1」）を
統一することです。
標準化とは，形式を決めて
単位などを合わせること，
離散化とは，アナログデー
タをデジタルデータとして
分割することです。
ドメイン知識とは，ある専
門分野に特化した知識で，
それぞれの専門分野の特徴
を数値で表現することを**特
徴量エンジニアリング**とい
います。
**データドリブンマーケティ
ング**とは，分析したデータ
を中心にマーケティングを
行うことです。

 用語

バイアスとは，物事を判
断したり決定したりする際
に，個人の経験や感情など
によって生じる偏りや歪み
です。
認知バイアスとは人間の認
知の歪みで，人間の一つの
特徴が全体の評価につなが
る**ハロー効果**や，自分の信
じていることに関する情報
だけを探す**確証バイアス**な
どがあります。

 用語

箱ひげ図は，データの分析
やばらつきを視覚的に表現
するための図です。データ
の最小値，第1四分位数，
中央値，第3四分位数，最
大値の五つを使って描かれ
ます。「5-1-11 プロジェク
トのコミュニケーション」
で取り上げた浮動棒グラフ
の一種です。
ヒートマップは，数値デー
タの大小やパターンを色の
違いで表現する図です。

データの本質を理解しやすくします。分析結果を見るときは，不適切な可視化表現，例えば起点が0でないグラフや不必要な立体表現などに惑わされないよう，データを正確に解釈することが重要です。

▶▶▶ 覚 え よ う ！

- ☐ ABC分析，パレート図では，重要なものに重点を置く
- ☐ 最良の場合の利益を最大にするマクシマックス，最悪の場合の利益を最大にするマクシミン

9

9-1-3 🔵 会計・財務

頻出度
★★☆

　企業の財政状態や利益を計算するための方法が会計（アカウンティング）です。そして，企業の資金の流れに関する活動が財務（ファイナンス）です。会計・財務では，この両方について学びます。

　企業会計には，法律に定められた情報公開の仕組みである財務会計と，企業活動の見直しや経営計画の策定に使われる管理会計があります。

🔲 売上と利益の関係

　企業では，売上高＝利益となるわけではありません。売上を上げるために様々な費用がかかっているからです。売上を上げるためにかかる費用を売上原価といい，固定費と変動費に分けられます。固定費は，売上高にかかわらず固定でかかる費用，変動費は，売上高によって変動する費用です。

　また，売上高－売上原価＝売上総利益で売上総利益が0となる点のことを損益分岐点といいます。

　次の問題で，その関係を確認してみましょう。

過去問題をチェック

固定費，変動費から売上高や損益分岐点を求める問題は，応用情報技術者試験の午前ではよく出題されます。この問題のほかに以下の出題があります。
【固定費，変動費から売上高や損益分岐点を求める問題】
・平成21年春 午前 問77
・平成21年秋 午前 問77
・平成22年秋 午前 問75
・平成23年特別 午前 問76
・平成23年秋 午前 問77
・平成25年秋 午前 問76
・平成26年春 午前 問77
・平成27年春 午前 問77
・平成28年春 午前 問77
・平成28年秋 午前 問76
・平成29年春 午前 問77
・平成29年秋 午前 問77
・平成30年春 午前 問77
・平成30年秋 午前 問77
・令和元年秋 午前 問77
・令和2年10月 午前 問77
・令和3年秋 午前 問77
・令和5年春 午前 問77
・令和6年春 午前 問77

問題

　表の事業計画案に対して，新規設備投資に伴う減価償却費（固定費）の増加1,000万円を織り込み，かつ，売上総利益を3,000万円とするようにしたい。変動費率に変化がないとすると，売上高の増加を何万円にすればよいか。

単位　万円

売上高		20,000
売上原価	変動費	10,000
	固定費	8,000
	計	18,000
売上総利益		2,000
⋮		⋮

ア　2,000　　イ　3,000　　ウ　4,000　　エ　5,000

（平成31年春 応用情報技術者試験 午前 問76）

解 説

売上高の増加を x [万円]とします。固定費は1,000万円増加して8,000 + 1,000 = 9,000万円になります。また，変動費は，売上高が20,000 [万円]のときに10,000 [万円]なので，変動費率＝変動費÷売上高＝10,000÷20,000 = 0.5となります。

さらに売上総利益が3,000万円になったとき，売上高−売上原価＝売上総利益の関係は，次のようになります。

$$(20,000 + x) - \{(20,000 + x) \times 0.5 + 9,000\} = 3,000$$

$$(20,000 + x) \times 0.5 = 12,000$$

$$x = 4,000$$

したがって，ウが正解です。

《解答》ウ

決算の仕組み

決算とは，一定期間の収支を計算し，利益（または損失）を算出することです。そのために**財務諸表**を作成します。半年ごとの決算を**中間決算**，3か月ごとの決算を**四半期決算**といいます。会計基準には日本独自のものもありますが，国際的な会計基準として IFRS（International Financial Reporting Standards：国際財務報告基準）があります。

9

財務諸表

企業が作成を義務づけられている財務諸表の代表的なものに，**貸借対照表**と**損益計算書**があります。また，上場企業では**キャッシュフロー計算書**も求められます。

貸借対照表では，**ある時点**における企業の**財政状態**を表します。バランスシート（Balance Sheet：**B/S**）ともいいます。その名のとおり，会社の資産と負債，純資産（資本）の関係が**資産＝負債＋純資産**となり，完全に等しくなります。

資産	負債
	純資産（資本）

貸借対照表の構成

　損益計算書では，**一定期間**における企業の**経営成績**を表します。利益（Profit）と損失（Loss）を表すことから，**P/L**ともいいます。損益計算書では，次のような計算を行います。

```
売上高－売上原価              ＝売上総利益
さらに　－販売費及び一般管理費   ＝営業利益
さらに　＋営業外収益－営業外費用  ＝経常利益
さらに　＋特別収益－特別損失     ＝税引前当期純利益
さらに　－法人税，住民税及び事業税 ＝当期純利益
```

　キャッシュフロー計算書では，一定期間の**キャッシュの増減**を表します。具体的には，**営業活動によるキャッシュフロー**，**投資活動によるキャッシュフロー**，**財務活動によるキャッシュフロー**の三つに分けて表示されます。また，キャッシュフロー計算書の**「現金及び現金同等物の期末残高」**は，貸借対照表（期末）の**「現金及び預金」**の合計額と一致します。

　それでは，次の問題を考えてみましょう。

問題

　期末の決算において，表の損益計算資料が得られた。当期の営業利益は何百万円か。

単位　百万円

項目	金額
売上高	1,500
売上原価	1,000
販売費及び一般管理費	200
営業外収益	40
営業外費用	30

　ア　270　　イ　300　　ウ　310　　エ　500

（平成22年春 応用情報技術者試験 午前 問78）

用語

営業活動によるキャッシュフローは，本業で稼いだキャッシュの増減です。
投資活動によるキャッシュフローは，固定資産の取得や売却，投資などによるキャッシュの増減です。
財務活動によるキャッシュフローは，資金の調達や返済によるキャッシュの増減です。

過去問題をチェック

財務諸表を計算する問題は，応用情報技術者試験でよく出題されます。この問題のほかに以下の出題があります。
【財務諸表の計算】
＜午前＞
・平成21年春 午前 問77
・平成23年特別 午前 問74，76
・平成24年春 午前 問77
・平成27年秋 午前 問76
・平成30年春 午前 問77
・平成30年秋 午前 問77
・平成31年春 午前 問76
＜午後＞
・平成22年春 午後 問1
・平成26年秋 午後 問2

解説

売上高－売上原価＝売上総利益なので，1,500－1,000＝500で，エが売上総利益になります。さらにここから，販売費及び一般管理費を引くと，営業利益になります。500－200＝300となるので，イが正解です。

さらに，営業外収益を足し，営業外費用を引くと，経常利益が出ます。これは，300＋40－30＝310となり，ウに該当します。

≪解答≫イ

■ 資産管理

資産管理を行うときは，在庫や固定資産をどのように管理するかを決めておくことが大切です。棚卸資産評価を行うときには，在庫の取得原価を求める方法を決めます。方法としては，先に取得したものから順に吐き出される**先入先出法**，合計金額を総数で割って平均を求める**総平均法**，仕入れのたびに購入金額と受入数量の合計から単価の平均を計算する**移動平均法**などがあります。

また，設備などの固定資産は，その年に買った経費とするのではなく，利用する期間にわたって費用配分するという**減価償却**という考え方があります。減価償却の主な方法には，毎年均等額を計上する**定額法**や，毎年期末残高に一定の割合を掛けて求めた額を計上する**定率法**などがあります。

それでは，次の問題を考えてみましょう。

問題

取得原価30万円のPCを2年間使用した後，廃棄処分し，廃棄費用2万円を現金で支払った。このときの固定資産の除却損は廃棄費用も含めて何万円か。ここで，耐用年数は4年，減価償却方法は定額法，定額法の償却率は0.250，残存価額は0円とする。

　ア　9.5　　　イ　13.0　　　ウ　15.0　　　エ　17.0

（令和5年秋 応用情報技術者試験 午前 問77）

解説

取得原価30万円のPCを2年間使用すると，減価償却の額は償却率0.250の定額法では，

　30［万円］× 0.250 × 2［年］= 15［万円］

となり，残存価値は30 − 15 = 15［万円］となります。このPCをさらに2万円支払って廃棄した場合，固定資産の除却損は，15 + 2 = 17［万円］（= 17.0［万円］）となります。したがって，エが正解です。

≪解答≫エ

■経営分析

経営分析とは，財務諸表の数値を用いて計算・分析し，企業の収益性や効率性などを評価・判定するための技法です。

企業内部の経営者・管理者が行うのが**内部分析**で，企業の現状の把握や経営戦略立案に役立てます。企業外部のステークホルダが行うのが**外部分析**で，投資などに役立てます。

経営分析の主な視点には，**収益性分析**，**安全性分析**，**生産性分析**などがあります。それぞれの分析で用いられる主な指標は，次のとおりです。

1. 収益性指標

企業の収益獲得能力に関する指標です。利益を絶対額ではなく比率として見ることで，企業規模に関係なく比較できます。主な収益性指標には，以下のものがあります

①ROI（Return on Investment：投資利益率）

投資した資本に対して，どれだけの利益を獲得したかを表します。

$$ROI = \frac{利益}{投資資本} \times 100 ［\%］$$

上の式で求められますが，資本の概念，利益の概念によって，いくつかの指標があります。

②ROA（Return On Assets：総資産利益率）

$$ROA = \frac{事業利益}{総資本} \times 100 \ [\%]$$

事業利益とは，営業利益＋受取利息・配当金です。

③ROE（Return On Equity：自己資本利益率）

$$ROE = \frac{当期純利益}{自己資本} \times 100 \ [\%]$$

株主が自ら出資した資本でどれだけの利益を獲得したかを示す指標です。

④売上高総利益率（粗利益率）

$$売上高総利益率 = \frac{売上総利益}{売上高} \times 100 \ [\%]$$

売上総利益は**粗利**ともいいます。企業が提供しているサービスそのものの収益性です。

用語
収益性の指標で売上高を基に計算するものには，**売上高総利益率**のほかに，売上総利益の代わりに経常利益を使う**売上高経常利益率**や，当期純利益を使う**売上高当期純利益率**があります。

⑤総資本回転率

$$総資本回転率 = \frac{売上高}{総資本}$$

総資本をどの程度効率的に使って売上高を獲得しているかを表す指標です。

⑥ROAS（Return On Advertising Spend：広告費用対効果）

$$ROAS = \frac{売上高}{広告費} \times 100 \ [\%]$$

広告費に対する収益の割合を表す指標です。広告の効果測定や最適化に役立ちます。

2. 安全性指標

企業の支払能力や財務面での安全性に関する指標です。代表的な安全性指標には，以下のものがあります。

9

①流動比率

$$流動比率 = \frac{流動資産}{流動負債} \times 100 \ [\%]$$

　1年以内に現金化できる流動資産がどれくらいあるかを示す指標で，**200%以上**が望ましく，少なくとも100%以上あることが必要とされています。

②当座比率

$$当座比率 = \frac{当座資産}{流動負債} \times 100 \ [\%]$$

　流動資産を当座資産に置き換え，支払能力をより厳格に評価します。流動比率と当座比率の差が大きいと，将来の資金繰りの悪化が懸念されます。

③固定比率

$$固定比率 = \frac{固定資産}{自己資本} \times 100 \ [\%]$$

　固定資産が，負債ではなく自己資本によってどれだけカバーされているかを示します。固定比率は低い方がより安全で，**100%以下**が安全な水準となります。

④固定長期適合率

$$固定長期適合率 = \frac{固定資産}{自己資本＋固定負債} \times 100 \ [\%]$$

　固定資産が長期資本によってどれだけカバーされているかを示します。固定長期適合率は**100%以下**であることが必要です。

⑤自己資本比率

$$自己資本比率 = \frac{自己資本}{総資本} \times 100 \ [\%]$$

　総資本（負債＋自己資本）に占める自己資本の割合です。高い方がより安全です。

3. 生産性指標

　企業のインプット（経営資源，投入量）をどれだけアウトプット（産出量）に変換できたかを表す指標です。主な指標には，次のものがあります。

①労働生産性

$$労働生産性 = \frac{付加価値額}{従業員数}$$

従業員1人当たりの付加価値（円／人）です。

②資本生産性（設備生産性）

$$資本生産性 = \frac{付加価値額}{有形固定資産 - 建設仮勘定}$$

資本（生産設備）の投資効率です。

■ 経済性計算

　企業の設備投資にあたって設備投資の意思決定に用いるのが，設備投資の経済性計算です。**現在価値**と**将来価値**を区別し，将来価値 = 現在価値 ×（1 + 金利）と考え，資産をすべて現在価値に合わせて計算します。主な経済性計算を次に示します。

①DCF（Discounted Cash Flow：割引現金収入価値）法

　資産価値は，その資産が将来にわたり生み出すキャッシュフローを一定の割引率で割り引いた現在価値になります。1年後，2年後，…，n年後のキャッシュフローを CF_1，CF_2，…，CF_n とすると，以下のようになります。rは割引率です。

$$現在価値 = CF_1 \times \frac{1}{1 + r} + CF_2 \times \frac{1}{(1 + r)^2} + \cdots + CF_n \times \frac{1}{(1 + r)^n}$$

②NPV（Net Present Value：正味現在価値）法

　DCFから初期投資額を差し引き，設備投資による**正味の現在価値**を計算します。式は次のとおりです。

$$NPV = DCF - 設備投資額$$

過去問題をチェック

NPVを計算する問題は，応用情報技術者試験で以下の出題があります。
【NPVの計算】
・平成25年秋 午後 問1
・平成31年春 午前 問64

③IRR（Internal Rate of Return：内部利益率）法

NPVがゼロとなる割引率 (r) です。

④PBP（Pay Back Period：回収期間）法

投資効果を評価するため，投資額が何年で回収されるかを算定します。算定方式は，次のとおりです。

回収期間＝投資額÷年平均予想利益

▶▶ 覚 え よ う ！

- [ ]　売上高 — 売上原価が売上総利益，管理費を引くと営業利益
- [ ]　固定長期適合率＝固定資産÷（自己資本＋固定負債）×100

9-2 法務

法務とは法律に関する業務です。ここでは情報技術に関連する法律を中心に学びます。

9-2-1 知的財産権

知的財産権とは，ソフトウェアなどの知的財産を守るための権利です。知的財産の開発者の利益を守り，市場で適正な利潤を得られるようにするために法律が整備されています。

知的財産権

知的財産権とは，知的財産に関する様々な法令により定められた権利です。文化的な創作の権利には，**著作権**や**著作隣接権**があります。また，産業上の創作の権利には，**特許権**などの産業財産権があります。営業上の創作の権利には，**商標権**や**営業秘密**などがあります。

著作権法

著作権が保護する対象は著作物で，思想または感情を創作的に**表現**したものであって，文芸，学術，美術または音楽の範囲に属するものです。**コンピュータプログラム**や**データベース**は著作物に含まれますが，アルゴリズムなどアイディアだけのものや，工業製品などは除かれます。

著作権は産業財産権と違い，**無方式主義**，つまり出願や登録といった手続は不要です。コンピュータプログラムの場合には，私的使用のための複製は認められています。

著作権の保護期間は，著作権法の改正に伴い，著作者の死後50年から70年に延長されました。

産業財産権法

産業財産権には，**特許権**，**実用新案権**，**意匠権**，**商標権**の四つがあります。**特許法**では，**自然法則を利用した技術的思想の創作のうち高度なものである発明**を保護します。特許は発明しただけでは保護されず，**特許権の審査請求**を行い，**審査**を通過しな

勉強のコツ

法律は，基本的には暗記分野なので，知っていれば答えられるというところはあります。ただ，その法律の意義や背景について理解していると，覚えやすく，実務にも役立ちます。

関連

ソフトウェア開発に関する著作権や特許については，「4-2-2 知的財産適用管理」でも説明しています。

用語

著作権などの使用許諾契約が成立するのは，基本的には取引が成立したときです。また，市販のパッケージなどでは，購入したソフトウェアの入ったCD-ROMの包装を破った時点で使用許諾契約が成立するとするシュリンクラップ契約があります。

参考

TPP（環太平洋パートナーシップ）協定の内容をもとに著作権法の改正が行われ，2018年12月30日のTPP発効に伴い施行されました。改正項目には，著作権の保護期間延長のほか，著作権等侵害罪の非親告罪化などもありました。

ければなりません。特許の要件は，産業上の利用可能性，新規性，進歩性があり，先願（最初に出願）の発明であることなどです。

　発明のうち高度でないものは，**実用新案法**の対象になります。また，意匠（**デザイン**）に関するものは**意匠法**の対象で，**商標**に関するものは**商標法**の対象になります。

■ 不正競争防止法

　不正競争防止法は，事業者間の不正な競争を防止し，公正な競争を確保するための法律です。営業秘密（トレードシークレット）に係る不正行為では，不正な手段によって**営業秘密**を取得し使用する，第三者に開示するなどの行為は禁じられています。営業秘密として保護を受けるためには，**秘密管理性**（秘密として管理されていること），**有用性**（有用であること），**非公知性**（公然と知られていないこと）の三つを満たす必要があります。

　それでは，次の問題を解いてみましょう。

発展

不正競争防止法について試験で登場するのは主に営業秘密ですが，それ以外にも不正競争行為の類型にはいろいろ想定されています。例えば，他人の著名な商品にただ乗りする**著名表示冒用行為**や，他人の商品などと同一・類似のドメイン名を使用するなどの**ドメイン名に係る不正行為**などです。

問　題

　プログラムの著作物について，著作権法上，適法である行為はどれか。

　ア　海賊版を複製したプログラムと事前に知りながら入手し，業務で使用した。

　イ　業務処理用に購入したプログラムを複製し，社内教育用として各部門に配布した。

　ウ　職務著作のプログラムを，作成した担当者が独断で複製し，他社に貸与した。

　エ　処理速度を向上させるために，購入したプログラムを改変した。

（令和5年秋 応用情報技術者試験 午前 問78）

過去問題をチェック

著作権の問題は，応用情報技術者試験の午前の定番です。この問題のほかに以下の出題があります。
【著作権】
・平成22年春 午前 問79
・平成22年秋 午前 問78
・平成23年特別 午前 問77
・平成24年春 午前 問79
・平成25年春 午前 問78
・平成25年秋 午前 問79
・平成27年春 午前 問79
・平成27年秋 午前 問78
・平成29年春 午前 問78
・平成30年秋 午前 問78
・令和4年春 午前 問77
・令和元年秋 午前 問78
・令和5年秋 午前 問78

解説

　プログラムの著作物は，私的使用のための複製は許可されています。そのため，購入したプログラムを私的使用の範囲内で改変することは可能です。それ以外は，私的使用には当たらないので違法行為になります。

《解答》エ

▶▶ 覚えよう！

☐ 営業秘密は秘密管理性，有用性，非公知性を満たす必要がある

9-2-2 ■ セキュリティ関連法規

頻出度 ★☆☆

　セキュリティ関連の法律は新しい分野なので，日々進化しています。主に次のものがあります。

■サイバーセキュリティ基本法

　サイバーセキュリティ基本法は，国のサイバーセキュリティに関する施策の推進における基本理念や国の責務などを定めたものです。サイバーセキュリティとは何かを明らかにし，必要な施策を講じるための基本理念や基本的施策を定義しています。

　また，その司令塔として，内閣にサイバーセキュリティ戦略本部を設置することが定められています。2019年にはサイバーセキュリティ協議会を発足し，政府機関や民間などでサイバーセキュリティ情報を共有する仕組みを構築しています。国民には，基本理念にのっとり，サイバーセキュリティの重要性に関する関心と理解を深め，サイバーセキュリティの確保に必要な注意を払うよう努めることが求められています。

■不正アクセス禁止法

　刑法では，データの改ざん，消去などの具体的な被害を起こす行為を対象にしています。不正アクセス禁止法では，ネットワークへの侵入，アクセス制御のための情報提供などを処罰の対象としています。

発展
セキュリティ侵害によって，お金が盗まれたり詐欺に遭ったりするなど，実際に被害があった場合は刑法で罰せられます。セキュリティ関連の法律では，刑法では被害とはならない部分に焦点を当てて立法しています。例えば，不正アクセス禁止法では，被害がなくても不正アクセスをしただけ，またはそれを助けただけで処罰の対象になります。

9

■ 電子署名及び認証業務などに関する法律

インターネットを活用した商取引などでは，ネットワークを通じて社会経済活動を行います。そのために，相手を信頼できるかどうか確認する必要があり，PKI（公開鍵基盤）が構築されました。そのPKIを支え，**電子署名**に法的な効力をもたせる法律に**電子署名法**があります。電子署名で使う**電子証明書**を発行できる機関は**認定認証事業者**と呼ばれ，国の認定を受ける必要があります。

■ 個人情報保護法

個人情報保護法（個人情報の保護に関する法律）は，個人情報を適切に保護するための法律です。個人情報を保持し，事業に用いている事業者は**個人情報取扱事業者**とされ，適切な対処を行わなかった場合は，事業者が刑事的に処罰されます。個人情報取扱事業者は，以下のことを守る義務があります。

- ・利用目的の特定
- ・利用目的の制限（目的外利用の禁止）
- ・適正な取得
- ・取得に際しての利用目的の通知
- ・本人の権利（開示・訂正・苦情など）への対応（窓口での苦情処理）
- ・漏えい等が発生した場合の個人情報保護委員会や本人への通知

個人情報などの第三者への提供は原則"可"で，提供してほしくない場合には本人が拒否を通知する仕組みを**オプトアウト**といいます。これに対し，提供は原則"不可"で，提供するためには本人の同意を得る必要がある仕組みをオプトインといいます。個人情報保護法ではオプトインが基本で，オプトアウトを採用する場合は個人情報保護委員会への届出が必須です。

また，「人種」「信条」「病歴」など，特別な配慮が必要となる情報を**要配慮個人情報**といいます。要配慮個人情報はオプトアウトでは提供できません。

参考

個人情報保護法は，2020年6月に改正されました。利用停止権など，個人の意思でデータの利用を指示できる権利などが追加されています。

用語

個人情報保護委員会は，個人情報（特定個人情報を含む）の有用性に配慮しつつ，その適正な取扱いを確保するために設置された行政機関です。
設立当初は特定個人情報（マイナンバー）が対象でしたが，その後，個人情報全般について管理しています。
https://www.ppc.go.jp/

参考

EU（European Union：欧州連合）内での個人情報保護を規定する法律に，一般データ保護規則（GDPR：General Data Protection Regulation）があり，2018年より適用されています。EU経済圏に拠点がなくても，EU圏の個人にサービスを提供する場合はGDPRの対象範囲内となります。IPアドレスやCookieなども個人情報とみなされるなど，日本の個人情報保護法よりも高い保護レベルが求められます。

　2020年の個人情報保護法の改正では，個人情報の利活用についての規定が緩和されています。個人を特定できないようにするために，属性に対して削除，加工を行う匿名化手法を用いた**匿名加工情報**や，個人情報から氏名などの情報を取り除いた**仮名加工情報**は，データ分析のために利用条件が緩和されています。

■ マイナンバー法

　マイナンバー法（行政手続における特定の個人を識別するための番号の利用等に関する法律）は，国民一人一人にマイナンバー（個人番号）を割り振り，社会保障や納税に関する情報を一元的に管理するマイナンバー制度を導入するための法律です。

　個人情報をデータ分析などに活用する際には，**匿名加工情報**にする必要があります。

■ プロバイダ責任制限法

　Webサイトの利用やインターネット上での商取引の普及，拡大に伴い，サイト上の掲示板などでの誹謗中傷，個人情報の不正な公開などが増えてきました。こういった行為に対し，プロバイダが負う損害賠償責任の範囲や，情報発信者の情報の開示を請求する権利を定めた法律が**プロバイダ責任制限法**です。正式名称は，「特定電気通信役務提供者の損害賠償責任の制限及び発信者情報の開示に関する法律」といいます。ここで定義されている**特定電気通信役務提供者**には，プロバイダだけでなく，Webサイトの運営者なども含まれます。

9

■ 情報セキュリティに関するその他の法律・基準

　情報セキュリティに関するその他の法律や基準には，次のものがあります。

①改正刑法

　刑法が改正され，コンピュータ犯罪に関する条文が追加されています。電磁的記録に関する犯罪行為，詐欺行為などに加え，ウイルス作成・提供行為なども加えられています。

②特定電子メール法

　広告などの迷惑メールを規制する法律です。あらかじめ同意を得た場合以外には電子メールの送信が禁じられています。

③サイバーセキュリティ経営ガイドライン

　経済産業省が企業の経営者に向けて作成したガイドラインです。サイバー攻撃から企業を守る観点で，「経営者が認識すべき3原則」と，経営者がCISO（最高情報セキュリティ責任者）に指示すべき「サイバーセキュリティ経営の重要10項目」がまとめられています。

　また，IPA（情報処理推進機構）では，中小企業の経営者を対象とした「中小企業の情報セキュリティ対策ガイドライン」を公開しています。

④コンピュータ不正アクセス対策基準

　コンピュータ不正アクセスによる被害の予防，発見，復旧や拡大，再発防止のために，企業などの組織や個人が実行すべき対策をとりまとめた基準です。

⑤コンピュータウイルス対策基準

　コンピュータウイルスに対する予防，発見，駆除，復旧のために実効性の高い対策をとりまとめた基準です。

　それでは，次の問題を考えてみましょう。

> **関連**
> サイバーセキュリティ経営ガイドラインの最新版Ver2.0は，以下で公開されています。
> https://www.meti.go.jp/policy/netsecurity/downloadfiles/CSM_Guideline_v2.0.pdf

> **関連**
> 中小企業の情報セキュリティ対策ガイドラインは，下記で公開されています。
> https://www.ipa.go.jp/security/guide/sme/about.html
> また，中小企業の情報セキュリティ対策ガイドラインに従って情報セキュリティ対策を行った企業がそれを宣言する「SECURITY ACTION」制度があります。
> https://www.ipa.go.jp/security/security-action/

問題

　広告や宣伝目的の電子メールを一方的に送信することを規制する法律はどれか。

　ア　電子消費者契約法　　イ　特定電子メール法
　ウ　不正競争防止法　　　エ　プロバイダ責任制限法

（平成30年秋 応用情報技術者試験 午前 問79）

解説

　広告や宣伝目的の電子メールを一方的に送信することは，特定電子メール法で規制されています。したがって，イが正解です。

ア　電子商取引などでの消費者の操作ミスなどの救済を定めた法律です。

ウ　事業者間で公正な競争を確保するための法律です。

エ　プロバイダが行う損害賠償責任の範囲などを定めた法律です。

≪解答≫イ

▶▶ 覚 え よ う ！

☐　不正アクセスは，自分でやらず助長しただけでも犯罪

☐　個人情報の使用や広告電子メールの送信は，基本的にオプトイン

9-2-3　労働関連・取引関連法規

　労働関連法規は，労働者の生活・福祉の向上を目的とする法律です。労働基準法や労働者派遣法などがあります。取引関連法規は会社の取引に関する法律で，下請法，民法，商法などがあります。

■労働基準法

　労働基準法では，労働者を保護するため，就業規則や労働時間などを規定しています。労働時間については，1日の法定労働時間の上限は**8時間**，1週間では**40時間**と定められています。

　また，労働基準法では，時間外労働（残業），休日労働は基本的に認められていません。労働者と使用者（経営者）の間で労使協定を結び，行政官庁に届け出ることによって，法定労働時間外の労働が認められるようになります。この協定のことを**36協定**といいます。

■労働者派遣法

　労働者を派遣する場合，労働者，派遣元，派遣先の三者で関係を結びます。具体的には，以下の図のようになります。

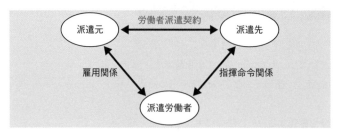

労働者派遣法の概念

その他の労働関連の法規

その他の労働関連の法律としては，**男女雇用機会均等法**や**公益通報者保護法**，**労働安全衛生法**などがあります。

男女雇用機会均等法では，性別による，配置，昇進，降格，教育訓練などへの差別的扱いを禁止します。

公益通報者保護法では，内部告発を行った労働者を保護するため，内部告発者に対する解雇や減給などの不利益な扱いを無効にします。

労働安全衛生法では，労働災害を防止し，労働者の安全と健康の確保や快適な職場環境の形成を促進することが定められています。

下請代金支払遅延等防止法（下請法）

下請代金支払遅延等防止法（下請法）とは，下請取引の公正化や，下請事業者の利益を保護するための法律です。下請業者が口約束で不利益を被らないように，親事業者には**発注書面の交付義務**があります。

民法

民法には，所有権絶対の原則，契約自由の原則，過失責任の原則という三つの原則があります。契約にはいろいろな形態がありますが，典型契約の代表的なものに，請負契約と委任契約があります。**請負契約**とは，ある仕事を**完成することを約束**する契約で，**委任契約**は，法律行為を委託する契約です。法律行為以外の委託の場合は**準委任契約**といいます。

関連

請負や委任などの契約に関しては，「7-2-3　調達計画・実施」で詳しく取り上げています。

■ インターネットを利用した取引

インターネットを利用した取引に関する法律には，**特定商取引法**や**電子消費者契約法**などがあります。

特定商取引法は，訪問販売や通信販売などを規制する法律です。**電子消費者契約法**は，電子商取引などによる消費者の操作ミスを救済するための法律です。

また，インターネットにおける新しい著作権ルールの普及を目指すプロジェクトに，著作者が自分で著作物の再利用を許可するためにライセンスを策定する**クリエイティブ・コモンズ**があります。クリエイティブ・コモンズ・ライセンスには，著作権がある状態と，著作権が消滅したり放棄された状態である**パブリックドメイン**の中間に位置するものまで，様々なレベルのライセンスがあります。

■ ソフトウェア使用許諾契約（ライセンス契約）

ソフトウェアの知的財産権の所有者が第三者にソフトウェアの利用許諾を与える際に取り決める契約が，**ソフトウェア使用許諾契約（ライセンス契約）**です。許諾する条件により，ボリュームライセンス契約，サイトライセンス契約，シュリンクラップ契約，OSSライセンスなど，様々な形態があります。

また，AIやデータ分析が関わる取引では，所有者の定義が難しくなるので，あらかじめ取り決めを行っておく必要があります。AIやデータの利用に関しては，経済産業省が公開している**AI・データの利用に関する契約ガイドライン**があります。

発展

特定商取引法では，インターネットでの通信販売においては，引渡し時期，返品の可否と条件，代表者名などを公開する必要があることを定めています。

関連

AI・データの利用に関する契約ガイドラインをはじめ，リアルデータの共有・利活用に関するガイドラインやガイドブックは，次のページで公開されています。
https://www.meti.go.jp/policy/mono_info_service/connected_industries/sharing_and_utilization.html

9

▶▶▶ 覚えよう！

□ 派遣契約は企業間で締結，派遣労働者と派遣先は指揮命令関係，派遣労働者と派遣元は雇用関係

9-2-4 ◉ その他の法律・ガイドライン・技術者倫理

頻出度
★★★

これまでに取り上げていない法律としては，製造物の責任を示すPL法や環境関連法などがあります。

◉ 技術者倫理

技術者倫理は，技術者がその職業上の活動を行うときに守るべき，道徳的価値や行動規範に関する原則です。技術者は，高度な技術的知識やスキルをもつため，社会に特有の役割を担っており，役割に伴う責任が発生します。

技術者倫理の順守を妨げる要因としては，**集団思考**や**経済的圧力**があります。

集団思考は，集団で合議を行う場合に，不合理あるいは危険な意思決定が容認されることです。

経済的圧力は，企業や組織の利益を最優先にすることで，技術的な正当性や安全性，環境への影響などの倫理的な側面が犠牲になることです。

技術者は，グループ内での意思決定において批判的思考を維持して，集団思考や経済的圧力の罠に陥らないような注意が必要です。

それでは，次の問題を考えてみましょう。

問題

技術者倫理の遵守を妨げる要因の一つとして，集団思考というものがある。集団思考の説明として，適切なものはどれか。

ア　自分とは違った視点から事態を見ることができず，客観性に欠けること

イ　組織内の権威に無批判的に服従すること

ウ　正しいことが何かは知っているが，それを実行する勇気や決断力に欠けること

エ　強い連帯性をもつチームが自らへの批判的思考を欠いて，不合理な合意へと達すること

（令和5年春 応用情報技術者試験 午前 問80）

過去問題をチェック

技術者倫理については，次の出題があります。
【技術者倫理】
・平成28年秋 午前 問80
・平成31年春 午前 問80
・令和5年春 午前 問80

解説

　集団思考とは，集団で合議を行う場合に，不合理あるいは危険な意思決定が容認されることです。強い連帯性をもつチームが自らへの批判的思考を欠いて不合理な合意へと達することは集団思考に該当します。したがって，エが正解です。

ア　認知バイアスの説明です。

イ　権威主義の説明です。

ウ　薄志弱行の説明です。

《解答》エ

■製造物責任法（PL法）

　PL（Product Liability：製造物責任）法は，製造物に欠陥があった場合に，**消費者が製造業者に対して直接損害賠償を請求**できることを定めた法律です。製造物に欠陥があった場合に責任を取る**責任主体**は，製造業者です。ただし，複数の会社が関係している場合は，製造物に氏名，商号，商標などを表示した**表示製造業者**とされています。また，製造物に関する責任なので，サービスやプログラムは対象外です。ただし，欠陥のあるソフトウェアを組み込んだハードウェアなどは，PL法の対象になります。

　それでは，次の問題を解いてみましょう。

問題

　ソフトウェアやデータに欠陥がある場合に，製造物責任法の対象となるものはどれか。

　ア　ROM化したソフトウェアを内蔵した組込み機器

　イ　アプリケーションソフトウェアパッケージ

　ウ　利用者がPCにインストールしたOS

　エ　利用者によってネットワークからダウンロードされたデータ

（令和4年秋 応用情報技術者試験 午前 問80）

過去問題をチェック

製造物責任法（PL法）については，応用情報技術者試験では定番としてよく出題されます。この問題のほかにも以下の出題があります。

【製造物責任法（PL法）】
・平成22年秋 午前 問80
・平成24年秋 午前 問80
・平成25年春 午前 問79
・平成26年春 午前 問80
・平成28年春 午前 問80
・平成30年春 午前 問78

解説

　製造物責任法（PL法）の対象となるものは，製造物です。製造物は，製造物責任法では「製造又は加工された動産」と定義されるので，ソフトウェアやデータだけでは，欠陥があっても対象になりません。ROM化したソフトウェアを内蔵した組込み機器の場合には，機器が製造物となるので，製造物責任法の対象になります。したがって，アが正解です。

イ　ソフトウェアだけではパッケージにしても製造物ではないので，対象になりません。

ウ　OSはソフトウェアだけなので対象ではありません。

エ　データだけでは製造物ではないので，対象になりません。

《解答》ア

■ 環境関連法

　環境に配慮する法律のうち，システムやIT機器の取得，廃棄に関連する規制には，**廃棄物処理法**，**リサイクル法**などがあります。リサイクル法は，対象の種類ごとにいくつかの法律に分かれていますが，**パソコンリサイクル法**では，業務用PCだけでなく家庭用PCの回収と再資源化がPCメーカに義務づけられています。

■ 資金決済法

　資金決済法とは，商品券やプリペイドカードなどの電子マネーを含む金券や，銀行業以外の資金移動に関する法律です。平成28年に改正された資金決済法では，**暗号資産（仮想通貨）**についても定義されています（第二条5項）。資金決済法における暗号資産とは，不特定の者に対する代金の支払に使用可能で，電子的に記録・移転でき，法定通貨（国がその価値を保証している通貨）やプリペイドカードではない財産的価値のあるものです。日本では，暗号資産と法定通貨とを交換する業務を行う場合は金融庁への登録が必要となります。

■ ネットワーク関連法規

　遠隔地とのデータ交換，情報ネットワークの構築を行う通信事業者には，免許の取得が必須など，様々な規則があります。電気通信事業を行うためには，**電気通信事業法**に示されている通信事業者の要件を満たす必要があります。また，**電波法**では，スマートフォンなどの電波を発する機器が満たすべき技術基準が定められています。基準に適合している無線機であることの証明として，**技適マーク**が付けられます。

■ 輸出関連法規

　IT機器やソフトウェアを輸出する場合には，海外の規制を守る必要があります。輸出関連の法規には，次のものがあります。

①CEマーク

　欧州経済領域（EEA）内での製品の基準を満たしていることを示す認証マークです。製造業者は，製品が関連するEU指令や規制の要件を満たしていることを確認する必要があります。

②RoHS指令

　RoHS（Restriction of Hazardous Substances Directive）指令は，電気・電子機器に含まれる特定の有害物質の使用を制限するための欧州連合（EU）の法的枠組みです。有害物質が環境にリリースされるのを防ぐことが目的です。

③外国為替及び外国貿易法（外為法）

　日本の法律の一つで，外国為替の取引や外国貿易に関する事項を規定しています。外国為替及び外国貿易の秩序を確保し，日本の経済の健全な発展を図ることを目的としています。

■ デジタル社会の実現に向けた法律

　デジタル社会の実現に向けた法律にはまず，**デジタル社会形成基本法**があります。デジタル社会の形成に関する施策を迅速かつ重点的に推進するための法律です。公的基礎情報データベース（ベースレジストリ）の整備，サイバーセキュリティの確保，デジタル庁の設置などが明記されています。

　　情報通信技術を活用した行政の推進等に関する法律は，情報通信技術を利用して行われる手続等に係る国の行政機関等の情報システムの整備を総合的かつ計画的に実施するための法律です。

　　官民データ活用推進基本法は，官民データ活用の推進に関する施策を総合的かつ効果的に推進するための法律です。行政手続に係るオンライン利用の原則化や，国・地方公共団体・事業者が自ら保有する官民データの活用の推進などが記載されています。

▶▶ 覚 え よ う ！

- [ ]　　PL法での製造業者は，製品を自社製品と明記した業者

9-2-5 ■ 標準化関連

標準・規格などは，標準化団体や関連機構が定めています。ここでは，代表的な標準化団体などについて学びます。

■ 日本産業規格（JIS）

JIS（Japanese Industrial Standards：**日本産業規格**）は，日本の国家標準の一つで，工業やデータ，サービス，経営管理等に関する法律です。産業標準化法（JIS法）に基づき，JISC（Japanese Industrial Standards Committee：**日本産業標準調査会**）の答申を受けて主務大臣が制定します。情報処理についてはJIS X 部門が，管理システムについてはJIS Q 部門が行っています。

■ 国際規格（IS）

IS（International Standards：国際規格）は，ISO（International Organization for Standardization：国際標準化機構）で制定された世界の標準です。ISOは各国の代表的な標準化機関からなり，電気及び電子技術分野を除く工業製品の国際標準の策定を目的としています。

■ その他の標準

ISOでは電気及び電子技術がないので，その分野を補う国際規格として，ITU（International Telecommunication Union：国際電気通信連合）やIEC（International Electrotechnical Commission：国際電気標準会議），IEEE（Institute of Electrical and Electronics Engineers：電気電子学会）などがあります。IEEEの規格としては，イーサネットに関するIEEE 802や，FireWireに関するIEEE 1394などが有名です。

任意団体では，インターネットの標準を定めるIETF（Internet Engineering Task Force：インターネット技術タスクフォース）があります。RFC（Request For Comments）を公開し，プロトコルやファイルフォーマットを主に扱います。

また，日本のJISに対応する米国の標準化組織にANSI（American National Standards Institute：米国規格協会）があり，ASCIIの文字コード規格や，C言語の規格などを定めています。

 発展

公的に標準化されていなくても，事実上の規格，基準となっているものをデファクトスタンダードといいます。オブジェクト指向の**OMG**（Object Management Group）や，Webの標準を定める**W3C**（World Wide Web Consortium）などがその例です。

9

■ データの標準

　電子データ交換を行うときに必要な文字コードやバーコードの代表的な標準には，次のようなものがあります。

　文字コードには，**JISコード**，**EBCDIC**（Extended Binary Coded Decimal Interchange Code）**コード**，**シフトJISコード**，Unicodeなどがあります。

　バーコードには，一次元のコードである**JAN**（Japanese Article Number）**コード**や**ITF**（Interleaved Two of Five）**コード**，二次元コードの**QR**コードなどがあります。

 用語

Unicodeは，世界で使われているすべての文字を共通の文字集合で利用できるようにと作られた文字コードで，WindowsやmacOS，LinuxやJavaなどで利用されています。

▶▶ 覚 え よ う ！

□　電気・電子技術の国際規格ITU，IEC，IEEE

9-3 演習問題

問1 期待値原理　　　　　　　　　　　　　CHECK ▶ □□□

　本社から工場まで車で行くのに,一般道路では80分掛かる。高速道路を利用すると,混雑していなければ50分,混雑していれば100分掛かる。高速道路の交通情報が"順調"ならば高速道路を利用し,"渋滞"ならば一般道路を利用するとき,期待できる平均所要時間は約何分か。ここで,高速道路の混雑具合の確率は,混雑している状態が0.4,混雑していない状態が0.6とし,高速道路の真の状態に対する交通情報の発表の確率は表のとおりとする。

		高速道路の真の状態	
		混雑している	混雑していない
交通情報	渋滞	0.9	0.2
	順調	0.1	0.8

ア　62　　　　　　イ　66　　　　　　ウ　68　　　　　　エ　72

問2 売上と利益の関係　　　　　　　　　　CHECK ▶ □□□

　今年度のA社の販売実績と費用(固定費,変動費)を表に示す。来年度,固定費が5%増加し,販売単価が5%低下すると予測されるとき,今年度と同じ営業利益を確保するためには,最低何台を販売する必要があるか。

販売台数	2,500 台
販売単価	200 千円
固定費	150,000 千円
変動費	100 千円／台

ア　2,575　　　　　イ　2,750　　　　　ウ　2,778　　　　　エ　2,862

問3 線形計画法　　　　　　　　　　　　　　　　CHECK ▶ ☐☐☐

表のような製品A, Bを製造, 販売する場合, 考えられる営業利益は最大で何円になるか。ここで, 機械の年間使用可能時間は延べ15,000時間とし, 年間の固定費は製品A, Bに関係なく15,000,000円とする。

製品	販売単価	販売変動費／個	製造時間／個
A	30,000円	18,000円	8時間
B	25,000円	10,000円	12時間

問4 マイナンバー法で特定個人情報の提供をできる場合　　　CHECK ▶ ☐☐☐

マイナンバー法の個人番号を取り扱う事業者が特定個人情報の提供をすることができる場合はどれか。

ア　A社からグループ企業であるB社に転籍した従業員の特定個人情報について, B社での給与所得の源泉徴収票の提出目的で, A社がB社から提出を求められた場合

イ　A社の従業員がB社に出向した際に, A社の従業員の業務成績を引き継ぐために, 個人番号を業務成績に付加して提出するように, A社がB社から求められた場合

ウ　事業者が, 営業活動情報を管理するシステムを導入する際に, 営業担当者のマスタ情報として使用する目的で, システムを導入するベンダから提出を求められた場合

エ　事業者が, 個人情報保護委員会による特定個人情報の取扱いに関する立入検査を実施された際, 同委員会から資料の提出を求められた場合

問5　RoHS指令の目的　　　　　　　　　CHECK ▶ □□□

欧州へ電子部品を輸出するには，RoHS指令への対応が必要である。このRoHS指令の目的として，適切なものはどれか。

ア　家電製品から有用な部分や材料をリサイクルし，廃棄物を減量するとともに，資源の有効利用を推進する。

イ　機器が発生する電磁妨害が，無線通信機器及びその他の機器が意図する動作を妨げるレベルを超えないようにする。

ウ　大量破壊兵器の開発及び拡散，通常兵器の過剰備蓄に関わるおそれがある場合など，国際社会の平和と安全を脅かす輸出行為を防止する。

エ　電気電子製品の生産から処分までの全ての段階で，有害物質が環境及び人の健康に及ぼす危険を最小化する。

問6　労働基準法で定める36協定　　　　　　CHECK ▶ □□□

労働基準法で定める36協定において，あらかじめ労働の内容や事情などを明記することによって，臨時的に限度時間の上限を超えて勤務させることが許される特別条項を適用する36協定届の事例として，適切なものはどれか。

ア　商品の売上が予想を超えたことによって，製造，出荷及び顧客サービスの作業量が増大したので，期間を3か月間とし，限度時間を超えて勤務する人数や所要時間を定めて特別条項を適用した。

イ　新技術を駆使した新商品の研究開発業務がピークとなり，3か月間の業務量が増大したので，労働させる必要があるために特別条項を適用した。

ウ　退職者の増加に伴い従業員一人当たりの業務量が増大したので，新規に要員を雇用できるまで，特に期限を定めずに特別条項を適用した。

エ　慢性的な入手不足なので，増員を実施し，その効果を想定して1年間を期限とし，特別条項を適用した。

■ 演習問題の解答

《解答》イ

　高速道路の交通情報が"順調"ならば高速道路を利用し，"渋滞"ならば一般道路を利用します。混雑具合の確率は，混雑している状態が0.4で，混雑していない状態が0.6なので，表の状態とかけ合わせると次のようになります。

　　　"渋滞"で混雑している確率：$0.9 \times 0.4 = 0.36$

　　　"順調"で混雑している確率：$0.1 \times 0.4 = 0.04$

　　　"渋滞"で混雑していない確率：$0.2 \times 0.6 = 0.12$

　　　"順調"で混雑していない確率：$0.8 \times 0.6 = 0.48$

　交通情報が"順調"のときは高速道路を利用するので，真の状態が混雑していれば100分，混雑していなければ50分掛かります。"渋滞"のときには一般道路を利用するので，混雑に関係なく80分です。それぞれの確率を基に平均所要時間を求めると，

　　　$0.36 \times 80 + 0.04 \times 100 + 0.12 \times 80 + 0.48 \times 50 = 28.8 + 4 + 9.6 + 24 = 66.4$［分］

　となります。四捨五入して約66分となるので，イが正解です。

《解答》エ

　今年度の営業利益を表より求めると次のようになります。

　　　$2,500$［台］$\times (200 - 100)$［千円］$- 150,000$［千円］$= 100,000$［千円］

　来年度の販売台数をx台とすると，固定費が5％増加し，販売単価が5％低下した状況で今年度の営業利益を100,000［千円］以上にするためには，

　　　x［台］$\times (200 \times 0.95 - 100)$［千円］$- 150,000 \times 1.05$［千円］$\geqq 100,000$［千円］

　を満たすx（整数）を求める必要があります。計算すると，

　　　$90x - 157,500 \geqq 100,000, \quad 90x \geqq 257,500, \quad x \geqq 2,861.11\cdots\cdots$

　となるので，最低で2,862台を売る必要があります。したがって，エが正解です。

問3　　　　　　　　　　　　　　　（平成27年秋 応用情報技術者試験 午前 問77改）

《解答》 **7,500,000 [円]**

　製品A，Bの時間当たりの利益（固定費を除く）を考えてみます。

　　製品A　　$(30,000 - 18,000) \div 8 = 1,500$[円／時間]

　　製品B　　$(25,000 - 10,000) \div 12 = 1,250$[円／時間]

　つまり，製品Aを可能な限り作った方が利益を最大化できます。機械の年間使用時間は述べ15,000時間で，すべて製品Aを作るとすると，利益は次のようになります。

　　$15,000[時間] \times 1,500[円／時間] - 15,000,000[円] = \mathbf{7,500,000}$[円]

問4　　　　　　　　　　　　　　　（令和2年10月 応用情報技術者試験 午前 問79）

《解答》 **エ**

　個人情報保護委員会は，個人情報の保護に関する法律に基づき設置された公共機関です。個人情報取扱事業者等に対して必要な指導・助言や報告徴収・立入検査を行うことが可能です。マイナンバー法の個人番号を取り扱う事業者は，個人情報保護委員会に求められた場合には，特定個人情報の提供を行う必要があります。したがって，**エ**が正解です。

ア　A社からB社にマイナンバーを提供することはできません。B社は従業員に直接，特定個人情報を求めることができます。

イ，ウ　事業者は，従業員等の営業成績管理等の目的で，マイナンバーの提供を求めてはなりません。

問5　　　　　　　　　　　　　　　（令和4年春 応用情報技術者試験 午前 問80）

《解答》 **エ**

　RoHS（Restriction of Hazardous Substances Directive）指令は，電気・電子機器における特定有害物質の使用制限に関する，EU（European Union：欧州連合）の法律です。有害物質を制限することで，電気電子製品の生産から処分までの全ての段階で，有害物質が環境及び人の健康に及ぼす危険を最小化することが目的となります。したがって，**エ**が正解です。

ア　EUのWEEE（Waste Electrical and Electronic Equipment）指令の目的です。

イ　EUのEMC（Electromagnetic Compatibility）指令の目的です。

ウ　経済産業省の安全保障貿易管理ガイダンスでの，輸出管理の目的の一つです。

9

問6　　　　　　　　　　　　　　　　　　　　　　　（令和3年秋 応用情報技術者試験 午前 問80）

《解答》ア

　労働基準法では，（時間外及び休日の労働）について定める第三十六条にあるとおり，労働者と使用者（経営者）の間であらかじめ協定（36協定）を結び，行政官庁に36協定届を提出することによって，法定労働時間外の労働が認められるようになります。このとき，第三十六条②で，協定に定める事項として，「労働者の範囲」「対象期間」があります。また，対象期間については，「この条の規定により労働時間を延長し、又は休日に労働させることができる期間をいい、一年間に限るものとする」との説明があります。期間を3か月間と限定し，限度時間を超えて勤務する人数や所要時間を定めて特別条項を適用することは，36協定届の事例として適切です。したがって，**ア**が正解となります。

イ，エ　36協定届では，対象となる労働者の範囲や対象期間を定める必要があります。

ウ　36協定届では，期限を定める必要があります。

午後問題の記述をうまく書く方法

　応用情報技術者試験や高度区分の午後問題は記述式です。特に，文章を書く論述問題は，うまくポイントを押さえて，相手に分かるように書く必要があります。応用情報技術者試験の場合は，ストラテジ系やマネジメント系の午後問題で文章を書くことが多く，適切に記述できるかどうかでかなり点数が変わってきます。

　記述式の解答を書くときのコツとして一番簡単なのが，「自分で書く前に問題文から答えを探す」ことです。記述なのでどうしても自分で考えなければダメという気がしてくるのですが，意外と問題文から抜き出すという出題は多いのです。そのまま答えにはならないまでも，ヒントは必ず問題文や設問文に隠されているので，まず探しましょう。

　そして，「設問は穴が空くほど見る」というのも大切です。設問文には，見落とすと大変な，押さえておかないと点数が取れないポイントがよく書いてあります。例えば，「本文中の字句を使って，20字以内で答えよ。」や，「答えは小数第2位以下を切り上げて，小数第1位まで求めよ。」などです（下線は筆者が付記）。こういった設問では，注意事項をすべて丁寧にチェックすることが重要です。

　そして，忘れがちですが大切なのが，「午前の勉強をしっかりやって基礎知識を身に付けておく」ことです。午後問題は問題文から見つけ出す設問が多いので，なんとなく国語の問題のように，ただ読めば解けるような気がしてしまいます。しかし実際は，ある程度知識がないと隠されたヒントを見つけることができないのです。例えば，システム戦略では「全体最適化」が大事であるということを知らないと，問題文の「各部門で」しかやっていないことが問題なのだということに気づけません。

　記述は，ある程度演習を積むとうまくなっていきます。以上のことを頭に置きながら，問題演習で力をつけていきましょう。

付録

令和6年度春期
応用情報技術者試験

Q 午前　問題

問題文中で共通に使用される表記ルール

各問題文中に注記がない限り，次の表記ルールが適用されているものとする。

1. 論理回路

図記号	説明
	論理積素子（AND）
	否定論理積素子（NAND）
	論理和素子（OR）
	否定論理和素子（NOR）
	排他的論理和素子（XOR）
	論理一致素子
	バッファ
	論理否定素子（NOT）
	スリーステートバッファ
	素子や回路の入力部又は出力部に示される○印は，論理状態の反転又は否定を表す。

2. 回路記号

図記号	説明
─\/\/\─	抵抗（R）
──┤├──	コンデンサ（C）
─▷├─	ダイオード（D）
	トランジスタ（Tr）
777	接地
	演算増幅器

問1　複数の袋からそれぞれ白と赤の玉を幾つかずつ取り出すとき，ベイズの定理を利用して事後確率を求める場合はどれか。

　　ア　ある袋から取り出した二つの玉の色が同じと推定することができる確率を求める場合
　　イ　異なる袋から取り出した玉が同じ色であると推定することができる確率を求める場合
　　ウ　玉を一つ取り出すために，ある袋が選ばれると推定することができる確率を求める場合
　　エ　取り出した玉の色から，どの袋から取り出されたのかを推定するための確率を求める場合

問2　ATM（現金自動預払機）が1台ずつ設置してある二つの支店を統合し，統合後の支店にはATMを1台設置する。統合後のATMの平均待ち時間を求める式はどれか。ここで，待ち時間はM/M/1の待ち行列モデルに従い，平均待ち時間にはサービス時間を含まず，ATMを1台に統合しても十分に処理できるものとする。

〔条件〕
(1)　統合後の平均サービス時間：T_s
(2)　統合前のATMの利用率：両支店とも ρ
(3)　統合後の利用者数：統合前の両支店の利用者数の合計

　　ア　$\dfrac{\rho}{1-\rho} \times T_s$　　　　イ　$\dfrac{\rho}{1-2\rho} \times T_s$　　　　ウ　$\dfrac{2\rho}{1-\rho} \times T_s$　　　　エ　$\dfrac{2\rho}{1-2\rho} \times T_s$

問3　AIにおけるディープラーニングに関する記述として，最も適切なものはどれか。

　　ア　あるデータから結果を求める処理を，人間の脳神経回路のように多層の処理を重ねることによって，複雑な判断をできるようにする。
　　イ　大量のデータからまだ知られていない新たな規則や仮説を発見するために，想定値から大きく外れている例外事項を取り除きながら分析を繰り返す手法である。
　　ウ　多様なデータや大量のデータに対して，三段論法，統計的手法やパターン認識手法を組み合わせることによって，高度なデータ分析を行う手法である。
　　エ　知識がルールに従って表現されており，演繹手法を利用した推論によって有意な結論を導く手法である。

問4　符号長7ビット, 情報ビット数4ビットのハミング符号による誤り訂正の方法を, 次のとおりとする。

受信した7ビットの符号語 $x_1\,x_2\,x_3\,x_4\,x_5\,x_6\,x_7\,(x_k = 0\,$又は$\,1)$ に対して

$$c_0 = x_1 \qquad + x_3 \qquad + x_5 \qquad + x_7$$
$$c_1 = \qquad\quad x_2 + x_3 \qquad\qquad + x_6 + x_7$$
$$c_2 = \qquad\qquad\qquad\quad x_4 + x_5 + x_6 + x_7$$

（いずれも mod 2 での計算）

を計算し, $c_0,\ c_1,\ c_2$ の中に少なくとも一つは0でないものがある場合には,

$i = c_0 + c_1 \times 2 + c_2 \times 4$

を求めて, 左からiビット目を反転することによって誤りを訂正する。

受信した符号語が1000101であった場合, 誤り訂正後の符号語はどれか。

　ア　1000001　　　　　イ　1000101　　　　　ウ　1001101　　　　　エ　1010101

問5　正の整数Mに対して, 次の二つの流れ図に示すアルゴリズムを実行したとき, 結果xの値が等しくなるようにしたい。aに入れる条件として, 適切なものはどれか。

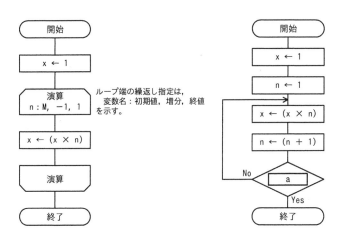

　ア　n＜M　　　　　イ　n＞M－1　　　　　ウ　n＞M　　　　　エ　n＞M＋1

問6　各ノードがもつデータを出力する再帰処理 f(ノード n)を定義した。この処理を，図の2分木の根（最上位のノード）から始めたときの出力はどれか。

〔f(ノード n)の定義〕
1. ノード nの右に子ノード rがあれば，f(ノード r)を実行
2. ノード nの左に子ノード lがあれば，f(ノード l)を実行
3. 再帰処理 f(ノード r)，f(ノード l)を未実行の子ノード，又は子ノードがなければ，ノード自身がもつデータを出力
4. 終了

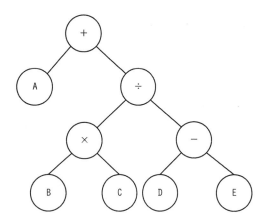

ア　＋÷－ED×CBA

イ　ABC×DE－÷＋

ウ　E－D÷C×B＋A

エ　ED－CB×÷A＋

問7　整列方法に関するアルゴリズムの記述のうち，バブルソートの記述はどれか。ここで，整列対象は重複のない1から9の数字がランダムに並んでいる数字列とする。

ア　数字列の最後の数字から最初の数字に向かって，隣り合う二つの数字を比較して小さい数字が前に来るよう数字を入れ替える操作を繰り返し行う。

イ　数字列の中からランダムに基準となる数を選び，基準より小さい数と大きい数の二つのグループに分け，それぞれのグループ内も同じ操作を繰り返し行う。

ウ　数字列をほぼ同じ長さの二つの数字列のグループに分割していき，分割できなくなった時点から，グループ内で数字が小さい順に並べる操作を繰り返し行う。

エ　未処理の数字列の中から最小値を探索し，未処理の数字列の最初の数字と入れ替える操作を繰り返し行う。

問8　同一メモリ空間で，転送元の開始アドレス，転送先の開始アドレス，方向フラグ及び転送語数をパラメータとして指定することによって，データをブロック転送できる機能をもつCPUがある。図のようにアドレス1001から1004のデータをアドレス1003から1006に転送するとき，指定するパラメータとして適切なものはどれか。ここで，転送は開始アドレスから1語ずつ行われ，方向フラグに0を指定するとアドレスの昇順に，1を指定するとアドレスの降順に転送を行うものとする。

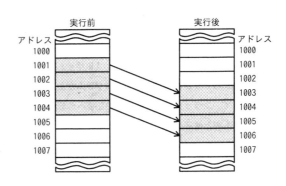

	転送元の開始アドレス	転送先の開始アドレス	方向フラグ	転送語数
ア	1001	1003	0	4
イ	1001	1003	1	4
ウ	1004	1006	0	4
エ	1004	1006	1	4

問9　量子ゲート方式の量子コンピュータの説明として，適切なものはどれか。

ア　演算は2進数で行われ，結果も2進数で出力される。

イ　特定のアルゴリズムによる演算だけができ，加算演算はできない。

ウ　複数の状態を同時に表現する量子ビットと，その重ね合わせを利用する。

エ　量子状態を変化させながら観測するので，100℃以上の高温で動作する。

付録

問10 主記憶のアクセス時間が60ナノ秒, キャッシュメモリのアクセス時間が10ナノ秒であるシステムがある。キャッシュメモリを介して主記憶にアクセスする場合の実効アクセス時間が15ナノ秒であるとき, キャッシュメモリのヒット率は幾らか。

ア 0.1　　　　　　　イ 0.17　　　　　　　ウ 0.83　　　　　　　エ 0.9

問11 15Mバイトのプログラムを圧縮して, フラッシュメモリに格納している。プログラムのサイズは圧縮によって元のサイズの40％になっている。フラッシュメモリから主記憶への転送速度が20Mバイト／秒であり, 1Mバイトに圧縮されたデータの展開に主記憶上で0.03秒が掛かるとき, このプログラムが主記憶に展開されるまでの時間は何秒か。ここで, フラッシュメモリから主記憶への転送と圧縮データの展開は同時には行われないものとする。

ア 0.48　　　　　　　イ 0.75　　　　　　　ウ 0.93　　　　　　　エ 1.20

問12 システムの信頼性設計に関する記述のうち, 適切なものはどれか。

ア フェールセーフとは, 利用者の誤操作によってシステムが異常終了してしまうことのないように, 単純なミスを発生させないようにする設計方法である。

イ フェールソフトとは, 故障が発生した場合でも機能を縮退させることなく稼働を継続する概念である。

ウ フォールトアボイダンスとは, システム構成要素の個々の品質を高めて故障が発生しないようにする概念である。

エ フォールトトレランスとは, 故障が生じてもシステムに重大な影響が出ないように, あらかじめ定められた安全状態にシステムを固定し, 全体として安全が維持されるような設計方法である。

問13 オブジェクトストレージの記述として, 最も適切なものはどれか。

ア 更新頻度の少ない非構造型データの格納に適しており, 大容量で拡張性のあるストレージ空間を仮想的に実現することができる。

イ 高速のストレージ専用ネットワークを介して, 複数のサーバからストレージを共有することによって, 高速にデータを格納することができる。

ウ サーバごとに割り当てられた専用ストレージであり, 容量が不足したときにはストレージを追加することができる。

エ 複数のストレージを組み合わせることによって, 仮想的な1台のストレージとして運用することができる。

問14　1台のCPUの性能を1とするとき，そのCPUをn台用いたマルチプロセッサの性能Pが，

$$P = \frac{n}{1+(n-1)a}$$

で表されるとする。ここで，aはオーバーヘッドを表す定数である。例えば，a＝0.1，n＝4とすると，P≒3なので，4台のCPUから成るマルチプロセッサの性能は約3になる。この式で表されるマルチプロセッサの性能には上限があり，nを幾ら大きくしてもPはある値以上には大きくならない。a＝0.1の場合，Pの上限は幾らか。

ア　5　　　　　　　　イ　10　　　　　　　　ウ　15　　　　　　　　エ　20

問15　コンピュータの性能評価には，シミュレーションを用いた方法，解析的な方法などがある。シミュレーションを用いた方法の特徴はどれか。

ア　解析的な方法よりも計算量が少なく，効率的に解が求まる。
イ　解析的な方法よりも，乱数を用いることで高精度の解が得られる。
ウ　解析的に解が求められないモデルに対しても，数値的に解が求まる。
エ　解析的に解が求められるモデルの検証には使用できない。

問16　ノンプリエンプティブ方式のタスクの状態遷移に関する記述として，適切なものはどれか。

ア　OSは実行中のタスクの優先度を他のタスクよりも上げることによって，実行中のタスクが終了するまでタスクが切り替えられるのを防ぐ。
イ　実行中のタスクが自らの中断をOSに要求することによってだけ，OSは実行中のタスクを中断し，動作可能な他のタスクを実行中に切り替えることができる。
ウ　実行中のタスクが無限ループに陥っていることをOSが検知した場合，OSは実行中のタスクを終了させ，動作可能な他のタスクを実行中に切り替える。
エ　実行中のタスクより優先度が高い動作可能なタスクが実行待ち行列に追加された場合，OSは実行中のタスクを中断し，優先度が高い動作可能なタスクを実行中に切り替える。

付録

問17 三つの資源X〜Zを占有して処理を行う四つのプロセスA〜Dがある。各プロセスは処理の進行に伴い，表中の数値の順に資源を占有し，実行終了時に三つの資源を一括して解放する。プロセスAと同時にもう一つプロセスを動かした場合に，デッドロックを起こす可能性があるプロセスはどれか。

プロセス	資源の占有順序		
	資源 X	資源 Y	資源 Z
A	1	2	3
B	1	2	3
C	2	3	1
D	3	2	1

　ア　B, C, D　　　　イ　C, D　　　　ウ　Cだけ　　　　エ　Dだけ

問18 複数のクライアントから接続されるサーバがある。このサーバのタスクの多重度が2以下の場合，タスク処理時間は常に4秒である。このサーバに1秒間隔で4件の処理要求が到着した場合，全ての処理が終わるまでの時間はタスクの多重度が1のときと2のときとで，何秒の差があるか。

　ア　6　　　　　　イ　7　　　　　　ウ　8　　　　　　エ　9

問19 プログラムを構成するモジュールや関数の実行回数，実行時間など，性能改善のための分析に役立つ情報を収集するツールはどれか。

　ア　エミュレーター　　　　　　　　イ　シミュレーター
　ウ　デバッガ　　　　　　　　　　　エ　プロファイラ

問20 エアコンや電気自動車でエネルギー効率のよい制御や電力変換をするためにパワー半導体が用いられる。このパワー半導体の活用例の一つであるインバータの説明として，適切なものはどれか。

　ア　直流電圧をより高い直流電圧に変換する。
　イ　直流電圧をより低い直流電圧に変換する。
　ウ　交流電力を直流電力に変換する。
　エ　直流電力を交流電力に変換する。

問21　入力がAとB，出力がYの論理回路を動作させたとき，図のタイムチャートが得られた。この論理回路として，適切なものはどれか。

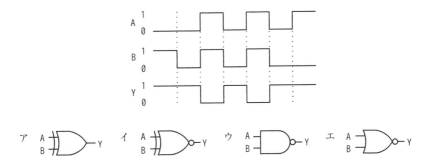

問22　次の方式で画素にメモリを割り当てる640×480のグラフィックLCDモジュールがある。始点(5，4)から終点(9，8)まで直線を描画するとき，直線上のx＝7の画素に割り当てられたメモリのアドレスの先頭は何番地か。ここで，画素の座標は(x，y)で表すものとする。

〔方式〕

・メモリは0番地から昇順に使用する。

・1画素は16ビットとする。

・座標(0，0)から座標(639，479)までメモリを連続して割り当てる。

・各画素は，x＝0からx軸の方向にメモリを割り当てていく。

・x＝639の次はx＝0とし，yを1増やす。

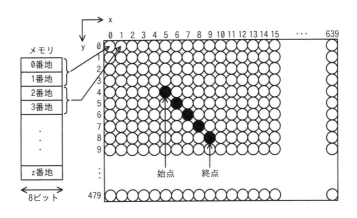

ア　3847　　　　イ　7680　　　　ウ　7694　　　　エ　8978

付録

問23 データセンターなどで採用されているサーバ, ネットワーク機器に対する直流給電の利点として, 適切なものはどれか。

 ア 交流から直流への変換, 直流から交流への変換で生じる電力損失を低減できる。
 イ 受電設備からCPUなどのLSIまで, 同じ電圧のまま給電できる。
 ウ 停電の危険がないので, 電源バックアップ用のバッテリを不要にできる。
 エ トランスを用いて容易に昇圧, 降圧ができる。

問24 ビットマップフォントよりも, アウトラインフォントの利用が適している場合はどれか。

 ア 英数字だけでなく, 漢字も表示する。
 イ 各文字の幅を一定にして表示する。
 ウ 画面上にできるだけ高速に表示する。
 エ 文字を任意の倍率に拡大して表示する。

問25 ストアドプロシージャの利点はどれか。

 ア アプリケーションプログラムからネットワークを介してDBMSにアクセスする場合, 両者間の通信量を減少させる。
 イ アプリケーションプログラムからの一連の要求を一括して処理することによって, DBMS内の実行計画の数を減少させる。
 ウ アプリケーションプログラムからの一連の要求を一括して処理することによって, DBMS内の必要バッファ数を減少させる。
 エ データが格納されているディスク装置へのI/O回数を減少させる。

問26　"部品"表及び"在庫"表に対し，SQL文を実行して結果を得た。SQL文のaに入れる字句はどれか。

部品

部品 ID	発注点
P01	100
P02	150
P03	100

在庫

部品 ID	倉庫 ID	在庫数
P01	W01	90
P01	W02	90
P02	W01	150

〔結果〕

部品 ID	発注要否
P01	不要
P02	不要
P03	必要

〔SQL 文〕

```
SELECT 部品.部品 ID AS 部品 ID,
    CASE WHEN 部品.発注点 > [      a      ]
        THEN N'必要' ELSE N'不要' END AS 発注要否
FROM 部品 LEFT OUTER JOIN 在庫
    ON 部品.部品 ID = 在庫.部品 ID
GROUP BY 部品.部品 ID, 部品.発注点
```

ア　COALESCE(MIN(在庫.在庫数), 0)
イ　COALESCE(MIN(在庫.在庫数), NULL)
ウ　COALESCE(SUM(在庫.在庫数), 0)
エ　COALESCE(SUM(在庫.在庫数), NULL)

問27　トランザクションTはチェックポイント後にコミットしたが，その後にシステム障害が発生した。トランザクションTの更新内容をその終了直後の状態にするために用いられる復旧技法はどれか。ここで，トランザクションはWALプロトコルに従い，チェックポイントの他に，トランザクションログを利用する。

ア　2相ロック　　　　　　　　　　イ　シャドウページ
ウ　ロールバック　　　　　　　　　エ　ロールフォワード

問28　データウェアハウスのテーブル構成をスタースキーマとする場合，分析対象のトランザクションデータを格納するテーブルはどれか。

ア　サマリテーブル　　　　　　　　イ　ディメンジョンテーブル
ウ　ファクトテーブル　　　　　　　エ　ルックアップテーブル

問29 ビッグデータの基盤技術として利用される NoSQL に分類されるデータベースはどれか。

ア　関係データモデルをオブジェクト指向データモデルに拡張し，操作の定義や型の継承関係の定義を可能としたデータベース

イ　経営者の意思決定を支援するために，ある主題に基づくデータを現在の情報とともに過去の情報も蓄積したデータベース

ウ　様々な形式のデータを一つのキーに対応付けて管理するキーバリュー型データベース

エ　データ項目の名称，形式など，データそのものの特性を表すメタ情報を管理するデータベース

問30 CSMA/CD 方式の LAN に接続されたノードの送信動作として，適切なものはどれか。

ア　各ノードに論理的な順位付けを行い，送信権を順次受け渡し，これを受け取ったノードだけが送信を行う。

イ　各ノードは伝送媒体が使用中かどうかを調べ，使用中でなければ送信を行う。衝突を検出したらランダムな時間の経過後に再度送信を行う。

ウ　各ノードを環状に接続して，送信権を制御するための特殊なフレームを巡回させ，これを受け取ったノードだけが送信を行う。

エ　タイムスロットを割り当てられたノードだけが送信を行う。

問31 IP アドレス 208.77.188.166 は，どのアドレスに該当するか。

ア　グローバルアドレス　　　　　　　　　イ　プライベートアドレス
ウ　ブロードキャストアドレス　　　　　　エ　マルチキャストアドレス

問32 ルータを冗長化するために用いられるプロトコルはどれか。

ア　PPP　　　　　　　イ　RARP　　　　　　ウ　SNMP　　　　　　エ　VRRP

問33 ビット誤り率が 0.0001％の回線を使って，1,500 バイトのパケットを 10,000 個送信するとき，誤りが含まれるパケットの個数の期待値はおよそ幾らか。

ア　10　　　　　　　　イ　15　　　　　　　ウ　80　　　　　　　　エ　120

問34　OpenFlowを使ったSDN(Software-Defined Networking)の説明として,適切なものはどれか。

ア　単一の物理サーバ内の仮想サーバ同士が,外部のネットワーク機器を経由せずに物理サーバ内部のソフトウェアで実現された仮想スイッチを経由して,通信する方式

イ　データを転送するネットワーク機器とは分離したソフトウェアによって,ネットワーク機器を集中的に制御,管理するアーキテクチャ

ウ　プロトコルの文法を形式言語を使って厳密に定義する,ISOで標準化された通信プロトコルの規格

エ　ルータやスイッチの機器内部で動作するソフトウェアを,オープンソースソフトウェア(OSS)で実現する方式

問35　3Dセキュア2.0(EMV 3-D セキュア)は,オンラインショッピングにおけるクレジットカード決済時に,不正取引を防止するための本人認証サービスである。3Dセキュア2.0で利用される本人認証の特徴はどれか。

ア　利用者がカード会社による本人認証に用いるパスワードを忘れた場合でも,安全にパスワードを再発行することができる。

イ　利用者の過去の取引履歴や決済に用いているデバイスの情報から不正利用や高リスクと判断される場合に,カード会社が追加の本人認証を行う。

ウ　利用者の過去の取引履歴や決済に用いているデバイスの情報にかかわらず,カード会社がパスワードと生体認証を併用した本人認証を行う。

エ　利用者の過去の取引履歴や決済に用いているデバイスの情報に加えて,操作しているのが人間であることを確認した上で,カード会社が追加の本人認証を行う。

問36　企業のDMZ上で1台のDNSサーバを,インターネット公開用と,社内のPC及びサーバからの名前解決の問合せに対応する社内用とで共用している。このDNSサーバが,DNSキャッシュポイズニング攻撃による被害を受けた結果,直接引き起こされ得る現象はどれか。

ア　DNSサーバのハードディスク上に定義されているDNSサーバ名が書き換わり,インターネットからDNSサーバに接続できなくなる。

イ　DNSサーバのメモリ上にワームが常駐し,DNS参照元に対して不正プログラムを送り込む。

ウ　社内の利用者が,インターネット上の特定のWebサーバにアクセスしようとすると,本来とは異なるWebサーバに誘導される。

エ　社内の利用者間の電子メールについて,宛先メールアドレスが書き換えられ,送信ができなくなる。

付録

問37 DNSSECで実現できることはどれか。

 ア DNSキャッシュサーバが得た応答の中のリソースレコードが，権威DNSサーバで管理されているものであり，改ざんされていないことの検証

 イ 権威DNSサーバとDNSキャッシュサーバとの通信を暗号化することによる，ゾーン情報の漏えいの防止

 ウ 長音 "ー" と漢数字 "一" などの似た文字をドメイン名に用いて，正規サイトのように見せかける攻撃の防止

 エ 利用者のURLの入力誤りを悪用して，偽サイトに誘導する攻撃の検知

問38 公開鍵暗号方式を使った暗号通信をn人が相互に行う場合，全部で何個の異なる鍵が必要になるか。ここで，一組の公開鍵と秘密鍵は2個と数える。

 ア $n+1$ イ $2n$ ウ $\dfrac{n(n-1)}{2}$ エ n^2

問39 自社製品の脆弱性に起因するリスクに対応するための社内機能として，最も適切なものはどれか。

 ア CSIRT

 イ PSIRT

 ウ SOC

 エ WHOISデータベースの技術連絡担当

問40 JIS Q 31000:2019 (リスクマネジメント－指針) において，リスク特定で考慮することが望ましいとされている事項はどれか。

 ア 結果の性質及び大きさ

 イ 残留リスクが許容可能かどうかの判断

 ウ 資産及び組織の資源の性質及び価値

 エ 事象の起こりやすさ及び結果

問41 WAFによる防御が有効な攻撃として，最も適切なものはどれか。

　ア　DNSサーバに対するDNSキャッシュポイズニング
　イ　REST APIサービスに対するAPIの脆弱性を狙った攻撃
　ウ　SMTPサーバの第三者不正中継の脆弱性を悪用したフィッシングメールの配信
　エ　電子メールサービスに対する大量，かつ，サイズの大きな電子メールの配信

問42 PCからサーバに対し，IPv6を利用した通信を行う場合，ネットワーク層で暗号化を行うときに利用するものはどれか。

　ア　IPsec　　　　　　イ　PPP　　　　　ウ　SSH　　　　　　エ　TLS

問43 SPF（Sender Policy Framework）の仕組みはどれか。

　ア　電子メールを受信するサーバが，電子メールに付与されているデジタル署名を使って，送信元ドメインの詐称がないことを確認する。
　イ　電子メールを受信するサーバが，電子メールの送信元のドメイン情報と，電子メールを送信したサーバのIPアドレスから，送信元ドメインの詐称がないことを確認する。
　ウ　電子メールを送信するサーバが，電子メールの宛先のドメインや送信者のメールアドレスを問わず，全ての電子メールをアーカイブする。
　エ　電子メールを送信するサーバが，電子メールの送信者の上司からの承認が得られるまで，一時的に電子メールの送信を保留する。

問44 ICカードの耐タンパ性を高める対策はどれか。

　ア　ICカードとICカードリーダーとが非接触の状態で利用者を認証して，利用者の利便性を高めるようにする。
　イ　故障に備えてあらかじめ作成した予備のICカードを保管し，故障時に直ちに予備カードに交換して利用者がICカードを使い続けられるようにする。
　ウ　信号の読出し用プローブの取付けを検出するとICチップ内の保存情報を消去する回路を設けて，ICチップ内の情報を容易には解析できないようにする。
　エ　利用者認証にICカードを利用している業務システムにおいて，退職者のICカードは業務システム側で利用を停止して，他の利用者が利用できないようにする。

付録

問45　オブジェクト指向におけるクラス間の関係のうち，適切なものはどれか。

ア　クラス間の関連は，二つのクラス間でだけ定義できる。
イ　サブクラスではスーパークラスの操作を再定義することができる。
ウ　サブクラスのインスタンスが，スーパークラスで定義されている操作を実行するときは，スーパークラスのインスタンスに操作を依頼する。
エ　二つのクラスに集約の関係があるときには，集約オブジェクトは部分となるオブジェクトと，属性及び操作を共有する。

問46　モジュール結合度に関する記述のうち，適切なものはどれか。

ア　あるモジュールがCALL命令を使用せずにJUMP命令でほかのモジュールを呼び出すとき，このモジュール間の関係は，外部結合である。
イ　実行する機能や論理を決定するために引数を受け渡すとき，このモジュール間の関係は，内容結合である。
ウ　大域的な単一のデータ項目を参照するモジュール間の関係は，制御結合である。
エ　大域的なデータを参照するモジュール間の関係は，共通結合である。

問47　ソフトウェア信頼度成長モデルの一つであって，テスト工程においてバグが収束したと判定する根拠の一つとして使用するゴンペルツ曲線はどれか。

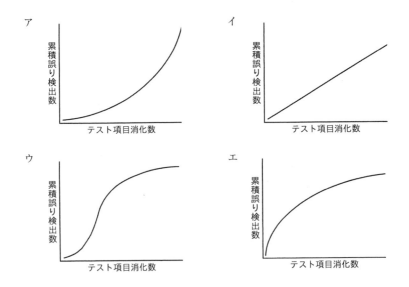

問48　リーンソフトウェア開発において，ソフトウェア開発のプロセスとプロセスの所要時間とを可視化し，ボトルネックや無駄がないかどうかを確認するのに用いるものはどれか。

　ア　ストーリーカード　　　　　　　　イ　スプリントバックログ
　ウ　バーンダウンチャート　　　　　　エ　バリューストリームマップ

問49　JIS X 33002:2017（プロセスアセスメント実施に対する要求事項）の説明として，適切なものはどれか。

　ア　組織のプロセスを継続的に改善して品質を高めるための要求事項を規定している。
　イ　組織プロセスの品質を客観的に診断するための要求事項を規定している。
　ウ　プロジェクトの実施に重要で，かつ，影響を及ぼすプロジェクトマネジメントの概念及びプロセスに関する包括的な手引きを規定している。
　エ　明確に定義された用語を使用し，ソフトウェアライフサイクルプロセスの共通枠組みを規定している。

問50　ドキュメンテーションジェネレーターの説明として，適切なものはどれか。

　ア　HTML，CSSなどのリソースを読み込んで，画面などに描画又は表示するソフトウェア
　イ　ソースコード中にある，フォーマットに従って記述されたコメント文などから，プログラムのドキュメントを生成するソフトウェア
　ウ　動的にWebページを生成するために，文書のテンプレートと埋込み入力データを合成して出力するソフトウェア
　エ　文書構造がマーク付けされたテキストファイルを読み込んで，印刷可能なドキュメントを組版するソフトウェア

付録

問51　EVMで管理しているプロジェクトがある。図は，プロジェクトの開始から完了予定までの期間の半分が経過した時点での状況である。コスト効率，スケジュール効率がこのままで推移すると仮定した場合の見通しのうち，適切なものはどれか。

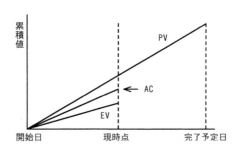

- ア　計画に比べてコストは多くなり，プロジェクトの完了は遅くなる。
- イ　計画に比べてコストは多くなり，プロジェクトの完了は早くなる。
- ウ　計画に比べてコストは少なくなり，プロジェクトの完了は遅くなる。
- エ　計画に比べてコストは少なくなり，プロジェクトの完了は早くなる。

問52　図のアローダイアグラムで表されるプロジェクトがある。結合点5の最早結合点時刻はプロジェクトの開始から第何日か。ここで，プロジェクトの開始日は0日目とする。

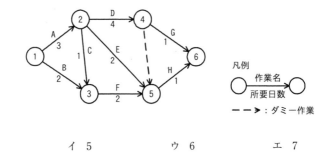

　　ア　4　　　　　　　　イ　5　　　　　　　　ウ　6　　　　　　　　エ　7

問53　JIS Q 21500:2018（プロジェクトマネジメントの手引）によれば，プロセス "リスクの管理" の目的はどれか。

ア　特定したリスクに適切な処置を行うためにリスクを測定して，その優先順位を定める。

イ　発生した場合に，プロジェクトの目標にプラス又はマイナスの影響を与えることがある潜在的リスク事象及びその特性を決定する。

ウ　プロジェクトの目標への機会を高めて脅威を軽減するために，選択肢を作成して対策を決定する。

エ　リスクへの対応を実行するかどうか及びそれが期待する効果を上げられるかどうかを明らかにし，プロジェクトの混乱を最小限にする。

問54　工場の生産能力を増強する方法として，新規システムを開発する案と既存システムを改修する案とを検討している。次の条件で，期待金額価値の高い案を採用するとき，採用すべき案と期待金額価値との組合せのうち，適切なものはどれか。ここで，期待金額価値は，収入と投資額との差で求める。

〔条件〕

・新規システムを開発する場合の投資額は100億円であって，既存システムを改修する場合の投資額は50億円である。

・需要が拡大する確率は70%であって，需要が縮小する確率は30%である。

・新規システムを開発した場合，需要が拡大したときは180億円の収入が見込まれ，需要が縮小したときは50億円の収入が見込まれる。

・既存システムを改修した場合，需要が拡大したときは120億円の収入が見込まれ，需要が縮小したときは40億円の収入が見込まれる。

・他の条件は考慮しない。

	採用すべき案	期待金額価値（億円）
ア	既存システムの改修	46
イ	既存システムの改修	96
ウ	新規システムの開発	41
エ	新規システムの開発	130

問55　SaaS（Software as a Service）による新規サービスを提供するに当たって，顧客への課金方式を検討している。課金方式①〜④のうち，想定利用状況に基づいて最も高い利益が得られる課金方式を採用したときの，年間利益は何万円か。ここで，新規サービスの課金は月ごとに行い，各月の想定利用状況は同じとする。また，新規サービスの運用に掛かる費用は1,050万円／年とする。

〔課金方式〕
①月間のサービス利用時間による従量課金　　　　　4,000円／時間
②月間のトランザクション件数による従量課金　　　　700円／件
③月末時点のディスク割当て量による従量課金　　　　300円／GB
④月末時点の利用者ID数による従量課金　　　　　1,600円／ID

〔想定利用状況〕
・サービス利用時間　　　　　　　　　　　　　　250時間／月
・トランザクション件数　　　　　　　　　　　1,500件／月
・月末時点のディスク割当て量　　　　　　　　3,300GB
・月末時点の利用者ID数　　　　　　　　　　　　650ID

　　ア　150　　　　　　　イ　198　　　　　　　ウ　210　　　　　　エ　260

問56　サービスマネジメントにおけるサービスレベル管理の活動はどれか。

　　ア　現在の資源の調整と最適化とを行い，将来の資源要件に関する予測を記載した計画を作成する。
　　イ　サービスの提供に必要な予算に応じて，適切な資金を確保する。
　　ウ　災害や障害などで事業が中断しても，要求されたサービス機能を合意された期間内に確実に復旧できるように，事業影響度の評価や復旧優先順位を明確にする。
　　エ　提供するサービス及びサービスレベル目標を決定し，サービス提供者が顧客との間で合意文書を交わす。

問57　温室効果ガスの排出量の算定基準であるGHGプロトコルでは，事業者の事業活動によって直接的，又は間接的に排出される温室効果ガスについて，スコープを三つに分けている。事業者X社がデータセンター事業者であるときの，スコープ1の例として，適切なものはどれか。

〔GHGプロトコルにおけるスコープの説明〕

スコープ1	温室効果ガスの直接排出。事業者が所有している，又は管理している排出源から発生する。
スコープ2	電気の使用に伴う温室効果ガスの間接排出。事業者が消費する購入電力の発電に伴う温室効果ガスの排出量を算定する。
スコープ3	その他の温室効果ガスの間接排出。事業者の活動に関連して生じるが，事業者が所有も管理もしていない排出源から発生する。

ア　X社が自社で管理するIT機器を使用するために購入した電力の，発電に伴う温室効果ガス
イ　X社が自社で管理するIT機器を廃棄処分するときに，産業廃棄物処理事業者が排出する温室効果ガス
ウ　X社が自社で管理する発電装置を稼働させることによって発生する温室効果ガス
エ　X社が提供するハウジングサービスを利用する企業が自社で管理するIT機器を使用するために購入した電力の，発電に伴う温室効果ガス

問58　システム監査基準（令和5年）が規定している監査調書の説明として，最も適切なものはどれか。

ア　監査の結論に至った過程を明らかにし，監査の結論を支える合理的な根拠とするための記録
イ　監査の目的に応じた適切な形式によって作成し，監査依頼者に提出する，監査の概要と監査の結論を記載した要約版の報告書
ウ　システム監査対象ごとに，具体的な監査スケジュールを定めた詳細計画
エ　システム監査の中長期における方針等を明らかにすることを目的として作成する文書

問59　システム監査基準（令和5年）によれば，システム監査において，監査人が一定の基準に基づいて総合的に点検・評価を行う対象とするものは，情報システムのマネジメント，コントロールと，あと一つはどれか。

ア　ガバナンス　　　　　　　　　　イ　コンプライアンス
ウ　サイバーレジリエンス　　　　　エ　モニタリング

問60　情報システムに対する統制をITに係る全般統制とITに係る業務処理統制に分けたとき，IT
に係る業務処理統制に該当するものはどれか。

　　ア　サーバ室への入退室を制限・記録するための入退室管理システム
　　イ　システム開発業務を適切に委託するために定めた選定手続
　　ウ　販売管理システムにおける入力データの正当性チェック機能
　　エ　不正アクセスを防止するためのファイアウォールの運用管理

問61　エンタープライズアーキテクチャの参照モデルのうち，BRM（Business Reference Model）と
して提供されるものはどれか。

　　ア　アプリケーションサービスを機能的な観点から分類体系化したサービスコンポーネント
　　イ　サービスコンポーネントを実際に活用するためのプラットフォームやテクノロジの標準仕様
　　ウ　参照モデルの中で最も業務に近い階層として提供される，業務分類に従った業務体系及び
システム体系と各種業務モデル
　　エ　組織間で共有される可能性の高い情報について，名称，定義及び各種属性を総体的に記述
したモデル

問62　"デジタルガバナンス・コード2.0"の説明として，適切なものはどれか。

　　ア　企業の自主的なDX推進を促すために，デジタル技術による社会変革を踏まえた経営ビジョ
ン策定など経営者に求められる対応を，経済産業省がまとめたもの
　　イ　教育委員会に対して，教育情報セキュリティポリシーの基本理念や情報セキュリティ対策
基準の記述例を，文部科学省がまとめたもの
　　ウ　全国どこでも誰もが便利で快適に暮らせる社会を目指し，自治体が重点的に取組むべき事
項を，総務省がまとめたもの
　　エ　デジタル社会形成のために政府が迅速かつ重点的に実施すべき施策などを，デジタル庁が
まとめたもの

問63　SOAの説明はどれか。

ア　会計，人事，製造，購買，在庫管理，販売などの企業の業務プロセスを一元管理することによって，業務の効率化や経営資源の全体最適を図る手法

イ　企業の業務プロセス，システム化要求などのニーズと，ソフトウェアパッケージの機能性がどれだけ適合し，どれだけかい離しているかを分析する手法

ウ　業務プロセスの問題点を洗い出して，目標設定，実行，チェック，修正行動のマネジメントサイクルを適用し，継続的な改善を図る手法

エ　利用者の視点から業務システムの機能を幾つかの独立した部品に分けることによって，業務プロセスとの対応付けや他ソフトウェアとの連携を容易にする手法

問64　IT投資案件において，投資効果をPBP（Pay Back Period）で評価する。投資額が500のとき，期待できるキャッシュインの四つのシナリオa～dのうち，効果が最も高いものはどれか。

a

年目	1	2	3	4	5
キャッシュイン	100	150	200	250	300

b

年目	1	2	3	4	5
キャッシュイン	100	200	300	200	100

c

年目	1	2	3	4	5
キャッシュイン	200	150	100	150	200

d

年目	1	2	3	4	5
キャッシュイン	300	200	100	50	50

ア　b　　　　　　　イ　b　　　　　　　ウ　c　　　　　　　エ　d

付録

問65　EMS（Electronics Manufacturing Services）の説明として，適切なものはどれか。

ア　相手先ブランドで販売する電子機器の設計だけを受託し，製造は相手先で行う。

イ　外部から調達した電子機器に付加価値を加えて，自社ブランドで販売する。

ウ　自社ブランドで販売する電子機器のソフトウェア開発だけを外部に委託し，ハードウェアは自社で設計製造する。

エ　生産設備をもつ企業が，他社からの委託を受けて電子機器を製造する。

問66 組込み機器のハードウェアの製造を外部に委託する場合のコンティンジェンシープランの記述として，適切なものはどれか。

ア 実績のある外注先の利用によって，リスクの発生確率を低減する。
イ 製造品質が担保されていることを確認できるように委託先と契約する。
ウ 複数の会社の見積りを比較検討して，委託先を選定する。
エ 部品調達のリスクが顕在化したときに備えて，対処するための計画を策定する。

問67 PPMにおいて，投資用の資金源として位置付けられる事業はどれか。

ア 市場成長率が高く，相対的市場占有率が高い事業
イ 市場成長率が高く，相対的市場占有率が低い事業
ウ 市場成長率が低く，相対的市場占有率が高い事業
エ 市場成長率が低く，相対的市場占有率が低い事業

問68 企業が属する業界の競争状態と収益構造を，"新規参入の脅威"，"供給者の支配力"，"買い手の交渉力"，"代替製品・サービスの脅威"，"既存競合者同士の敵対関係"の要素に分類して，分析するフレームワークはどれか。

ア PEST分析　　　　　　　　　　　　イ VRIO分析
ウ バリューチェーン分析　　　　　　　エ ファイブフォース分析

問27 フィージビリティスタディの説明はどれか。

ア 企業が新規事業立ち上げや海外進出する際の検証，公共事業の採算性検証，情報システムの導入手段の検証など，実現性を調査・検証する投資前評価のこと
イ 技術革新，社会変動などに関する未来予測によく用いられ，専門家グループなどがもつ直観的意見や経験的判断を，反復型アンケートを使って組織的に集約・洗練して収束すること
ウ 集団(小グループ)によるアイディア発想法の一つで，会議の参加メンバー各自が自由奔放にアイディアを出し合い，互いの発想の異質さを利用して，連想を行うことによって，さらに多数のアイディアを生み出そうという集団思考法・発想法のこと
エ 商品が市場に投入されてから，次第に売れなくなり姿を消すまでのプロセスを，導入期，成長期，成熟(市場飽和)期，衰退期の4段階で表現して，その市場における製品の寿命を検討すること

問70 IoT活用におけるデジタルツインの説明はどれか。

ア　インターネットを介して遠隔地に設置した3Dプリンターへ設計データを送り，短時間に製品を製作すること

イ　システムを正副の二重に用意し，災害や故障時にシステムの稼働の継続を保証すること

ウ　自宅の家電機器とインターネットでつながり，稼働監視や操作を遠隔で行うことができるウェアラブルデバイスのこと

エ　デジタル空間に現実世界と同等な世界を，様々なセンサーで収集したデータを用いて構築し，現実世界では実施できないようなシミュレーションを行うこと

問71 IoTを活用したビジネスモデルの事例のうち，マスカスタマイゼーションの事例はどれか。

ア　建機メーカーが，建設機械にエンジンの稼働状況が分かるセンサーとGPSを搭載して，機械の稼働場所と稼働状況を可視化する。これによって，盗難された機械にキーを入れても，遠隔操作によってエンジンが掛からないようにする。

イ　航空機メーカーが，エンジンに組み込まれたセンサーから稼働状況に関するデータを収集し，これを分析して，航空会社にエンジンの予防保守情報を提供する。

ウ　自動車メーカーが，稼働状況を把握するセンサーと，遠隔地からドアロックを解錠できる装置を自動車に搭載して，カーシェアサービスを提供する。

エ　眼鏡メーカーが，店内で顧客の顔の形状を3Dスキャナーによってデジタル化し，パターンの組み合わせで顧客に合ったフレーム形状を設計する。その後，工場に設計情報を送信し，パーツを組み合わせてフレームを効率的に製造する。

問72 IoTの技術として注目されている，エッジコンピューティングの説明として，最も適切なものはどれか。

ア　演算処理のリソースをセンサー端末の近傍に置くことによって，アプリケーション処理の低遅延化や通信トラフィックの最適化を行う。

イ　人体に装着して脈拍センサーなどで人体の状態を計測して解析を行う。

ウ　ネットワークを介して複数のコンピュータを結ぶことによって，全体として処理能力が高いコンピュータシステムを作る。

エ　周りの環境から微小なエネルギーを収穫して，電力に変換する。

付録

問73 ゲーム理論における"ナッシュ均衡"の説明はどれか。

ア 一部プレイヤーの受取が、そのまま残りのプレイヤーの支払となるような、各プレイヤーの利得（正負の支払）の総和がゼロとなる状態

イ 戦略を決定するに当たって、相手側の各戦略（行動）について、相手の結果が最大利得となる場合同士を比較して、その中で相手の利得を最小化する行動を選択している状態

ウ 戦略を決定するに当たって、自身の各戦略（行動）について、自身の結果が最小利得となる場合同士を比較して、その中で自身の利得を最大化する行動を選択している状態

エ 非協力ゲームのモデルであり、相手の行動に対して最適な行動をとる行動原理の中で、どのプレイヤーも自分だけが戦略を変更しても利得を増やせない戦略の組合せ状態

問74 分析対象としている問題に数多くの要因が関係し、それらが相互に絡み合っているとき、原因と結果、目的と手段といった関係を追求していくことによって、因果関係を明らかにし、解決の糸口をつかむための図はどれか。

ア アローダイアグラム   イ パレート図
ウ マトリックス図   エ 連関図

問75 製品X, Yを1台製造するのに必要な部品数は、表のとおりである。製品1台当たりの利益がX, Yともに1万円のとき、利益は最大何万円になるか。ここで、部品Aは120個、部品Bは60個まで使えるものとする。

単位 個

製品 部品	X	Y
A	3	2
B	1	2

ア 30   イ 40   ウ 45   エ 60

問76　今年度のＡ社の販売実績と費用（固定費，変動費）を表に示す。来年度，固定費が5％増加し，販売単価が5％低下すると予測されるとき，今年度と同じ営業利益を確保するためには，最低何台を販売する必要があるか。

販売台数	2,500台
販売単価	200千円
固定費	150,000千円
変動費	100千円／台

ア　2,575　　　　　イ　2,750　　　　　ウ　2,778　　　　　エ　2,862

問77　損益計算資料から求められる損益分岐点売上高は，何百万円か。

単位　百万円

売上高	500
材料費（変動費）	200
外注費（変動費）	100
製造固定費	100
総利益	100
販売固定費	80
利益	20

ア　225　　　　　イ　300　　　　　ウ　450　　　　　エ　480

問78　特許法による保護の対象となるものはどれか。

ア　自然法則を利用した技術的思想の創作のうち高度なもの
イ　思想又は感情を創作的に表現したもの
ウ　物品の形状，模様，色彩など，視覚を通じて美感を起こさせるもの
エ　文字，図形，記号などの標章で，商品や役務について使用するもの

付録

問79 不正競争防止法の不正競争行為に該当するものはどれか。

ア A社と競争関係になっていないB社が,偶然に,A社の社名に類似のドメイン名を取得した。

イ ある地方だけで有名な和菓子に類似した商品名の飲料を,その和菓子が有名ではない地方で販売し,利益を取得した。

ウ 商標権のない商品名を用いたドメイン名を取得し,当該商品のコピー商品を販売し,利益を取得した。

エ 他社サービスと類似しているが,自社サービスに適しており,正当な利益を得る目的があると認められるドメインを取得し,それを利用した。

問80 個人情報のうち,個人情報保護法における要配慮個人情報に該当するものはどれか。

ア 個人情報の取得時に,本人が取扱いの配慮を申告することによって設定される情報

イ 個人に割り当てられた,運転免許証,クレジットカードなどの番号

ウ 生存する個人に関する,個人を特定するために用いられる勤務先や住所などの情報

エ 本人の病歴,犯罪の経歴など不当な差別や不利益を生じさせるおそれのある情報

A 午前　解答と解説

問1
《解答》エ

　ベイズの定理で利用する事後確率とは，新たな情報が得られた後の事象の確率です。複数の袋からそれぞれ白と赤の玉を幾つかずつ取り出すとき，取り出した玉の色が分かった後で，どの袋から取り出されたのかを推定するためには，事後確率を利用します。したがって，エが正解です。

　ア，イ，ウは，ベイズの定理を用いる場合とは異なる問題設定となります。アとイは，取り出した玉の色が同じである確率を求める問題であり，ウは袋の選択についての確率を求める問題となります。

問2
《解答》エ

　M/M/1の待ち行列モデルでの平均待ち時間 T_w は，利用率を ρ，平均サービス時間を T_s とすると，次の式で表されます。

$$T_w = \frac{\rho}{1-\rho} \times T_s$$

　ここで，ATMが1台ずつ設置してある二つの支店を統合し，ATMを1台だけにすると，統合後の利用率は2倍となり，新たな利用率 ρ' は $\rho' = \rho \times 2 = 2\rho$ になります。そのため，統合後の待ち時間 T_w' は，次の式で計算できます。

$$T_w' = \frac{\rho'}{1-\rho'} \times T_s = \frac{2\rho}{1-2\rho} \times T_s$$

　したがって，エが正解です。

問3
《解答》ア

　AIにおけるディープラーニングは，機械学習のアルゴリズムの一つであるニューラルネットワークを多層化したものです。機械学習とは，データを学習して特定の結果を得ることで，ニューラルネットワークとは，人間の脳神経回路をイメージした手法です。したがって，アが正解です。
イ　データマイニングに関する記述です。
ウ　一般的なデータ分析に関する記述です。
エ　エキスパートシステムなど，ルールベースで行われる推論の手法です。

付録

問4 《解答》エ

　この問題のハミング符号は，4ビットから成るデータに3ビットの冗長ビットを加えて7ビットにしたものです。このハミング符号では，正しくデータが送られた場合には，c_0，c_1，c_2 の演算結果はすべて 0 になるはずです。ここで，受信した符号語 1000101 について，c_0，c_1，c_2 の演算を行ってみると，

$$c_0 = x_1 + x_3 + x_5 + x_7 = 1 + 0 + 1 + 1 = 3 \rightarrow 3 \bmod 2 = 1$$
$$c_1 = x_2 + x_3 + x_6 + x_7 = 0 + 0 + 0 + 1 = 1 \rightarrow 1 \bmod 2 = 1$$
$$c_2 = x_4 + x_5 + x_6 + x_7 = 0 + 1 + 0 + 1 = 2 \rightarrow 2 \bmod 2 = 0$$

となり，誤りがあることが分かります。どこのビットが誤りかは，i を求める式より次のように導き出すことができます。

$$i = c_0 + c_1 \times 2 + c_2 \times 4 = 1 + 1 \times 2 + 0 \times 4 = 3$$

　3ビット目の0が誤っていることが分かるので，これを修正して1にします。したがって，訂正後のハミング符号は 1010101 となり，エが正解です。

問5 《解答》ウ

　二つのアルゴリズムを実行して結果xの値が等しくなるようにするためには，両方で同じ演算を行う必要があります。左の流れ図ではループを使用し，変数nの値をMから1まで，増分−1で変化させています。ループ内では，xにnの値を掛け合わせています（x ← (x×n)）。右の流れ図ではnの初期値が1で，nの値は1ずつ増えています（n ← (n+1)）。左と同じ回数を掛け合わせるためには，nがMになるまでは掛け合わせ，M+1になった時点で終了させる必要があります。そのため，空欄aの終了条件はn>Mとなり，ウが正解です。
ア　nの初期値は1なので，n<Mだと1回で処理を終了してしまいます。
イ　n>M−1だと，nの値がM−1までしか実行しません。
エ　n>M+1だと，nの値がM+1になるまで実行してしまいます。

問6 《解答》エ

　二分木の深さ優先探索（特に右の子ノードから探索を開始する後順の巡回）に関する問題です。
〔f(ノード n)の定義〕の手順に従ってノードのデータを出力すると，次のような実行順となります。

1. ノード（根が+）の右に子ノードがあるので，ノード（根が÷）を実行
2. ノード（根が÷）の右に子ノードがあるので，ノード（根が−）を実行
3. ノード（根が−）の右に子ノードがあるので，ノード（根がE）を実行
4. ノード（根がE）には子ノードがないので，"E"を出力
5. ノード（根が−）の左に子ノードがあるので，ノード（根がD）を実行
6. ノード（根がD）には子ノードがないので，"D"を出力
7. ノード（根が−）には未実行の子ノードがなくなったので，"−"を出力
8. ノード（根が÷）の左に子ノードがあるので，ノード（根が×）を実行
9. ノード（根が×）の右に子ノードがあるので，ノード（根がC）を実行
10. ノード（根がC）には子ノードがないので，"C"を出力
11. ノード（根が×）の左に子ノードがあるので，ノード（根がB）を実行

12.　ノード (根が B) には子ノードがないので，"B" を出力
13.　ノード (根が×) には未実行の子ノードがなくなったので，"×" を出力
14.　ノード (根が÷) には未実行の子ノードがなくなったので，"÷" を出力
15.　ノード (根が＋) の左に子ノードがあるので，ノード (根が A) を実行
16.　ノード (根が A) には子ノードがないので，"A" を出力
17.　ノード (根が＋) には未実行の子ノードがなくなったので，"＋" を出力

　したがって，出力は "ED − CB ×÷ A ＋" となり，エが正解です。

問7　　　　　　　　　　　　　　　　　　　　　　　　《解答》ア

　バブルソートは，隣り合う二つの要素を比較して順序が逆なら入れ替えるという操作を繰り返すことで，配列全体を昇順または降順に並べ替える整列アルゴリズムです。数字列の最後の数字から最初の数字に向かって，隣り合う二つの数字を比較して小さい数字が前になるよう数字を入れ替える操作を繰り返すことで，数値を昇順に並べ替えることができます。したがって，アが正解です。
イ　クイックソートに関する記述です。
ウ　マージソートに関する記述です。
エ　選択ソートに関する記述です。

問8　　　　　　　　　　　　　　　　　　　　　　　　《解答》エ

　図のようにアドレス1001から1004の内容をアドレス1003から1006に転送する場合，転送元→転送先のアドレスは，1001→1003，1002→1004，1003→1005，1004→1006の四つとなり，転送語数は4です。
　このとき，アドレスの昇順に転送を行うと，1001→1003で転送された1001の内容が，1003→1005で再度転送されることとなり，本来の1003の内容が上書きされて消えてしまいます。アドレスの降順に，1004→1006，1003→1005，1002→1004，1001→1003と転送を行うと，元のデータが上書きされる前に転送先に送られるため適切です。
　このときの転送元の開始アドレスは1004，転送先の開始アドレスは1006です。方向フラグは，降順なので1になります。したがって，エが正解です。

問9　　　　　　　　　　　　　　　　　　　　　　　　《解答》ウ

　量子ゲート方式の量子コンピュータは，量子ビットと呼ばれる情報の最小単位を利用します。量子ビットでは，0と1の状態を同時に表現することが可能で，これを重ね合わせの状態と呼びます。この重ね合わせの状態を利用し，複数の計算を同時に実行できるのが，量子ゲート方式の量子コンピュータの特徴です。したがって，ウが正解です。
ア　通常のコンピュータの説明です。
イ　量子アニーリングマシンなどでの，特定のアルゴリズム専用の量子コンピュータの特徴です。
　　すべての量子ゲート方式の量子コンピュータが該当するわけではありません。
エ　量子コンピュータは一般的に極低温で動作します。

問10 《解答》エ

実効アクセス時間はキャッシュヒット時のアクセス時間とキャッシュにないときの主記憶へのアクセス時間の平均値です。キャッシュメモリのヒット率をhとすると，実行アクセス時間は次の式で計算できます。

実効アクセス時間＝h×キャッシュメモリのアクセス時間＋(1－h)×主記憶のアクセス時間

この問題の条件では，実効アクセス時間が15ナノ秒，キャッシュのアクセス時間が10ナノ秒，主記憶のアクセス時間が60ナノ秒です。これを上記の式に当てはめると，次の式になります。

$15 = h \times 10 + (1 - h) \times 60$

$15 = 10h + 60 - 60h$

$50h = 45, \quad h = 0.9$

したがって。ヒット率hは0.9となり，エが正解です。

問11 《解答》ア

15Mバイトのプログラムを圧縮率40%で圧縮すると，15[Mバイト]×0.4＝6[Mバイト]になります。圧縮したプログラムをフラッシュメモリから主記憶へ転送速度20Mバイト／秒で転送すると，6[Mバイト]÷20[Mバイト／秒]＝0.3[秒]かかります。

さらに，圧縮されたデータの展開に1Mバイト当たり0.03秒かかるので，展開にかかる時間は，0.03[秒／Mバイト]×6[Mバイト]＝0.18秒です。

転送と展開の時間を合計すると，0.3[秒]＋0.18[秒]＝0.48[秒]となります。したがって，アが正解です。

問12 《解答》ウ

システムの信頼性設計において，フォールトアボイダンスとは，個々の製品の品質を高めて故障が発生しないようにして信頼性を向上させる考え方です。したがって，ウが正解です。

ア　フールプルーフに関する記述です。

イ　フェールソフトとは，故障が発生した場合に機能を縮退させて稼働を継続させる概念です。

エ　フォールトトレランスとは，故障が生じてもシステムに重大な影響が出ないようして，全体として安全が維持されるような設計方法です。ただし，システムを安全な状態に固定するのではなく，システムの二重化や予備のシステムの準備などで変化に対応できるようにします。

問13 《解答》ア

オブジェクトストレージは，大量の非構造化データを効率的に管理するためのデータストレージの一種です。ファイルやブロックストレージとは異なり，データはフラットな仮想アドレス空間に格納され，個々のオブジェクトには一意の識別子が割り当てられます。これにより，データは大量であっても効率的に管理，検索，取得することが可能となりますが，更新時の作業は多くなるので，更新頻度の少ないデータに適しています。また，スケーラビリティに優れており，容量の増減に柔軟に対応できます。したがって，アが正解です。

イ　SAN(Storage Area Network)に関する記述です。

ウ　DAS(Direct Attached Storage)と呼ばれる，サーバに直接接続されるストレージに関する説明です。

エ　ストレージの仮想化技術に関するもので，特定のストレージ種別に限定されるものではありません。

問14　　　　　　　　　　　　　　　　　　　　　　　　　　　　　　　《解答》イ

$a = 0.1$のとき，マルチプロセッサの性能Pの式は，次のように変形できます。

$$P = \frac{n}{1+(n-1)\times 0.1} = \frac{n}{0.9+0.1n} = \frac{1}{\frac{0.9}{n}+0.1}$$

ここで，nを大きくして，$n \to \infty$とすると，次のようになります。

$$\frac{0.9}{n} \to 0 \quad P \to \frac{1}{0+0.1} = 10$$

つまり，nをいくら大きくしても，Pの最大値は10以上にはなりません。したがって，イが正解です。

問15　　　　　　　　　　　　　　　　　　　　　　　　　　　　　　　《解答》ウ

コンピュータの性能評価におけるシミュレーションを用いた方法では，解析的に解が求められないモデルに対しても，数値的に解が求まります。一方で，計算量は比較的多くなり非効率です。したがって，ウが正解です。

ア　解析的な方法は数学的な主張や理論に基づいて解を導くため，計算量が少なくなり，効率的に解が求まる傾向があります。

イ　シミュレーションでは乱数を使用することがありますが，それが必ずしも高精度の解につながるわけではありません。

エ　解析的な方法の特徴です。

問16　　　　　　　　　　　　　　　　　　　　　　　　　　　　　　　《解答》イ

ノンプリエンプティブ方式とは，一度実行が始まったタスクが自らの操作を終了するまで，そのタスクの実行を中断しないスケジューリング方式のことです。実行中のタスクが自らの中断をOSに要求することによってだけ，OSは実行中のタスクを中断し，動作可能な他のタスクを実行中に切り替えることができます。したがって，イが正解です。

ア　プリエンプティブ方式に関する記述です。プリエンプティブ方式では，OSが任意のタイミングでタスクを中断し，別のタスクに切り替えることが可能です。

ウ　OSが無限ループを検知してタスクを終了させることができるかどうかは，OSが検知する内容によって変わります。

エ　プリエンプティブ方式に関する記述です。プリエンプティブ方式では，優先度の高いタスクが実行待ち行列に追加されると，OSは実行中のタスクを中断し，新たなタスクに切り替えます。

問17　　　　　　　　　　　　　　　　　　　　　　　　　　　　　　　《解答》イ

デッドロックは，資源の占有順序が異なり，互いのプロセスが占有している資源の解放を待っている状態になったときに発生します。プロセスAとBは，同じ占有順序で資源を確保するので，デッドロックは起こりません。プロセスAとC，およびプロセスAとDの場合は，資源1と2（または3）の占有順序が異なり，デッドロックの可能性があります。したがって，デッドロックを起こす可能性があるプロセスはC，Dとなり，イが正解です。

問18 《解答》イ

サーバのタスクの多重度が1のときには，タスクを一つずつ実行します。タスク処理時間が4秒で，1秒間隔で4件の処理要求が到着した場合，サーバのタスクの多重度が1のときには，全体の処理時間は単純に，4[秒／件]×4[件]＝16[秒]かかります。

多重度が2のときには少し複雑です。1秒間隔で4件の処理要求が到着した場合，4件の処理を多重度2で順に実行すると，次のような流れになります。

タスク	1	2	3	4	5	6	7	8	9
1	○	○	○	○					
2		○	○	○	○				
3			*	*	○	○	○	○	
4				*	*	○	○	○	○

※ ○：実行，＊：待機

一度に二つまでの処理を並列実行できるので，全体の処理時間が短縮され，上の図のように，9[秒]ですべての処理が完了します。

二つの処理の差は，16[秒]－9[秒]＝7[秒]となります。したがって，イが正解です。

問19 《解答》エ

プログラムを構成するモジュールや関数の実行回数，実行時間など，性能改善のための分析に役立つ情報を収集するツールには，プロファイラがあります。プロファイラは，プログラムの実行性能を計測し，最適化のための詳細な情報を提供します。したがって，エが正解です。
ア　エミュレーターは，あるシステムを別のシステム上で動作させるためのツールです。
イ　シミュレーターは，特定の条件下でのシステムの動作を模倣するツールです。
ウ　デバッガは，プログラムのバグを見つけて修正するためのツールです。

問20 《解答》エ

直流電力から交流電力への変換を行う装置のことをインバータといい，パワー半導体が重要な役割を果たしています。したがって，エが正解です。
ア，イ　昇圧コンバータや降圧コンバータなどの，DC-DCコンバータの説明です。
ウ　レクチファイア（整流器）の説明です。

問21 《解答》ウ

この問題では，入力がAとB，出力がYの論理回路の動作結果となるタイムチャートを理解し，該当する論理回路の種類を考えます。

与えられたタイムチャートを左から確認すると，Aが0，Bが1のときにYが1となっています。順に，Aが0，Bが0のときにもYが1，Aが1，Bが1のときにYが0となります。その後，再びAが0，Bが0でYが1，Aが1，Bが1でYが0，Aが0，Bが0でYが1となります。最後に，Aが1，Bが0でYが1となっています。まとめると，入力A，Bの組合せが同じときには出力Yは同じで，次のようになります。

A	B	Y
0	0	1
0	1	1
1	0	1
1	1	0

　つまり，AとBの入力が同時に1のときだけYが0になります。これは，論理演算子（AND）の逆なので，否定論理積素子（NAND）です。解答群より，否定論理積素子（NAND）を表す論理回路はウなので，ウが正解です。

　ここで，論理回路の図記号は覚えておく必要はなく，問題文の表記ルール「1. 論理回路」で示されているので，そこで確認できます。

ア　排他的論理和素子（XOR）を表しています。

イ　論理一致素子を表しています。

エ　否定論理和素子（NOR）を表しています。

問22　　　　　　　　　　　　　　　　　　　　　　　　　　　　　《解答》ウ

　640×480のグラフィックLCDモジュールについて，直線を描画するときのメモリのアドレスを考えます。

　〔方式〕に，「1画素は16ビットとする」とあり，図のメモリの番地には「8ビット」の記載があります。そのため，1画素当たりでは，16［ビット］／8［ビット／番地］＝2［番地］を使用します。さらに〔方式〕に，「各画素は，$x=0$からx軸の方向にメモリを割り当てていく」とあるので，1画素当たりでx軸方向に2番地進むことになります。

　また，y軸方向では，〔方式〕に，「$x=639$の次は$x=0$とし，yを1増やす」とあり，xの値は0～639で640画素です。そのため，1行につき640［画素］×2［番地／画素］＝1,280［番地］が必要となります。

　まとめると，ある画素$(x,\ y)$の番地は$2×x+1280×y$で計算することができます。

　$x=7$のときの直線の部分は，黒丸があるy＝6です。この画素$(7,\ 6)$の番地は，$2×7+1280×6=7694$［番地］となります。したがって，ウが正解です。

問23　　　　　　　　　　　　　　　　　　　　　　　　　　　　　《解答》ア

　サーバ，ネットワーク機器で使用する電気は直流で，交流の電流を直流に変換して使用しています。直流給電を行うと，交流から直流への変換，直流から交流への変換が必要なくなるため，その途中で生じる電力損失を低減することができます。したがって，アが正解です。

イ　同じ直流でも，電圧を変える必要はあります。

ウ　停電は起こるので，バッテリは必要です。

エ　トランスは交流電圧を変えるもので，直流には使えません。

付録

問24 《解答》エ

ビットマップフォントは，ビットごとに白黒の値で表現するフォントです。アウトラインフォントは，文字の輪郭となる曲線をデータとしてもつフォントです。アウトラインフォントでは，ビットマップフォントに比べ，文字を任意の倍率に拡大して表示してもきれいな状態で表示されます。したがって，エが正解です。

ア　どちらのフォントでも，英数字と漢字を表示できます。

イ　文字の幅が一定であれば，どちらのフォントでも表示できます。

ウ　ビットマップフォントの方が高速に表示できます。

問25 《解答》ア

ストアドプロシージャとは，データベースへの問合せを一連の処理としてまとめ，DBMSに保存したものです。使用するときはプロシージャ名を指定するだけなので，アプリケーションプログラムからネットワークを介してDBMSにアクセスする場合，両者間の通信量を減少させることができます。したがって，アが正解です。

DBMSでの処理自体は，通常の問合せとまったく同じなので，イの実行計画の数が減少する，ウの必要バッファ数が減少する，エのディスク装置へのI/O回数が減少する，ということはありません。

問26 《解答》ウ

"部品"表と"在庫"表から〔結果〕の情報を取得する〔SQL文〕に関する空欄穴埋め問題です。

〔結果〕では，部品IDごとに発注要否を表示しています。〔SQL文〕ではCASE句を使用しており，

```
CASE WHEN 部品.発注点 >       a

     THEN N'必要' ELSE N'不要' END AS 発注要否
```

となっています。そのため，空欄aでは"部品"表の"発注点"列と比較する内容が必要です。

選択肢ア～エのすべてにあるCOALESCE関数は，引数の中で最初のNULLでない値を返す関数です。MIN(在庫.在庫数)では，"在庫"表の在庫数の最小値を取得します。SUM(在庫.在庫数)では，すべての在庫数の合計を取得します。

〔結果〕を順に見ると，部品IDがP01の部品は発注要否が不要となっています。〔SQL文〕のFROM句では，結合の条件が「ON 部品.部品ID = 在庫.部品ID」となっているため，"在庫"表では部品IDがP01である行が2行あり，それぞれの在庫数は90です。"部品"表での部品IDがP01である行の発注点は100で，どちらの行でも「部品.発注点 > 在庫.発注点」となります。そのため，MIN(在庫.在庫数)では，100＞90となり，CASE句より，発注要否は'必要'となります。〔結果〕では'不要'となっているので，SUM(在庫.在庫数)を計算し，90＋90＝180とした値を比較対象として，不要と判断していると考えられます。

部品IDがP02の行は1行で，150＞150という比較となるので，CASE句の条件に当てはまらず，'不要'となります。

商品IDがP03の行は，"在庫"表には存在しません。〔SQL文〕のFROM句では，「部品 LEFT OUTER JOIN 在庫」となっており，左外部結合を使用しています。商品IDがP03の行では，対応する値がないので，在庫.在庫数はNULLとなります。NULLのままで値を比較すると，発注要否もNULLになってしまいます。そのため，COALESCE(SUM(在庫.在庫数), 0)とすることで，SUM(在庫.在

庫数）がNULLの場合には0が返されます。そのため，100＞0という比較となり，発注要否が'必要'となります。

　したがって空欄aは，COALESCE(SUM(在庫.在庫数)，0)を入れる必要があり，ウが正解です。

問27　　　　　　　　　　　　　　　　　　　　　　　　　　　　　　　《解答》エ

　トランザクションの結果は，チェックポイント時にストレージに反映されます。トランザクションTがコミットしたということは，そのトランザクションの結果はトランザクションログのうちの更新後ログに保存されています。しかし，システム障害が発生したために，チェックポイント後のトランザクションの状態が失われた可能性があります。そのような場合にトランザクションTの状態を復旧するためには，ロールフォワードが使用されます。ロールフォワードでは，チェックポイント時点のデータベース状態に更新後ログを適用していくことで，コミット時点の状態を再現します。したがって，エが正解です。

ア　2相ロックは，データベースの整合性を保つためのロックプロトコルです。

イ　シャドウページは，データベースの更新を行う際に，元のデータページを保持したまま新しいページに更新内容を書き込むことで，高速化を実現する方法です。

ウ　ロールバックは，コミット前のトランザクションによる変更を元に戻す操作です。

問28　　　　　　　　　　　　　　　　　　　　　　　　　　　　　　　《解答》ウ

　データウェアハウスのテーブル構成において，スタースキーマとは，中心に一つのファクトテーブルを配置し，その周囲に複数のディメンジョンテーブルを配置する形式のことを指します。分析対象となるトランザクションデータは，ファクトテーブルに格納されます。したがって，ウが正解です。

ア　サマリテーブルは，データの集計結果を保存するテーブルです。

イ　ディメンジョンテーブルは，ファクトテーブルのデータを解析する際の基準となる属性（時間，地域，商品など）を保存するテーブルです。

エ　ルックアップテーブルは，複雑な計算を簡単に行うために，入力値と出力値の対応を割り当てておくテーブルです。

問29　　　　　　　　　　　　　　　　　　　　　　　　　　　　　　　《解答》ウ

　NoSQLとは，関係データベース以外のデータベースで，大量のデータを高速に処理する場合などに使用されます。NoSQLに分類されるデータベースの代表的なものに，データをキーという単位で管理するキーバリュー型（KVS：Key-Value Store）データベースがあります。したがって，ウが正解です。

ア　オブジェクト指向型データベースの説明です。

イ　データウェアハウスの説明です。

エ　データディクショナリの説明です。

付録

問30　　　　　　　　　　　　　　　　　　　　　　　　　　　　　《解答》イ

　CSMA/CD(Carrier Sense Multiple Access with Collision Detection)方式では，最初に「Carrier Sense」を行い，各ノードは伝送媒体が使用中かどうかを調べます。使用中でなければ，「Multiple Access」で全ノードに向けて送信します。衝突が発生したら，「Collision Detection」で衝突を検出し，ランダムな時間の経過後に再度送信を行います。したがって，イが正解です。

ア　優先度による送信権(トークン)を利用したトークンパッシング方式です。

ウ　トークンパッシング方式のうちの一つ，トークンリング方式に関する記述です。

エ　TDM(Time Division Multiplexing：時分割多重)方式に関する記述です。

問31　　　　　　　　　　　　　　　　　　　　　　　　　　　　　《解答》ア

　IPアドレス208.77.188.186は，先頭ビットが110で始まる，クラスCのアドレスです。クラスCのプライベートアドレス192.168.0.0/16の範囲には含まれないので，通常のグローバルアドレスとなります。したがって，アが正解です。

イ　プライベートアドレスは，特定の範囲(クラスCなら192.168.0.0/16)を使用する必要があります。

ウ　ブロードキャストアドレスは，ホストアドレスのビットがすべて1のものです。

エ　マルチキャストアドレスには，クラスDのアドレスを使用します。

問32　　　　　　　　　　　　　　　　　　　　　　　　　　　　　《解答》エ

　ルータを冗長化するために用いられるプロトコルには，仮想ルータを設定して仮想的にルータを冗長化するVRRP(Virtual Router Redundancy Protocol)があります。したがって，エが正解です。

ア　PPP(Point-to-Point Protocol)はデータリンク層での認証に用いられるプロトコルです。

イ　RARP(Reverse Address Resolution Protocol)は，MACアドレスからIPアドレスの解決に用いられるプロトコルです。

ウ　SNMP(Simple Network Management Protocol)は，ネットワーク管理に用いられるプロトコルです。

問33　　　　　　　　　　　　　　　　　　　　　　　　　　　　　《解答》エ

　1バイトは8ビットなので，一つのパケットは，

　　1,500[バイト]×8[ビット／バイト] = 12,000[ビット]

となります。ビット誤り率は，送信されたビットのうち誤って受信されるビットの割合を表します。ビット誤り率0.0001%を小数で表すと，0.000001です。したがって，一つのパケットに含まれる誤りの個数の期待値は，

　　12,000[ビット]×0.000001 = 0.012

となり，10,000個のパケットを送信するときの誤りが含まれるパケットの個数の期待値は，

　　0.012×10,000[個] = 120[個]

となります。したがって，エが正解です。

問34　《解答》イ

OpenFlowを使ったSDN (Software-Defined Networking)では，ネットワーク機器ではなくソフトウェアによって，ネットワーク機器を集中的に制御，管理します。したがって，イが正解です。

ア　仮想スイッチを利用した通信の説明です。

ウ　ASN.1 (Abstract Syntax Notation One)の説明です。

エ　オープンソースのソフトウェアを利用したルータやスイッチ用のソフトウェアに該当します。

問35　《解答》イ

3Dセキュア2.0 (EMV 3-Dセキュア)は，オンラインショッピングにおけるクレジットカード決済時に不正取引を防止するための本人認証サービスです。本人認証の方法としては，利用者の過去の取引履歴や決済に用いているデバイスの情報から不正利用や高リスクと判断される場合に，カード会社が追加の本人認証を行う，というものがあります。したがって，イが正解です。この認証方式はリスクベース認証と呼ばれます。

ア　パスワード再発行の安全性に関する内容です。

ウ　パスワードと生体認証を併用した，多要素認証に関する内容です。

エ　デバイスの認証に加えて，操作しているのが人間であることを確認する本人認証の方法に関する内容です。

問36　《解答》ウ

DNSサーバをインターネット公開用と社内用で共用しているときには，インターネットからDNSキャッシュポイズニング攻撃を受けて，DNSキャッシュが書き換わることがあります。そのとき，社内の利用者が，インターネット上の特定のWebサーバを参照しようとし，それが書き換わったDNSキャッシュの情報として存在する場合，本来とは異なるサーバに誘導されることがあります。したがって，ウが正解です。

ア　DNSキャッシュポイズニングでは，正規のDNS情報が書き換わることはありません。

イ　ワームによる攻撃での被害となります。

エ　宛先メールアドレスの書き換えは，メールサーバなどでのメール中継時に実施される内容です。

問37　《解答》ア

DNSSEC (Domain Name System Security Extensions)とは，DNSに対して，データ作成元の認証やデータの完全性を確認できるように仕様を拡張したものです。DNSSECでは，DNSのリソースレコードにデジタル署名を付与することによって，権威DNSサーバで管理されているものであり，改ざんされていないことの検証が可能となります。したがって，アが正解です。

イ　DNS over HTTPSなどの，DNS通信を暗号化する技術で実現できます。

ウ，エ　ドメインの偽装や入力誤りに関しては，DNSSECではなく，SSL/TLSのサーバ証明書を確認することが有効な対策となります。

付録

問38　　　　　　　　　　　　　　　　　　　　　　　　　　　　　　　《解答》イ

公開鍵暗号方式では，1人ずつ公開鍵と秘密鍵の鍵ペア（キーペア）を作成するため，鍵が2個必要です。人数が増えると，1人につき2個必要となるため，n人が相互に暗号通信を行う場合には，$2 \times n = 2n$［個］が必要となります。したがって，イが正解です。

問39　　　　　　　　　　　　　　　　　　　　　　　　　　　　　　　《解答》イ

PSIRT（Product Security Incident Response Team）は，製品のセキュリティに関するインシデントに対応し，その脆弱性を管理するためのチームです。自社製品の脆弱性に起因するリスクに対応するための社内機能としては，PSIRTが適切です。したがって，イが正解です。

ア　CSIRT（Computer Security Incident Response Team）は，組織全体の情報セキュリティインシデントに対応するチームです。

ウ　SOC（Security Operations Center）は，組織の情報セキュリティを継続的に監視・分析し，対応する機能です。

エ　WHOISデータベースの技術連絡担当は，ドメイン名やIPアドレスの所有者情報を管理する役割をもった人の連絡先です。

問40　　　　　　　　　　　　　　　　　　　　　　　　　　　　　　　《解答》ウ

JIS Q 31000:2019（リスクマネジメント－指針）における "6.4.2 リスク特定" では，「リスク特定の意義は，組織の目的の達成を助ける又は妨害する可能性のあるリスクを発見し，認識し，記述することである」とあり，考慮することが望ましいとされているものの一つとして，「資産及び組織の資源の性質及び価値」が挙げられています。したがって，ウが正解です。

アの「結果の性質及び大きさ」や，エの「事象の起こりやすさ及び結果」は，リスク分析の段階で考慮される要素です。

イの「残留リスクが許容可能かどうかの判断」は，リスク評価後のリスク対応の段階で考慮される要素です。

問41　　　　　　　　　　　　　　　　　　　　　　　　　　　　　　　《解答》イ

WAF（Web Application Firewall）は，Webアプリケーションの防御に特化したファイアウォールです。Webで使用するプロトコルであるHTTP（Hypertext Transfer Protocol）にのみ対応しています。

API（Application Programming Interface）は，アプリケーション同士が互いに情報をやり取りするための仕組みです。REST API（REpresentational State Transfer API）は，Webアプリケーションを外部から利用するためのAPIです。REST APIの脆弱性を狙った攻撃は，Webアプリケーションに向けて，HTTPを使用して行われるので，WAFによる防御が有効となります。したがって，イが正解です。

ア　DNSキャッシュポイズニングで利用するDNS（Domain Name System）は名前解決を行うプロトコルで，WAFでは防ぐことはできません。

ウ　フィッシングメールの配信に利用するSMTP（Simple Mail Transfer Protocol）はメール送信を行うプロトコルで，WAFでは防ぐことができません。

エ　電子メール爆弾の送付にはSMTPを使用するので，WAFでは防ぐことができません。

問42 《解答》ア

　PCからサーバに対する通信をネットワーク層で暗号化して行うことができるプロトコルに，IPsec（Security Architecture for Internet Protocol）があります。IPsecは，IPv6には標準で対応しています。したがって，アが正解です。

イ　PPP（Point-to-Point Protocol）は，電話回線などを用いて2点間を接続してデータ通信を行うための通信プロトコルです。

ウ　SSH（Secure Shell）は，ネットワーク上で遠隔操作を行うためのプロトコルです。セッション層で暗号化を行います。

エ　TLS（Transport Layer Security）は，PCとサーバ間のTCP（Transmission Control Protocol）通信を安全に行うためのプロトコルです。トランスポート層で，TCPヘッダーも含めて暗号化を行います。

問43 《解答》イ

　SPF（Sender Policy Framework）とは，電子メールの送信ドメイン名（a-sha.co.jpなど）が正しいかどうかを認証する，送信ドメイン認証の仕組みの一つです。DNS（Domain Name System）という，ドメイン名とIPアドレスを対応させる仕組みを用いて，正しいサーバから電子メールが送られているかどうかを判定します。具体的には，電子メールを受信するサーバが，DNSに問い合わせて電子メールの送信ドメイン名に対応したサーバのIPアドレスを受け取ります。そのIPアドレスと，実際に電子メールを送信したサーバのIPアドレスを比較して，ドメインの詐称がないことを確認します。したがって，イが正解です。

ア　DKIM（Domainkeys Identified Mail）の仕組みです。

ウ　メールクライアントツール（Gmailなど）で実現される，メールを削除せず保管し，受信トレイに表示しないようにする機能が該当します。

エ　メール管理ツールなどで実現される上司承認機能が該当します。

問44 《解答》ウ

　ICカードの耐タンパ性とは，故障時などでもICカードの情報が盗まれないようにする性質です。信号の読出し用プローブの取付けを検出するとICチップ内の保存情報を消去する回路を設けて，ICチップ内の情報を容易には解析できないようにする対策は，耐タンパ性を高めます。したがって，ウが正解です。

ア　利便性を高める対策です。

イ　可用性を高める対策です。

エ　機密性を高める対策です。

付録

問45 《解答》イ

オブジェクト指向におけるクラス間の関係に，"継承（インヘリタンス）"があります。サブクラス（子クラス）はスーパークラス（親クラス）から属性やメソッドを継承し，またそれらをオーバーライド（再定義）することができます。この特性により，コードの再利用性が高まり，保守性も向上します。したがって，イが正解です。

ア　一つのクラスは複数の他のクラスと関連付けることができます。

ウ　サブクラスのインスタンスはスーパークラスで定義された操作を直接利用できます。

エ　"集約"とは，あるクラスが他のクラスの一部となる関係です。属性や操作を共有するわけではありません。

問46 《解答》エ

モジュール結合度とは，モジュール間の依存度を表す指標で，モジュール間の関係性を示します。低い結合度のほうがモジュールの独立性が高く，保守性や再利用性が向上します。

大域的なデータを参照するモジュール間の関係は，共通結合です。複数のモジュールが同じ大域変数やデータ構造を参照する形態の結合を指します。したがって，エが正解です。

ア　内容結合に関する記述です。

イ　制御結合に関する記述です。

ウ　データ結合に関する記述です。

問47 《解答》ウ

ソフトウェア信頼度成長モデルの一つであるゴンペルツ曲線では，時間の経過とともにバグの発見・修正が進み，最終的に収束する様子を表現します。テストが軌道に乗るまでの初期はバグの発見が少なく，その後急速にバグが発見され，徐々にその数が減少し，最後にはほぼ水平になる形状の曲線となります。したがって，ウがゴンペルツ曲線と一致します。

ア　指数関数的な曲線です。このような結果になると，バグは収束していないと判断されます。

イ　一次関数的な曲線です。テストの誤り検出数は，このような直線的な増加とならないことが一般的です。

エ　対数関数的な曲線です。テスト工程では，初期の誤り検出は少なく，徐々に増えていくことが一般的です。

問48 《解答》エ

リーンソフトウェア開発において，ソフトウェア開発のプロセスとプロセスの所要時間を可視化し，ボトルネックや無駄がないかどうかを確認するのに用いるものには，バリューストリームマップがあります。バリューストリームマップは，製品やサービスが顧客に届くまでの流れ全体を可視化し，無駄を見つけ出すためのツールです。これにより，プロセスの改善点を明らかにし，価値の最大化と無駄の排除を目指します。したがって，エが正解です。

ア　ストーリーカードは，ユーザーストーリーを記述するためのカードです。

イ　スプリントバックログは，一つのスプリントで開発を行うために選ばれたバックログをリストアップしたものです。

ウ　バーンダウンチャートは，プロジェクトの進捗状況を視覚化するためのツールです。スプリ

ントやリリースの期間中に残っている作業量を表示します。

問49 《解答》イ

　JIS X 33002:2017は，プロセスアセスメントの実施に対する要求事項を規定しています。この規格では，診断対象プロセスのアセスメント結果が，客観的で，一貫していて，再現可能であり，かつ，代表的であることを確実にするアセスメント実施のための最小限の要求事項を定義しています。したがって，イが正解です。

ア　ISO 9001などの，品質マネジメントシステムに関する内容です。
ウ　ISO 21500などの，プロジェクトマネジメントに関する内容です。
エ　ISO/IEC 12207などの，ソフトウェアライフサイクルプロセスに関する内容です。

問50 《解答》イ

　ドキュメンテーションジェネレーターとは，ソースコード中にあるコメント文などからドキュメントを自動生成するソフトウェアです。Python用のSphinxやJava用のJavaDocなど，プログラミング言語ごとに代表的なものがあります。したがって，イが正解です。

ア　Webブラウザなどの，HTMLを解釈して表示するソフトウェアが該当します。
ウ　Ruby on RailsやDjangoなど，動的にWebページを生成するフレームワークが該当します。
エ　LaTeXなどの組版を行うことができる処理システムが該当します。

問51 《解答》ア

　EVM (Earned Value Management) は，プロジェクトの進捗とコストを同時に管理するための手法です。PV (Planned Value：計画値) とAC (Actual Cost：実コスト)，そしてEV (Earned Value：出来高) を利用し，コスト効率 (CPI：Cost Performance Index) とスケジュール効率 (SPI：Schedule Performance Index) を算出します。

　CPIはEV／ACで求められ，値が1より大きい場合，予算内に収まっていることを示します。逆に，値が1より小さい場合は予算オーバーを示します。図の現時点では，AC＞EVとなっているので，値は1より小さくなると考えられ，計画に比べてコストは多くなると予想できます。

　SPIはEV／PVで求められ，値が1より大きい場合，スケジュールが進んでいることを示します。逆に，値が1より小さい場合はスケジュールが遅れていることを示します。図の現時点では，PV＞EVとなっているので，値は1より小さくなると考えられ，プロジェクトの完成は遅くなると予想できます。

　まとめると，計画に比べてコストは多くなり，プロジェクトの完了は遅くなる見通しとなります。したがって，アが正解です。

付録

問52 《解答》エ

アローダイアグラムは，プロジェクトのタスクの順序や期間を視覚的に表現するものです。最早結合点時刻は，その結合点で作業を開始できる時間です。

アローダイアグラムを見ると，開始点の1から結合点5に到達するルートには，1→2→5，1→2→3→5，1→3→5，1→2→4→5の4ルートが存在します。このうち，結合点3を開始するには，1→3と1→2→3の両方の経路が終了している必要があります。1→3はBの経路で2日，1→2→3はA＋Cで3＋1＝4日となります。そのため，結合点3の最早結合点時刻が4日となります。

結合点5に到達するそれぞれのルートでは，1→2→5ではA＋Eで，3＋2＝5日です。1→2→3→5と1→3→5では，結合点3の最早結合点時刻が4日となるので，3→5のFの経路を加えて，4＋2＝6日となります。1→2→4→5では，4→5はダミー作業なのでA＋Dとなり，3＋4＝7日となります。

結合点5の最早結合点時刻は，これらのルートの中で最も長い期間となる7日になります。したがって，エが正解です。

問53 《解答》エ

プロセス"リスクの管理"は，特定したリスクの追跡，リスク対応の進捗をレビューするなど，リスクを適切に管理するための具体的なプロセスです。JIS Q 21500:2018（プロジェクトマネジメントの手引）の"4.3.31 リスクの管理"には，「リスクの管理の目的は，リスクへの対応を実行するかどうか及びそれが期待する効果を上げられるかどうかを明らかにし，プロジェクトの混乱を最小限にすることである」とあります。したがって，エが正解です。

ア "リスクの評価"の目的です。

イ "リスクの特定"の目的です。

ウ "リスクへの対応"の目的です。

問54 《解答》ア

工場の生産能力を増強する方法として，新規システムを開発する案と既存システムを改修する案を比較し，採用すべき案と期待金額価値（億円）を求めます。

〔条件〕より，新規システムを開発する場合の投資額は100億円です。需要が拡大する確率は70％，需要が縮小する確率は30％で，需要が拡大したときは180億円の収入が見込まれ，需要が縮小したときは50億円の収入が見込まれます。そのため，見込まれる収入は次の式で計算できます。

180［億円］× 0.7 + 50［億円］× 0.3 ＝ 126［億円］＋ 15［億円］＝ 141［億円］

期待金額価値は，収入と投資額との差で求めるので，141［億円］－100［億円］＝ 41［億円］となります。

同様に，既存システムを改修した場合の投資額は50億円です。需要が拡大・縮小する確率は同じで，需要が拡大したときは120億円の収入が見込まれ，需要が縮小したときは40億円の収入が見込まれます。そのため，見込まれる収入は，次の式で計算できます。

120［億円］× 0.7 + 40［億円］× 0.3 ＝ 84［億円］＋ 12［億円］＝ 96［億円］

期待金額価値は，収入と投資額との差で求めるので，96［億円］－50［億円］＝ 46［億円］となります。

期待金額価値が高い案を採用するという条件から，期待金額価値が46億円となる，既存システ

ムを改修する案が適切です。したがって，解答はアとなります。

問55　　　　　　　　　　　　　　　　　　　　　　　　　　　　　《解答》**ウ**

SaaS（Software as a Service）による新規サービスを提供するに当たって，顧客への課金方式を検討し，最も高い利益が得られる課金方式を選択します。

〔想定利用状況〕の内容をもとに，〔課金方式〕の①〜④について，年間利益を計算すると，次のようになります。

① 　1時間当たりの課金額が4,000円で，月間のサービス利用時間が250時間なので，月間売上は4,000〔円／時間〕×250〔時間／月〕＝1,000,000〔円／月〕となります。これを12か月分で計算すると，年間売上は1,000,000〔円／月〕×12〔月／年〕＝12,000,000〔円／年〕＝1,200〔万円／年〕となります。新規サービスの運用に掛かる費用は1,050〔万円／年〕なので，年間利益は1,200〔万円／年〕－1,050〔万円／年〕＝150〔万円／年〕です。

② 　1件当たりの課金額が700円で，月間トランザクション件数が1,500件なので，月間売上は700〔円／件〕×1,500〔件／月〕＝1,050,000〔円／月〕となります。これを12か月分で計算すると，年間売上は1,050,000〔円／月〕×12〔月／年〕＝12,600,000〔円／年〕＝1,260〔万円／年〕となります。新規サービスの運用に掛かる費用は1,050〔万円／年〕なので，年間利益は1,260〔万円／年〕－1,050〔万円／年〕＝210〔万円／年〕です。

③ 　1GB当たりの課金額が300円で，月末時点のディスク割当て量が3,300GBなので，月間売上は300〔円／GB〕×3,300〔GB／月〕＝990,000〔円／月〕となります。これを12か月分で計算すると，年間売上は990,000〔円／月〕×12〔月／年〕＝11,880,000〔円／年〕＝1,188〔万円／年〕となります。新規サービスの運用に掛かる費用は1,050〔万円／年〕なので，年間利益は1,188〔万円／年〕－1,050〔万円／年〕＝138〔万円／年〕です。

④ 　1ID当たりの課金額が1,600円で，月末時点の利用者ID数が650IDなので，月間売上は1,600〔円／ID〕×650〔ID／月〕＝1,040,000〔円／月〕となります。これを12か月分で計算すると，年間売上は1,040,000〔円／月〕×12〔月／年〕＝12,480,000〔円／年〕＝1,248〔万円／年〕となります。新規サービスの運用に掛かる費用は1,050〔万円／年〕なので，年間利益は1,248〔万円／年〕－1,050〔万円／年〕＝198〔万円／年〕です。

これらの結果から，最も高い年間利益は②の210〔万円／年〕となります。したがって，ウが正解です。

問56　　　　　　　　　　　　　　　　　　　　　　　　　　　　　《解答》**エ**

サービスレベル管理では，サービス提供者が顧客との間にSLA（Service Level Agreement：サービス品質保証）という合意文書を交わします。SLAには，提供するITサービス及びサービス目標が記述されます。したがって，エが正解です。

ア　サービスの計画での活動となります。

イ　サービスの予算業務及び会計業務での活動となります。

ウ　サービス継続管理の活動となります。

問57 《解答》ウ

〔GHGプロトコルにおけるスコープの説明〕の表によると，スコープ1は，「温室効果ガスの直接排出。事業者が所有している，又は管理している排出源から発生する」となっています。X社が自社で管理する発電装置を稼働させることによって発生する温室効果ガスは，温室効果ガスの直接排出に該当します。したがって，ウが正解です。

ア，エ　電力の発電に伴う温室効果ガスの排出であり，スコープ2に該当します。

イ　産業廃棄物処理事業者が排出する温室効果ガスであり，X社が所有も管轄もしていない排出源から発生するため，スコープ3に該当します。

問58 《解答》ア

システム監査基準（令和5年）では，【基準9】監査調書の作成と保管に，「監査の結論に至った過程を明らかにし，監査の結論を支える合理的な根拠とするために，監査調書を作成し，適切に保管しなければならない」とあります。したがって，アが正解です。

イ　監査報告書に関する説明です。

ウ　監査計画のうち，個別監査計画に関する説明です。

エ　監査計画のうち，中長期計画に関する説明です。

問59 《解答》ア

システム監査基準（令和5年）では，前文の中の"システム監査上の判断尺度"において，監査人が一定の基準に基づいて総合的に点検・評価を行う対象として，「ITシステムのガバナンス、マネジメント、コントロール」を挙げています。マネジメント，コントロールのほかにガバナンスが挙げられており，ガバナンスとは，組織の所有者が組織行動を制御するための仕組みになります。したがって，アが正解です。

イ　コンプライアンスは，組織が法律や規則を遵守するための仕組みを指します。ガバナンスの一部を構成します。

ウ　サイバーレジリエンスは，サイバーセキュリティの観点での組織の復旧力を指します。ガバナンスの一部を構成します。

エ　モニタリングは，システムの稼働状況を監視することを指します。監査対象となるマネジメント，コントロール，ガバナンスの具体的な実施手段の一つです。

問60 《解答》ウ

金融庁"財務報告に係る内部統制の評価及び監査に関する実施基準（令和元年）"のITの統制の構築によると，ITに対する統制活動は，全般統制と業務処理統制の二つに分けられます。複数の業務処理統制に関係する方針を統制するのが全般統制で，それぞれのシステムにおいて，業務プロセスに組み込んで内部統制を行うのが業務処理統制です。

販売管理システムにおける入力データの正当性チェック機能は，具体的な業務処理の一部として行われるデータの正当性チェックを指しているため，ITに係る業務処理統制に該当します。したがって，ウが正解です。

ア，イ，エは，情報システム全体の運用を統制するためのものであり，ITに係る全般統制に該当します。

問61　《解答》ウ

エンタープライズアーキテクチャの参照モデルのうち，BRM（Business Reference Model）とは，エンタープライズのビジネスプロセスを理解し，企業全体のビジネス戦略を整理・構造化するためのフレームワークです。これは，ビジネス（業務）アーキテクチャで用いられ，業務分類に従った業務体系及びシステム体系と各種業務モデルを提供します。したがって，ウが正解です。

ア　SRM（Service Component Reference Model）に関する記述で，アプリケーションアーキテクチャで用いられます。

イ　TRM（Technical Reference Model）に関する記述で，テクノロジーアーキテクチャで用いられます。

エ　DRM（Data Reference Model）に関する記述で，データアーキテクチャで用いられます。

問62　《解答》ア

"デジタルガバナンス・コード2.0"（https://www.meti.go.jp/policy/it_policy/investment/dgc/dgc2.pdf）は，経済産業省が2020年11月にとりまとめたものです。企業のDX（デジタルトランスフォーメーション）に関する自主的取組みを促すため，デジタル技術による社会変革を踏まえた経営ビジョンの策定・公表といった経営者に求められる対応が示されています。したがって，アが正解です。

イ　教育情報セキュリティポリシーに関するガイドラインに関する説明です。

ウ　デジタル田園都市国家構想や，自治体デジタル・トランスフォーメーション（DX）推進計画に関する説明です。

エ　デジタル社会の実現に向けた重点計画に関する説明です。

問63　《解答》エ

SOA（Service Oriented Architecture）は，サービス（機能）を中心とした手法で，利用者の視点で分けた各業務システムを独立した部品とします。独立した部品に分けることによって，業務プロセスとの対応付けやソフトウェアの連携を容易にすることができます。したがって，エが正解です。

ア　ERP（Enterprise Resource Planning）の説明です。

イ　フィット＆ギャップ分析の説明です。

ウ　PDCAサイクルによる継続的改善の説明です。

問64　《解答》エ

PBP（Pay Back Period）とは，投資が元に戻るまでの期間を示す指標で，この期間が短いほど投資効果は高いと評価されます。投資額が500のとき，a～dの各シナリオでのPBPを求めると，次のようになります。

a　1年目100，2年目150，3年目200で，キャッシュインが450となります。4年目250の途中で500に達するので，PBPは3～4年目の間となります。

b　1年目100，2年目200で，キャッシュインが300となります。3年目300の途中で500に達するので，PBPは2～3年目の間となります。

c　1年目200，2年目150，3年目100で，キャッシュインが450となります。4年目150の途中で

500に達するので，PBPは3～4年目の間となります。

d　1年目300, 2年目200で，キャッシュインが500となります。そのため，PBPはちょうど2年です。

以上から，投資額500が最も早く，2年で回収されるシナリオdが，最も効果的な投資案件となります。したがって，エが正解です。

問65　　　　　　　　　　　　　　　　　　　　　　　　　　　《解答》エ

EMS（Electronics Manufacturing Services）とは，電子機器の受託生産を行うサービスです。生産設備をもつ企業が，他社からの委託を受けて電子機器を製造します。したがって，エが正解です。

ア　設計受託の説明です。

イ　VAR（Value Added Reseller：付加価値再販業者）の説明です。

ウ　ソフトウェア開発のアウトソーシングの説明です。

問66　　　　　　　　　　　　　　　　　　　　　　　　　　　《解答》エ

コンティンジェンシープラン（Contingency Plan：緊急時対応計画）とは，組織が危機または災害発生による非常事態に備えて，継続した企業運営のためにあらかじめ策定しておくものです。組込み機器のハードウェアの製造を外部に委託する場合には，災害時にハードウェアを調達できなくなるリスクがあります。部品調達のリスクが顕在化したときに備えて，対処するための計画を策定したものは，コンテンジェンシープランに記述する内容に含まれます。したがって，エが正解です。

ア　平常時に実施する，リスク低減策です。

イ　平常時に品質担保のために実施する，委託先との契約です。

ウ　平常時の委託先選定の方法です。

問67　　　　　　　　　　　　　　　　　　　　　　　　　　　《解答》ウ

PPM（Product Portfolio Management）では，投資用の資金源として位置づけられるのは"金のなる木"と呼ばれる事業です。市場成長率が低く，相対的市場占有率が高いため，投資額が少なくても利益を確保できます。したがって，ウが正解です。

ア　花形の事業です。

イ　問題児の事業です。

エ　負け犬の事業です。

問68　　　　　　　　　　　　　　　　　　　　　　　　　　　《解答》エ

企業が属する業界の競争状態と収益構造を，"新規参入の脅威"，"供給者の支配力"，"買い手の交渉力"，"代替製品・サービスの脅威"，"既存競合者同士の敵対関係"の五つの要素に分類して，分析するフレームワークは，ファイブフォース分析と呼ばれます。したがって，エが正解です。

ア　PEST分析は，政治（Political），経済（Economic），社会（Social），技術（Technological）の各要素を分析し，外部環境の影響を評価する手法です。

イ　VRIO分析は，価値（Value），希少性（Rarity），模倣不可能性（Imitability），組織（Organization）の四つの要素を分析し，持続可能な競争優位を評価するフレームワークです。

ウ　バリューチェーン分析は，企業が提供する製品やサービスの付加価値が事業活動のどの部分で生み出されているかを分析する手法です。

問69　　　　　　　　　　　　　　　　　　　　　　　　　　　　　　　《解答》ア

　フィージビリティスタディとは，新規事業の立ち上げや海外進出など，特定のプロジェクトや計画が実行可能であるかどうかを事前に評価するための調査や検証のことを指します。これは，具体的な投資前の評価であり，企業が新規事業立ち上げや海外進出する際の検証，公共事業の採算性検証，情報システムの導入手段の検証に利用されます。したがって，アが正解です。
イ　デルファイ法に関する記述です。
ウ　ブレーンストーミングに関する記述です。
エ　製品ライフサイクルに関する記述です。

問70　　　　　　　　　　　　　　　　　　　　　　　　　　　　　　　《解答》エ

　IoT活用におけるデジタルツインとは，現実の物理空間と同じものを仮想空間で実現させることです。様々なセンサーで収集したデータをもとに仮想空間に物体を構築します。自動運転車の衝突など，現実世界では実施できないようなシミュレーションを行うことができます。したがって，エが正解です。
ア　3Dプリンターを活用した遠隔複製の説明です。
イ　デュプレックスシステムの説明です。
ウ　遠隔作業を支援するスマートグラスなどのデバイスの説明です。

問71　　　　　　　　　　　　　　　　　　　　　　　　　　　　　　　《解答》エ

　マスカスタマイゼーションとは，多種多様な個々の需要に対応した製品やサービスを提供するビジネスモデルのことを指します。IoTの活用により，個々の顧客のニーズに合わせた製品の提供が可能となります。眼鏡メーカーが，店内で顧客の顔の形状を3Dスキャナーによってデジタル化し，パターンの組み合わせで顧客に合ったフレーム形状を設計し，その後工場で製造することは，マスカスタマイゼーションの事例として適切です。したがって，エが正解となります。
ア　盗難防止のためのIoT利用例です。
イ　予防保守のためのIoT利用例です。
ウ　カーシェアサービスのためのIoT利用例となります。

問72　　　　　　　　　　　　　　　　　　　　　　　　　　　　　　　《解答》ア

　エッジコンピューティングとは，端末の近くにサーバを配置する手法です。演算処理のリソースを端末の近くに置いて，アプリケーション処理の低遅延化や通信トラフィックの効率化を行います。したがって，アが正解です。
イ　ウェアラブル端末の説明です。
ウ　グリッドコンピューティングの説明です。
エ　エネルギーハーベスティングの説明です。

問73　《解答》エ

　ゲーム理論とは，ある特定の条件下において，互いに影響を与え合う複数のプレイヤーの間での意思決定の考え方を研究するものです。ゲーム理論における"ナッシュ均衡"とは，非協力ゲームのモデルであり，各プレイヤーが相手の行動に対して最適な行動をとる行動原理の中で，どのプレイヤーも自分だけが戦略を変更しても利得を増やせない戦略の組合せ状態を指します。したがって，エが正解です。

ア　ゼロサムゲームに関する記述です。

イ　ミニマックス原理に関する記述です。

ウ　最適戦略に関する記述です。

問74　《解答》エ

　問題が複雑に絡み合っているときに，原因と結果，目的と手段といった関係を追求していくことで原因を特定する手法を連関図法といい，このときに使われる図が連関図です。したがって，エが正解となります。

ア　アローダイアグラムは，日程計画で使用する図で，クリティカルパスなどを求めるときに使用します。

イ　パレート図は，項目別に層別して，出現頻度の高い順に並べる図で，ABC分析などを行うときに使用します。

ウ　マトリックス図は，対応関係を多元的に整理する図です。

問75　《解答》ウ

　製品X，Yを製造するときの利益の最大値を，線形計画法を用いて求めます。製品X，Yの製造個数をそれぞれx，yとします。表の条件に従って生産され，部品Aは120個，部品Bは60個まで使えるので，一次関数は次のように定義できます。

$3x + 2y \leq 120$

$x + 2y \leq 60$

　これらの不等式を満たす座標領域を図示すると，次のようになります。

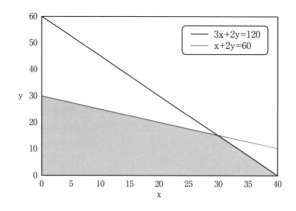

グラフのグレーの部分が，不等式の両方の条件を満たす部分です。製品1台当たりの利益がX，Yともに1万円なので，利益の合計はx[万円]＋y[万円]となります。xとyの合計は，二つの直線の交点が最も大きくなるので，利益も最大になると考えられます。そこで，交点でのx，yの値を求めると，次のようになります。

$$
\begin{array}{r}
3x + 2y = 120 \\
-)\ \ x + 2y = 60 \\
\hline
2x\ \ \ \ \ \ \ = 60
\end{array}
$$

ここから$x = 30$となり，代入することで$2y = 30$，$y = 15$が求められます。

Xが30個，Yが15個のときの利益は，x[万円]＋y[万円]＝30[万円]＋15[万円]＝45[万円]です。したがって，ウが正解となります。

問76　　　　　　　　　　　　　　　　　　　　　　《解答》エ

営業利益は，売上高－（固定費＋変動費）で求められます。表から，今年度の営業利益を求めると，次のようになります。

200[千円／台]×2,500[台]－(150,000[千円]＋100[千円／台]×2,500[台])

＝500,000[千円]－400,000[千円]＝100,000[千円]

来年度には固定費が5％上昇するので，150,000[千円]×1.05＝157,500[千円]になります。また，販売単価が5％低下するので，200[千円／台]×0.95＝190[千円／台]になります。必要な販売台数をM[台]とおくと，今年度の営業利益を100,000[千円]以上にするためには，次の式を成立させる必要があります。

190[千円／台]×M[台]－(157,500[千円]＋100[千円／台]×M[台])≧100,000[千円]

計算すると，次のようになります。

90M≧257,500，M≧2,861.11…

Mは整数である必要があるので，最低で2,862台を売る必要があります。したがって，エが正解です。

問77　　　　　　　　　　　　　　　　　　　　　　《解答》ウ

表の項目のうち，固定費は製造固定費＋販売固定費＝100＋80＝180[百万円]です。変動費は材料費＋外注費＝200＋100＝300[百万円]で，売上高は500[百万円]です。つまり，売上に対する変動費の割合は，300／500＝0.6となります。損益分岐点では，利益が0なので，売上高と売上原価が等しくなります。そのため，損益分岐点売上高をx[百万円]とすると，$x = 0.6x + 180$となり，$0.4x = 180$，$x = 450$[百万円]となります。したがって，ウが正解です。

問78　　　　　　　　　　　　　　　　　　　　　　《解答》ア

知的財産権のうち，産業財産権には，特許権，実用新案権，意匠権，商標権の四つがあります。このうち，特許法で扱う特許では，自然法則を利用した技術的思想の創作のうち高度なものである発明を保護します。したがって，アが正解です。

イ　文化的な創作の権利で，著作権を扱う著作権法により保護されます。

ウ　意匠権を扱う意匠法によって保護されます。

エ　商標権を扱う商標法により保護されます。

付録

問79　《解答》ウ

　不正競争防止法は，事業者間の不正な競争を防止し，公正な競争を確保するための法律です。他人の著名な商品にただ乗りする著名表示冒用行為は，不正競争防止法で明確に禁止されています。商標権のない商品名を用いたドメイン名を取得し，当該商品のコピー商品を販売し，利益を取得することは著名表示冒用行為で，不正競争行為に該当します。したがって，ウが正解です。

ア　競争関係になく偶然に類似のドメイン名を取得したのであれば，不正競争とはいえません。

イ　地域限定の商品名を他の地方で使用した場合，その商品が有名ではないため不正競争には該当しない可能性があります。

エ　他社サービスと類似しているが自社サービスに適しており，正当な利益を得る目的があると認められる場合には，不正競争には該当しない可能性があります。

問80　《解答》エ

　個人情報のうち，要配慮個人情報とは，「人種」「信条」「病歴」など，特別な配慮が必要となる個人情報です。本人の病歴，犯罪の経歴などは，不当な差別や不利益を生じさせるおそれのある情報なので，要配慮個人情報となります。したがって，エが正解です。

ア　個人情報の取得時に，取得者に配慮を求めることは可能ですが，要配慮個人情報とは限りません。

イ，ウ　通常の個人情報に該当します。

Q 午後　問題

〔問題一覧〕

●問1（必須）

問題番号	出題分野	テーマ
問1	情報セキュリティ	リモート環境のセキュリティ対策

●問2〜問11（10問中4問選択）

問題番号	出題分野	テーマ
問2	経営戦略	物流業の事業計画
問3	プログラミング	グラフのノード間の最短経路を求めるアルゴリズム
問4	システムアーキテクチャ	CRM（Customer Relationship Management）システムの改修
問5	ネットワーク	クラウドサービスを活用した情報提供システムの構築
問6	データベース	人事評価システムの設計と実装
問7	組込みシステム開発	業務用ホットコーヒーマシン
問8	情報システム開発	ダッシュボードの設計
問9	プロジェクトマネジメント	IoT活用プロジェクトのマネジメント
問10	サービスマネジメント	テレワーク環境下のサービスマネジメント
問11	システム監査	支払管理システムの監査

付録

擬似言語の記述形式（基本情報技術者試験，応用情報技術者試験用）

擬似言語を使用した問題では，各問題文中に注記がない限り，次の記述形式が適用されているものとする。

〔擬似言語の記述形式〕

記述形式	説明
○*手続名又は関数名*	手続又は関数を宣言する。
型名: *変数名*	変数を宣言する。
/* *注釈* */	注釈を記述する。
// *注釈*	
変数名 ← *式*	変数に*式*の値を代入する。
手続名又は関数名(*引数*, …)	手続又は関数を呼び出し，*引数*を受け渡す。

if (*条件式1*)
　処理1
elseif (*条件式2*)
　処理2
elseif (*条件式n*)
　処理n
else
　処理n + 1
endif
	選択処理を示す。
	　*条件式*を上から評価し，最初に真になった*条件式*に対応する*処理*を実行する。以降の*条件式*は評価せず，対応する*処理*も実行しない。どの*条件式*も真にならないときは，*処理n + 1*を実行する。
	　各*処理*は，0以上の文の集まりである。
	　elseifと*処理*の組みは，複数記述することがあり，省略することもある。
	　elseと*処理n + 1*の組みは一つだけ記述し，省略することもある。

while (*条件式*)
　処理
endwhile
	前判定繰返し処理を示す。
	　*条件式*が真の間，*処理*を繰返し実行する。
	　*処理*は，0以上の文の集まりである。

do 　*処理* while (*条件式*)	後判定繰返し処理を示す。 　*処理*を実行し，*条件式*が真の間，*処理*を繰返し実行する。 　*処理*は，0以上の文の集まりである。

for (*制御記述*)
　処理
endfor
	繰返し処理を示す。
	　*制御記述*の内容に基づいて，*処理*を繰返し実行する。
	　*処理*は，0以上の文の集まりである。

〔演算子と優先順位〕

演算子の種類		演算子	優先度
式		() .	高
単項演算子		not ＋ －	
二項演算子	乗除	mod × ÷	
	加減	＋ －	
	関係	≠ ≦ ≧ ＜ ＝ ＞	
	論理積	and	
	論理和	or	低

注記　演算子 . は，メンバ変数又はメソッドのアクセスを表す。

　　　演算子 mod は，剰余算を表す。

〔論理型の定数〕

true，false

〔配列〕

　配列の要素は，“[”と“]”の間にアクセス対象要素の要素番号を指定することでアクセスする。なお，二次元配列の要素番号は，行番号，列番号の順に“，”で区切って指定する。

　“{”は配列の内容の始まりを，“}”は配列の内容の終わりを表す。ただし，二次元配列において，内側の“{”と“}”に囲まれた部分は，1行分の内容を表す。

〔未定義，未定義の値〕

　変数に値が格納されていない状態を，“未定義”という。変数に“未定義の値”を代入すると，その変数は未定義になる。

付録

> **次の問1は必須問題です。必ず解答してください。**

問1　リモート環境のセキュリティ対策に関する次の記述を読んで，設問に答えよ。

　　Q社は，首都圏で複数の学習塾を経営する会社であり，各学習塾で対面授業を行っている。生徒及び生徒の保護者からはリモートでも受講が可能なハイブリッド型授業の導入要望があり，Q社の従業員からはテレワーク勤務の導入要望がある。

〔Q社の現状のネットワーク構成〕
　　Q社のネットワーク構成（抜粋）を図1に示す。

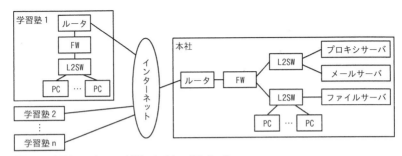

FW：ファイアウォール　　　L2SW：レイヤー2スイッチ
注記　学習塾2～学習塾nは学習塾1と同様の構成である。

図1　Q社のネットワーク構成（抜粋）

〔Q社の現状のセキュリティ対策〕
　　Q社のセキュリティ対策は次のとおりである。
・パケットフィルタリングポリシーに従った通信だけをFWで許可し，その他の通信を遮断している。
・業務上必要なサイトのURL情報を基に，URLフィルタリングを行うソフトウェアをプロキシサーバに導入して，業務上不要なサイトへの接続を禁止している。
・PC及びサーバ機器には，外部媒体の使用ができない設定をした上で，マルウェア対策ソフトを導入して，マルウェア感染対策を行っている。
・PC，ネットワーク機器及びサーバ機器には，脆弱性に対応する修正プログラム（以下，セキュリティパッチという）を定期的に確認した後，適用する方法で，脆弱性対策を行っている。

〔Q社の現状のセキュリティ対策に関する課題〕
・ネットワーク機器及びサーバ機器のEOL（End Of Life）時期が近づいており，機器の更新が必要である。
・セキュリティパッチが提供されているかの調査及び適用してよいかの判断に時間が掛かることがある。

・ルータとFWを利用した①境界型防御によるセキュリティ対策では，防御しきれない攻撃がある。

・セキュリティインシデントの発生を，迅速に検知する仕組みがない。

　Q社では，ハイブリッド型授業とテレワーク勤務が行えるリモート環境を実現し，Q社のセキュリティに関する課題を解決する新たな環境を，クラウドサービスを利用して構築することになり，情報システム部のR課長が担当することになった。

〔リモート環境の構築方針〕

　R課長は，境界型防御の環境に代えて，いかなる通信も信頼しないという　　　a　　　の考え方に基づくリモート環境を構築することにした。

　R課長は，リモート環境について次の構築方針を立てた。

・クラウドサービスへの移行に伴い，ネットワーク機器及びサーバ機器は廃棄し，今後のQ社としてのEOL対応を不要とする。

・②課題となっている作業を不要にするために，クラウドサービスはSaaS型を利用する。

・セキュリティインシデントの発生を迅速に検知する仕組みを導入する。

・従業員にモバイルルータとセキュリティ対策を実施したノートPC（以下，貸与PCという）を貸与する。今後は，本社，学習塾及びテレワークでの全ての業務において，貸与PCとモバイルルータを使用してクラウドサービスを利用する。

・貸与PCから業務上不要なサイトへの接続は禁止とする。

・生徒は，自宅などのPC（以下，自宅PCという）からクラウドサービスを利用してリモートでも授業を受講できる。

〔リモート環境構築案の検討〕

　R課長はリモート環境の構築方針を部下のS君に説明し，構築する環境の検討を指示した。

　S君はリモート環境構築案を検討した。

・リモート環境の構築には，T社クラウドサービスを利用する。

・貸与PCからWebサイトを閲覧する際は，③プロキシを経由する。

・貸与PCからインターネットを経由して接続するWeb会議，オンラインストレージ及び電子メール（以下，メールという）を利用することで，Q社の業務及びリモートでの授業を行う。

・貸与PCからT社クラウドサービスへのログインは，ログインを集約管理するクラウドサービスであるIDaaS（Identity as a Service）を利用する。従業員はIDとパスワードを用いてシングルサインオンで接続してクラウドサービスを利用する。

・④SIEM（Security Information and Event Management）の導入と，アラート発生時に対応する体制の構築を行う。

・貸与PCには，マルウェア対策ソフトを導入し，外部媒体が使用できない設定を行う。また，⑤紛失時の情報漏えいリスクを低減する対策をとる。

・生徒は，自宅PCからインターネット経由で，Web会議に接続して，リモートで授業を受講できる。

　S君が検討したリモート環境構築案（抜粋）を図2に示す。

図2 リモート環境構築案(抜粋)

〔構築案への指摘と追加対策の検討〕

S君は検討した構築案についてR課長に説明した。すると,セキュリティ対策の不足に起因するセキュリティインシデントの発生を懸念したR課長は,"　　a　　では,クラウドサービスにアクセスする通信を信頼せずセキュリティ対策を行う必要があるので,エンドポイントである貸与PCと自宅PCに対する攻撃への対策及びクラウドサービスのユーザー認証を強化する対策が必要である。追加の対策を検討するように。"と指摘した。

R課長が懸念したセキュリティインシデント(抜粋)を表1に示す。

表1 R課長が懸念したセキュリティインシデント(抜粋)

項番	分類	セキュリティインシデント
1	貸与PC	ゼロデイ攻撃によるマルウェア感染
2		ファイルレスマルウェア攻撃によるマルウェア感染
3	自宅PC	マルウェア感染した自宅PCからWeb会議への不正アクセス
4	クラウドサービスのユーザー認証	不正ログインによる情報漏えい

S君は,R課長の指摘に対して,表1のセキュリティインシデントに対応した次の対策を追加することにした。

・項番1,2の対策として,貸与PCに⑥EDR(Endpoint Detection and Response)ソフトを導入する。

・項番3の対策として,T社クラウドサービスは不正アクセス及びマルウェア感染の対策がとられていることを確認した。

・項番4の対策として,知識情報であるIDとパスワードによる認証に加えて,所持情報である従業員のスマートフォンにインストールしたアプリケーションソフトウェアに送信されるワンタイムパスワードを組み合わせて認証を行う,　　b　　を採用する。

S君は,これらの対策を追加した構築案をR課長に報告し,構築案は了承された。

設問1　本文中の下線①について，防御できる攻撃を解答群の中から選び，記号で答えよ。

　　解答群

　　　ア　システム管理者による内部犯行

　　　イ　パケットフィルタリングのポリシーで許可していない通信による，内部ネットワークへの侵入

　　　ウ　標的型メール攻撃での，添付ファイル開封による未知のマルウェア感染

　　　エ　ルータの脆弱性を利用した，インターネット接続の切断

設問2　〔リモート環境の構築方針〕について答えよ。

　　(1)　本文中の　　a　　に入れる適切な字句を6字で答えよ。

　　(2)　本文中の下線②について，課題となっている作業を25字以内で答えよ。

設問3　〔リモート環境構築案の検討〕について答えよ。

　　(1)　本文中の下線③で実現すべきセキュリティ対策を，本文中の字句を用いて15字以内で答えよ。

　　(2)　本文中の下線④を導入した目的を，〔Q社の現状のセキュリティ対策に関する課題〕と〔リモート環境の構築方針〕とを考慮して30字以内で答えよ。

　　(3)　本文中の下線⑤について，対策として適切なものを解答群の中から全て選び，記号で答えよ。

　　　　解答群

　　　　　ア　貸与PCのストレージ全体を暗号化する。

　　　　　イ　貸与PCのモニターにのぞき見防止フィルムを貼付する。

　　　　　ウ　リモートロック及びリモートワイプの機能を導入する。

設問4　〔構築案への指摘と追加対策の検討〕について答えよ。

　　(1)　本文中の下線⑥について，表1の項番1，2のセキュリティインシデントが発生した場合のEDRソフトの動作として適切なものを解答群の中から選び，記号で答えよ。

　　　　解答群

　　　　　ア　貸与PCをネットワークから遮断し，不審なプロセスを終了する。

　　　　　イ　登録された振る舞いを行うマルウェアの侵入を防御する。

　　　　　ウ　登録した機密情報の外部へのデータ送信をブロックする。

　　　　　エ　パターン情報に登録されているマルウェアの侵入を防御する。

　　(2)　本文中の　　b　　に入れる適切な字句を5字で答えよ。

付録

> 次の問2〜問11については4問を選択し，答案用紙の選択欄の問題番号を○印で囲んで解答してください。
> なお，5問以上○印で囲んだ場合は，はじめの4問について採点します。

問2　物流業の事業計画に関する次の記述を読んで，設問に答えよ。

　　B社は，運送業務及び倉庫保管業務を受託する中規模の物流事業者である。従業員数は約100名で，関東甲信越エリアを中心に事業を行っており，高速道路や幹線道路へのアクセスの良い立地に複数の営業所と倉庫を構えている。主に，地場のメーカーと販売店との間の配送などを中心に事業を行ってきたが，同業他社との競争が激しく，ここ数年は収益が悪化傾向にあり，このままでは経営は厳しくなる一方である。B社のC取締役は，この状況の打開に向けて，顧客への新たな価値の提供を目指すべく，経営企画部のD部長に事業計画の立案を指示した。

〔B社の環境分析〕

　　D部長は，自社の事業の置かれている状況を把握するために，環境分析を実施する必要があると考えた。環境分析には，自社を取り巻く経営環境のうち，自社以外の要因をマクロ的視点とミクロ的視点で分析する外部環境分析と，自社の経営資源に関する要因を分析し，自社の特徴を洗い出す内部環境分析がある。D部長は，経営企画部のE課長に，外部環境分析から実施するよう指示した。E課長は，まず，PEST分析を行い，PEST分析の結果としてB社の事業に影響する要因の概要を表1のように整理した。

表1　B社のPEST分析の結果

項番	要因	要因の概要
1	政治的要因	・　　a　　改正による総労働時間に関する規制の設定 ・運送・倉庫保管業は，以前は需給調整規制によって新規参入が困難であったが，近年，事業経営能力や安全確保能力のある事業者の参入が可能となり，参入障壁が低下 ・今後は，外国人労働者をドライバーとして採用できるように規制が緩和される見通し
2	経済的要因	・燃料費上昇によるコストの上昇 ・トラックによる運送の供給量に比べ，顧客からの運送に対する需要量の方が大きいことから，運送料が上昇することを顧客は一定の範囲で許容
3	社会的要因	・高齢化が進み退職するドライバーが増える一方で少子化の影響で若年層のドライバーのなり手は減少することから，より良い処遇を提供しなければドライバーの確保が困難 ・EC市場の拡大に起因する運送需要の増加は今後も継続
4	技術的要因	・自動運転に必要な技術の急速な発展 ・SNSを活用した多様な購買方法の登場

　　次に，E課長は，ファイブフォース分析を進めることにした。ファイブフォース分析の結果，B社が受ける脅威の概要を表2のように整理した。

表2　B社のファイブフォース分析の結果

項番	脅威	脅威の概要
1	業界内の競争の脅威	運送・倉庫保管だけの物流サービスではコモディティ化して，過当競争となりがちであり，　b　競争が常に発生していることから脅威は大きい。
2	新規参入の脅威	以前と比べ参入障壁が低くなり，新規参入の脅威は大きい。
3	c　サービスの脅威	・航空輸送や海上輸送といった手段があるが，現状では車両による陸送に代わるものではなく脅威は小さい。 ・車両の自動運転による配送やドローン配送の実証実験が行われているが，実用化はまだ先であり，現状の脅威は小さい。
4	売手の交渉力の脅威	d　。
5	買手の交渉力の脅威	顧客の要望は多様化しており，対応できないと市場から排除される脅威は大きい。

　E課長は，①PEST分析，ファイブフォース分析の順に分析し，その結果について検討した。PEST分析の結果から，　a　が改正されたことによって，ドライバーを含む労働力の総量が減少することが懸念され，また，社会的要因によってドライバーのなり手が減ることを認識した。このことはファイブフォース分析の結果における売手の交渉力の脅威にも大きな影響を及ぼすことに気が付き，ドライバーの需要に対して供給が減ることから，　d　と考えた。

　E課長は，これらの外部環境分析の結果を踏まえると，　b　競争の渦中にあり，減収減益となっている現状において，②B社が業界内において競争優位を確立するための分析が必要であると考えた。E課長は，その分析を実施した結果，B社は，好立地にある営業所と倉庫をもっているにもかかわらず，そのことを生かして，多様化する顧客の要望に応えられていないことが収益悪化の原因であると結論付けた。

　E課長は，必要な分析を終えてその結果をD部長に報告した。

〔顧客情報の定性的分析〕

　E課長は，D部長から，運送・倉庫保管だけの物流サービスから，③マーケットイン志向の物流サービスに転換していくことによって，顧客に新たな価値を提供できるのではないかとアドバイスを受けた。E課長は，これまでの自社の顧客情報の分析は，受注履歴，契約金額などの数値を基に分析を行うことだけであり，数値だけでは捉えきれない顧客の要望を把握する分析を行っていなかったことに気が付いた。

　E課長は，顧客との接点が多いドライバーは，運送業務の過程で，顧客の事業に関して様々な気付きを得ているのではないかと考えた。そこで，ドライバーのもつ顧客の事業に関する気付きを把握するために調査を実施した。ドライバーからの回答には，顧客の事業に関する未知の情報，B社に対する期待やクレーム，顧客に対する感想，相対する顧客社員への好悪の感情といった顧客の事業に関する情報とそれ以外の種々雑多な情報が混在していた。しかし，これまでは顧客情報として管理されていなかった様々な情報が含まれており，分析することで，顧客の要望を把握することができるのではないかと考えた。

　ドライバーからの回答は，自由記述形式のテキストデータであり，テキストマイニングによる定性的分析を行うことができる。D部長は，テキストマイニングによる分析を行うに当たり，

④テキストデータを選別するよう，E課長にアドバイスをした。E課長は，選別したテキストデータの分析の結果，顧客の事業に関するキーワードとして，"コア業務"，"一括委託"といった単語が頻出しており，"コア業務"は"集中"との単語間の結びつきの強さがあり，複数の単語が同一文章中に共に出現することを意味する共起関係が強く表れていた。E課長は，定性的分析の結果をD部長に報告し，顧客への新たな価値の提供に向けた検討の了承を得た。

〔顧客への新たな価値の提供〕

　B社が顧客の業務を確認したところ，B社倉庫から顧客の拠点に荷物が届いた後に，顧客はその荷物の検品やタグ付け，複数の荷物を一つに箱詰めすることといった作業を顧客社内で行うか，又はB社とは異なる事業者へ委託しており，顧客にとって負担となっていた。B社では，昨年，業務効率の向上を図るために営業所と倉庫内のレイアウト変更を実施し，新たな業務を行うことが可能なスペースを確保している。そこで，E課長は，運送，倉庫保管といった従来の業務に加え，検品やタグ付け，箱詰めといった作業を行う流通加工業務を一括で受託して顧客に新たな価値を提供する3PL（3rd Party Logistics）サービスが有効ではないかと考え，D部長に提案した。D部長は，3PLサービスを提供することで，B社の既存顧客の要望を満たすとともに，新たな顧客の獲得につながる可能性もあると考え，E課長の提案に賛同した。さらに，D部長は，顧客が作業を委託している流通加工業者の一つであるR社において，流通加工業務の需要拡大に伴い施設の拡張を検討しているという話を聞いていた。そこで，B社の営業所と倉庫を作業所として，B社の運送・倉庫保管業務とR社の流通加工業務とを組み合わせてサービスする業務提携をR社と行うことで，B社の3PLサービスの提供が可能になるのではないかと考えた。D部長は，E課長に，R社との業務提携の可能性があるかを調査するよう指示した。

　E課長は，顧客からR社の紹介を受けて，業務提携の協議を行った。R社との協議を行う中でE課長はR社の状況を次のように把握した。

・R社は流通加工業務の需要拡大に伴い，社員や作業所を増やし事業を拡大してきたが，作業所の多くは手狭になってきていて，別の作業所を探さなくてはならない。

・流通加工業務は，荷物の受入れと発送をスムーズに行えることが重要であり，これが作業所の選定上の最優先事項である。

・希望する場所に作業所を自前でもつことは，作業所の土地の取得費や倉庫の建築費といった初期費用の負担が大きいので，回避したいと考えている。

　E課長は，B社の事業の概要を説明した上で，業務提携が可能であるか検討してほしいとR社に依頼した。後日，R社から，⑤B社のもつ経営資源は，R社の事業を展開する上で魅力的なものであることから，是非とも業務提携を行いたいとの連絡があった。

　E課長は，R社との業務提携による3PLサービスの事業化案についてD部長に報告した。D部長は，⑥E課長の事業化案を実現することで，B社の顧客の物流に関わる作業に対する要望を満たすことができる，さらに，B社とR社で業務提携することで顧客を紹介し合って，相互に新たな顧客の開拓につなげられると判断した。D部長は，収益向上によってドライバーの処遇を改善することも含めてC取締役の承諾を得て，E課長に事業化案に基づき事業計画をまとめるよう指示した。

設問1 〔B社の環境分析〕について答えよ。

(1) 表1及び本文中の ▭ a ▭ に入れる適切な法律名, 表2及び本文中の ▭ b ▭ , 表2中の ▭ c ▭ に入れる適切な字句をそれぞれ答えよ。

(2) 表2及び本文中の ▭ d ▭ に入れる最も適切なものを解答群の中から選び, 記号で答えよ。

解答群

ア ITの活用による省力化の脅威が大きい

イ 運送料の値下げの要求による脅威が大きい

ウ ドライバーの賃金上昇に伴う調達コスト増加の脅威が大きい

エ 陸送に代わる新たな輸送方法の脅威が大きい

(3) 本文中の下線①について, PEST分析をファイブフォース分析よりも先に実施したのは, PEST分析がどのような視点での分析であるからか。本文中の字句を用いて6字で答えよ。

(4) 本文中の下線②の分析は何か。本文中の字句を用いて10字以内で答えよ。

設問2 〔顧客情報の定性的分析〕について答えよ。

(1) 本文中の下線③のマーケットイン志向に該当する行動はどれか。最も適切なものを解答群の中から選び, 記号で答えよ。

解答群

ア 既存市場向けの物流サービスを新たな市場に提供する。

イ 競合他社よりも相対的に低価格となる物流サービスを提供する。

ウ 自社が市場で優位性をもつ技術を活用した物流サービスを提供する。

エ 市場調査を行い, 顧客ニーズを満たす物流サービスを提供する。

(2) 本文中の下線④でどのようにテキストデータを選別するのか。35字以内で答えよ。

設問3 〔顧客への新たな価値の提供〕について答えよ。

(1) 本文中の下線⑤のB社のもつ経営資源とは何か。本文中の字句を用いて15字以内で答えよ。

(2) 本文中の下線⑥について, E課長の事業化案を実現することで, B社の顧客の物流に関わる作業に対するどのような要望を満たすことができるか。選別したテキストデータの分析の結果の字句を用いて30字以内で答えよ。

付録

問3　グラフのノード間の最短経路を求めるアルゴリズムに関する次の記述を読んで,設問に答えよ。

　グラフ内の二つのノード間の最短経路を求めるアルゴリズムにダイクストラ法がある。このアルゴリズムは,車載ナビゲーションシステムなどに採用されている。

〔経路算定のモデル化〕

　グラフは,有限個のノードの集合と,その中の二つのノードを結ぶエッジの集合とから成る数理モデルである。ダイクストラ法による最短経路の探索問題を考えるに当たり,本問では,エッジをどちらの方向にも行き来することができ,任意の二つのノード間に経路が存在するグラフを扱う。ここで,グラフを次のように定義する。

・ノードの個数をNとし,Nは2以上とする。ノードの番号(以下,ノード番号という)は,始点のノード番号を1とし,1から始まる連続した整数とする。ノードには,ノード番号に対応させて,V1,V2,V3,…,VNとラベルを付ける。

・二つのノードが他のノードを経由せずにエッジでつながっているとき,それらのノードは隣接するという。隣接するノード間のエッジには,ノード間の距離として正の数値を付ける。

・始点のノード(以下,始点という)とは別のノードを終点のノード(以下,終点という)として定める。始点からあるノードまでの経路の中から,経路に含まれるエッジに付けられた距離の和が最小の距離を最短距離という。始点から終点までの最短距離となる経路を最短経路という。

　図1にノードが五つのグラフの例を示す。図1の例では,始点をV1のノードとし,終点をV5のノードとした場合の最短経路は,V1,V2,V3,V5のノードを順にたどる経路である。

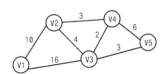

図1　ノードが五つのグラフの例

〔始点から終点までの最短距離を求める手順〕

　ダイクストラ法による始点から終点までの最短距離の算出は次のように行う。

　最初に,各ノードについて,始点からそのノードまでの距離(以下,始点ノード距離という)を作業用に導入して十分に大きい定数としておく。ただし,始点の始点ノード距離は0とする。この時点では,どのノードの最短距離も確定していない。

　次に,終点の最短距離が確定するまで,①～③を繰り返す。ここで,始点との距離を算出する基準となるノードを更新起点ノードという。

① 最短距離が確定していないノードの中で,始点ノード距離が最小のノードを更新起点ノードとして選び,そのときの始点ノード距離の値で,当該更新起点ノードの最短距離を確定する。更新起点ノードを選ぶ際に,始点ノード距離が最小となるノードが複数ある場合は,その中の任意のノードを更新起点ノードとして選ぶ。

② 更新起点ノードが終点であれば,終了する。

③　①で選択した更新起点ノードに隣接しており，かつ，最短距離が確定していない全てのノードについて，更新起点ノードを経由した場合の始点ノード距離を計算する。ここで計算した始点ノード距離が，そのノードの現在までの始点ノード距離よりも小さい場合には，そのノードの現在までの始点ノード距離を更新する。

〔図1の例における最短距離を求める手順と始点ノード距離〕

　図1の例において，始点V1から終点V5までの経路に対して，上の①～③を繰返し適用する。そのとき，更新起点ノードを選ぶたびに，更新起点ノードの始点ノード距離，更新起点ノードと隣接するノードの始点ノード距離，及び最短距離が確定していないノードの始点ノード距離を計算した内容を表1に示す。

表1　図1の例における最短距離を求める手順と始点ノード距離

探索適用回数	更新起点ノード	最短距離が確定していない，更新起点ノードに隣接するノード	最短距離が確定していないノード
1回目	V1 〈0〉	V2 〈10〉, V3 〈16〉	V2 〈10〉, V3 〈16〉, V4 〈INF〉, V5 〈INF〉
2回目	V2 〈10〉	V3 〈14〉, V4 〈13〉	V3 〈14〉, V4 〈13〉, V5 〈INF〉
3回目	V4 〈13〉	V3 〈14〉, V5 〈19〉	V3 〈14〉, V5 〈19〉
4回目	V3 〈14〉	V5 〈 　ア　 〉	V5 〈 　ア　 〉
5回目	V5 〈 　ア　 〉	－	－

注記1　INFは，定数で十分大きい数を表す。
注記2　〈〉内の数値は，当該ノードの始点ノード距離を表す。

〔最短距離の算出プログラム〕

　始点から終点までの最短距離を求める関数distanceのプログラムを図2に示す。配列の要素番号は1から始まるものとする。また，行頭の数字は行の番号を表す。

付録

```
 1: ○整数型: distance()
 2:    整数型: N              /* ノードの個数 */
 3:    整数型: INF            /* 十分大きい定数 */
 4:    整数型の二次元配列: edge  /* edge[m, n]には, ノード m からノード n への距離を格納
                              二つのノードが隣接していない場合には INF を格納 */
 5:    整数型: GOAL           /* 終点のノード番号 */
 6:    整数型の配列: dist      /* 始点ノード距離。初期値は INF。要素番号がノード番号を表す。 */
 7:    整数型の配列: done      /* 初期値は 0。最短距離が確定したら 1 を入れる。
                              要素番号がノード番号を表す。 */
 8:    整数型: curNode        /* 更新起点ノードのノード番号 */
 9:    整数型: minDist        /* 更新起点ノードを求める際に使用する一時変数 */
10:    整数型: k              /* 要素番号 */
11:    dist[1] ← 0           /* 始点の始点ノード距離を 0 とする。 */
12:    while (true)
13:      minDist ← INF
14:      for (k を 1 から N まで 1 ずつ増やす)
15:        if (done[k]が 0 かつ  [  イ  ] )
16:          minDist ←  [  ウ  ]
17:          curNode ← k
18:        endif
19:      endfor
20:      done[curNode] ← 1
21:      if (curNode が GOAL と等しい)
22:        return dist[curNode]
23:      endif
24:      for (k を 1 から N まで 1 ずつ増やす)
25:        if (  [  エ  ]  が dist[k] より小さい かつ done[k]が 0)
26:          dist[k] ←  [  エ  ]
27:        endif
28:      endfor
29:    endwhile
```

図2 関数 distance のプログラム

〔最短経路の出力〕

　関数 distance を変更して, 求めた最短距離となる最短経路を出力できるようにする。具体的には, まず, ノード番号 1 〜 N を格納する配列 viaNode を使用するために, 図3の変数宣言を図2の行10の直後に, 図4のプログラムを図2の行21の直後に, それぞれ挿入する。さらに, 各ノードの始点ノード距離を更新するたびに, 直前に経由したノード番号を viaNode に格納する①代入文を一つ, 図2のプログラムの行 [オ] の直後に挿入する。

　このプログラムの変更によって, 終点のノード番号を起点として [カ] たどることで, 最短経路のノード番号を逆順に出力する。

```
整数型の配列: viaNode      /* 最短経路のノード番号を格納する。初期値は 0。 */
整数型: j                 /* 要素番号 */
```

図3 最短経路を出力するために関数 distance に挿入する変数宣言

```
j ← GOAL                   /* 終点のノード番号 */
GOAL を出力                /* 終点のノード番号の出力 */
while (j が 1 より大きい)   /* 最短経路の出力 */
  viaNode[j]を出力
  j ← viaNode[j]
endwhile
```

図4　最短経路を出力するために関数distanceに挿入するプログラム

〔計算量の考察〕

　　関数distanceでは，次の［　キ　］を選ぶために始点ノード距離を計算する回数は最大でも
N回である。また，［　キ　］を選ぶ回数は，一度選ばれると当該ノードの最短距離は確定する
ので，最大でもN回である。よって，最悪の場合の計算量は，O（［　ク　］）である。

設問1　表1中の［　ア　］に入れる適切な字句を答えよ。

設問2　図2中の［　イ　］～［　エ　］に入れる適切な字句を答えよ。

設問3　〔最短経路の出力〕について答えよ。

　(1)　本文中の下線①と［　オ　］について，挿入すべき代入文と［　オ　］に入れる行の
　　　番号を答えよ。行の番号については，最も小さい番号を答えること。ただし，図2中の現
　　　在の行の番号は図3及び図4の挿入によって変化しないものとする。

　(2)　本文中の［　カ　］に入れる適切な字句を解答群の中から選び，記号で答えよ。

　　解答群

　　　ア　viaNodeに格納してあるノード番号を

　　　イ　viaNodeの要素番号を大きい方から

　　　ウ　viaNodeの要素番号を小さい方から

設問4　〔計算量の考察〕について答えよ。

　(1)　本文中の［　キ　］に入れる適切な字句を，本文中の字句を用いて10字以内で答えよ。

　(2)　本文中の［　ク　］に入れる適切な字句を答えよ。

付録

問4　CRM（Customer Relationship Management）システムの改修に関する次の記述を読んで，設問に答えよ。

　C社は，住宅やビルなどのアルミサッシを製造，販売する中堅企業である。取引先の設計・施工会社のニーズにきめ細かく対応するために，自社で開発したCRMシステム（以下，CRMシステムという）を使用している。CRMシステムは，データベースとWebアプリケーションプログラム（以下，Webアプリという）から成り，C社のLAN上にあるPCから利用される。このたび，営業担当者が外出先からスマートフォンやノートPCを用いてCRMシステムを利用できるようにするために，データベースは変更せずにWebアプリを改修することになった。

〔Webアプリの改修方針〕
　Webアプリの改修方針を次に示す。
・必要以上の開発コストを掛けない。
・営業担当者が外出先で効率的に CRMシステムを利用できるように，スマートフォンに最適化した画面を追加する。
・将来的に，CRMシステム以外の社内システムとも連携できるように拡張性をもたせる。

〔Webアプリの実装方式の検討〕
　これらの改修方針を受けて，図1のWebアプリを実装するシステムの構成案を検討した。

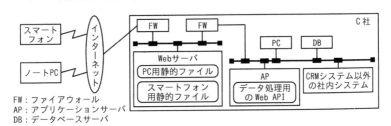

FW：ファイアウォール
AP：アプリケーションサーバ
DB：データベースサーバ

図1　Webアプリを実装するシステムの構成案

　検討したWebアプリの実装方式を次に示す。
・ユーザーインタフェースとデータ処理を分ける。ユーザーインタフェースは，WebサーバにHTML，Cascading Style Sheets（CSS），画像，スクリプトなどを静的なファイルとして配置する。データ処理は，APがDBから取得したデータをJSON形式のデータで返すWeb APIとして実装する。
・ユーザーインタフェースとなる静的ファイルは，PCとスマートフォンそれぞれのWebブラウザ用に個別に作成し，データ処理用のWeb APIは共用する。
・ユーザーインタフェースの表示速度を向上させるために，①静的ファイルを最適化する。

〔実現可能性の評価〕

〔Webアプリの実装方式の検討〕で示した方式の実現可能性を評価するために，プロトタイプを用いて多くのデータを扱う機能について検証した。その結果，スマートフォンの特定の画面において次の問題が発生した。

・扱うデータ量が増えるに連れて，レスポンスが著しく低下する。

・②スマートフォンのCPU負荷が大きく，頻繁に使用するとバッテリの消耗が激しい。

　そこで，これらの問題の原因を調べるために，Webアプリの処理を分析した。レスポンスの悪かった日誌一覧の表示画面を図2に，Web APIからの応答データを図3に示す。

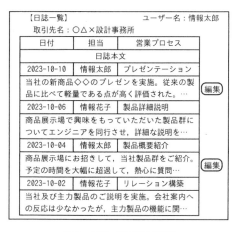

図2　日誌一覧の表示画面　　　　図3　Web APIからの応答データ

　スマートフォンのWebブラウザから図2の画面をリクエストしてから描画されるまでの一連の処理について，処理ごとに所要時間を測定した結果を表1に示す。

表1　処理ごとに所要時間を測定した結果

No.	処理概要	所要時間（ミリ秒）
1	Webブラウザが画面に必要となる静的なファイルを全て受信する。	300
2	WebブラウザがWeb APIにリクエストして，図3の応答データを全て受信する。	800
3	Webブラウザ内で日誌のデータを日付の降順にソートして，画面に表示する最大件数である4件目までを抽出する。	1,200
4	日誌本文が42文字を超える場合，先頭から41文字に文字“…”を結合した42文字の文字列にする。	300
5	日誌一覧の表示を実行したユーザーが作成した日誌か否かを判断して，本人が作成した日誌には“編集”ボタンを表示する。	200
6	データをWebブラウザに描画する。	500

付録

　表1から，図3の応答データのスマートフォンへの転送処理と，Webブラウザ内でその応答データを加工する処理に多くの時間を要していることが判明した。

〔Webアプリの見直し〕
　Webブラウザが画面をリクエストしてから描画されるまでの所要時間の目標値を3秒以内に設定して，それを達成するために，次の三つの方式を検討した。
① スマートフォンのユーザーインタフェースをアプリケーションプログラム（以下，スマホアプリという）として開発して，そのスマホアプリ内でWeb APIからの応答データを加工・描画する方式
② リクエストのあった応答データのうち，Webブラウザに描画するデータだけを返すWeb APIを開発して，スマートフォンのWebブラウザからそのWeb APIを利用する方式
③ ②で開発したWeb APIを①で開発したスマホアプリから利用する方式
　各方式について，応答データを加工・描画するソフトウェア又はサーバと，その実現可能性を評価するために，設けた評価項目について整理した結果を表2に示す。各評価項目の評価点に対する重み付けは均一とし，また，将来的な拡張性については各実装方法を設計するタイミングで検討することにした。
　なお，〔実現可能性の評価〕においてプロトタイプを用いて検証した方式を方式Ⓟとする。

表2 整理した結果

方式	ソフトウェア／サーバ		評価項目			評価点合計
	データ描画	データ加工	レスポンス	開発コスト	CPU 負荷	
Ⓟ	Web ブラウザ	Web ブラウザ	×	◎	×	3 点
①	スマホアプリ	スマホアプリ	○	△	△	4 点
②	Web ブラウザ	AP	○	○	○	6 点
③	スマホアプリ	AP	◎	×	○	5 点

凡例 ◎：とても優れている，　3点　○：優れている，　2点
　　　△：あまり優れていない，1点　×：優れていない，0点

〔レスポンス時間の試算〕
　表2の結果から，方式②について更に検討を進めることになり，そのレスポンスが実用上問題ないか，表1を基に所要時間を試算した。
　表1中のNo.2の所要時間について考える。方式②のWeb APIからの応答データのサイズは，図3のデータのサイズの4分の1になり，サーバ側でのデータ転送には時間を要しないものと仮定すると，No.2の所要時間は　　a　　ミリ秒となる。
　次に，No.3 ～ No.5の処理時間について考える。No.3の処理はDBで，No.4とNo.5の処理はAPで行われる。処理時間は各機器のCPU処理能力だけに依存すると仮定する。各機器のCPU処理能力は，スマートフォンが10,000MIPS相当，DBが40,000MIPS相当，APが20,000MIPS相当の場合，No.3 ～ No.5の処理時間の合計は　　b　　ミリ秒となる。
　以上の試算の結果，方式②で十分なレスポンスが期待できることから，方式②を採用することにした。

〔システム構成の検討〕

　方式②で開発したWeb APIの配置について検討した。図1のAP上に配置する案も検討したが，③将来的な拡張性を考慮した結果，図1のAPとは別に，スマートフォンやノートPCから呼び出されるWeb APIのためのAPを，新たに追加する構成にした。

　このシステム構成を採用した結果，問題を解消し，さらに将来的な拡張性をもたせることができた。

設問1　本文中の下線①に該当するものを解答群の中から<u>全て</u>選び，記号で答えよ。

　解答群

　　ア　HTML，CSS，スクリプトなどのコードに，パイプライン処理を有効にする設定を行う。

　　イ　HTML，CSS，スクリプトなどのコードに含まれる，余分な改行やコメントを削除する。

　　ウ　画像を，BMPやTIFFなどの画像フォーマットにする。

　　エ　画像を，PNGやSVGなどの画像フォーマットにする。

　　オ　全てのファイルをバイトコードに変換して圧縮する。

設問2　〔実現可能性の評価〕について答えよ。

　(1)　本文中の下線②の要因として，最も適切なものを解答群の中から選び，記号で答えよ。

　　　解答群

　　　　ア　JSON形式の応答データを送受信する処理

　　　　イ　WebブラウザにHTML，CSS，画像ファイルをレンダリングする処理

　　　　ウ　スマートフォンのメモリ上で日誌のデータを加工する処理

　　　　エ　日誌一覧の各担当がログインユーザーか否かを判別する処理

　(2)　図3中の α と β の箇所にある "[" 及び "]" で囲まれたデータはどのようなデータを表現するものか。データ形式に着目し，"日誌" という単語を用いて，15字以内で答えよ。

設問3　表2中の方式②のレスポンスが，方式Ⓟに比べて優れていると評価した理由を二つ挙げ，それぞれ30字以内で答えよ。

設問4　本文中の ［　a　］，［　b　］ に入れる適切な数値を答えよ。

設問5　本文中の下線③の拡張性とは何か。40字以内で答えよ。

付録

問5 クラウドサービスを活用した情報提供システムの構築に関する次の記述を読んで，設問に答えよ。

　L社は，国内の気象情報を様々な業種の顧客に提供する企業である。現在は，社外から購入した気象データを分析し，気象情報として提供している。今回，全国に設置するIoT機器から気象データを収集し，S社のクラウドサービス（以下，S社クラウドという）で分析した結果を気象情報として提供する新しい気象情報システム（以下，新システムという）を構築することになった。新システムの設計を，L社の情報システム部のMさんが担当することになった。

　Mさんは，新システムの構成と，新システムが備えるべき主な機能を検討した。新システムの構成案を図1に，新システムが備えるべき主な機能を表1に示す。情報提供先のPC，IoT機器やL社の保守用PCから，S社クラウド上に構築された新システムの各機能に対応するサーバにアクセスして，必要な機能を利用する。

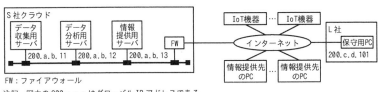

FW：ファイアウォール
注記　図中の200.x.x.xはグローバルIPアドレスである。

図1　新システムの構成案

表1　新システムが備えるべき主な機能

機能	機能の概要
データ収集機能	全国に設置したIoT機器から気象データを受信し，データ収集用サーバのデータベースに蓄積する。データ収集用サーバにはデータ収集用のWeb API（以下，データ収集APIという）があり，IoT機器はデータ収集APIを利用して気象データを送信する。
データ分析機能	データ収集用サーバのデータベースに蓄積した気象データを定期的に処理して気象情報を作成し，情報提供用サーバに保存する。
情報提供機能	情報提供先からの要求に対して必要な気象情報を送信する。情報提供用サーバには情報提供用のWeb API（以下，情報提供APIという）があり，情報提供先のPC上のアプリケーションプログラム（以下，情報提供先アプリという）の情報提供APIを利用した要求に対して気象情報を送信する。

　Mさんが検討した新システムの構成について，情報システム部のN部長は次の検討を行うようにMさんに指示した。

・IoT機器から送信される気象データの特徴を踏まえて，データ収集APIに用いる通信プロトコルを選定すること。

・新システムにインターネットからアクセス可能な機器の数を最小限にするように，S社クラウド上のFWに設定する通信を許可するルール（以下，FWの許可ルールという）の設計を行うこと。

・将来，IoT機器の数や情報提供先の数が増加した場合に備えて，各機能の処理遅延対策を行うこと。

〔データ収集APIに用いる通信プロトコルの検討〕

　IoT機器は全国に10,000台設置する計画であり，通信事業者のLPWA（Low Power Wide Area）サービスを用いて各IoT機器から1件当たり最大500バイトの気象データを，1分ごとに①データ収集用サーバに送信する設計とした。気象データは，1件当たりのデータ量は少ないが，IoT機器からデータ収集用サーバへの通信回数が多く，データ収集用サーバへアクセスが集中するおそれがある。そこで，データ収集APIには，通信の都度TCPコネクションを確立して通信を行うHTTPではなく，②TCP上でHTTPよりプロトコルヘッダサイズが小さく，多対1通信に対応するプロトコルを用いることにした。

〔FWの許可ルールの設計〕

　Mさんは，S社クラウド上のFWの許可ルールの設計方針を検討した。

・IoT機器からデータ収集用サーバへのアクセスや情報提供先アプリから情報提供用サーバへのアクセスに対しては，通信プロトコルの制限を行うが，インターネットの接続元IPアドレスによる制限は行わない。

・L社の保守用PCから各サーバへのアクセスに対しては，各サーバにログインして更新プログラムの適用などの保守作業を行うために，SSHだけを許可する。

・各サーバからインターネットへのアクセスに対しては，ソフトウェアベンダーのWebサイトから更新プログラムをダウンロードするために，任意のWebサイトへのHTTPSだけを許可する。

　Mさんが検討した，FWの許可ルールを表2に示す。

表2　FWの許可ルール

項番	アクセス経路	送信元	宛先	プロトコル/宛先ポート番号
1	インターネット→S社クラウド	any	200.a.b.11	省略
2		any	a	TCP/443
3	L社→S社クラウド	b	200.a.b.11	TCP/22
4		b	200.a.b.12	TCP/22
5		b	200.a.b.13	TCP/22
6	S社クラウド→インターネット	200.a.b.11	any	c
7		200.a.b.12	any	c
8		200.a.b.13	any	c

注記1　FWは，応答パケットを自動的に通過させる，ステートフルパケットインスペクション機能をもつ。
注記2　ルールは項番の小さい順に参照され，最初に該当したルールが適用される。

付録

〔処理遅延対策の検討〕

　Mさんは，IoT機器の数や情報提供先の数が現在の計画よりも増加した場合に，表1の各機能の処理にどのような処理遅延が発生するか確認した。

　IoT機器の数が増加した場合，全国に設置したIoT機器からS社クラウドのFWを経由してデータ収集用サーバにアクセスする通信が増加する。また，情報提供先の数が増加した場合，情報提供先アプリからS社クラウドのFWを経由して情報提供用サーバにアクセスする通信が増加する。

　特に　　d　　については，データ収集機能の通信と情報提供機能の通信の両方が経由することから，単位時間内に処理できる通信の量を表す　　e　　と，同時に処理できる接続元の数を表す　　f　　が，必要な性能を満たすよう管理することにした。

　また，データ収集用サーバと情報提供用サーバの性能を超えた要求が発生して，データ収集APIと情報提供APIの両方に処理遅延が発生した場合の対策として，③スケールアウトによってシステムの処理性能を高めるために必要な機能を新システムで利用することにした。

　Mさんは指示された内容の検討結果をN部長に説明し，了承されたので，新システムの設計及び構築を進めることになった。

設問1　〔データ収集APIに用いる通信プロトコルの検討〕について答えよ。

　(1)　本文中の下線①について，全国のIoT機器からデータ収集用サーバに送信される1時間当たりの最大になる気象データ量を答えよ。答えはMバイト単位とし，小数第1位を四捨五入して整数で求めよ。ここで，1Mバイトは1,000kバイト，1kバイトは1,000バイトとする。

　(2)　本文中の下線②について，適切な通信プロトコル名の略称を5字以内で答えよ。

設問2　〔FWの許可ルールの設計〕について答えよ。

　(1)　表2中の　　a　　～　　c　　に入れる適切な字句を答えよ。

　(2)　L社の保守用PCを用いてデータ分析用サーバのOSやミドルウェアなどの更新ファイルをインターネットから取得して適用する場合，表2のどのルールによって許可されるか。表2の項番を全て答えよ。

設問3　〔処理遅延対策の検討〕について答えよ。

　(1)　本文中の　　d　　に入れる適切な字句を，図1の構成要素名で答えよ。

　(2)　本文中の　　e　　，　　f　　に入れる適切な字句を解答群の中から選び，記号で答えよ。

　　解答群

　　　ア　コネクション数　　　　　　　イ　スケーラビリティ
　　　ウ　スループット　　　　　　　　エ　フィルタリングルール数
　　　オ　プロビジョニング　　　　　　カ　ポート数

　(3)　本文中の下線③について，新システムに追加する機能の名称を解答群の中から選び，記号で答えよ。

　　解答群

　　　ア　IDS　　　　　　　　　　　　イ　NAS
　　　ウ　WAF　　　　　　　　　　　　エ　ロードバランサー

問6　人事評価システムの設計と実装に関する次の記述を読んで，設問に答えよ。

　K社は，人事評価システムを中小企業に提供するSaaS事業者である。現在は，契約している会社ごとに仮想サーバを作成して，その中にデータベースを個別に作成している。現在のシステムのOSやフレームワークのサポート期限が迫ってきたのを機に，機能は変更せずにサーバリソース最適化を目的として，システムを再構築することにした。

〔人事評価システムの機能概要〕
　人事評価システムの機能概要を表1に示す。

表1　人事評価システムの機能概要

機能名	概要
祝日管理	国民の祝日に加えて，創立記念日などの会社ごとの記念日を年月日で管理する。
入社	従業員が入社した際，従業員番号を割り振り，配属先の部署及び入社年月日を登録する。
評価者管理	部署の管理者を評価者として登録する。1人の従業員が複数の部署を管理する場合がある。管理者の評価者は，評価時に個別に設定する。
目標設定	年度の始めに，その年度の目標を設定する。目標は複数設定することができ，重要度や達成までの期間などを考慮して重み付けする。
実績入力	年度の終わりに，その年度の実績を入力する。実績は，年度の始めに設定した目標に対して，実績内容や目標達成度を自己評価として記入する。
評価	年度の終わりに，管理者は評価対象の従業員が設定した目標とそれに対する実績を評価して，評価内容や達成度合を記入する。
退職	従業員の退職が決まると，その退職年月日と在籍期間を登録する。さらに，部署の管理者や人事部が対象の従業員にヒアリングした退職理由を登録する。
退職分析	人事部の管理者が自社及び自社と同じ業種の退職者について，在籍期間と退職理由を分析する。

〔単一データベース・単一スキーマ方式の検討〕
　データベースのリソースを最適化するために，会社ごとに個別に作成していたデータベース及びスキーマを一つにまとめることを考える。検討したE-R図を図1に示す。
　なお，再構築するシステムでは，E-R図のエンティティ名を表名に，属性名を列名にして，適切なデータ型で表定義した関係データベースによって，データを管理する。

付録

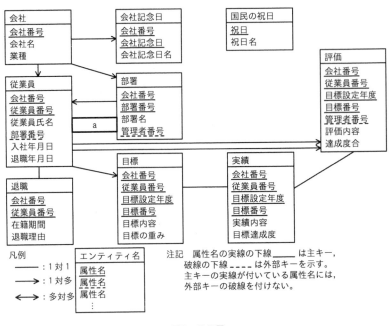

図1　E-R図

図1を関係データベースに実装した際のSQL文を考える。

(1)　指定された会社と年度における，国民の祝日と会社記念日の一覧を日付の昇順に出力する SQL文を図2に示す。ここで":会社番号"は指定された会社の会社番号を，":年度開始日"，":年度終了日"は，それぞれ指定された年度の開始日，終了日を表す埋込み変数である。

```
SELECT 祝日 AS 日付, 祝日名 AS 日付名
FROM 国民の祝日
WHERE 祝日 [        b        ]

UNION ALL
SELECT 会社記念日 AS 日付, 会社記念日名 AS 日付名
FROM 会社記念日
WHERE 会社番号 = :会社番号
    AND 会社記念日 [        b        ]
[    c    ] 日付
```

図2　国民の祝日と会社記念日の一覧を日付の昇順に出力するSQL文

(2)　指定された管理者が評価する対象の従業員の一覧を部署番号，従業員番号の昇順に出力する SQL文を図3に示す。ここで":会社番号"と":管理者番号"は，それぞれ指定された管理者の会社番号と従業員番号を表す埋込み変数である。

```
SELECT DEP.部署番号, DEP.部署名, EMP.従業員番号, EMP.従業員氏名
FROM 従業員 EMP INNER JOIN 部署 DEP
  ON EMP.会社番号 = DEP.会社番号
    AND [        d        ]
    AND EMP.会社番号 = :会社番号
    AND DEP.管理者番号 = :管理者番号
  [   c   ]    DEP.部署番号, EMP.従業員番号
```

注記　[c]　には，図2中の　[c]　と同じ字句が入る。

図3　従業員の一覧を部署番号，従業員番号の昇順に出力するSQL文

〔単一データベース・単一スキーマ方式のレビュー〕

　検討した単一データベース・単一スキーマ方式のレビューを受けたところ，次の指摘とアドバイスを受けた。

・指摘

　　この検討案は，サーバリソース最適化を実現することができるが，SQLインジェクションの脆弱性が見つかってしまった場合，多くの情報が漏えいしてしまうおそれがある。

・アドバイス

　　データベースは一つのまま，システム全体で共有するデータだけを格納する共有用のスキーマと，①システム利用者の会社ごとのスキーマに分ける方式にするとよい。共有用のスキーマに作成した表は，会社ごとのスキーマに対象の表と同じ名前のビューを作成して照会できるようにすると，現在のシステムのSQL文への修正を少なくすることができる。

〔単一データベース・個別スキーマ方式の検討〕

　〔単一データベース・単一スキーマ方式のレビュー〕のアドバイスを受け，複数のスキーマを作成して各スキーマに表とビューを配置する。検討したスキーマを整理した結果を表2に示す。

表2　スキーマを整理した結果

スキーマ種類	スキーマ名	配置する表	配置するビュー
共有用	PUB	会社，国民の祝日	－
個別会社用	Cxxx （xxx は任意の英数字）	会社記念日，従業員，部署，目標，実績，評価，退職	会社，国民の祝日

次に，ビューを作成するSQL文について考える。

スキーマC001に国民の祝日ビューを作成するSQL文を図4に示す。

```
CREATE VIEW [    e    ] (祝日, 祝日名)
AS SELECT 祝日, 祝日名
FROM [    f    ]
```

図4 国民の祝日ビューを作成するSQL文

〔単一データベース・個別スキーマ方式のレビュー〕

検討した単一データベース・個別スキーマ方式のレビューを受けたところ,次の指摘を受けた。

・システム利用者ごとに,利用するスキーマを指定するために, [g   ] 表に [h   ] 列を追加する必要がある。

・表2の表とビューの配置のままでは②利用できない機能があるので,③配置を一部見直す必要がある。

レビューで受けた指摘に全て対応することで,システムを再構築することができた。

設問1 〔単一データベース・単一スキーマ方式の検討〕について答えよ。

(1) 図1中の [a   ] に入れる適切なエンティティ間の関連を答え,E-R図を完成させよ。なお,エンティティ間の関連の表記は,図1の凡例に倣うこと。

(2) 図2中の [b   ] ,図2及び図3中の [c   ] に入れる適切な字句を答えよ。

(3) 図3中の [d   ] に入れる適切な字句を答えよ。

設問2 本文中の下線①の方式にする利点は何か。20字以内で答えよ。

設問3 図4中の [e   ] , [f   ] に入れる適切な字句を答えよ。

設問4 〔単一データベース・個別スキーマ方式のレビュー〕について答えよ。

(1) 本文中の [g   ] , [h   ] に入れる適切な字句を答えよ。

(2) 本文中の下線②の機能を,表1の機能名から答えよ。

(3) 本文中の下線③の見直した内容を,20字以内で答えよ。

問7　業務用ホットコーヒーマシンに関する次の記述を読んで，設問に答えよ。

　G社は，業務用ホットコーヒーマシン（以下，コーヒーマシンという）を開発している。コーヒーマシンの外観を図1に，コーヒーマシンの内部構成を図2に，コーヒーマシンの主な構成要素を表1に，それぞれ示す。

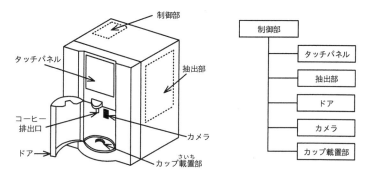

図1　コーヒーマシンの外観　　　図2　コーヒーマシンの内部構成

表1　コーヒーマシンの主な構成要素

構成要素名	概要
制御部	・コーヒーマシン全体の制御及び状態管理を行う。また，カップの有無やサイズ，カップが空か否かを判定（以下，カップ判定という）するための画像認識を行う。
タッチパネル	・制御部から指示された画面を表示する。 ・利用者がタッチした座標情報を制御部に通知する。
抽出部	・制御部から指示された分量のコーヒーを抽出し，コーヒー排出口から排出する。
ドア	・開閉センサーをもち，開閉状態を 0/1 のデジタル信号で制御部に入力する。 ・ドアを閉じた状態でロックすることができるロック機構をもつ。ロック機構は，制御部からの指示でロック及びロック解除ができる。ロック及びロック解除に掛かる時間は無視できるほど小さいものとする。
カップ載置部	・コーヒー排出口から排出されたコーヒーを受けるカップを置く場所である。
カメラ	・カップ載置部を撮影するカメラで，制御部からの指示で撮影を行い，制御部と共有するメモリに画像データを書き出す。

〔カップ判定の仕様〕

　カップ判定は，利用者がドアを閉じた時に，カメラでカップ載置部を複数回撮影して行う。カップ判定の結果一覧を，表2に示す。

表2　カップ判定の結果一覧

結果	概要
カップなし	・カップ載置部に何も置かれていないことを示す。
空カップあり	・専用の紙カップが，空の状態でカップ載置部に置かれていることを示す。この結果には，カップのサイズ（大，中，小）が付加される。
カップあり	・専用の紙カップが空でない状態でカップ載置部に置かれていることを示す。
障害物あり	・専用の紙カップ以外の物がカップ載置部に置かれていることを示す。

〔ドアの開閉状態の判定仕様〕

　ドアの開閉センサーは，ドアが完全に閉じているときは0，それ以外は1を出力する。非常に短い間隔で0と1とを交互に出力することがあるので，制御部のソフトウェアは入力された値を10ミリ秒間隔で読み出し，4回連続で同じ値が読み出されたらドアの開閉状態を確定する。

〔コーヒーマシンの動作概要〕

　コーヒーマシンの動作概要を次に示す。

(1)　電源が入ると，初期化処理を行う。初期化処理が完了したら待機中となり，カップをカップ載置部に置くように促す画面をタッチパネルに表示する。

(2)　利用者がドアを開けて，購入したカップをカップ載置部に置く。

(3)　利用者がドアを閉じると，カップ判定を行う。

(4)　カップ判定の結果が"空カップあり"となるので，カップのサイズを表す文字と，確認ボタンで構成される画面をタッチパネルに表示する。

(5)　利用者が確認ボタンにタッチすると，　　a　　し，カップのサイズに応じた分量のコーヒーを抽出してコーヒー排出口からカップに注ぎ込む。タッチパネルには，抽出中であることを示す画面を表示する。

(6)　コーヒーの排出が終わると，ドアをロック解除し，タッチパネルにカップの引取りを促す画面を表示する。

(7)　利用者がドアを開け，カップを引き取る。

(8)　利用者がドアを閉じると，カップ判定を行う。

(9)　カップ判定の結果が"カップなし"となるので，待機中に戻る。

　ここで，カップ判定中に利用者がドアを開けた場合は，カップ判定を中止し，利用者がドアを閉じるのを待つ。また，確認ボタンがタッチされる前に，利用者がドアを開けた場合は，カップ判定の結果を破棄して，利用者がドアを閉じるのを待つ。

　カップ判定の結果が"カップあり"又は"障害物あり"の場合，カップ判定の結果に応じた適切な画面をタッチパネルに表示する。

〔制御部のソフトウェア構成〕

　制御部のソフトウェアは，リアルタイムOSを用いて実装する。制御部の主なタスクの処理概要を表3に示す。

表3 制御部の主なタスクの処理概要

タスク名	処理概要
メイン	・コーヒーマシンの状態管理を行う。
カップ判定	・メインタスクから"判定"を受けると、カメラで複数回撮影を行い、得られた画像データを用いてカップ判定を行った後、結果を"判定結果"でメインタスクに通知する。判定に掛かる時間は、300ミリ秒以上500ミリ秒以下である。 ・カップ判定中にメインタスクから"中止"を受けると、5ミリ秒以内にカップ判定を中止して"中止完了"をメインタスクに通知する。カップ判定中以外で"中止"を受けたときは無視する。
抽出	・メインタスクから"抽出"を受けると、抽出部を起動して抽出を開始し、抽出部から抽出終了を受信するまで待つ。 ・抽出終了を受信すると、コーヒーの排出が終了したと判断し、抽出部を停止して"抽出完了"をメインタスクに通知する。
タッチパネル	・メインタスクから"画面表示"を受けると、指定された画面をタッチパネルに表示する。 ・利用者が確認ボタンに触れたことを検出すると、"確認"をメインタスクに通知する。
ドア	・開閉センサーの出力を10ミリ秒周期で読み出し、確定したドアの開閉状態を保持する。 ・確定したドアの開閉状態が変化したら、"ドア開"又は"ドア閉"をメインタスクに通知する。 ・メインタスクから"ロック"又は"ロック解除"を受けると、ロック機構を操作して、ドアをロック又はロック解除する。

設問1 コーヒーマシンについて答えよ。

(1) 本文中の ［ a ］ に入れる、適切なコーヒーマシンの動作を答えよ。

(2) 開閉センサーの出力を読み出す周期を、周波数32kHzのカウントダウンタイマー（以下、タイマーという）を用いて計っている。このタイマーは、あらかじめ設定された初期値からカウントダウンを行い、カウント値が0になったら、次のカウントダウンまでの間に初期値をリロードして動作を継続する。タイマーに設定する初期値は幾つか、整数で求めよ。ここで、1k=10^3とする。

設問2 制御部のタスクについて答えよ。

(1) カップ判定タスクは、メインタスク及びドアタスクよりも優先度を低くしている。その理由を30字以内で答えよ。

(2) メインタスクが抽出タスクに"抽出"を通知する際のパラメータとして、必要な情報を答えよ。

(3) 開閉センサーの出力と、ドアタスクの動作タイミングの例を図3に示す。図3中の、アの時点でドアタスクが保持しているドアの開閉状態が開状態であるとき、ドアタスクがメインタスクに"ドア開"及び"ドア閉"を通知するタイミングを、それぞれ、ア〜テの記号で答えよ。

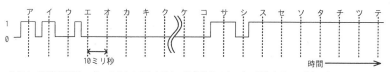

注記1 実線は開閉センサーの出力の変化を示し、破線はドアタスクの動作タイミングを示す。
注記2 クとケの間は、開閉センサーの出力は常に0である。

図3 開閉センサーの出力と、ドアタスクの動作タイミングの例

設問3 図4に示すメインタスクの状態遷移について答えよ。

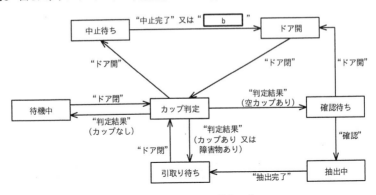

図4 メインタスクの状態遷移

(1) メインタスクがドアタスクに通知を行うのは，何のメッセージを受けたときか。図4中のメッセージ名で<u>全て</u>答えよ。

(2) 図4中の　b　に入れる適切なメッセージ名を，表3中の字句で答えよ。

問8　ダッシュボードの設計に関する次の記述を読んで，設問に答えよ。

　Y社は，食品などを販売する店舗を経営する企業である。複数ある店舗では，商品の販売状況や在庫状況に合わせて，割引率を設定したり，店舗間で在庫の移動を行ったりしている。販売に関する情報は販売管理システムで管理しているが，状況をリアルタイムで監視するには不向きであった。そこで，販売状況をリアルタイムで監視できるシステム（以下，ダッシュボードという）を開発することにした。

　Y社では，商品ごとに商品分類を設定し，売上金額や販売数の集計に利用している。Y社が扱う情報のデータモデル（抜粋）を図1に，ダッシュボードのイメージ（一部）を図2に示す。

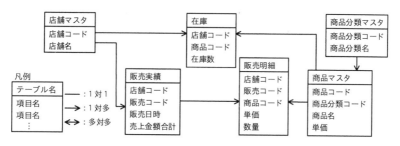

図1　データモデル（抜粋）

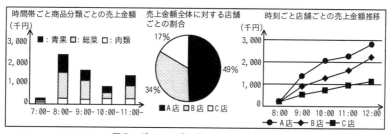

図2　ダッシュボードのイメージ（一部）

　販売状況や在庫状況はデータベースで管理する。データベースに新たな販売実績が追加されたり，在庫数が更新されたりすると，その内容がダッシュボードに随時反映され，最新の情報が表示される。

　Y社は，ダッシュボードの開発をZ社に依頼し，Z社はその設計に取り掛かった。

〔ダッシュボードのクラスの設計〕

　Z社は，ダッシュボードのクラスの設計を行った。設計したクラス図を図3に，表示できるグラフの種類を表1に，主なクラスの説明を表2に示す。Controllerクラスは，システム全体の挙動を制御するクラスである。Viewクラスは，画面にグラフを表示する機能をもつクラスである。グラフには複数の種類があるので，その種類ごとに，Viewクラスを　　a　　したクラスを作成する。Subjectクラスは，データベースが更新されたことをViewクラスのオブジェクトに

通知するクラスである。図1のデータモデル中のテーブルのうち，ダッシュボードで監視したい情報に関するテーブルのそれぞれについて，Subjectクラスを a したクラスを作成する。以下，Viewクラス，Subjectクラスを a したクラスのオブジェクトを，それぞれViewオブジェクト，Subject オブジェクトという。

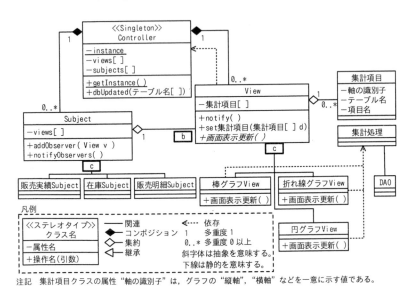

注記　集計項目クラスの属性"軸の識別子"は，グラフの"縦軸"，"横軸"などを一意に示す値である。

図3　クラス図

表1　表示できるグラフの種類

種類	グラフの構成要素	説明
棒グラフ	横軸の項目，集計対象の項目，分類	横軸の項目について，任意の値の範囲で区切り，集計対象の項目の値を縦棒で表現する。縦棒の値は，分類ごとに色分けし，それらを積み上げて表示する。
円グラフ	集計対象の項目，分類	集計対象の項目について，分類ごとに集計して，その割合を扇形の面積で表現する。扇形は分類ごとに色分けして表示する。
折れ線グラフ	横軸の項目，集計対象の項目，分類	横軸の項目について，任意の値の範囲で区切り，集計対象の項目の値の推移を折れ線で表現する。折れ線は分類ごとに分けて表示する。

表2　主なクラスの説明

クラス	説明
Controller	プログラムの流れを制御するクラス。データベースが更新されたときに，更新されたテーブル名の配列を引数にして，dbUpdated メソッドを呼び出す。
DAO	データベースにアクセスするためのクラス。
Subject	データの更新を View オブジェクトに通知するクラス。通知先は，addObserver メソッドで登録する。notifyObservers メソッドは，登録された全ての通知先の notify メソッドを呼び出す。
View	ダッシュボードに一つのグラフを表示するクラス。グラフの軸や集計対象の項目の情報を，集計項目オブジェクトの配列で保持している。notify メソッドは，画面表示更新メソッドを呼び出す。画面表示更新メソッドは，対象に関する集計を行い，画面の表示を更新する。
集計処理	グラフを表示する際に必要になる，各種の集計の処理を実装したクラス。

〔グラフの新規表示〕

　例えば，"時間帯ごと商品分類ごとの売上金額"のグラフを新たに画面上に表示する場合を考える。グラフの種類は棒グラフなので，棒グラフViewクラスのオブジェクトを作成する。次に，①関係するSubjectオブジェクトのaddObserverメソッドを呼び出す。その後，画面の初期表示のために，画面表示更新メソッドを呼び出す。

〔グラフの表示内容更新〕

　店舗で商品が販売されると，販売管理システムが，データベースにレコードを追加する。そのとき，ダッシュボードのControllerクラスに実装されているdbUpdatedメソッドが呼び出されるように，システム間の連携が行われている。

　Controllerクラスは，dbUpdatedメソッドが呼び出されると，更新されたテーブルに対応するSubjectオブジェクトのnotifyObserversメソッドを呼び出す。notifyObserversメソッドは，そのオブジェクトが属性としてもつ配列viewsに格納されている全てのViewオブジェクトのnotifyメソッドを呼び出す。notifyメソッドは，画面表示更新メソッドを呼び出す。Viewクラスの画面表示更新メソッドは　　d　　メソッドなので，例えば，"時間帯ごと商品分類ごとの売上金額"の場合は　　e　　クラスに実装されたメソッドを呼び出す。

〔データのフィルタリング〕

　Y社からの追加の要求で，集計結果をフィルタリングする機能を追加することになった。例えば，"時間帯ごと商品分類ごとの売上金額"のグラフ上で，特定の商品分類の表示箇所をマウスでクリックしたときに，表示されている全てのグラフについて，指定した商品分類で絞り込んだ結果を表示したい。そこで，絞込条件を取り扱うクラスとして絞込条件クラスを導入し，次の改修を加えることで機能を実現することにした。

・絞込条件クラスは，属性として"テーブル名"，"項目名"，"絞込条件の値"をもつ。例えば，商品分類で絞り込む場合は，テーブル名に"商品マスタ"，項目名に"商品分類コード"，絞込条件の値に"商品分類コードの値"が入る。
・Controllerクラスの属性に絞込条件クラスのオブジェクトを追加し，その属性に条件を設定するためのsetFilterメソッドを追加する。

付録

・Viewオブジェクトが画面の表示を更新する際に，絞込条件のオブジェクトが引き渡されるようにするために，Subjectクラスのnotify Observersメソッドと，Viewクラスのnotifyメソッドのそれぞれについて，呼出しの②仕様を変更する。
・集計処理クラスの処理で絞込条件を考慮して集計し，画面を更新する。
　画面の操作が行われたら，Viewオブジェクトが絞込条件オブジェクトを生成し，ControllerオブジェクトのsetFilterメソッドを呼び出す。その後，全てのViewオブジェクトの画面表示更新メソッドを呼び出すことで，機能を実現する。

〔過負荷の回避〕
　設計レビューを実施したところ，次の点が指摘された。
・販売管理システムが，データベースに販売実績のレコードを連続で追加すると，ダッシュボードが過負荷になるおそれがある。
・一つのViewオブジェクトは　　　　　　　 f 　　　　　　　　ので，1回の販売実績の登録で，表示の更新が複数回発生してしまう。
　そこで，Viewクラスの属性に"更新フラグ"を追加し，notifyメソッドでは画面表示更新メソッドを呼び出すのではなく，"更新フラグ"を立てるようにした。また，"更新フラグ"を立てる処理とは別に，定期的に画面表示更新メソッドを呼び出す仕組みを用意し，"更新フラグ"が立っている場合だけ画面の更新処理を実行してから"更新フラグ"を降ろすようにした。

設問1　本文中の　　 a 　　に入れる適切な字句を答えよ。
設問2　図3中の　 b 　，　 c 　に入れる適切なクラス間の関係又は多重度を答え，クラス図を完成させよ。なお，表記は図3の凡例に倣うこと。
設問3　本文中の下線①について，関係するSubjectオブジェクトのクラス名を図3中から選び全て答えよ。
設問4　本文中の　 d 　，　 e 　に入れる適切な字句を答えよ。
設問5　本文中の下線②について，仕様変更の内容を30字以内で答えよ。
設問6　本文中の　 f 　に入れる適切な字句を，30字以内で答えよ。

問9　IoT活用プロジェクトのマネジメントに関する次の記述を読んで，設問に答えよ。

　P農業組合が管轄する地域では，いちご栽培が盛んである。いちごは繁殖率が低く，栽培技術の向上や天候不順への対応が必要である。P農業組合員のいちご栽培農家は温度調節や給水などの栽培管理を長年の経験と勘に頼っていたので，一部の農家を除いて生産性が低い状態が続いていた。そこで，数年前に生産性向上を目指してW社のIoTシステムを導入した。IoTシステムの主な機能は，次のとおりである。

- 栽培ハウス(以下，ハウスという)内外に環境計測用センサー(以下，Kセンサー という)，温度調節や給水などを行う装置，装置に無線で動作指示する制御機器(以下，S機器という)を設置する。
- Kセンサーは，温度，湿度などの環境データを取得してS機器に送信する。
- S機器は，受信した環境データと，S機器の動作指示を制御するパラメータ(以下，制御パラメータという)とを基に，装置に温度調節や給水などの動作指示をする。
- 農家は，その日の天候及びP農業組合内に設置されたデータベース(以下，DBという)サーバに蓄積された過去の環境データを参考にして，より良い栽培環境になるように，農家に配付されているタブレット端末を使って制御パラメータを変更できる。

〔SaaSを活用したIoTの効果向上〕
　IoTシステムの導入によって，ハウス内の温度や湿度などをコントロールできるようになった。しかし，大半の農家では，過去の環境データを分析して制御パラメータを最適に設定することが難しかったので，期待していたほどの効果は出ていなかった。そこで，P農業組合のQ組合長はA社に支援を依頼した。A社は，ICTを活用した農作物の生産性向上に資するデータ分析サービスをSaaSとして提供する企業である。A社のB部長は，導入したIoTシステムの効果を向上させるために，A社のSaaSを活用して制御パラメータを自動的に変更するサービス(以下，本サービスという)の導入を提案しようと考えた。

　A社のSaaSは，実装されたAIのデータ分析を最適化するためのパラメータ(以下，分析パラメータという)を参照し，過去と現在の環境データ，及び外部気象サービスが提供する予報データを統合して分析する。本サービスでは，この分析結果から最適な制御パラメータを算出してS機器に送信し，制御パラメータを変更する。

　提案に先立って，B部長はQ組合長に，A社のSaaSにはW社のIoTシステムとの接続実績がなく，またA社にはいちご栽培でのデータ分析サービスの経験がないので，分析パラメータの種類の選定及び値の設定の際に，試行錯誤が予想されることを説明した。さらに，B部長は，本サービスの実現に不確かな要素は多いが，導入を試してみる価値が十分あると伝えた。Q組合長はこれらを理解した上で，本サービスの導入プロジェクト(以下，SaaS導入プロジェクトという)の立ち上げを決定し，Q組合長自身がプロジェクトオーナーに，B部長がプロジェクトマネージャになった。

　B部長は，プロジェクトの目的を"農家が，本サービスを使っていちご栽培を改善し，より良い収穫を実現すること"にした。なお，SaaS導入プロジェクトが完了して本サービスが開始されるときの分析パラメータは，プロジェクト活動中にいちご栽培に適すると評価された設定値とする。本サービス開始後，農家は，タブレット端末から分析パラメータの設定をガイドする

機能 (以下, ガイド機能という) を使って設定値を変更できる。その際, P農業組合は, 農家がガイド機能を活用できるようになる支援を行う。本サービスを導入したシステムの全体の概要を図1に示す。

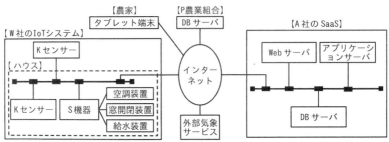

注記　P農業組合のDBサーバに蓄積されたデータは, 本サービス開始前にA社のSaaSに移される。

図1　本サービスを導入したシステムの全体の概要

〔概念実証の実施〕

　B部長は, ①SaaS導入プロジェクトの立ち上げに先立って, 概念実証 (Proof of Concept 以下, PoCという) を実施することにした。PoCの実施メンバーには, A社からB部長のほかに, 導入支援担当としてC氏が選任された。C氏は, IoTシステムとのデータ連携機能の開発経験があり, また様々なデータ分析の手法を熟知していた。P農業組合からは, いちご栽培の熟練者であるR氏が選任された。また, P農業組合からW社に, IoTシステムとA社のSaaSとのデータ連携に関する支援を依頼した。PoCの実施に当たって, P農業組合がいちご栽培の独自情報を開示すること, A社及びW社が製品の重要情報を開示することから, 3者間で 　　a　　 を締結した。

　PoCでは, IoTシステムが導入された農家で実際に栽培している環境の一部 (以下, PoC環境という) を使うことにした。A社とW社が協力してIoTシステムとA社のSaaSとの簡易なデータ連携機能を開発し, P農業組合内に設置されたDBサーバに蓄積された過去の環境データを利用することにした。C氏が分析パラメータの種類の選定と値の設定を担当し, R氏が装置への動作指示の妥当性を評価することになった。

　PoCは計画どおりに実施された。IoTシステムとA社のSaaSとのデータ連携は確認され, 分析パラメータの種類の選定と値の設定に基づく動作指示も妥当であった。一方で, R氏から, Kセンサーの種類を増やして糖度, 形状, 色づきなどの多様なデータを取得し, きめ細かく装置を動作させたいとの意見が出された。これに対してC氏は, Kセンサーの種類を増やすとデータ連携機能の開発規模が増え, かつ, 分析パラメータの種類の再選定が必要になると指摘した。

　B部長は, PoCによって得られた本サービスの実現性の検証結果に加え, 導入コスト, 導入スケジュールなどを提案書にまとめた。A社内で承認を受けた後, B部長はQ組合長にA社のSaaS導入提案を行って了承され, 準委任契約を締結してSaaS導入プロジェクトが立ち上げられた。

〔SaaS導入プロジェクトの計画〕

　SaaS導入プロジェクトには，PoCの実施メンバーに引き続き参加してもらい，A社からの業務委託でW社も参加することになった。現在のIoTシステムに追加するKセンサーの種類の選定はR氏が中心になって進め，IoTシステムとA社のSaaSとのデータ連携機能の開発，及び分析パラメータの種類の選定と値の設定はC氏がリーダーになって進める。さらに，P農業組合の青年部からいちご栽培の経験がある2名が，利用者であるいちご栽培農家の視点で参加することになった。Q組合長は，この2名に②R氏及びC氏と協議しながら分析パラメータの値を設定するよう指示した。

　B部長は，プロジェクトメンバーとともにプロジェクト計画の作成に着手し，プロジェクトのスコープを検討した。SaaS導入プロジェクトには，二つの作業スコープがある。一つは，Kセンサーの種類の追加というW社側の作業スコープである。もう一つは，Kセンサーの種類の追加に対応したデータ連携機能の開発及び分析パラメータの種類の選定と値の設定というA社側の作業スコープである。この二つの作業スコープは密接に関連しており，W社側の作業スコープの変更はA社側の作業スコープに影響する。B部長は，まずPoCの実施結果を基に，PoC環境の規模から実際に栽培している環境の規模に拡張することを当初スコープにした。このスコープでサービスを開発し，開発したサービスをプロジェクトメンバー全員で検証，協議した上で，開発項目の追加候補を決めてスコープを変更する開発アプローチを採用することにした。

　B部長は，この開発アプローチでは適切にスコープをマネジメントしないと③スコープクリープが発生するリスクがあると危惧した。そこで，スコープクリープが発生するリスクへの対応として，　b　及び　c　のベースラインを基に次のスコープ管理のプロセスを設定した。

(1)　追加候補の開発項目を，スコープとして追加する価値があるか否かをプロジェクトメンバー全員で確認し，追加の可否を判断する。

(2)　追加候補の開発項目を加えたスコープがベースラインに収まれば追加する。

(3)　追加候補の開発項目を加えたスコープがベースラインに収まらず，スコープ内の他の開発項目の優先順位を下げられる場合は，優先順位を下げた開発項目をスコープから外し，追加候補の開発項目をスコープに追加する。

(4)　他の開発項目の優先順位を下げられない場合は，スコープが拡大してしまうので，プロジェクトの品質を確保するため　b　及び　c　のベースラインの変更をプロジェクトオーナーに報告し，変更可否を判断してもらう。

　次に，B部長は，本サービスは，Kセンサー，装置，S機器などの多種多様なIoT機器，及びA社のSaaSで実現するシステムであることから，テスト項目数が多くなると予想し，テストで着目する点を明確にして効率よくテストを実施すべきだと考えた。PoCの実施環境，実施状況，及び実施結果を踏まえ，次のとおり着目する点を設定してテストを実施することにした。

（ⅰ）　利用規模を想定して，IoT機器の接続やデータ連携に着目したテスト

（ⅱ）　同一ハウス内で動作する複数の装置の競合に着目したテスト

（ⅲ）　利用場所，利用シーンに着目したテスト

（ⅳ）　システムやデータの機密性，完全性，可用性に着目したテスト

　本サービスをP農業組合へ導入したことをもってプロジェクトは完了するが，農家はいちご

の栽培を続け，収穫によって導入効果を評価する。④B部長は，プロジェクトの完了時点では，プロジェクトの目的の実現に対する真の評価はできないと考えた。そこで，B部長は，A社とP農業組合とで，これについて事前に合意することにした。

設問1　〔概念実証の実施〕について答えよ。

(1)　本文中の下線①について，B部長がSaaS導入プロジェクトの立ち上げに先立ってPoCを実施することにした理由は何か。25字以内で答えよ。

(2)　本文中の　　a　　に入れる適切な字句を，8字以内で答えよ。

設問2　〔SaaS導入プロジェクトの計画〕について答えよ。

(1)　本文中の下線②について，Q組合長は，青年部の2名に本サービス開始後にどのような役割を期待して指示したのか。25字以内で答えよ。

(2)　本文中の下線③について，B部長が危惧したスコープクリープを発生させる要因は何か。35字以内で答えよ。

(3)　本文中の　　b　　，　　c　　に入れる適切な字句を，それぞれ8字以内で答えよ。

(4)　本文中の(ⅰ)～(ⅳ)の各テストで着目する点に1対1で対応する検証内容として解答群のア～エがある。このうち(ⅰ)のテストで着目する点に対応する検証内容として適切なものを，解答群の中から選び，記号で答えよ。

解答群

ア　屋内屋外，温暖寒冷など様々な環境下での動作の検証

イ　最大台数のIoT機器及び装置をつなげた状態での動作の検証

ウ　同一ハウス内の無線を使った同一タイミングでの複数装置の動作の検証

エ　無関係の外部者がシステムにアクセスできないことの検証

(5)　本文中の下線④について，B部長が真の評価はできないと考えた理由は何か。30字以内で答えよ。

問10　テレワーク環境下のサービスマネジメントに関する次の記述を読んで，設問に答えよ。

　E社は，東京に本社があり，全国に3か所の営業所をもつ，従業員約200名の保険代理店である。E社には，保険商品の販売や顧客サポートを行う営業部，入出金処理や伝票処理を行う経理部，情報システムの開発や運用を行う情報システム部などの部署がある。営業部の従業員（以下，営業員という）は，営業先に出向いて業務を行うことが多く，その際の顧客サポートの質の向上が課題となっている。

　E社の従業員には，ノートPCが一人1台貸与され，一部の営業員には，ノートPCとは別にタブレット端末が貸与されている。ノートPCやタブレット端末（以下，これらを社内デバイスという）では，本社内に設置しているサーバのアプリケーションソフトウェア（以下，業務アプリという）と，電子メール送受信やスケジュール管理を行うことができるグループウェア（以下，業務アプリとグループウェアを合わせて社内IT環境という）の利用が可能である。社内デバイスは，社外から社内IT環境へのネットワーク接続は行えない。

　E社の情報システム部には，開発課と運用課がある。開発課は，各部署が利用する社内IT環境の企画・開発を行う。運用課は，管理者のF課長，運用業務の取りまとめを行うG主任及び数名の運用担当者で構成され，サーバなどのIT機器の管理だけでなく，次のITサービスを提供している。

・社内IT環境の運用
・従業員からの問合せやインシデントの対応を受け付けるサービスデスク

〔社内IT環境とサービスマネジメントの概要〕
　現在の社内IT環境とサービスマネジメントの概要を次に示す。

・営業員は，社内IT環境から営業活動に必要なデータを，社内でタブレット端末にダウンロードし，営業先ではタブレット端末をスタンドアロンで使用している。
・社内デバイスのOSを対象に，セキュリティ修正プログラムを含むOSバージョンのアップデート（以下，OSパッチという）を実施している。
・OSパッチを適用するには，社内デバイスのシステム設定で自動適用と手動適用のいずれか一方を設定する必要がある。現在は手動適用に設定している。
・OSパッチを適用すると，社内デバイスで業務アプリを正常に利用できなくなるおそれがある。そこで，OSパッチの展開管理に責任をもつ運用課は，OSパッチが公開されると，まず，開発課にOSパッチを適用した社内デバイスでテストを行い，業務アプリを正常に利用できることを確認するように依頼する。業務アプリを正常に利用できることを確認後，運用課から，従業員に社内デバイスを操作してOSパッチを手動適用するように依頼する。
・従業員からの問合せやインシデントに対応するために，従業員が使っている社内デバイスの操作が必要な場合がある。サービスデスクは，従業員が社内デバイスを利用している場所が本社のときは対面でサポートを行い，営業所のときは電話でサポートを行っている。ただし，サービスデスクでは，電話でのサポートは時間が掛かるという問題を抱えている。
・サービスデスクだけでインシデントをタイムリーに解決できない場合，開発課への　　　a　　　を行うことがある。

〔テレワーク環境の構築の計画〕

　営業部の課題を解決するため，全ての営業員にタブレット端末を貸与し，社外からインターネットを介して社内IT環境に接続可能なテレワーク環境を，開発課が構築し，運用課が運用することになった。なお，テレワーク環境は，当初はタブレット端末だけの利用とするが，社会情勢の変化を受けて在宅勤務などで，ノートPCにも今後利用を拡大する予定である。

　テレワーク環境では，サービスデスクは，社外でタブレット端末を使う営業員からの問合せやインシデントに，営業所の場合と同様に，電話によるサポートで対応する。

〔テレワーク環境の運用の準備〕

　F課長は，テレワーク環境の運用の準備に着手した。

　テレワーク環境の利用開始直後は，営業員から問合せが多発することやインシデントの発生が想定された。F課長は，テレワーク環境の利用開始から安定稼働になるまでの間は，開発課による初期サポートが必要と判断し，開発課に依頼して初期サポート窓口を開発課に設けることを計画した。ただし，開発課による初期サポートの実施中は，問合せ先及びインシデントの連絡先を営業員自身が判断し，テレワーク環境については初期サポート窓口に，その他についてはサービスデスクに対応を依頼することとなる。F課長は，利用開始後のテレワーク環境に関する問合せとインシデントの対応が　　 b 　　ことを，テレワーク環境の安定稼働の条件と考えた。また，初期サポート窓口の設置は，テレワーク環境の利用開始後から4週間を目安とし，テレワーク環境に関する問合せとインシデントの対応が　　 b 　　ことを初期サポートの終了基準とし，終了基準を満たすまで，初期サポート窓口を継続する。

　サービスデスクは本来，機能的にSPOC（Single Point Of Contact）とするのが望ましい。そこで，F課長は，①SPOCを実現する時期の判断のために，テレワーク環境の問合せ対応に関して，初期サポートが終了するまでに開発課から　　 c 　　ことも初期サポートの終了基準として設けるべきであると考えた。F課長は，これらの計画について営業部と開発課に説明して了承を得た。

　次に，F課長は，タブレット端末をもつ営業員が増え，また社外での利用機会が拡大すること，及び今後ノートPCを利用した在宅勤務が予定されていることから，社内デバイスの利用状況の管理を効率的に行う必要があると考えた。そこで，現状の人手による管理に代えて，社内デバイスの利用状況を統合的に管理することができるツール（以下，統合管理ツールという）を導入することにした。F課長は，G主任に統合管理ツールの調査を指示し，G主任は，統合管理ツールの機能と概要を表1にまとめた。

表1　統合管理ツールの機能と概要

項番	機能	概要
1	台帳管理	社内デバイスのハードウェア情報，OS 及び導入しているミドルウェアのバージョン情報を自動取得し，管理することができる。
2	操作ログ管理	社内デバイスへのログイン及びログアウト状況など社内デバイスの利用状況を把握することができる。
3	リモート操作	統合管理ツールから社内デバイスをリモートで操作したり，ロックして使用できないようにしたりすることができる。
4	パッチ適用	配信用サーバを構築することで，社内デバイスのOS に対して，OS パッチを自動的に展開することができる。

　G主任は，調査結果をF課長に説明した。F課長は，現在実施しているOSパッチの手動適用では，従業員がOSパッチの適用のタイミングをコントロールできてしまうことから，OSパッチの適用に不確実さがあることを問題視していた。F課長は，パッチ適用機能を使うことで，展開管理としてOSパッチを確実に適用できると考えた。F課長は，パッチ適用機能の実現には，テスト済みのOSパッチを配信用サーバに登録する手順の追加が必要となることをG主任に指摘し，検討するように指示した。そこで，F課長は，テレワーク環境の利用開始時点では，統合管理ツールのパッチ適用以外の機能を使用し，②現在，サービスデスクで行っているサポートの問題を解決することにした。

〔パッチ適用機能の使用〕

　テレワーク環境の構築が完了し，営業員によるテレワーク環境の利用が開始された。初期サポート窓口での対応は，終了基準を満たして，計画どおり4週間で終了した。テレワーク環境はおおむね好評で，営業員のタブレット端末の利用頻度が上がり，タブレット端末による営業活動への効果が向上していた。一方で，以前から，営業部では，運用課からの指示がないにもかかわらずOSパッチを手動適用したり，指示したにもかかわらず手動適用を忘れたりして，社内デバイスで業務アプリを正常に利用できないというインシデントが発生しており，現在も営業活動に影響が出ていた。

　この状況を受けて，F課長は，"今後のインシデント発生を防止するという問題管理の視点から有効であるだけでなく，展開管理の視点からも有効である"と考えて，早期に③パッチ適用機能の使用を開始することにし，G主任にその後の検討状況の報告を求めた。G主任は，展開管理の手順の検討結果を報告し，F課長は了承した。また，G主任は，パッチ適用機能を実現するためには，現在，手動適用の運用をしている社内デバイスの設定を変更する準備作業が必要となることを報告した。報告を受けたF課長は，準備が整い次第，パッチ適用機能を使用することを決定した。

設問1　本文中の　　　a　　　に入れる適切な字句を解答群の中から選び，記号で答えよ。

付録

　解答群

　　ア　アセスメント　　　　　　　　　　　　イ　エスカレーション
　　ウ　ガバナンス　　　　　　　　　　　　　エ　コミットメント

設問2　〔テレワーク環境の運用の準備〕について答えよ。

　　(1)　本文中の　　b　　に入れる内容を，15字以内で答えよ。

　　(2)　本文中の下線①とすることのメリットは何か。営業員にとってのメリットを25字以内で答えよ。

　　(3)　本文中の　　c　　に入れる内容を，25字以内で答えよ。

　　(4)　本文中の下線②の問題と解決方法は何か。問題を25字以内で答えよ。解決方法は表1中の機能に対応する項番の数字を答えよ。

設問3　本文中の下線③について，運用課が下線③の対策を採る理由を，展開管理の視点から30字以内で答えよ。

問11　支払管理システムの監査に関する次の記述を読んで，設問に答えよ。

　V 社は大手の製造会社であり，2 年前に 12 年間利用していた自社開発の債務管理システムから業務パッケージを利用した支払管理システムに移行した。そこで，内部監査室は，支払管理システムの運用状況に関するシステム監査を実施することにした。

〔支払管理システム及び関連システムの概要〕
　支払管理システム及び関連システムの概要を図1に示す。

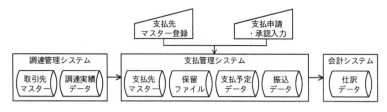

図1　支払管理システム及び関連システムの概要

(1)　支払管理システムは業務パッケージの標準機能を利用し，約1年間で，企画，要件定義，業務パッケージ選定，設計，開発，テスト及びリリースの各段階を経て移行された。V 社では，規程類に適合しない機能を採用する場合は，対応策を含めて，リスク委員会の承認を受ける必要がある。

(2)　会計システムは業務パッケージである。

(3)　調達管理システムは，10年前に構築した自社開発システムであり，各工場製造部の原料及び外注加工に関する見積依頼・発注・入荷・検収を管理している。検収入力で作成される調達実績データは，半月ごとに支払管理システムへ取り込まれる。

(4)　4年前に実施された債務管理システムのシステム監査では，規程類に適合した機能が導入され，運用されていると結論付けられ，指摘事項はなかった。

(5)　昨年実施された調達管理システムの監査では，取引先別の調達実績データの合計額が支払管理システムの支払予定データの合計額と一致していないことが発見された。これについて，調達管理システムには問題はなく，支払管理システムの運用状況の詳細な調査が必要と結論付けられ，経理部で調査中とのことである。

〔支払管理システムの運用の概要〕

　監査担当者が予備調査で把握した内容は，次のとおりである。

(1)　支払管理システムでは，業務パッケージの標準機能である利用者ID情報管理機能及びパスワード管理機能を利用している。承認された利用者ID申請書が情報システム部サポート担当に提出され，利用者ID情報が登録，変更，削除される。利用者ID情報には，利用者ID，利用者名，部署名，各メニューの利用権限などが含まれ，登録・変更・削除履歴は利用者ID更新ログに記録される。業務パッケージのパスワードポリシーの一部には，規程類に適合するようにパスワードポリシーを適用できない箇所があった。

(2)　支払管理システムに関連するプロセスは，次のとおりである。

　①　経費精算などは，支払管理システムに支払申請入力を行い，承認者が承認入力を行うことで支払予定データが生成される。支払予定データは修正できないので，支払額を減額したい場合は，減額の支払申請を入力する。

　②　支払規程によると，支払金額が一定額を超過する場合には，事業本部長の承認及び担当役員の承認が必要になる。支払管理システムには，一つの申請に対し複数の承認者を設定する機能がないので，承認入力後に承認者から必要な上位者に経理部宛のCCを含む電子メールで承認を受ける手続としている。

　③　支払申請入力では，請求書・領収書などの証ひょう類を承認者に回付せず，申請者が入力後に経理部に送付する。経理部は，支払予定データについて一定額超過の承認メールを含む証ひょう類に不備がないかチェックする。経理部は，証ひょう類に不備のある支払予定データについて，未承認の状態に変更することができ，その場合は，申請者に電子メールで通知される。また，各工場管理部は調達管理システムの調達実績データについて，取引先からの請求書とチェックしている。

　④　調達実績データから支払予定データを生成するには支払先マスターに調達連携用の支払先（以下，調達用支払先という）を登録しておく必要がある。調達用支払先は，調達管理システムに関する支払業務以外では利用しない。

　⑤　支払管理システムでは，半月ごとの調達実績データの取込処理によって，支払予定データが生成される。取込処理の実行時にエラーがあった場合は，情報システム部でエラー対応を行う。一方，エラーではないが支払先マスターに調達用支払先が未登録などの場合は，保留ファイルに格納される。経理部は保留ファイルに対し，支払先マスター登録などの対応後に保留ファイルの更新処理を実行する一連の作業を行う。

　⑥　原料・外注加工費は半月ごとに支払が行われるので，調達管理システムでの検収入力が遅れ，次回の取込処理となってしまうと支払遅延となる。そこで，支払遅延とならないように工場製造部の申請に基づき，工場管理部は，当該取引先に対応した調達用支払先を利用して追加の支払申請入力を行う。また，次回の取込処理までに重複防止のための減額の支払申請入力が必要となる。

　⑦　経理部は，作業が完了した支払予定データに対して振込データ作成画面で対象範囲を指定して，銀行に送信する振込データを作成する。

〔監査手続の作成〕

　監査担当者が，予備調査に基づき策定した監査手続案を表1に示す。

表1　監査手続案（抜粋）

項番	監査要点	監査手続
1	利用者IDは，適切に登録，変更，削除される。	・利用者ID申請書が適切に作成，承認され，利用者ID申請書の内容と利用者ID情報が一致しているか確かめる。
2	利用者IDのパスワードは，適切に設定される。	・利用者IDのパスワードポリシーが，V社のパスワードの規程類に準拠しているか確かめる。
3	支払予定データは，調達実績データによって適切に作成される。	・支払先マスターが正確に登録されるかどうか確かめる。 ・調達実績データの取込処理が漏れなく実行され，エラーが発生した場合は適切に対処されているか確かめる。
4	経費精算などの支払予定データは，適切に承認される。	・支払管理システムの承認権限が適切に付与されているか確かめる。 ・支払申請が未承認で残っていないか確かめる。
5	振込データは，適切に作成される。	・経理部が振込データの作成範囲に漏れがないことをチェックしているかを確かめる。

　内部監査室長は，表1をレビューし，次のとおり監査担当者に指示した。

(1)　表1項番2の監査手続は，予備調査の結果を踏まえると不備が発見される可能性が高い。これに対応する追加手続として，　　a　　段階で　　b　　が行われていたかどうかについての監査手続を含めるべきである。

(2)　表1項番3の監査手続だけでは，監査要点を十分に評価できない。　　c　　に対する作業について評価する監査手続を追加すること。

(3)　表1項番4の監査手続だけでは，監査要点を十分に評価できない。支払金額が　　d　　の支払予定データについては，監査手続を追加すること。

(4)　表1項番5について，支払予定データに対して経理部の　　e　　が振込データ作成前に完了していることを確かめる監査手続を追加すること。

(5)　昨年度のシステム監査での発見事項については，表1の項番　　f　　で確かめている。その他，差異が発生する可能性のある次の二つの事象に関する監査要点及び監査手続を追加すること。

　①　調達管理システムと異なる支払申請入力において，間違って　　g　　を利用してしまった。

　②　支払遅延防止として追加の支払申請入力した後に，　　h　　を行わなかった。

設問1　〔監査手続の作成〕の　　a　　～　　d　　に入れる適切な字句をそれぞれ10字以内で答えよ。

設問2　〔監査手続の作成〕の　　e　　について，どのような作業を確かめるべきか，適切な字句を20字以内で答えよ。

設問3　〔監査手続の作成〕の　　f　　に入れる最も適切な監査要点を表1の中から選び，表1の項番で答えよ。

設問4　〔監査手続の作成〕の　　g　　，　　h　　に入れる適切な字句をそれぞれ10字以内で答えよ。

A　午後　解答と解説

問1　　　　　　　　　　　　　　リモート環境のセキュリティ対策

≪出題趣旨≫

　従来，信頼できる内部のネットワークと信頼できない外部のネットワークを分離する，境界型防御によるセキュリティ対策が行われてきた。昨今のクラウドサービスの普及によって，外部のネットワークに保護すべきデータが置かれることが多くなり，いかなる通信も信頼しないゼロトラストの考え方が広まってきた。

　本問では，リモート環境の構築を題材として，境界型防御の環境からゼロトラスト環境への移行時に必要となるセキュリティ対策の基本的な知識を問う。

≪解答例≫

設問1　イ

設問2

(1)　a　| ゼ | ロ | ト | ラ | ス | ト |　(6字)

(2)　| セ | キ | ュ | リ | テ | ィ | パ | ッ | チ | 提 | 供 | の | 調 | 査 | 及 | び | 適 | 用 | の | 判 | 断 |　(21字)

設問3

(1)　※以下の中から一つを解答

　・| U | R | L | フ | ィ | ル | タ | リ | ン | グ |　(10字)

　・| 業 | 務 | 上 | 不 | 要 | な | サ | イ | ト | へ | の | 接 | 続 | 禁 | 止 |　(15字)

(2)　| セ | キ | ュ | リ | テ | ィ | イ | ン | シ | デ | ン | ト | の | 発 | 生 | を | 迅 | 速 | に | 検 | 知 | す | る | た | め |

　　　　　　　　　　　　　　　　　　　　　　　　　　　　　(25字)

(3)　ア，ウ

設問4

(1)　ア

(2)　b　多要素認証　又は　2要素認証（多段階認証　又は　2段階認証も可）

≪採点講評≫

　問1では，リモート環境の構築を題材に，境界型防御の環境からゼロトラスト環境への移行時に必要となるセキュリティ対策の基本的な知識について出題した。全体として正答率は高かった。

　設問1は，正答率が高く，境界型防御に関する理解が高いことがうかがえたが，設問2(1)は正答率が低かった。近年，境界型防御に基づいたセキュリティモデルではサイバー攻撃を防ぎきれなくなっており，ゼロトラストに基づいたセキュリティモデルが広まっているので，理解しておいてほしい。

　設問3(2)は，正答率が高く，SIEMに関する理解が高いことがうかがえた。様々な機器で出力されるログを一元的に集約して相関分析することは，インシデントを迅速に検知する上で重要である。

≪解説≫

　この問では，リモート環境の構築を題材として，境界型防御の環境からゼロトラスト環境への移行時に必要となるセキュリティ対策の基本的な知識が問われています。ゼロトラストやSIEM，EDRという用語をはじめ，クラウドサービスで必要な新しい用語について多く問われている問題です。

設問1

　本文中の下線①「境界型防御」について，防御できる攻撃を解答群の中から選び，記号で答えます。解答群のそれぞれの攻撃について，ルータとFWを利用した境界型防御を使って防御できるかどうかを考えると，次のようになります。

×　ア　システム管理者による内部犯行は，FWの内側で行われるので，防御できません。

○　イ　パケットフィルタリングのポリシーで許可していない通信による，内部ネットワークへの侵入は，FWでフィルタリングして防御できます。

×　ウ　標的型メール攻撃での，添付ファイル開封による未知のマルウェア感染は，内部のPCで実行されるので，ルータやFWでは防げません。

×　エ　ルータの脆弱性を利用した，インターネット接続の切断は，ルータがインターネットに直接接続されており，FWの外側にあるため防ぐことはできません。

　したがって解答は，イです。

設問2

　〔リモート環境の構築方針〕に関する問題です。ゼロトラストの考え方と，SaaS型のクラウドサービスを利用する意味について問われています。

(1)

　本文中の空欄穴埋め問題です。リモート環境の構築方針について，適切な字句を6字で答えます。

空欄a

　境界型防御の環境に対して，いかなる通信も信頼しないという考え方にゼロトラストがあります。社外と社内を分けて社内を信頼するのではなく，守るべき情報資産にアクセスするものはすべて信頼せず，安全性を検証するという考え方となります。したがって解答は，**ゼロトラ**

ストです。

(2)

本文中の下線②「課題となっている作業」について，課題となっている作業を25字以内で答えます。

〔Q社の現状のセキュリティ対策に関する課題〕には，「セキュリティパッチが提供されているかの調査及び適用してよいかの判断に時間が掛かることがある」という記述があります。SaaS型ではクラウドサービスでセキュリティパッチが適用されるので，Q社でセキュリティパッチ提供の調査及び適用の判断を行う必要がなくなります。したがって解答は，**セキュリティパッチ提供の調査及び適用の判断**，です。

設問3

〔リモート環境構築案の検討〕に関する問題です。プロキシサーバで実現することやSIEM導入の目的，情報漏えいを低減する対策について問われています。

(1)

本文中の下線③「プロキシを経由する」で実現すべきセキュリティ対策を，本文中の字句を用いて15字以内で答えます。

貸与PCからWebサイトを閲覧する際にプロキシを経由することで，途中のパケットを確認するセキュリティ対策が可能となります。〔Q社の現状のセキュリティ対策〕に，「業務上必要なサイトのURL情報を基に，URLフィルタリングを行うソフトウェアをプロキシサーバに導入して，業務上不要なサイトへの接続を禁止している」とあります。プロキシサーバでURLフィルタリングを用いることで，業務上不要なサイトへの接続禁止を技術的に実現できます。したがって解答は，**URLフィルタリング**，または，**業務上不要なサイトへの接続禁止**，です。

(2)

本文中の下線④「SIEM（Security Information and Event Management）」を導入した目的を，〔Q社の現状のセキュリティ対策に関する課題〕と〔リモート環境の構築方針〕とを考慮して30字以内で答えます。

SIEMは，サーバやネットワーク機器などからログを集め，そのログ情報を分析し，異常があれば管理者に通知する仕組みです。SIEMを導入することで，セキュリティインシデントの発生を迅速に検知することができます。したがって解答は，**セキュリティインシデントの発生を迅速に検知するため**，です。

(3)

本文中の下線⑤「紛失時の情報漏えいリスクを低減する対策をとる」について，対策として適切なものを解答群の中からすべて選び，記号で答えていきます。

それぞれの選択肢について，適切かどうかを考えていくと，次のようになります。

○　ア　貸与PCのストレージ全体を暗号化する対策は，紛失時にストレージの中身を読めないようにするので有効です。

× イ　貸与PCのモニターにのぞき見防止フィルムを貼付する対策は，紛失時には正面から画面を見ることができるため無効です。

○ ウ　リモートロック及びリモートワイプの機能は，紛失時に貸与PCの情報を消去できるため，情報漏えいリスクの低減につながります。

したがって解答は，**ア，ウ**です。

設問4

〔構築案への指摘と追加対策の検討〕に関する問題です。EDRソフトの導入と，ユーザー認証の方法について問われています。

(1)

本文中の下線⑥「EDR（Endpoint Detection and Response）ソフトを導入する」について，表1の項番1，2のセキュリティインシデントが発生した場合のEDRソフトの動作として適切なものを解答群の中から選び，記号で答えます。

EDRとは，PCやスマートフォンなどの端末（エンドポイント）でもプロセスや通信などのログを取得する手法です。貸与PCにEDRソフトを導入することで，貸与PC内の不審なプロセスを検知することができます。EDRソフトでは，マルウェアのような不審なプロセスを検知した場合，貸与PCをネットワークから切断し，不審なプロセスを終了させることができます。したがって解答は，**ア**の「貸与PCをネットワークから遮断し，不審なプロセスを終了する」です。

その他の選択肢については，次のとおりです。

イ　貸与PCで登録された振る舞いを行うマルウェアの侵入を防御するには，IPS（Intrusion Prevention System：侵入防御システム）の機能をもつソフトウェアが必要です。

ウ　登録した機密情報の外部へのデータ送信をブロックする機能は，DLP（Data Loss Prevention）と呼ばれます。

エ　パターン情報に登録されているマルウェアの侵入を防御する機能は，通常のマルウェア対策ソフトウェアが備えています。

(2)

本文中の空欄穴埋め問題です。クラウドサービスのユーザー認証について，適切な字句を5字で答えます。

空欄b

項番4の対策として，「知識情報であるIDとパスワードによる認証に加えて，所持情報である従業員のスマートフォンにインストールしたアプリケーションソフトウェアに送信されるワンタイムパスワードを組み合わせて認証を行う」認証の名称を答えます。

認証に利用する情報には知識情報，所持情報および生体情報の3要素があり，このうち複数の要素を利用した認証のことを多要素認証，または2要素認証といいます。したがって解答は，**多要素認証**，または，**2要素認証**です。

また，例として挙げられている対策は，IDとパスワードの認証の後に，ワンタイムパスワードを入力するという多段階での認証が行われています。このような認証のことを，多段階認証，または2段階認証といいます。そのため，**多段階認証**，または，**2段階認証**でも正解です。

問2　　　　　　　　　　　　　　　　　　　　　　　　　物流業の事業計画

≪出題趣旨≫

近年，顧客へ新たな価値を提供するためには，自社を取り巻く経営環境を把握し，分析して事業計画を立案することが重要になってきている。

本問では，中規模の物流事業者における事業計画の立案を題材として，従来までの物を運ぶという自社視点の物流サービスから，顧客のもつ問題の解決に総合的に取り組むという顧客視点の物流サービスに転換する過程で必要となる，分析方法の基本的な知識や事業計画立案の考え方を問う。

≪解答例≫

設問1

(1)　a　労働基準法　　　　　b　価格　　　　　　　c　代替

(2)　d　ウ

(3)　マクロ的視点　（6字）

(4)　内部環境分析　（6字）

設問2

(1)　エ

(2)　顧客の事業に関するテキストデータを分析の対象とする。

（26字）

設問3

(1)　好立地にある営業所と倉庫　（12字）

(2)　一括委託することでコア業務に集中したいという要望　（24字）

≪採点講評≫

問2では，物流事業者における事業計画の立案を題材に，顧客視点のサービスを提供するための事業計画立案に必要な基本的な知識や考え方について出題した。全体として正答率は平均的であった。

設問1(3)は，正答率が平均的であった。PEST分析とファイブフォース分析それぞれの手法に関する分析の視点の違いの理解を求めたが，分析の視点と関係のない解答が散見された。分析手法は，分析の視点の違いを理解して活用することが重要であることを理解してほしい。

設問3(2)は，正答率がやや低かった。テキストデータの分析結果を基に顧客の要望を読み取ることを期待したが，"顧客のコア業務を一括委託する"といった3PLの理解が不十分な解答が見られた。昨今，物流を取り巻く現状と課題に関する社会的関心は高いことから，物流業界と製造業などとの関係についての理解を深めてほしい。

付録

≪解説≫

物流業の事業計画に関する問題です。この問では，物流事業者における事業計画の立案を題材に，顧客視点のサービスを提供するための事業計画立案に必要な基本的な知識や考え方について出題されています。従来の物を運ぶという自社視点の物流サービスから，顧客のもつ問題の解決に総合的に取り組むという顧客視点の物流サービスに転換する過程で必要となる，事業計画立案の考え方が問われています。

PEST分析やファイブフォース分析などの経営戦略の内容に加え，3PLなど物流に関連する基礎知識が必要な問題です。問題文に説明があるので，しっかり読んで整理することが必要になります。

設問1

〔B社の環境分析〕に関する問題です。PEST分析やファイブフォース分析の具体的な内容や，マクロ的，ミクロ的などの視点，外部，内部などの環境分析について，知識や考え方を答えていきます。

(1)

表1，表2及び本文中の空欄穴埋め問題です。B社のPEST分析やファイブフォース分析の結果について，適切な法律名や字句を答えていきます。

空欄a

表1より，総労働時間に関する規制の設定がある，改正された法律について，法律名を答えます。本文中にあるとおり，改正されたことによってドライバーを含む労働力の総量が減少することが懸念される法律でもあります。

2019年に労働基準法が改正され，時間外労働時間の上限が設定されました。2024年までは猶予期間で，運送業に関しては2024年3月末日まで時間外労働の上限規制が適用されませんでした。この猶予もなくなるため，ドライバーを含む労働者の時間外労働時間が短くなり，労働力の総量が減少すると考えられます。したがって解答は，**労働基準法**です。

空欄b

表2の項番1や本文での，競争の内容について考えます。

表2より，物流サービスはコモディティ化しており，価格以外で差別化が図れないため，価格競争が発生します。本文中の減収減益という文章と合わせると，発生しているのは価格競争だと考えられます。したがって解答は，**価格**です。

空欄c

表2の項番3での，脅威となるサービスを考えます。項番3の"脅威の概要"では，航空輸送や海上輸送，車両の自動運転による配送やドローン配送について検討されています。これらの輸送や配送は，トラックによる輸送の代わりとなり，代替サービスであると考えられます。したがって解答は，**代替**です。

(2)

表2及び本文中の空欄穴埋め問題です。最も適切なものを解答群の中から選び，記号で答えます。

空欄d

表2の項番4"売手の交渉力の脅威"に対する脅威の概要について考えます。

ファイブフォース分析における売手とは，その業界に製品やサービスを提供する人々です。運送業だと，トラックのドライバーが考えられます。ドライバー不足で交渉力が上昇すると，ドライバーの賃金上昇に伴う調達コストの増加の脅威が大きいと考えられます。したがって解答は，**ウ**の「ドライバーの賃金上昇に伴う調達コスト増加の脅威が大きい」です。その他の選択肢については，次のとおりです。

ア　ITの活用による省力化は，競合他社が行うと脅威になるので，業界内の競争の脅威だと考えられます。

イ　運送料の値下げの要求による脅威は，買手となる顧客によるものなので，買手の交渉力の脅威だと考えられます。

エ　陸送に代わる新たな輸送方法は，代替サービスとなるので，代替サービスの脅威だと考えられます。

(3)

本文中の下線①「PEST分析，ファイブフォース分析の順に分析し」について，PEST分析をファイブフォース分析よりも先に実施したのは，PEST分析がどのような視点での分析であるからかについて，本文中の字句を用いて6字で答えます。

〔B社の環境分析〕に，「環境分析には，自社を取り巻く経営環境のうち，自社以外の要因をマクロ的視点とミクロ的視点で分析する外部環境分析と，自社の経営資源に関する要因を分析し，自社の特徴を洗い出す内部環境分析がある」という記述があります。外部環境分析には，マクロ的視点とミクロ的視点の2種類があり，PEST分析ではマクロ的視点で四つの要因を分析します。ミクロ的視点で行うファイブフォース分析よりも先にマクロ的視点のPEST分析を行うことで，全体を把握してから部分的な内容を検討できるようになります。したがって解答は，**マクロ的視点**です。

(4)

本文中の下線②「B社が業界内において競争優位を確立するための分析」は何かを，本文中の字句を用いて10字以内で答えます。

本文中，空欄bの前に，「外部環境分析の結果を踏まえると」とあり，PEST分析とファイブフォース分析は外部環境分析です。この内容を踏まえて行う分析は，B社について自社の特徴を洗い出す内部環境分析だと考えられます。したがって解答は，**内部環境分析**です。

設問2

〔顧客情報の定性的分析〕に関する問題です。顧客情報の定性的な分析に関連して，マーケットイン志向に該当する行動や，選別するテキストデータの種類について考えていきます。

(1)

本文中の下線③「マーケットイン志向」に該当する行動について，最も適切なものを解答群の中から選び，記号で答えます。

マーケットイン指向とは，市場のニーズや顧客の要望を重視して製品やサービスを開発する考

え方です。顧客の期待に応えることで競争力を高め，持続的な成長を目指します。マーケットイン志向では，市場調査で顧客のニーズを調査していきます。したがって解答は，**エ**の「市場調査を行い，顧客ニーズを満たす物流サービスを提供する」です。

その他の選択肢については，次のとおりです。

ア　現在のサービスや製品を新しい市場セグメントに広げることで成長を図る戦略である，水平展開に該当する行動です。

イ　コストリーダーシップ戦略に基づく行動です。

ウ　差別化戦略に基づく行動です。

(2)

本文中の下線④「テキストデータを選別するよう」でどのようにテキストデータを選別するのかを，35字以内で答えます。

〔顧客情報の定性的分析〕に，「ドライバーからの回答には，顧客の事業に関する未知の情報，B社に対する期待やクレーム，顧客に対する感想，相対する顧客社員への好悪の感情といった顧客の事業に関する情報とそれ以外の種々雑多な情報が混在していた」とあり，テキストデータには必要ない情報が含まれています。顧客の事業に関する情報が書いてあるテキストデータを抽出し，分析の対象とすることで，分析を効率化することができます。したがって解答は，**顧客の事業に関するテキストデータを分析の対象とする**，です。

設問3

〔顧客への新たな価値の提供〕に関する問題です。これまでの内容全体をもとに，B社のもつ顧客にとって魅力的な経営資源や，満たすことのできる顧客の要望について考えていきます。

(1)

本文中の下線⑤「B社のもつ経営資源は，R社の事業を展開する上で魅力的なものである」のB社のもつ経営資源とは何かを，本文中の字句を用いて15字以内で答えます。

本文の最初の段落に，「関東甲信越エリアを中心に事業を行っており，高速道路や幹線道路へのアクセスの良い立地に複数の営業所と倉庫を構えている」とあります。〔顧客への新たな価値の提供〕でR社の状況について，「希望する場所に作業所を自前でもつことは，作業所の土地の取得費や倉庫の建築費といった初期費用の負担が大きいので，回避したいと考えている」とあり，作業所の場所について課題があります。B社の好立地にある営業所と倉庫は，荷物の受入れと発送をスムーズに行えるので，R社の流通加工業務を請け負うのに良い条件となります。したがって解答は，**好立地にある営業所と倉庫**，です。

(2)

本文中の下線⑥「E課長の事業化案を実現することで，B社の顧客の物流に関わる作業に対する要望を満たすことができる」について，どのような要望を満たすことができるかを，選別したテキストデータの分析の結果の字句を用いて30字以内で答えます。

B社の顧客の要望については，〔顧客情報の定性的分析〕で，テキストデータ分析を行っています。結果には，「選別したテキストデータの分析の結果，顧客の事業に関するキーワードとして，"コ

ア業務”，“一括委託”といった単語が頻出しており，“コア業務”は“集中”との単語間の結びつきの強さがあり，複数の単語が同一文章中に共に出現することを意味する共起関係が強く表れていた」とあります。この内容から想定される顧客の物流に関わる作業の要望は，一括委託することでコア業務に集中したいという要望だと考えられます。したがって解答は，**一括委託することでコア業務に集中したいという要望**，です。

問3　　　　　グラフのノード間の最短経路を求めるアルゴリズム

≪出題趣旨≫

交通機関の経路検索を始め，最短経路問題に帰着するアルゴリズムを活用する機会がますます広がっている。

本問では，動的計画法の一種であるダイクストラ法を題材として，グラフにおける最短経路探索についての基礎知識，実装方法及びアルゴリズムの効率についての理解を問う。

≪解答例≫

設問1　ア　17

設問2　イ　dist[k] が minDist より小さい
　　　　ウ　dist[k]
　　　　エ　dist[curNode] + edge[curNode, k]

設問3
　(1)　代入文　viaNode[k] ← curNode
　　　　オ　25
　(2)　カ　ア

設問4
　(1)　キ　更新起点ノード　(7字)
　(2)　ク　N^2

≪採点講評≫

問3では，動的計画法の一種であるダイクストラ法を題材に，グラフにおける最短経路探索に関する基礎知識，実装方法及びアルゴリズムの効率に関する理解について出題した。全体として正答率は平均的であった。

設問2のイは，正答率が平均的であった。大小の判定が正解と逆になっている解答が散見された。最小値を求めるアルゴリズムはよく用いられており，プログラムを記述できる能力を身につけてほしい。

設問2のエは，正答率がやや低かった。“更新起点ノード”から当該ノードまでの距離を加えておらず，更新起点ノードの始点ノード距離だけの式を記述した解答が散見された。アルゴリズムを理解しその操作を机上で再現する能力を身につけるとともに，注意深く解答してほしい。

設問3(1)のオは，正答率が低かった。本文を読み取り，プログラムの処理の流れを正確に理解して解答してほしい。

付録

≪解説≫

グラフのノード間の最短経路を求めるアルゴリズムに関する問題です。この問では，動的計画法の一種であるダイクストラ法を題材として，グラフにおける最短経路探索についての基礎知識，実装方法及びアルゴリズムの効率についての理解が問われています。

過去問題でも複数回出題された，定番のダイクストラ法の最短経路探索に関する内容で，アルゴリズムの知識があれば比較的容易に解くことができる問題です。

設問1

表1中の空欄穴埋め問題です。図1の例における最短距離を求める手順と始点ノード距離について，適切な字句を答えます。

空欄ア

探索適用回数が4回目，5回目での，終点V5の始点ノード距離を求めます。図1の例で，始点V1から終点V5までの経路に対して，〔始点から終点までの最短距離を求める手順〕の①～③を繰返し適用していきます。

1回目から4回目の更新起点ノードから，V1，V2，V4，V3の始点ノード距離は，それぞれ0，10，13，14です。この値がそれぞれの最短距離として確定しています。4回目の③で，最短距離が確定していない，更新起点ノードに隣接するノードを求めるとき，図1からV3とV5のエッジの距離は3です。V3の始点ノード距離が14なので，V5の始点ノード距離は，14＋3＝17となります。したがって解答は，**17**です。

設問2

図2中の空欄穴埋め問題です。関数distanceのプログラムについて，適切な字句を答えていきます。

空欄イ

図2の15行目のif文で，done[k]が0に，「かつ」として加える条件を考えます。

7行目に整数型の配列doneについて説明があり，「初期値は0。最短距離が確定したら1を入れる。要素番号がノード番号を表す」とあります。そのため，done[k]が0ということは，ノード番号kが未確定ということを示しています。〔始点から終点までの最短距離を求める手順〕①に，「最短距離が確定していないノードの中で，始点ノード距離が最小のノードを更新起点ノードとして選び」とあり，14～17行目までのforループで，最小の始点ノード距離minDistを求めていると考えられます。そのため，dist[k]をminDistと比較し，dist[k]の方が小さい場合には，minDistを置き換えるようにすると最小のノードと始点ノード距離が求まります。したがって解答は，**dist[k]がminDistより小さい**，です。

空欄ウ

図2の16行目で，minDistを置き換える値を考えます。15行目での空欄イを含めた条件で，dist[k]の値がminDistより小さいこととなるので，最小値はdist[k]に置き換えられます。したがって解答は，**dist[k]**です。

空欄エ

図2の25行目と26行目で，条件式と代入文の両方で使う値を考えます。

〔始点から終点までの最短距離を求める手順〕③に，「更新起点ノードを経由した場合の始点

ノード距離を計算する」とあり，さらに「ここで計算した始点ノード距離が，そのノードの現在
までの始点ノード距離よりも小さい場合には，そのノードの現在までの始点ノード距離を更新
する」とあります。そのため，更新起点ノードを経由した場合の始点ノード距離を計算します。
更新起点ノードcurNodeまでの始点ノード距離はdist[curNode]で，curNodeとノード番号kの
ノード間のエッジの距離はedge[curNode, k]で求まります。そのため，更新起点ノードを経由
した場合の始点ノード距離は，dist[curNode] + edge[curNode, k]で求まります。したがっ
て解答は，**dist[curNode] + edge[curNode, k]**です。

設問3
〔最短経路の出力〕に関する問題です。最短距離を出力するために追加する代入文や挿入箇所，
最短経路のノード番号を出力する方法について考えていきます。

(1)
本文中の下線①「代入文を一つ」について，挿入すべき代入文と空欄オに入れる行の番号を答え
ていきます。
図3の最短経路を出力するために関数distanceに挿入する変数宣言より，整数型配列viaNodeに，
最短経路のノード番号を格納します。図2の流れで最短経路を更新するとき，最短経路での直前
のノードは，更新起点ノードcurNodeになります。最短経路をノード番号kのノードで更新するか
どうかの判定は，図2の空欄エで考えたとおり，25行目のif文で行います。26行目で始点ノード
距離dist[k]を更新するのに合わせて，viaNode[k] ← curNode とすることで，最短経路のノード
番号を格納することができます。したがって，代入文は**viaNode[k] ← curNode**，空欄オの行番
号は**25**です。

(2)
本文中の空欄穴埋め問題です。最短経路のノード番号を逆順に出力する方法について，適切な
字句を解答群の中から選び，記号で答えます。
空欄カ
設問3(1)で考えたとおり，viaNodeには更新起点ノード，つまり直前のノードの番号だけが
記述されます。直前のノードの一つ前は，更新期点ノードのviaNodeを確認することで分かり
ます。終点からviaNodeに格納してあるノード番号をたどり，順に一つ前のノード番号を得る
ことで，最終的に始点までたどり着くことができます。この作業で，最短経路のノード番号を
逆順に出力することができます。したがって解答は，**ア**の「viaNodeに格納してあるノード番号を」
です。

設問4
〔計算量の考察〕に関する問題です。プログラムで複数回選択するものや，全体の計算量につい
て考えていきます。

(1)
本文中の空欄穴埋め問題です。計算量の考察について，適切な字句を，本文中の字句を用いて

10字以内で答えます。

空欄キ

空欄キは2か所あり、始点ノード距離を計算して選ぶものと、選ぶ回数が最大でN回あるものです。図2の関数distanceでは、14〜19行目のfor文で、最短の更新起点ノードを計算しminDistに格納しています。このとき行う、更新起点ノードを選ぶためのループ回数はN回となります。また、12〜29行目までのwhile文で、一つずつ最短距離を確定させるので、更新起点ノードを選ぶ回数は最大でもN回となります。したがって解答は、**更新起点ノード**です。

(2)

本文中の空欄穴埋め問題です。最悪の場合の計算量について、適切な字句を答えます。

空欄ク

空欄キで考えたとおり、更新起点ノードを選ぶときには、14〜19行目のfor文で、N回のループを行います。外側の12〜29行目までのwhile文は、21行目のif文で、「curNode が GOALと等しい」という条件、つまり終点ノードにたどり着くまで繰り返します。更新起点ノードは必ず一つずつ選ばれるため、N回確定させると必ず終点ノードに行き着きます。外側のループが最大N回、内側のループがN回となるので、最悪の場合の計算量は、$N \times N = N^2$となり、$O(N^2)$と表されます。したがって解答は、**N^2**です。

問4　CRM（Customer Relationship Management）システムの改修

≪出題趣旨≫

昨今、Webシステムの構築において、PCだけでなくスマートフォンのWebブラウザやアプリケーションプログラムなど、様々なユーザーインタフェースに対応することが定着しつつある。

本問では、CRM（Customer Relationship Management）システムの改修を題材として、フロントエンド専用のサーバの配置がレスポンスに与える効果に関する基本的な理解や評価について問う。

≪解答例≫

設問1　イ、エ

設問2

(1)　ウ

(2)　日誌の繰返しデータ（9字）

設問3　・応答データの加工処理をサーバ側で行うから（20字）
　　　　・応答データの転送量が削減されるから（17字）

設問4　a　200　　　　　　b　550

設問5　Web APIを介してCRMシステム以外の社内システムとも連携する拡張性（36字）

≪採点講評≫

　問4では，CRM（Customer Relationship Management）システムの改修を題材に，フロントエンド専用のサーバの配置がレスポンスに与える効果について出題した。全体として正答率は平均的であった。

　設問2(2)は，正答率が低かった。応答データのデータ形式であるJSONは，様々なデータ型やデータ構造を組み合わせて複雑なデータ集合を記述することができる。日誌一覧の表示画面と対比して，Web APIからの応答データが何を表現するものかを正しく理解し，注意深く解答してほしい。

　設問3は，正答率がやや低かった。Webアプリケーションプログラムにおいて，レスポンス時間に影響を及ぼす要因として，ネットワーク上のデータ転送処理やWebブラウザ内でのCPU処理などがある。それらの処理に要する時間が改善した理由について，もう一歩踏み込んで考えてほしい。

≪解説≫

　CRM（Customer Relationship Management）システムの改修に関する問題です。この問では，CRMシステムの改修を題材として，フロントエンド専用のサーバの配置がレスポンスに与える効果に関する基本的な理解や評価について問われています。

　Web APIやJSON形式についての知識や理解が必要な問題で，フロントエンド関連の開発経験者に有利な内容となっています。

設問1

　本文中の下線①「静的ファイルを最適化」に該当するものを解答群の中からすべて選び，記号で答えます。それぞれの選択肢について考えていくと，次のようになります。

×　ア　パイプライン処理を有効にすることは，動的な処理を行うことになります。

○　イ　余分な改行やコメントを削除すると，静的ファイルのサイズが小さくなり表示速度が向上します。

×　ウ　BMPやTIFFなどの画像フォーマットは，ファイルサイズが大きくなります。

○　エ　PNGやSVGなどの画像フォーマットにすることで，ファイルサイズを小さくできます。

×　オ　バイトコードに変換して圧縮すると，表示時に元に戻す必要が出てきて，処理が追加され遅くなります。

　したがって解答は，イ，エです。

設問2

　〔実現可能性の評価〕に関する問題です。レスポンスが著しく低下する問題に対して，その原因やJSONデータの構造を考えていきます。

(1)

　本文中の下線②「スマートフォンのCPU負荷が大きく」の要因として，最も適切なものを解答群の中から選び，記号で答えます。

　レスポンスの悪かった図2「日誌一覧の表示画面」では，各日誌の最初の部分が表示されています。図3「Web APIからの応答データ」では，JSON形式で日誌データが複数渡されており，図2

の表形式に加工して表示する必要があることが分かります。特に，キー"diary"の値は，日誌本文がすべて入っていると考えられ，最初の部分を切り出す必要があります。スマートフォンのメモリ上で，日誌の最初の部分だけ表示するなどの加工を毎回行うことで負荷がかかっていると考えられます。したがって解答は，**ウ**の「スマートフォンのメモリ上で日誌のデータを加工する処理」です。

その他の選択肢については，次のとおりです。

ア　送受信処理は，ネットワークに負荷はかかりますが，CPU負荷は大きくありません。

イ　図2では画像は表示されていません。

エ　ログインユーザーの判定は，スマートフォンではなくWebサーバ側で行います。

(2)

図3中の α と β の箇所にある"["及び"]"で囲まれたデータはどのようなデータを表現するものかを，15字以内で答えます。

JSON形式では，順序づけされた値の集まりとして配列を用い，"["及び"]"で囲んで表現します。図3の α と β は配列を表し，"{"及び"}"で囲まれた日誌の単位で，繰返しデータを格納しています。したがって解答は，**日誌の繰返しデータ**，です。

設問3

表2中の方式②のレスポンスが，方式⑫に比べて優れていると評価した理由を二つ挙げ，それぞれ30字以内で答えます。

〔Webアプリの見直し〕より，方式②は，「リクエストのあった応答データのうち，Webブラウザに描画するデータだけを返すWeb APIを開発して，スマートフォンのWebブラウザからそのWeb APIを利用する方式」です。設問2(1)で考えたとおり，〔実現可能性の評価〕でのプロトタイプでは，図3のように日誌データをすべて送り，スマートフォン側で加工しています。方式②のように，Webブラウザに描画するデータだけを返すWeb APIでは，応答データの加工処理をサーバ側で行うため，スマートフォンでの負荷が軽減されます。したがって一つ目の解答は，**応答データの加工処理をサーバ側で行うから**，となります。

また，日誌データの加工では，キー"diary"の値のうち，最初の部分だけを切り出します。この作業では日誌全体を送る場合に比べて，応答データの転送量が削減されます。したがって二つ目の解答は，**応答データの転送量が削減されるから**，となります。

設問4

本文中の空欄穴埋め問題です。レスポンス時間の試算について，適切な数値を答えていきます。

空欄a

表1中のNo.2の所要時間について考えます。表1のNo.2の処理概要は「WebブラウザがWeb APIにリクエストして，図3の応答データを全て受信する」で，所要時間は800〔ミリ秒〕です。

〔レスポンス時間の試算〕に，「方式②のWeb APIからの応答データのサイズは，図3のデータのサイズの4分の1になり，サーバ側でのデータ転送には時間を要しないものと仮定」とあります。応答データが4分の1になり，それ以外の要因がないので，所要時間も4分の1になると考えられます。そのため，所要時間は，800〔ミリ秒〕／4＝200〔ミリ秒〕となります。したがっ

て解答は，**200**です。

空欄b

　表1中のNo.3～No.5の処理時間について考えます。No.3～No.5の処理は，表2のデータ加工の処理に当たると考えられます。

　〔レスポンス時間の試算〕に，「No.3の処理はDBで，No.4とNo.5の処理はAPで行われる」とあります。「各機器のCPU処理能力は，スマートフォンが10,000MIPS相当，DBが40,000MIPS相当，APが20,000MIPS相当」とあり，No.3のDBでは，40,000〔MIPS〕／10,000〔MIPS〕＝4で，4倍の性能となると考えられます。処理時間は各機器のCPU処理能力だけに依存すると仮定するので，No.3の所要時間は，1,200〔ミリ秒〕／4＝300〔ミリ秒〕となります。同様に，No.4とNo.5の処理はAPで行われるので，20,000〔MIPS〕／10,000〔MIPS〕＝2で，2倍の性能となると考えられます。そのため，No.4の所要時間は300〔ミリ秒〕／2＝150〔ミリ秒〕，No.5の所要時間は200〔ミリ秒〕／2＝100〔ミリ秒〕となります。合計すると，300〔ミリ秒〕＋150〔ミリ秒〕＋100〔ミリ秒〕＝550〔ミリ秒〕です。したがって解答は，**550**となります。

設問5

　本文中の下線③「将来的な拡張性」の拡張性とは何かを，40字以内で答えます。

　本文の最初にある〔Webアプリの改修方針〕に，Webアプリの改修方針として，「将来的に，CRMシステム以外の社内システムとも連携できるように拡張性をもたせる」とあります。CRMシステム以外の社内システムとも連携できるWeb APIを新たに作ることを考えると，Web APIのためのAPを新たに追加する構成が拡張性に優れています。したがって解答は，**Web APIを介してCRMシステム以外の社内システムとも連携する拡張性**，です。

問5　　　　　　　　　　　**クラウドサービスを活用した情報提供システムの構築**

≪出題趣旨≫

　昨今，センサーなどを搭載したIoT機器からデータをクラウドサービスに収集し，そのデータを分析して情報提供するサービスが普及しているが，その際にはIoT機器やクラウドサービスの性質を理解し，適切なネットワーク構成にする必要がある。

　本問では，クラウドサービスを活用した情報提供システムの構築を題材に，IoT機器に適した通信プロトコルの特徴や通信量が増加した際の処理遅延対策に関する基本的な理解について問う。

≪解答例≫

設問1

(1)　300

(2)　| M | Q | T | T |　(4字)

設問2

(1)　**a** 200.a.b.13　　　　**b** 200.c.d.101　　　**c** TCP/443

(2)　4，7

設問3

(1) d FW

(2) e ウ　　　　　f ア

(3) エ

≪採点講評≫

問5では，IoT機器とクラウドサービスを活用した情報提供システムの構築を題材に，IoT機器に適した通信プロトコルの特徴や，通信量が増加した際の処理遅延対策について出題した。全体として正答率は平均的であった。

設問1(2)は，正答率が低かった。インターネット向けの通信によく使われるHTTPに加えて，IoT機器の性能や利用用途に適した新しい通信プロトコルの利用が進んできている。こうしたIoT機器向けの通信プロトコルについても，その特性を含めて理解を深めてほしい。

設問3(2)は，正答率が高かった。通信量増加による処理遅延の対策において考慮すべき指標値を理解することは，長期にわたって利用できるシステムを設計する上で重要である。

≪解説≫

クラウドサービスを活用した情報提供システムの構築に関する問題です。この問では，クラウドサービスを活用した情報提供システムの構築を題材に，IoT機器に適した通信プロトコルの特徴や通信量が増加した際の処理遅延対策に関する基本的な理解について問われています。

MQTTなどの新しい用語も問われており，少し難しい内容も含まれます。FWの設定については，情報セキュリティの分野と重なっている定番問題なので，比較的解きやすい内容です。全体的には平均的な難易度の問題だと考えられます。

設問1

〔データ収集APIに用いる通信プロトコルの検討〕に関する問題です。IoT通信のデータ量の算出や，IoT通信で利用されるプロトコルについて答えていきます。

(1)

本文中の下線①「データ収集用サーバに送信する」について，全国のIoT機器からデータ収集用サーバに送信される1時間当たりの最大になる気象データ量を答えます。

〔データ収集APIに用いる通信プロトコルの検討〕には，「IoT機器は全国に10,000台設置する計画」「各IoT機器から1件当たり最大500バイトの気象データ」「1分ごと」とあるので，全IoT機器が1時間当たりで送る気象データ量は，次の式で計算できます。

10,000[台]×500[バイト／台・分]×60[分／時間]
＝300,000,000[バイト／時間]＝300[Mバイト／時間]

設問文中に，「答えはMバイト単位」とあるので，300が正解となります。

(2)

本文中の下線②「TCP上でHTTPよりプロトコルヘッダサイズが小さく，多対1通信に対応す

るプロトコル」について，適切な通信プロトコル名の略称を5字以内で答えます。

HTTPに比べてシンプルで軽量，省電力で利用できることから，IoT通信でよく用いられるプロトコルに，MQTT（Message Queuing Telemetry Transport）があります。MQTTは，HTTPよりプロトコルヘッダサイズが小さく，多対1通信に対応しています。したがって解答は，**MQTT**です。

設問2

〔FWの許可ルールの設計〕に関する問題です。表2のFWの許可ルールを完成させ，実際の通信で許可されるルールの項番を考えていきます。

(1)

表2中の空欄穴埋め問題です。FWの許可ルールについて，適切な字句を答えていきます。

空欄a

アクセス経路“インターネット→S社クラウド”で許可される，プロトコル/宛先ポート番号“TCP/443”の通信での宛先について考えます。TCP/443はHTTPS（HyperText Transfer Protocol over SSL/TLS）のプロトコル/宛先ポート番号です。

〔FWの許可ルールの設計〕に，「IoT機器からデータ収集用サーバへのアクセスや情報提供先アプリから情報提供用サーバへのアクセスに対しては，通信プロトコルの制限を行うが，インターネットの接続元IPアドレスによる制限は行わない」とあります。そのため，インターネットからデータ収集用サーバや情報提供用サーバへのアクセスを行うことが分かります。図1より，データ収集用サーバのIPアドレスは200.a.b.11で，情報提供用サーバのIPアドレスは200.a.b.13です。表2の項番1に200.a.b.11はすでに記載されているので，200.a.b.13を追加で記載します。したがって解答は，**200.a.b.13**です。

空欄b

アクセス経路“L社→S社クラウド”で許可される，プロトコル/宛先ポート番号“TCP/22”の通信での送信元について考えます。TCP/22は，SSH（Secure SHell）のポート番号です。

〔FWの許可ルールの設計〕に，「L社の保守用PCから各サーバへのアクセスに対しては，各サーバにログインして更新プログラムの適用などの保守作業を行うために，SSHだけを許可する」とあるので，送信元はL社の保守用PCとなります。図1より，L社の保守用PCのIPアドレスは200.c.d.101です。したがって解答は，**200.c.d.101**となります。

空欄c

アクセス経路“S社クラウド→インターネット”で許可されるプロトコル/宛先ポート番号について考えます。

〔FWの許可ルールの設計〕に，「各サーバからインターネットへのアクセスに対しては，ソフトウェアベンダーのWebサイトから更新プログラムをダウンロードするために，任意のWebサイトへのHTTPSだけを許可する」とあります。そのため，アクセスを許可するプロトコルはHTTPSで，空欄aで挙げたとおり，HTTPSのプロトコル/宛先ポート番号は，TCP/443です。したがって解答は，**TCP/443**となります。

付録

(2)

　L社の保守用PCを用いてデータ分析用サーバのOSやミドルウェアなどの更新ファイルをインターネットから取得して適用する場合，表2のどのルールによって許可されるかをすべて答えていきます。

　最初に，L社の保守用PCを用いてS社クラウドのデータ分析用サーバにアクセスするときには，SSHを用いてアクセスします。図1より，データ分析用サーバのIPアドレスは200.a.b.12なので，表2の項番4の許可ルールに該当し，通信が許可されます。

　次に，データ分析用サーバにログインした後は，データ分析用サーバからインターネット上のソフトウェアベンダーのWebサイトに向けて通信し，更新プログラムをダウンロードします。送信元はデータ分析サーバの200.a.b.12で，HTTPSを用いてアクセスするので，表2の項番7の許可ルールに該当し，通信が許可されます。したがって解答は，4，7です。

設問3

　〔処理遅延対策の検討〕に関する問題です。処理の性能に関して，遅延が発生しそうな機器や処理性能に関する用語，必要な対策と追加する機器について考えていきます。

(1)

　本文中の空欄穴埋め問題です。処理遅延に特に注意が必要な機器について，適切な字句を，図1の構成要素名で答えます。

空欄d

　データ収集機能の通信と情報提供機能の通信の両方が経由する機器について考えます。

　表1のデータ収集機能では，IoT機器からデータ収集用サーバへの通信が発生します。また，表1の情報提供機能では，情報提供先から情報提供用サーバへの通信が発生します。二つの機能で使用するサーバは異なりますが，どちらもFWを経由しての通信となります。したがって解答は，FWです。

(2)

　本文中の空欄穴埋め問題です。処理性能を表す指標について，適切な字句を解答群の中から選び，記号で答えていきます。

空欄e

　単位時間内に処理できる通信の量を表す用語を答えます。単位時間内に処理できる通信の量のことをスループットといい，処理性能を示す指標となります。したがって解答は，ウのスループットです。

空欄f

　同時に処理できる接続元の数を表す用語を答えます。Webサイトへの接続のことをコネクションといい，同時に処理できる接続元の数のことをコネクション数といいます。したがって解答は，アのコネクション数です。

　その他の選択肢については，次のとおりです。

イ　スケーラビリティ（拡張性）は，システムやネットワークが負荷や需要の増加に対して効率的に対応できる能力です。

エ　フィルタリングルール数は，FWのフィルタリングのルールの数です。多いとFWの負荷が高くなります。

オ　プロビジョニングは，ITシステムやネットワークにおいて，リソースやサービスを適切に設定・展開し，利用可能にするプロセスです。

カ　ポート数は，ネットワーク機器に接続可能なポートの数です。

(3)

本文中の下線③「スケールアウトによってシステムの処理性能を高めるために必要な機能」について，新システムに追加する機能の名称を解答群の中から選び，記号で答えます。

サーバの増強策の一つであるスケールアウトは，性能が足りなくなったらサーバの台数を増やすことでキャパシティを増強する方法です。増やしたサーバに処理を振り分けるためにロードバランサー（負荷分散装置）を使用し，処理性能を高めることができます。したがって解答は，エのロードバランサーです。

その他の選択肢については，次のとおりです。

ア　IDS（Intrusion Detection System）は，ネットワークやシステムに対する不正アクセスや攻撃を検知するシステムです。

イ　NAS（Network Attached Storage）は，ネットワーク上に接続され，複数のユーザーやデバイスが共有してアクセスできるストレージデバイスです。

ウ　WAF（Web Application Firewall）は，Webアプリケーションに対する攻撃や不正なトラフィックを検知し，ブロックするファイアウォールです。

問6　　人事評価システムの設計と実装

≪出題趣旨≫

近年，働き方改革及びリモートワークの普及に伴い，企業向けのSaaS事業者が増えつつある。

本問では，SaaS事業者が提供する人事評価システムのマルチテナント化を題材として，E-R図やSQL文に関する基本的な理解，複数スキーマを用いた設計に関する能力や留意事項について問う。

付録

≪解答例≫

設問1

(1) a　→

(2) b　BETWEEN :年度開始日 AND :年度終了日

　　c　ORDER BY

(3) d　EMP.部署番号 = DEP.部署番号

設問2　| 漏 | れ | る | 情 | 報 | を | 会 | 社 | 単 | 位 | に | 制 | 限 | で | き | る | 。 |　(17字)

設問3　e　C001.国民の祝日　　　　　　　　f　PUB.国民の祝日

設問4

(1) g 会社　　　　　　　　　　　　h スキーマ名

(2) 退職分析

(3) | 退 | 職 | 表 | を | 共 | 有 | 用 | ス | キ | ー | マ | に | 配 | 置 | す | る | 。 |
（17字）

≪採点講評≫

　問6では，SaaS事業者が提供する人事評価システムのマルチテナント化を題材に，E-R図やSQL文に関する基本的な理解，スキーマを用いた設計について出題した。全体として正答率は平均的であった。

　設問2は，正答率が低かった。データ保護は，データベースの重要な役割の一つである。特に，マルチテナントにおいて情報漏えいの被害範囲をできるだけ狭めることが，セキュリティ対策を考える上で必要である。スキーマを会社ごとに分ける方式にすることで，何を実現できるのか。もう一歩踏み込んで考えてほしい。

　設問4(3)は，正答率がやや低かった。単一データベース・個別スキーマ方式において，他社のデータも照会できるようにするためには各表の配置をどうするべきか，各スキーマの役割を理解した上で解答してほしい。

≪解説≫

　人事評価システムの設計と実装に関する問題です。この問では，SaaS事業者が提供する人事評価システムのマルチテナント化を題材として，E-R図やSQL文に関する基本的な理解，複数スキーマを用いた設計に関する能力や留意事項について問われています。

　E-R図やSQL文の一般的な内容に加え，スキーマについても考える必要があり，幅広い知識が求められます。E-R図については，同じエンティティ間に複数の関連を記述する必要があり，少し応用的な問題です。スキーマを分けることはセキュリティ確保の上で重要な概念です。

設問1

　〔単一データベース・単一スキーマ方式の検討〕に関する問題です。本文の内容をもとに，図1?図3のER図やSQL文を完成させていきます。

(1)

　図1中の空欄穴埋め問題です。適切なエンティティ間の関連を答え，E-R図を完成させます。

空欄a

　"従業員"エンティティと"部署"エンティティ間の関連を考えます。

　"従業員"エンティティと"部署"エンティティの間にはすでに多対1(←)の関連が記述されています。"従業員"エンティティには"部署"エンティティの主キーである会員番号と部署番号の組みがあり，外部キーとして設定されています。こちらは表1の機能名"入社"にある，「配属先の部署及び入社年月日を登録する」内容に関連した，従業員の配属先を示す関連だと考えられます。

　もう一つの関連としては，表1の機能名"評価者管理"に，「部署の管理者を評価者として登

録する」という記述があります。そのため，部署には管理者を登録する必要があると考えられます。"部署"エンティティに管理者番号という外部キーがあり，|会社番号，管理者番号|の組合せで，"従業員"エンティティの主キー |会社番号，従業員番号| の外部キーになっていると考えられます。また，表1の機能名"評価者管理"には続いて「1人の従業員が複数の部署を管理する場合がある」とあるので，"従業員"エンティティと"部署"エンティティの関連は，1対多（→）であると考えられます。したがって解答は，→です。

(2)

図2及び図3中の空欄穴埋め問題です。二つのSQL文について，適切な字句を答えていきます。

空欄b

図2のWHERE句で，祝日に続けるSQL文を考えます。

〔単一データベース・単一スキーマ方式の検討〕(1)に，「指定された会社と年度における，国民の祝日と会社記念日の一覧を日付の昇順に出力するSQL文」とあり，次の行に「" : 年度開始日"，" : 年度終了日"は，それぞれ指定された年度の開始日，終了日を表す埋込み変数」とあります。指定された年度での祝日の範囲は，" : 年度開始日"から" : 年度終了日"となるので，WHERE句で範囲を指定します。BETWEEN 〜 AND句を用いて，「祝日 BETWEEN :年度開始日 AND :年度終了日」とすると，指定された年度の祝日を選択することができます。したがって解答は，**BETWEEN :年度開始日 AND :年度終了日**です。

空欄c

図2と図3の両方にある，最後の行で指定するSQL文を考えます。

図2では，空欄cの後が日付となっています。〔単一データベース・単一スキーマ方式の検討〕(1)に，「日付の昇順に出力する」とあるので，日付は昇順に整列させるときの列として指定されることが分かります。列の並べ替えに使用するSQL句にはORDER BY句があります。また，図3に対応する〔単一データベース・単一スキーマ方式の検討〕(2)には，「部署番号，従業員番号の昇順に出力する」とあり，図3の空欄cの後には部署番号と従業員番号があります。そのため，こちらもORDER BY句を使用すると考えられます。したがって解答は，**ORDER BY**です。

(3)

図3中の空欄穴埋め問題です。従業員の一覧を部署番号，従業員番号の昇順に出力するSQL文について，適切な字句を答えます。

空欄d

表を結合するINNER JOIN句の中で，ON以下の結合条件に必要な内容で，図3にないものを考えます。

INNER JOIN句では，従業員（別名EMP）テーブルと部署（別名DEP）の二つのテーブルを結合しています。〔単一データベース・単一スキーマ方式の検討〕(2)には，「指定された管理者が評価する対象の従業員の一覧」とあり，空欄dの下の2行「EMP.会社番号 = :会社番号 AND DEP.管理者番号 = :管理者番号」で，指定された管理者を抽出しています。指定された管理者が評価する対象とは，管理者が評価する部署（DEP.部署番号）に所属する従業員（EMP.部署番号）なので，「EMP.部署番号 = DEP.部署番号」とすることで，評価する対象の従業員の一覧を取得できます。したがって解答は，**EMP.部署番号 = DEP.部署番号**です。

付録

設問2

本文中の下線①「システム利用者の会社ごとのスキーマに分ける方式」にする利点を，20字以内で答えます。

データベース管理におけるスキーマとは，テーブルやビューなどのデータベース要素を論理的にまとめた単位です。スキーマごとに使用できるユーザーを設定でき，アクセスを制限することができます。システム利用者の会社ごとのスキーマに分けることで，スキーマへのアクセスを会社単位に制限できます。特定の情報が漏れた場合でも，漏れる情報を会社単位に制限できるので，セキュリティを向上させることができます。したがって解答は，**漏れる情報を会社単位に制限できる**，です。

設問3

図4中の空欄穴埋め問題です。国民の祝日ビューを作成するSQL文について，適切な字句を答えていきます。

空欄e

CREATE VIEW句で指定するビュー名を考えます。

〔単一データベース・個別スキーマ方式の検討〕に，「スキーマC001に国民の祝日ビューを作成するSQL文を図4に示す」とあり，作成するのはスキーマC001の国民の祝日ビューです。スキーマを指定してビューを表現する場合には，「スキーマ名.ビュー名」のかたちで表現します。そのため，スキーマC001での国民の祝日ビューは，「C001.国民の祝日」となります。したがって解答は，**C001.国民の祝日**です。

空欄f

ビューの元になる，FROM句に設定するテーブルを考えます。

表2より，スキーマ種類"共有用"のスキーマ名は"PUB"で，"国民の祝日"表が配置されています。そのため，「PUB.国民の祝日」とすることで，元のテーブルを参照できます。したがって解答は，**PUB.国民の祝日**です。

設問4

〔単一データベース・個別スキーマ方式のレビュー〕に関する問題です。単一データベース・個別スキーマ方式にするために追加する列や，利用できなくなる機能とその対策について考えていきます。

(1)

本文中の空欄穴埋め問題です。追加する表の列について，適切な字句を答えていきます。

空欄g，h

システム利用者ごとに，利用するスキーマを指定するために追加する必要がある表の列について考えます。

〔単一データベース・単一スキーマ方式のレビュー〕に「会社ごとのスキーマ」とあり，表2より個別会社用にスキーマ名があります。会社ごとのスキーマ名なので，"会社"表に"スキーマ列"を追加すれば，すべてのシステム利用者が，所属する会社のスキーマ名を取得することができます。したがって，空欄gには**会社**，空欄hいは**スキーマ名**が入ります。

(2)

本文中の下線②「利用できない機能」を，表1の機能名から答えます。表1の機能のうち，別の会社（スキーマ）の内容が必要なものについて考えます。

表1の機能名"退職分析"には，「自社及び自社と同じ業種の退職者について，在籍期間と退職理由を分析」という記述があり，自社以外の退職者も分析の対象となっています。同じ業種の退職者の分析は，スキーマが分かれていると行えなくなります。したがって解答は，**退職分析**です。

(3)

本文中の下線③「配置を一部見直す」の見直した内容を，20字以内で答えます。

設問4(2)で考えた退職分析を行えるようにするためには，自社以外の退職者の情報が必要です。退職者の在籍期間と退職理由についての情報は，図1より"退職"エンティティにあります。そのため，退職表を共有用スキーマに配置することで，自社以外の退職者について，退職分析が行えるようになります。したがって解答は，**退職表を共有用スキーマに配置する**，です。

問7　　　　　　　　　　　　　　　　　　　　　　**業務用ホットコーヒーマシン**

≪出題趣旨≫

> 　熱などの物理現象を取り扱う業務用機器では，業務の適正な実現のみならず，利用者の安全確保の取組みが求められ，各種のセンサーを活用した組込みシステムがそれを実現している。
> 　本問では，熱いコーヒーの排出が行われる業務用ホットコーヒーマシンを題材に，組込みシステムの仕様の理解能力，リアルタイムOSを用いたタスクの設計能力を問う。

≪解答例≫

設問1

(1)　a　ドアをロック

(2)　320

設問2

(1)　| カ | ッ | プ | 判 | 定 | 中 | に | ド | ア | が | 開 | け | ら | れ | た | こ | と | を | 検 | 出 | し | た | い | か | ら |

（25字）

(2)　コーヒーの分量

(3)　ドア開　タ　　　　　　　ドア閉　カ

設問3

(1)　"確認"，"抽出完了"

(2)　b　判定結果

≪採点講評≫

問7では，業務用ホットコーヒーマシンを題材に，組込みシステムの仕様の理解及びソフトウェア設計について出題した。全体として正答率は平均的であった。

設問1(2)は，正答率が平均的であった。タイマーのカウント値をリロードするタイミングに関する考慮が不足している解答が散見された。設問のカウントダウンタイマーの仕組みに留意して解答してほしい。

設問2(1)は，正答率がやや低かった。タスク優先度の設計理由を問うのに対し，タスクの処理が始まるまでの動作順序やタスクの処理が終わった後の動作仕様を理由とした解答，及びリアルタイムOSを用いて実装するソフトウェアの理解が不足していると思われる解答が散見された。タスクの優先度について正しく把握することは，組込みシステムのソフトウェア設計において極めて重要である。是非理解を深めてほしい。

≪解説≫

業務用ホットコーヒーマシンに関する問題です。この問では，熱いコーヒーの排出が行われる業務用ホットコーヒーマシンを題材に，組込みシステムの仕様の理解能力，リアルタイムOSを用いたタスクの設計能力を問われています。タスクの状態遷移について正確に読みこなして解く必要はありますが，定番の内容で，平均的な難易度の問題だと考えられます。

設問1

コーヒーマシンについての問題です。コーヒーマシンの動作や，タイマーに設定する初期値について考えていきます。

(1)

本文中の空欄穴埋め問題です。適切なコーヒーマシンの動作を答えます。

空欄a

〔コーヒーマシンの動作概要〕(5)で，利用者が確認ボタンにタッチした後の動作を考えます。空欄aの後には，「カップのサイズに応じた分量のコーヒーを抽出」とあり，抽出中にコーヒー排出口にアクセスすることは危険です。次の(6)に，「コーヒーの排出が終わると，ドアをロック解除し」とあるので，抽出の前にはドアをロックしていたと考えられます。したがって解答は，**ドアをロック**です。

(2)

タイマーに設定する初期値は幾つかを考えます。設問文に，「開閉センサーの出力を読み出す周期を，周波数32kHzのカウントダウンタイマー(以下，タイマーという)を用いて計っている」とあり，1秒間に32kHz(=32,000回)のカウントダウンを行います。表3のタスク名"ドア"に，「開閉センサーの出力を10ミリ秒周期で読み出し」とあるので，10ミリ秒でカウントダウンが0になるように設定します。初期値を求める式は，次のとおりです。

32×10^3［カウント／秒］$\times 10$［ミリ秒］ ／ 1000［ミリ秒／秒］$= 320$［カウント］

したがって解答は，**320**です。

設問2

　制御部のタスクについての問題です。カップ判定タスクの優先度の設定や，抽出タスクに必要なパラメータ，ドアタスクの通知タイミングについて考えていきます。

(1)

　カップ判定タスクが，メインタスク及びドアタスクよりも優先度を低くしている理由を，30字以内で答えます。

　〔コーヒーマシンの動作概要〕に，「カップ判定中に利用者がドアを開けた場合は，カップ判定を中止」とあります。カップ判定タスクがカップ判定を中止するためには，ドアタスクでドアが開いたことを検知したときに，その通知をメインタスクから受け取る必要があります。そのため，カップ判定タスクはメインタスク及びドアタスクよりも優先度を低くしておき，カップ判定中にドアが開けられたことを検出できるようにします。したがって解答は，**カップ判定中にドアが開けられたことを検出したいから**，です。

(2)

　メインタスクが抽出タスクに“抽出”を通知する際のパラメータとして，必要な情報を答えます。

　表1の構成要素名“抽出部”には，「制御部から指示された分量のコーヒーを抽出」とあり，制御部からコーヒーの分量をパラメータとして受け取る必要があります。したがって解答は，**コーヒーの分量**です。

(3)

　図3中で，ドアタスクがメインタスクに“ドア開”及び“ドア閉”を通知するタイミングを，それぞれ，ア～テの記号で答えていきます。

　〔ドアの開閉状態の判定仕様〕に，「制御部のソフトウェアは入力された値を10ミリ秒間隔で読み出し，4回連続で同じ値が読み出されたらドアの開閉状態を確定する」とあります。設問文には，「図3中の，アの時点でドアタスクが保持しているドアの開閉状態が開状態である」とあるので，出力1が開状態だと考えられます。出力が変化するのはウで出力が0になったときで，ウ，エ，オ，カと連続で4回0になるので，カの時点で“ドア閉”が通知されます。その後，ク，ケ，コでは出力0が続きます。続くサで1となりますが，その後のシで再度0になるので，連続状態はリセットされます。スで出力が1になり，その後セ，ソ，タと連続で4回1が続くので，タの時点で“ドア開”が通知されます。

　したがって，ドア開を通知するタイミングは**タ**で，ドア閉を通知するタイミングは**カ**です。

設問3

　図4に示すメインタスクの状態遷移についての問題です。ドアタスクに通知を行うときのメッセージや，中止待ち状態から送られるメッセージについて考えていきます。

(1)

　メインタスクがドアタスクに通知を行うのは，何のメッセージを受けたときかを，図4中のメッセージ名ですべて答えていきます。

表3のタスク名"ドア"に,「メインタスクから"ロック"又は"ロック解除"を受けると,ロック機構を操作して,ドアをロック又はロック解除する」とあります。つまり,メインタスクでは,"ロック"又は"ロック解除"をドアタスクに送ります。〔コーヒーマシンの動作概要〕(5)で,空欄aでも考えたとおり,利用者が確認ボタンにタッチすると,ドアをロックします。この状態は,図4では"確認待ち"状態から"確認"メッセージを受け取って"抽出中"状態に移行する部分だと考えられます。そのため,"確認"メッセージを受け取ったときに,ドアタスクに"ロック"を通知すると考えられます。

続いて,〔コーヒーマシンの動作概要〕(6)で,「コーヒーの排出が終わると,ドアをロック解除し」とあります。この状態は,図4では"抽出中"状態から"抽出完了"メッセージを受け取って"引取り待ち"状態に移行する部分だと考えられます。そのため,"抽出完了"メッセージを受け取ったときに,ドアタスクに"ロック解除"を通知すると考えられます。

したがって解答は,**"確認"**,**"抽出完了"**です。

(2)

図4中の空欄穴埋め問題です。メインタスクの状態遷移について,適切なメッセージ名を,表3中の字句で答えます。

空欄b

"中止待ち"状態から"ドア開"状態に遷移するときの,"中止完了"メッセージ以外のメッセージを考えます。

"カップ判定"状態から"ドア開"メッセージを受け取ると,"中止待ち"状態になります。表3のタスク名"カップ判定"に,「カップ判定中にメインタスクから"中止"を受けると,5ミリ秒以内にカップ判定を中止して"中止完了"をメインタスクに通知する」とあり,判定を中止すると"中止完了"メッセージを送ります。しかし,続いて「カップ判定中以外で"中止"を受けたときは無視する」とあります。同じタスク名"カップ判定"に,「メインタスクから"判定"を受けると,カメラで複数回撮影を行い,得られた画像データを用いてカップ判定を行った後,結果を"判定結果"でメインタスクに通知する」とあります。中止する前にカップ判定が終了し,"判定結果"が送られた場合には,"中止完了"ではなく"判定結果"のメッセージがメインタスクに通知されることになります。したがって解答は,**判定結果**です。

問8　　　　　　　　　　　　　　　　　　　　　　　ダッシュボードの設計

≪出題趣旨≫

アプリケーションの設計を行う際,デザインパターンを参考にすることで,効率よく妥当な設計ができることが多い。また,デザインパターンに沿った設計を行うことで,アプリケーションの設計思想を他者と共有しやすくなる利点もある。

本問では,販売情報をリアルタイムに可視化するダッシュボードの設計を題材として,デザインパターンの一つであるObserverパターンを参考にしたクラス設計に関する理解と応用力を問う。

≪解答例≫

設問1　a　継承

設問2　b　0..*

　　　　c　△

設問3　販売実績 Subject，販売明細 Subject

設問4　d　抽象　　　　　　　e　棒グラフ View

設問5　引数に絞込条件クラスのオブジェクトを追加する。　(23字)

設問6　f　複数のSubjectオブジェクトに登録される　(22字)

≪採点講評≫

　問8では，販売情報をリアルタイムに可視化するダッシュボードの設計を題材に，デザインパターンの一つであるObserverパターンを参考にしたクラス設計について出題した。全体として正答率は平均的であった。

　設問4のdは，正答率が平均的であった。オブジェクト指向のクラス設計において，抽象化に関する概念は非常に重要なので，関連した語句やUMLの表記法についても，よく理解しておいてほしい。

　設問5は，正答率が平均的であった。クラス間の関連の構造を変更するなど，メソッドの呼出しに関する仕様変更に留まらない解答が散見された。設問をよく読み，求められていることを理解した上で解答してほしい。

　設問6は，正答率が低かった。クラスからオブジェクトを作成して利用する際の，オブジェクト同士の関係や，関連したオブジェクト間におけるメソッドの呼出しの流れについて，具体的にイメージする能力を身につけてほしい。

≪解説≫

　ダッシュボードの設計に関する問題です。この問では，販売情報をリアルタイムに可視化するダッシュボードの設計を題材として，デザインパターンの一つであるObserverパターンを参考にしたクラス設計に関する理解と応用力を問われています。

　オブジェクト指向設計やプログラミングについての理解が求められる問題です。Observerパターンを知らなくても解けますが，クラス図とデータモデルを合わせて理解することが求められます。

付録

設問1

　本文中の空欄穴埋め問題です。〔ダッシュボードのクラスの設計〕について，適切な字句を答えます。

空欄a

　空欄aは3か所あり，Viewクラス，Subjectクラスを使用して，クラスを作成する手法を考えます。

　最初の空欄aについて考えると，グラフに複数の種類があるときに，その種類ごとにViewクラスを継承して新たなクラスを作成すると，共通の属性やメソッドはViewクラスのものを利用できます。同様に，ダッシュボードで監視したい情報に関するテーブルが複数あるとき，それ

それについてSubjectクラスを継承したクラスを作成することができます。したがって解答は，**継承**です。

設問2

図3中の空欄穴埋め問題です。適切なクラス間の関係または多重度を答え，クラス図を完成させていきます。

空欄b

Subjectクラスに対するViewクラスの多重度について考えます。

〔ダッシュボードのクラスの設計〕に，「Subjectクラスは，データベースが更新されたことをViewクラスのオブジェクトに通知するクラスである」とあります。また，表2「主なクラスの説明」で，Subjectクラスに，「通知先は，addObserverメソッドで登録する。notifyObserversメソッドは，登録された全ての通知先のnotifyメソッドを呼び出す」とあります。この記述から，メソッドで登録される前には通知するViewクラスは0で，複数のViewクラスを制限なく登録できることが分かります。そのため，多重度は0..*となると考えられます。したがって解答は，**0..***です。

空欄c

Subjectクラスと販売実績Subject，在庫Subject，販売明細Subjectクラスの間の関連について考えます。

空欄cは2か所あり，Viewクラスと棒グラフView，円グラフView，折れ線グラフViewクラスの間の関連も同様です。空欄aで考えたとおり，棒グラフView，円グラフView，折れ線グラフViewは，グラフの種類ごとに作成した，Viewクラスを継承したクラスです。販売実績Subject，在庫Subject，販売明細Subjectクラスも，テーブルごとに作成した，Subjectクラスを継承したクラスとなります。したがって解答は，継承を示す記号である △ です。

設問3

本文中の下線①「関係するSubjectオブジェクト」について，関係するSubjectオブジェクトのクラス名を図3中から選びすべて答えていきます。

〔グラフの新規表示〕に，「"時間帯ごと商品分類ごとの売上金額"のグラフを新たに画面上に表示する場合を考える」とあります。図1のデータモデルより，時間帯ごとの売上を知るためには，"販売実績"テーブルで販売日時を利用する必要があります。しかし，販売実績だけでは商品分類が分からないので，"販売明細"テーブルで，店舗コード，販売コードに対応する商品コードを取得する必要があります。そのため，Subjectオブジェクトのうち，販売実績Subjectと，販売明細Subjectの両方が，グラフの作成には必要となります。したがって解答は，**販売実績Subject，販売明細Subject**です。

設問4

本文中の空欄穴埋め問題です。〔グラフの表示内容更新〕について，適切な字句を答えていきます。

空欄d

Viewクラスの画面表示更新メソッドの種類を答えます。図3のクラス図で，Viewクラスのメソッド「+*画面表示更新()*」は斜字体になっています。凡例に「斜字体は抽象を意味する」とあり，

このメソッドは抽象メソッドで，スーパークラスに内容をもたないメソッドだということが分かります。したがって解答は，**抽象**です。

空欄e

"時間帯ごと商品分類ごとの売上金額"の場合にメソッドを呼び出すクラスを考えます。

"時間帯ごと商品分類ごとの売上金額"の例では，〔グラフの新規表示〕に，「グラフの種類は棒グラフなので，棒グラフViewクラスのオブジェクトを作成する」とあります。そのため，作成されるのは棒グラフViewクラスのオブジェクトで，棒グラフViewで実装されたメソッド「＋画面表示更新( )」を呼び出すと考えられます。したがって解答は，**棒グラフView**です。

設問5

本文中の下線②「仕様を変更する」について，仕様変更の内容を30字以内で答えます。

Viewクラスのnotifyメソッドについては，図3のクラス図ではメソッド「＋notify( )」として定義されており，引数は特に設定されていません。〔データのフィルタリング〕に「Controllerクラスの属性に絞込条件クラスのオブジェクトを追加」「Viewオブジェクトが画面の表示を更新する際に，絞込条件のオブジェクトが引き渡されるようにする」という記述があり，notifyメソッドで受け渡す必要があります。具体的には，notifyメソッドの数に絞込条件クラスのオブジェクトを追加することで，絞込条件に対応して仕様を変更できます。したがって解答は，**引数に絞込条件クラスのオブジェクトを追加する**，です。

設問6

本文中の空欄穴埋め問題です。〔過負荷の回避〕について，適切な字句を，30字以内で答えます。

空欄f

1回の販売実績の登録で，表示の更新が複数回発生する事象について考えます。

一つのViewオブジェクトは，設問3などの例のように，複数のSubjectオブジェクトに更新を通知するように登録されます。そのため，1回の販売実績の登録で，表示の更新が複数回発生してしまうことになります。したがって解答は，**複数のSubjectオブジェクトに登録される**，です。

付録

> **問9**　　　　　　　　　　　　　　　**IoT活用プロジェクトのマネジメント**

≪出題趣旨≫

昨今，IoT機器及びネットワークの進化，並びにクラウドサービスの浸透によって，様々な場面でIoTシステムが活用されている。

本問では，いちご農家が栽培ハウスにIoT及びSaaSを導入して実現する農業DXのプロジェクトを題材として，PoCの実施に関する理解，プロジェクトの立ち上げ後のスコープクリープの理解及びプロジェクトの目的の実現に関する理解を問う。

≪解答例≫

設問1

(1) | 本 | サ | ー | ビ | ス | の | 実 | 現 | に | 不 | 確 | か | な | 要 | 素 | が | 多 | い | か | ら | （20字）

(2) a | 守 | 秘 | 契 | 約 | （4字）

設問2

(1) | 農 | 家 | が | ガ | イ | ド | 機 | 能 | を | 活 | 用 | で | き | る | よ | う | に | な | る | 支 | 援 | （21字）

(2) ※以下の中から一つを解答

・| K | セ | ン | サ | ー | の | 種 | 類 | を | 増 | や | す | と | デ | ー | タ | 連 | 携 | 機 | 能 | の | 開 | 発 | 規 | 模 | が | 増 | え | る | こ | と | （31字）

・| W | 社 | 側 | の | 作 | 業 | ス | コ | ー | プ | の | 変 | 更 | は | A | 社 | 側 | の | 作 | 業 | ス | コ | ー | プ | に | 影 | 響 | す | る | こ | と | （31字）

(3) b　コスト　　　　　c　スケジュール　　※順不同

(4) イ

(5) | い | ち | ご | を | 収 | 穫 | す | る | ま | で | 導 | 入 | 効 | 果 | を | 評 | 価 | で | き | な | い | か | ら | （23字）

≪採点講評≫

　問9では，いちご農家が栽培ハウスにIoT及びSaaSを導入して実現する農業DXのプロジェクトを題材に，PoCの実施，プロジェクトの立ち上げ後のスコープクリープの発生リスク及びプロジェクトの目的の実現について出題した。全体として正答率は平均的であった。

　設問2(2)は，正答率がやや高かった。本問のケースでは，W社側の作業スコープの追加を容易に許すと，関連するA社側の作業スコープも拡大してしまう。個々の要求が小さくても，スコープが拡大してスコープクリープが発生するリスクがあることを理解し，スコープ追加のルールなどを定めて適切に管理してほしい。

　設問2(3)は，正答率がやや低かった。プロジェクトの品質は，スケジュール，コスト，スコープの3要素から影響を受ける。プロジェクト途中でこれらの3要素に変更が発生した場合，品質を確保するために3要素を適切に調整してほしい。

≪解説≫

　IoT活用プロジェクトのマネジメントに関する問題です。この問では，いちご農家が栽培ハウスにIoT及びSaaSを導入して実現する農業DXのプロジェクトを題材として，PoCの実施に関する理解，プロジェクトの立ち上げ後のスコープクリープの理解及びプロジェクトの目的の実現に関する理解を問われています。

　スコープマネジメント，PoCを中心とした，プロジェクトマネジメントの基本については知っておく必要があり，一部難易度が高い問題も含まれています。全体的には，問題文にある内容を読み取ることが中心の，定番のプロジェクトマネジメント問題です。

設問1

〔概念実証の実施〕に関する問題です。PoCを実施する理由や，締結が必要な契約について考えていきます。

(1)

本文中の下線①「SaaS導入プロジェクトの立ち上げに先立って，概念実証 (Proof of Concept以下，PoCという) を実施することにした」について，B部長がSaaS導入プロジェクトの立ち上げに先立ってPoCを実施することにした理由を，25字以内で答えます。

〔SaaSを活用したIoTの効果向上〕に，「B部長は，本サービスの実現に不確かな要素は多いが，導入を試してみる価値が十分ある」という記述があります，B部長は，本サービスの実現に不確かな要素が多いため，PoCを実施して導入を試し，本サービスの導入につなげようと考えたと想定されます。したがって解答は，**本サービスの実現に不確かな要素が多いから**，です。

(2)

本文中の空欄穴埋め問題です。3者間で締結するものについて，適切な字句を，8字以内で答えます。

空欄a

〔概念実証の実施〕に，「P農業組合がいちご栽培の独自情報を開示すること，A社及びW社が製品の重要情報を開示すること」とあり，P農業組合，A社及びW社の3者は，独自情報や重要情報を開示します。これらの情報は，3者の競争優位性を確保する大切な情報であるため，守秘契約を結び，他者への漏えいを防ぐ必要があります。したがって解答は，**守秘契約**です。

設問2

〔SaaS導入プロジェクトの計画〕に関する問題です。Q組合長が期待する役割や，B課長が危惧したスコープクリークの原因，ベースラインの設定や検証内容，プロジェクト終了時点では真の評価ができない理由と，様々な視点でSaaS導入プロジェクトについて考えていきます。

(1)

本文中の下線②「R氏及びC氏と協議しながら分析パラメータの値を設定するよう指示した」について，Q組合長は，青年部の2名に本サービス開始後にどのような役割を期待して指示したのかを，25字以内で答えます。

〔SaaS導入プロジェクトの計画〕に，「P農業組合の青年部からいちご栽培の経験がある2名が，利用者であるいちご栽培農家の視点で参加することになった」とあり，青年部の2名はP農業組合に所属しており，本サービス開始後もいちご農家と関わっていくことになります。〔SaaSを活用したIoTの効果向上〕に，「P農業組合は，農家がガイド機能を活用できるようになる支援を行う」とあり，P農業組合の青年部の2名は，本サービス開始後に，農家がガイド機能を活用できるようになる支援を行う役割を期待されていると考えられます。したがって解答は，**農家がガイド機能を活用できるようになる支援**，です。

(2)

本文中の下線③「スコープクリープが発生するリスクがあると危惧した」について，B部長が危惧したスコープクリープを発生させる要因を，35字以内で答えます。スコープクリークとは，スコープの範囲が当初のプロジェクトの要件より広がってしまうことです。

〔概念実証の実施〕に，「Kセンサーの種類を増やすとデータ連携機能の開発規模が増え」とあり，Kセンサーの種類を増やすことで開発規模が増え，スコープが広がると考えられます。したがって解答は，**Kセンサーの種類を増やすとデータ連携機能の開発規模が増えること**，です。

また，〔SaaS導入プロジェクトの計画〕に，「W社側の作業スコープの変更はA社側の作業スコープに影響する」とあり，W社側の作業スコープが広がることで，A社側の作業スコープが広がることが考えられます。したがって，**W社側の作業スコープの変更はA社側の作業スコープに影響すること**，も解答となります。

(3)

本文中の空欄穴埋め問題です。スコープクリープが発生するリスクへの対応として適切な字句を，それぞれ8字以内で答えていきます。

空欄b，c

PMBOK第7版では，ベースラインは，「承認済みの作業プロダクト又は計画」とあります。実際のパフォーマンスは，ベースラインと比較され，差異が特定されます。ベースラインには，スコープ・ベースラインのほかにコスト・ベースラインやスケジュール・ベースラインがあり，コストやスケジュールについて測定していきます。したがって空欄b，cは，**コスト**，及び**スケジュール**となります（順不問）。

(4)

（ⅰ）のテストで着目する点に対応する検証内容として適切なものを，解答群の中から選び，記号で答えます。

〔SaaS導入プロジェクトの計画〕（ⅰ）は，「利用規模を想定して，IoT機器の接続やデータ連携に着目したテスト」です。利用規模を想定するため，考えられる最大台数のIoT機器及び装置をつなげた状態で，IoT機器の接続やデータ連携をテストする必要があります。したがって解答は，イの「最大台数のIoT機器及び装置をつなげた状態での動作の検証」です。

その他の選択肢も，本文中の（ⅰ）〜（ⅳ）の各テストで着目する点に1対1で対応する検証内容です。対応は，以下のとおりとなります。

ア　屋内屋外，温暖寒冷など様々な環境下での動作の検証は，（ⅲ）の「利用場所，利用シーンに着目したテスト」に対応する検証内容です。

ウ　同一ハウス内の無線を使った同一タイミングでの複数装置の動作の検証は，（ⅱ）「同一ハウス内で動作する複数の装置の競合に着目したテスト」に対応する検証内容です。

エ　無関係の外部者がシステムにアクセスできないことの検証は，データの機密性に対応するので，（ⅳ）「システムやデータの機密性，完全性，可用性に着目したテスト」に対応する検証内容です。

(5)

　本文中の下線④「B部長は，プロジェクトの完了時点では，プロジェクトの目的の実現に対する真の評価はできないと考えた」について，B部長が真の評価はできないと考えた理由を，30字以内で答えます。

　〔SaaSを活用したIoTの効果向上〕に，「B部長は，プロジェクトの目的を"農家が，本サービスを使っていちご栽培を改善し，より良い収穫を実現すること"にした」とあります。プロジェクトの目的を真に評価するには，いちご栽培でより良い収穫を実現したかどうかを確認する必要があります。しかし，プロジェクトの完了は，続く文章に「SaaS導入プロジェクトが完了して本サービスが開始される」とあり，SaaS導入が完了した時点でプロジェクトは終わります。収穫はSaaSを導入し，いちごが栽培された後で行われるので，**いちごを収穫するまで導入効果を評価できない**ことになります。したがって解答は，**いちごを収穫するまで導入効果を評価できないから**，です。

問10　　　　　　　　　　　　　　　テレワーク環境下のサービスマネジメント

≪出題趣旨≫

> 　近年の社会情勢の変化でテレワークが多くの企業で浸透しつつある中，テレワーク環境ゆえの問題が発生している。
> 　本問では，テレワーク環境下での新たなサービスの導入を題材として，サービスデスクの在り方や確実な展開管理の方式など，サービスマネジメントの実務能力を問う。

≪解答例≫

設問1　a　イ
設問2
　(1)　b　※以下の中から一つを解答
　　　・収束した状態になる（9字）
　　　・サービスデスクだけでできる（13字）
　　　・定常状態に落ち着く（9字）
　(2)　営業員による問合せ先の判断が不要になること（21字）
　(3)　c　※以下の中から一つを解答
　　　・初期サポート内容の引継ぎが完了している（19字）
　　　・初期サポート窓口での対応内容の確認が完了している（24字）
　(4)　**問題**　電話によるサポートは時間が掛かること（18字）
　　　解決方法　3
設問3　OSパッチの適用のタイミングをコントロールできるから（26字）

≪採点講評≫

　問10では，テレワーク環境下での新たなサービスの導入を題材に，サービスデスクの在り方や確実な展開管理の実施方法に関する基本的な知識や考え方について出題した。全体として正答率は平均的であった。

　設問2(3)は，正答率が低かった。サービスデスクは，初期サポートをしている開発課からサービスデスク業務に必要な内容について，十分な引継ぎを受けることが重要であることを理解してほしい。

　設問3は，正答率がやや低かった。設問では，"展開管理の視点から"OSパッチの適用に関して必要な対策を本文から読み取ることを期待したが，統合管理ツールの機能についてだけ言及した解答が散見された。サービスマネジメントにおける展開管理の意味について理解を深めてほしい。

≪解説≫

　テレワーク環境下のサービスマネジメントに関する問題です。この問では，テレワーク環境下での新たなサービスの導入を題材として，サービスデスクの在り方や確実な展開管理の方式など，サービスマネジメントの実務能力を問われています。

　サービスマネジメントでは引継ぎが必要であることなど，実務的な内容が問われている設問があります。また，エスカレーションや展開管理，サービスデスクなど，サービスマネジメントの用語に関しても知識が必要です。具体的なサービスマネジメントの内容については問題文に記述があるので，しっかり読み込むことが大切です。

設問1

　本文中の空欄穴埋め問題です。〔社内IT環境とサービスマネジメントの概要〕について，適切な字句を解答群の中から選び，記号で答えます。

空欄a

　サービスデスクだけでインシデントをタイムリーに解決できない場合に，開発課に対して行うことを考えます。

　問題や課題を解決できない場合に，上位の担当者や管理者に報告し，対応を引き継ぐプロセスのことをエスカレーションといいます。したがって解答は，イのエスカレーションです。

　その他の選択肢については，次のとおりです。

ア　アセスメントは，サービスの現状を評価し，改善点やリスクを特定するプロセスです。

ウ　ガバナンスは，サービスが企業の目標や規制に沿って運営されるよう管理・監視する枠組みです。

エ　コミットメントは，サービス提供者が定めたサービスレベルや目標達成に向けて全力で取り組む意思と責任です。

設問2

　〔テレワーク環境の運用の準備〕に関する問題です。テレワーク環境の運用で，利用開始直後から安定稼働になる条件や追加条件，SPOCによるメリット，テレワークでのサービスデスクの問題とその解決方法について考えていきます。

(1)

本文中の空欄穴埋め問題です。テレワーク環境の安定稼働について，適切な内容を，15字以内で答えます。

空欄b

テレワーク環境の安定稼働の条件となる，インシデントの対応に関する内容を考えます。

〔テレワーク環境の運用の準備〕に，「テレワーク環境の利用開始直後は，営業員から問合せが多発することやインシデントの発生が想定された」とあり，テレワーク環境の利用開始直後は，インシデントの発生が多くなると想定されています。続いて「テレワーク環境の利用開始から安定稼働になるまでの間は，開発課による初期サポートが必要」とあり，開発課のサポートは安定稼働になるまでの間です。利用開始から安定稼働になったと判断するときには，インシデントの対応が収束した状態になり，定常状態に落ち着くことが想定されます。したがって解答は，**収束した状態になる**，または，**定常状態に落ち着く**，です。

また，「初期サポート窓口を開発課に設ける」という記述もあり，テレワーク環境については開発課で対応します。この問合せが収束すると，インシデントの対応はサービスデスクだけでできるようになります。したがって，**サービスデスクだけでできる**，も正解です。

(2)

本文中の下線①「SPOCを実現」とすることの，営業員にとってのメリットを25字以内で答えます。

〔テレワーク環境の運用の準備〕に，「開発課による初期サポートの実施中は，問合せ先及びインシデントの連絡先を営業員自身が判断し，テレワーク環境については初期サポート窓口に，その他についてはサービスデスクに対応を依頼する」とあります。初期サポート実施中は，問合せ先及びインシデントの連絡先を営業員自身が判断する必要があります。SPOCを実現すると，このような営業員による問合せの判断が不要になります。したがって解答は，**営業員による問合せ先の判断が不要になること**，です。

(3)

本文中の空欄穴埋め問題です。初期サポートの終了基準について，適切な内容を，25字以内で答えます。

空欄c

テレワーク環境の問合せ対応に関して，初期サポートが終了するまでに開発課との間で行うことを考えます。

初期サポートが終了し収束しても，テレワーク環境の問合せ対応はなくなりません。開発部で対応していた初期サポート内容は，サービスデスクで確認し，引継ぎを行う必要があります。開発課では，初期サポートが終了するまでに，初期サポート内容の引継ぎが完了している必要があります。また，初期サポート窓口で行われた対応内容は，引継ぎのためにサービスデスクで確認を行い，初期サポート終了までに完了させておく必要があります。したがって解答は，**初期サポート内容の引継ぎが完了している**，または，**初期サポート窓口での対応内容の確認が完了している**，です。

付録

(4)

本文中の下線②「現在，サービスデスクで行っているサポートの問題を解決する」の問題と解決方法を答えていきます。

問題

〔社内IT環境とサービスマネジメントの概要〕に，「サービスデスクでは，電話でのサポートは時間が掛かるという問題を抱えている」とあります。テレワーク環境では電話によるサポートが増えるため，この問題は解決する必要があります。したがって解答は，**電話によるサポートは時間が掛かること**，です。

解決方法

問題の解決方法について，表1中の機能に対応する項番の数字を答えます。

電話によるサポートでは，対面と比べて直接画面を操作することができないという欠点があります。表1の項番3 "リモート操作" を利用すると，社内デバイスをリモートで操作することができ，サポートに掛かる時間を軽減することが可能となります。したがって解答は，**3**です。

設問3

本文中の下線③「パッチ適用機能の使用を開始する」について，運用課が下線③の対策を採る理由を，展開管理の視点から30字以内で答えます。展開管理とは，新しいシステムやソフトウェアを本番環境に安全かつ効率的に導入するためのプロセスです。

〔テレワーク環境の運用の準備〕に「現在実施しているOSパッチの手動適用では，従業員がOSパッチの適用のタイミングをコントロールできてしまう」とあり，運用課が完全にコントロールできません。パッチ適用機能を展開管理に使用すると，運用課が適切なタイミングでOSパッチの適用を行うようにコントロールできます。したがって解答は，**OSパッチの適用のタイミングをコントロールできるから**，です。

問11　　　　　　　　　　　　　　　　　　　　　　支払管理システムの監査

≪出題趣旨≫

業務システムを効率よく導入するに当たり，機能別に最適な業務パッケージを組み合わせて，システムを構築することが増えている。この場合，業務パッケージ間の連携，パッケージ標準機能とこれを補完する手作業を組み合わせる必要がある。

本問では，業務パッケージである支払管理システムを題材にして，業務パッケージ機能だけでなく，手作業を含めたコントロールの妥当性及びデータの一貫性におけるシステム監査の基本的な理解を問う。

≪解答例≫

設問1　a　| 業 | 務 | パ | ッ | ケ | ー | ジ | 選 | 定 |　(9字)

　　　　b　| リ | ス | ク | 委 | 員 | 会 | の | 承 | 認 |　(9字)

　　　　c　| 保 | 留 | フ | ァ | イ | ル |　(5字)

　　　　d　| 一 | 定 | 額 | を | 超 | 過 | す | る | 場 | 合 |　(10字)

設問2　e　| 証 | ひ | ょ | う | 類 | に | 不 | 備 | が | な | い | か | の | チ | ェ | ッ | ク |　(17字)

設問3　f　3

設問4　g　| 調 | 達 | 用 | 支 | 払 | 先 |　(6字)

　　　　h　| 減 | 額 | の | 支 | 払 | 申 | 請 | 入 | 力 |　(9字)

≪採点講評≫

　　問11では，支払管理システムを題材に，パッケージ標準機能とこれを補完する手作業の組み合わせによるコントロールの妥当性及びデータの一貫性に関する監査手続について出題した。全体として正答率は平均的であった。

　　設問1のa及びbは，正答率がやや低かった。会社の規程類に適合しない業務パッケージの標準機能を採用するリスクを踏まえて，承認の適切な時期及び手続を解答してほしい。

　　設問4のgは，正答率がやや低かった。調達実績データからの支払予定データ作成について，表1項番3の監査手続を踏まえて，差異が発生するその他の原因を読み取ってほしい。

≪解説≫

　　支払管理システムの監査に関する問題です。この問では，業務パッケージである支払管理システムを題材にして，業務パッケージ機能だけでなく，手作業を含めたコントロールの妥当性及びデータの一貫性におけるシステム監査の基本的な理解が問われています。

　　業務パッケージを利用したシステム開発について，一連の流れを理解するための開発工程の基礎は知っておく必要があります。特に，手作業を含めた場合のコントロールについて，問題文を丁寧に読み込んで正確に把握する必要がある問題です。

付録

設問1

　　〔監査手続の作成〕(1)　～　(3)に関する空欄穴埋め問題です。それぞれの項番で追加する監査手続について，適切な字句をそれぞれ10字以内で答えていきます。

　空欄a，b

　　表1項番2の監査手続に追加する手続を考えます。

　　〔支払管理システムの運用の概要〕(1)に，「業務パッケージのパスワードポリシーの一部には，規程類に適合するようにパスワードポリシーを適用できない箇所があった」とあります。そのため，表1項番2の監査要点"利用者IDのパスワードは，適切に設定される"で，不備が発見される可能性が高いと考えられます。

　　規程類に関しては，〔支払管理システム及び関連システムの概要〕(1)に，「V社では，規程類に適合しない機能を採用する場合は，対応策を含めて，リスク委員会の承認を受ける必要があ

る」という記述があります。そのため，本来は業務パッケージを選定する段階で，規程類に適合しない機能があることを認識し，リスク委員会の承認を受ける必要があります。そのため，追加手続として，業務パッケージ選定段階でリスク委員会の承認が行われていたかどうかを確認します。したがって，空欄aは**業務パッケージ選定**，空欄bは**リスク委員会の承認**です。

空欄c

表1項番3の監査手続に追加する手続を考えます。

表1項番3の監査要点に“支払予定データは，調達実績データによって適切に作成される”とあり，監査手続で支払先マスターと調達実績データについて確認する予定です。調達実績データに関連するプロセスについては，〔支払管理システムの運用の概要〕(2)⑤に，「エラーではないが支払先マスターに調達用支払先が未登録などの場合は，保留ファイルに格納される」とあり，途中で保留ファイルが使われています。続いて「経理部は保留ファイルに対し，支払先マスター登録などの対応後に保留ファイルの更新処理を実行する一連の作業を行う」とあり，経理部での対応が終わる前の調達実績データは，保留ファイルに残っていると考えられます。そのため，保留ファイルに対する作業についても，監査手続に追加する必要があります。したがって解答は，**保留ファイル**です。

空欄d

表1項番4の監査手続に追加する手続を考えます。

表1項番4の監査要点に“経費精算などの支払予定データは，適切に承認される”とあり，監査手続では承認権限と，未承認で残っているデータについて確認する予定です。承認に関連するプロセスについては，〔支払管理システムの運用の概要〕(2)②に，「支払規程によると，支払金額が一定額を超過する場合には，事業本部長の承認及び担当役員の承認が必要になる」とあり，一定額を超過する場合には，複数人の承認が必要です。続いて，「支払管理システムには，一つの申請に対し複数の承認者を設定する機能がないので，承認入力後に承認者から必要な上位者に経理部宛のCCを含む電子メールで承認を受ける手続としている」とあり，一定額を超過する場合には，電子メールでの承認の確認も行う必要があります。したがって解答は，**一定額を超過する場合**です。

設問2

〔監査手続の作成〕(4)に関する空欄穴埋め問題です。どのような作業を監査手続に追加するかについて，適切な字句を20字以内で答えます。

空欄e

表1項番5に追加する監査手続について，振込データ作成前に完了すべき経理部に関する内容を考えます。

表1項番5の監査要点“振込データは，適切に作成される”には，経理部は振込データの作成範囲に漏れがないことをチェックしているかを確かめる監査手続があります。

〔支払管理システムの運用の概要〕(2)③に，「経理部は，支払予定データについて一定額超過の承認メールを含む証ひょう類に不備がないかチェックする」とあります。そのため，経理部は作成範囲に漏れがないかどうかを確認するだけでなく，証ひょう類に不備がないかチェックする必要があります。したがって解答は，**証ひょう類に不備がないかのチェック**です。

設問3

〔監査手続の作成〕(5)に関する空欄穴埋め問題です。昨年度のシステム監査での発見事項に関連する,最も適切な監査要点を表1の中から選び,表1の項番で答えます。

空欄f

　昨年度のシステム監査での発見事項については,〔支払管理システム及び関連システムの概要〕(5)に,「昨年実施された調達管理システムの監査では,取引先別の調達実績データの合計額が支払管理システムの支払予定データの合計額と一致していないことが発見された」とあります。調達実績データについては,表1の項番3の監査要点"支払予定データは,調達実績データによって適切に作成される"の監査手続で確かめます。したがって解答は,**3**です。

設問4

〔監査手続の作成〕(5)①,②に関する空欄穴埋め問題です。差異が発生する可能性がある二つの事象について,適切な字句をそれぞれ10字以内で答えていきます。

空欄g

　調達管理システムと異なる支払申請入力については,〔支払管理システムの運用の概要〕(2)④に,「調達用支払先は,調達管理システムに関する支払業務以外では利用しない」とあります。調達管理システムと異なる支払申請入力に,間違って調達用支払先を利用してしまうと,調達用支払先での支払管理システムの支払予定データの合計額が,本来の額より多くなってしまいます。したがって解答は,**調達用支払先**です。

空欄h

　支払遅延防止として追加の支払申請をした後に行うことは,〔支払管理システムの運用の概要〕(2)⑥に,「次回の取込処理までに重複防止のための減額の支払申請入力が必要となる」とあります。減額の支払申請入力を行わなかった場合,支払申請が重複して入力されることになり,合計額が多くなります。したがって解答は,**減額の支払申請入力**です。

付録

■著者

瀬戸 美月（せと みづき）

株式会社わくわくスタディワールド代表取締役

「わくわくする学び」をテーマに，企業研修やオープンセミナーなどで，単なる試験対策にとどまらない学びを提供中。また，情報処理技術者試験を中心としたIT系ブログ「わく☆すたブログ」や，ITの全般的な知識を学ぶサイト「わくわくアカデミー」など，様々なサイトを運営。

独立系ソフトウェア開発会社，IT系ベンチャー企業でシステム開発，Webサービス立ち上げなどに従事した後独立。企業研修やセミナー，勉強会などで，数多くの受験生を20年以上指導。

保有資格は，情報処理技術者試験全区分，狩猟免許（わな猟），データサイエンス数学ストラテジスト（中級☆☆☆），統計検定データサイエンス発展，データサイエンティスト検定（リテラシーレベル），Python 3 エンジニア認定データ分析試験，他多数。

著書は，『徹底攻略 情報セキュリティマネジメント教科書』『徹底攻略 基本情報技術者教科書』『徹底攻略 ネットワークスペシャリスト教科書』『徹底攻略 データベーススペシャリスト教科書』『徹底攻略 情報処理安全確保支援士教科書』『徹底攻略 基本情報技術者の午後対策 Python編』『徹底攻略 基本情報技術者の科目B実践対策 ［プログラミング・アルゴリズム・情報セキュリティ］』（以上，インプレス），『新 読む講義シリーズ 8 システムの構成と方式』（アイテック）他多数。

わく☆すたAI

わくわくスタディワールド社内で開発されたAI（人工知能）。
情報処理技術者試験の問題を中心に，現在いろいろなことを学習中。今回は，自然言語処理などのデータサイエンスの知見を利用し，出題傾向の分析，試験問題の分類を中心に活躍。内部でGPT-4も利用。
近い将来，参考書を自分で全部書けるようになることを目標に，日々学習中。

ホームページ：https://wakuwakustudyworld.co.jp

STAFF

編集	水橋明美（株式会社ソキウス・ジャパン）
	小田麻矢
校正協力	馬場光一
本文デザイン	株式会社トップスタジオ
表紙デザイン	小口翔平+村上佑佳（tobufune）
表紙制作	鈴木 薫
編集長	片元 諭

本書のご感想をぜひお寄せください

https://book.impress.co.jp/books/1124101057

読者登録サービス
CLUB impress

アンケート回答者の中から、抽選で図書カード（1,000円分）などを毎月プレゼント。
当選者の発表は賞品の発送をもって代えさせていただきます。
※プレゼントの賞品は変更になる場合があります。

■商品に関する問い合わせ先

このたびは弊社商品をご購入いただきありがとうございます。本書の内容などに関するお問い合わせは、下記のURLまたは二次元バーコードにある問い合わせフォームからお送りください。

https://book.impress.co.jp/info/

上記フォームがご利用いただけない場合のメールでの問い合わせ先
info@impress.co.jp

※お問い合わせの際は、書名、ISBN、お名前、お電話番号、メールアドレス に加えて、「該当するページ」と「具体的なご質問内容」「お使いの動作環境」を必ずご明記ください。なお、本書の範囲を超えるご質問にはお答えできないのでご了承ください。

●電話やFAX でのご質問には対応しておりません。また、封書でのお問い合わせは回答までに日数をいただく場合があります。あらかじめご了承ください。
●インプレスブックスの本書情報ページ https://book.impress.co.jp/books/1124101057 では、本書のサポート情報や正誤表・訂正情報などを提供しています。あわせてご確認ください。
●本書の奥付に記載されている初版発行日から1 年が経過した場合、もしくは本書で紹介している製品やサービスについて提供会社によるサポートが終了した場合はご質問にお答えできない場合があります。

■落丁・乱丁本などの問い合わせ先
FAX　03-6837-5023
service@impress.co.jp
※古書店で購入された商品はお取り替えできません。

徹底攻略 応用情報技術者教科書
令和7年度

2024年11月1日　初版発行

著　者　株式会社わくわくスタディワールド　瀬戸美月
発行人　高橋隆志
編集人　藤井貴志
発行所　株式会社インプレス
　　　　〒101-0051　東京都千代田区神田神保町一丁目105番地
　　　　ホームページ　https://book.impress.co.jp/

印刷所　日経印刷株式会社

ISBN978-4-295-02039-4　C3055
Printed in Japan